VIENS VOIR!

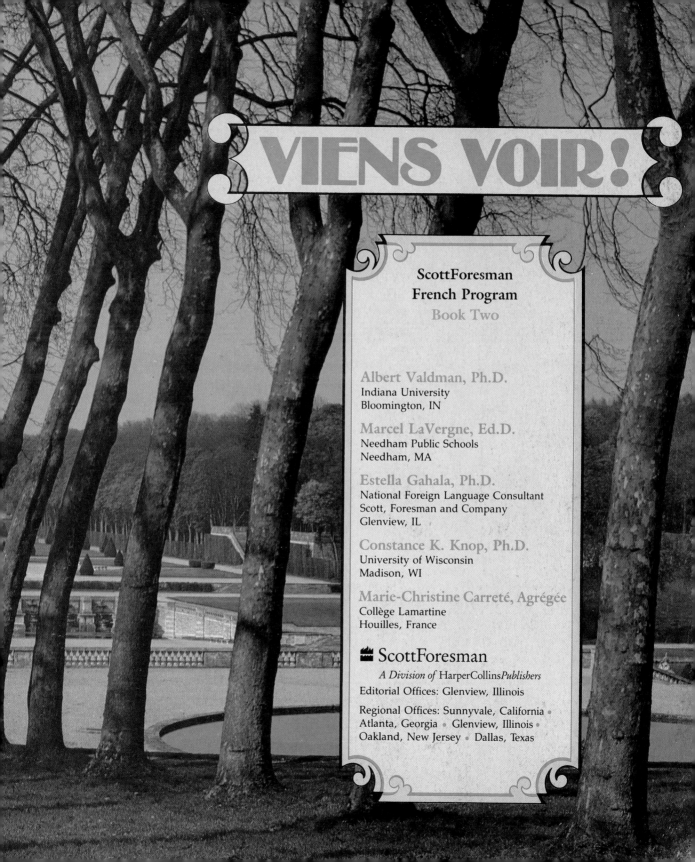

VIENS VOIR!

ScottForesman
French Program

Book Two

Albert Valdman, Ph.D.
Indiana University
Bloomington, IN

Marcel LaVergne, Ed.D.
Needham Public Schools
Needham, MA

Estella Gahala, Ph.D.
National Foreign Language Consultant
Scott, Foresman and Company
Glenview, IL

Constance K. Knop, Ph.D.
University of Wisconsin
Madison, WI

Marie-Christine Carreté, Agrégée
Collège Lamartine
Houilles, France

ScottForesman

A Division of HarperCollins*Publishers*

Editorial Offices: Glenview, Illinois

Regional Offices: Sunnyvale, California •
Atlanta, Georgia • Glenview, Illinois •
Oakland, New Jersey • Dallas, Texas

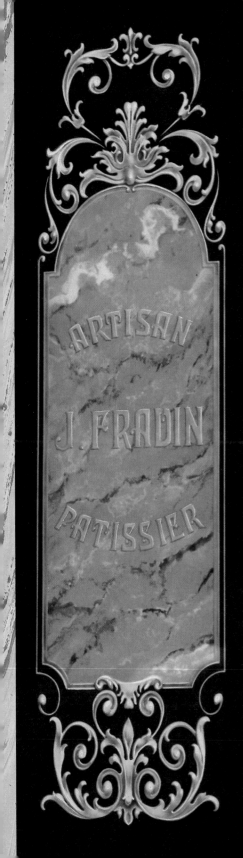

ISBN: 0-673-21628-4

Copyright © 1993, 1990
Scott, Foresman and Company, Glenview, Illinois
All Rights Reserved.   Printed in the United States of America.

45678-RRC-999897969594

Cover: David & Linda Phillips.
Detail, gateway to the Cour d'honneur, Versailles. Phedon Salou/Shostal.
Acknowledgments for illustrations appear on p. 590. The acknowledgments
section should be considered an extension of the copyright page.

Albert Valdman is Rudy Professor of French and Italian and Linguistics at Indiana University. Dr. Valdman is an internationally recognized linguist and author who is currently president of the International Association for Applied Linguistics and is editor of Studies in Second Language Acquisition. He is a leading scholar in the fields of applied linguistics, foreign-language methodology, and creole languages. He regularly serves as visiting professor at the Université de Nice and has received the *Ordre des palmes académiques* from the French government.

Marcel LaVergne is Director of Foreign Languages and English as a Second Language in the Needham (MA) Public Schools. He received his doctorate in foreign language education from Boston University. Dr. LaVergne is a Franco-American whose grandparents emigrated from Québec. A practicing classroom teacher, he is continually trying out new approaches to teaching language and to developing listening skills.

Estella Gahala is National Foreign Language Consultant for Scott, Foresman and Company. Dr. Gahala, formerly Foreign Language Department Chairperson and the Director of Curriculum and Instruction for Lyons Township (IL) High School, has received the *Ordre des palmes académiques* from the French government for her contribution to French education in the U.S. She spends most of her time talking with classroom teachers around the country.

Constance Knop is Professor of Curriculum and Instruction and Professor of French at the University of Wisconsin, Madison. Dr. Knop has gained national prominence as a foreign language educator through leadership roles in the American Association of Teachers of French (AATF) and the American Council on the Teaching of Foreign Languages (ACTFL), editorial roles on *The French Review* and *The Modern Language Journal*, and authorship of a college-level French text.

Marie-Christine Carreté is a teacher of English and a teacher trainer at the Collège Lamartine in Houilles, France. She received her B.A. in English from the University of California, Berkeley, and her *maîtrise* and *agrégation* from the Université de Paris. Her daily work with French young people allows her to bring an unusual level of authenticity and insight to her writing.

 The authors and editors would like to express their heartfelt thanks to the following team of reader consultants. Chapter by chapter, each offered suggestions and provided encouragement. Their contribution has been invaluable.

Reader Consultants

Barbara Berry, Ph.D.
Foreign Language Dept. Chairperson
Ypsilanti High School
Ypsilanti, MI

Pearl Bennett Chiari
Foreign Language Dept. Chairperson
North Miami Beach Senior High
North Miami Beach, FL

Deborah Corkey
Foreign Language Specialist
Fairfax County Public Schools
Fairfax, VA

Diane D. Davison
George Washington High School
Denver Public Schools
Denver, CO

David Hardy
Newman Smith High School
Carrollton, TX

Jaquelyn Kaplan
Shenendehowa Central Schools
Clifton Park, NY

Maera Kobeck
Foreign Language Supervisor
Memphis City Schools
Memphis, TN

Amanda LaFleur
Comeaux High School
Lafayette, LA

Mary de Lopez
Modern and Classical Languages
   Dept. Chairperson
La Cueva High School
Albuquerque, NM

Carl McCollum
Spoon River Valley Schools
London Mills, IL

Judith Redenbaugh
Foreign Language Dept. Chairperson
Costa Mesa High School
Costa Mesa, CA

Alvaro M. Rodriguez
Robert E. Lee High School
Houston, TX

Maria Gioia Sordi
Foreign Language Dept. Chairperson
Archbishop Carroll High School
Radnor, PA

Jean Teel
Foreign Language Instructional
   Specialist
Shawnee Mission Public Schools
Shawnee Mission, KS

Patricia Warner
North Medford High School
Medford, OR

CHAPITRE 2

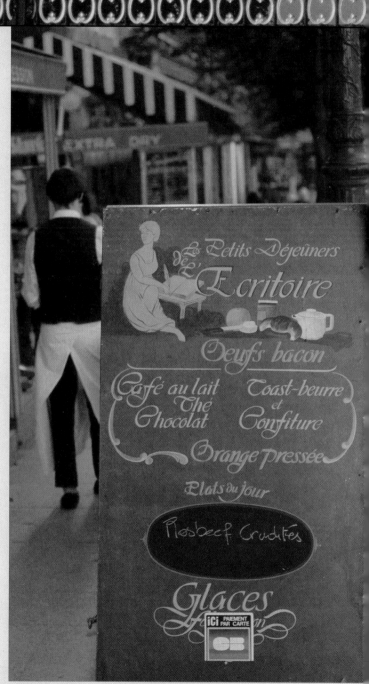

CHAPITRE 3

CHAPITRE 6

CHAPITRE 7

CHAPITRE 8

CHAPITRE 9

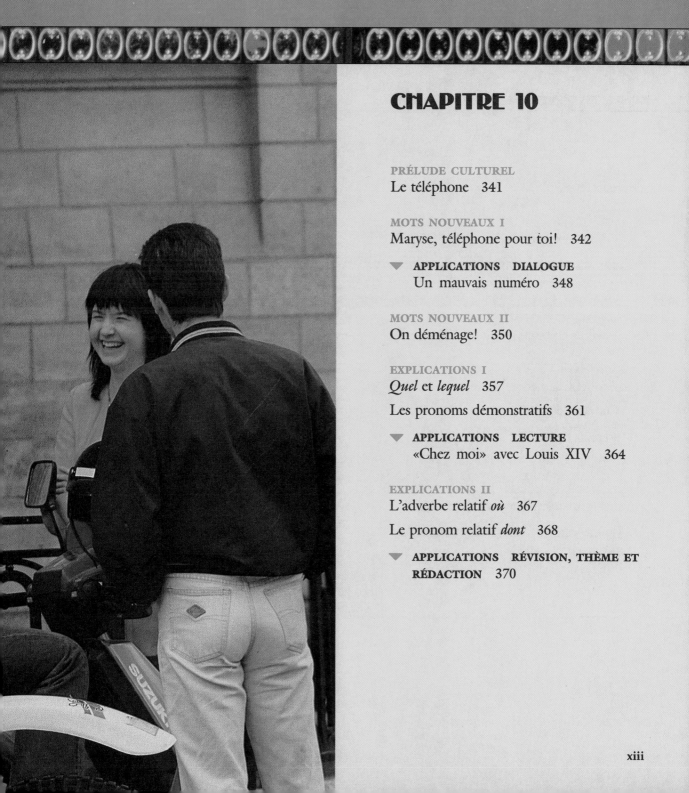

CHAPITRE 10

CHAPITRE 11

CHAPITRE 12

CHAPITRE 13

Henri Matisse. ICARUS, plate 8 from *Jazz*. Paris, Tériade, 1947.
Pochoir, printed in color, composition: $16\frac{1}{4}$ x $10\frac{3}{4}$".
Collection, The Museum of Modern Art, New York. The Louis E. Stern Collection.

CHAPITRE 14

CHAPITRE 15

REPRISE

A   La matinée de Sara et de David.   Le matin chez les Leclerc.

1. Où est la famille Leclerc, dans la salle à manger ou dans la cuisine?
2. Est-ce que Mme Leclerc arrive ou est-ce qu'elle part?
3. Qu'est-ce que Sara préfère le matin, le café ou le jus d'orange?
4. Est-ce que le chat mange ou est-ce qu'il dort?
5. Quels devoirs fait David, ses devoirs d'histoire ou ses devoirs d'algèbre?
6. Qu'est-ce que Sara mange, une pomme ou un croissant?
7. Que porte Sara, une jupe ou un jean?
8. Combien de personnes sont dans la cuisine, quatre ou cinq?

B   Au lycée.   Que font les élèves?

1. Où sont les élèves, dans la cantine ou dans la salle de documentation?
2. A quoi joue Denis, aux cartes ou aux échecs?
3. Avec qui est-ce que Julie joue aux échecs, avec Denis ou avec David?
4. Que cherche Sara, un livre ou un cahier?
5. Qu'est-ce qu'Annie regarde, une affiche ou un film?
6. Qui prépare ses leçons, David ou Julie?
7. Qui dit «Silence!», M. Lesage ou Mme Lebeau?
8. Quelle heure est-il, dix heures moins le quart du matin ou dix heures moins le quart du soir?

C Vrai ou faux? Est-ce que ces phrases sont vraies? Répondez selon le modèle.

> Toi, tu comprends l'espagnol.
> *Oui, je comprends l'espagnol.*
> OU: *Non, je ne comprends pas l'espagnol.*

1. Toi, tu prends cinq tasses de café pour le petit déjeuner.
2. Ta grand-mère aime jouer au football américain.
3. Tes parents te donnent trop d'argent de poche.
4. Tes grands-parents habitent loin de chez vous.
5. Tes camarades de classe vont au lycée le samedi.
6. Tu pars en France la semaine prochaine.
7. Tes copains aiment beaucoup jouer au tennis.
8. Les enfants aiment faire la vaisselle.

Ils attendent le bus.

D Qu'est-ce que les copains portent aujourd'hui? Christiane et ses amis attendent le bus. Décrivez leurs vêtements.

1. Alexandre   2. Marie-Paule   4. Elisabeth

Christiane   3. Vincent

Christiane porte une robe bleue
et des chaussures noires.

Parlons de toi.

1. Qu'est-ce que tu aimes porter pour aller au lycée? Et tes camarades, qu'est-ce qu'ils portent d'habitude?
2. Qu'est-ce que tu portes quand il fait chaud? quand il pleut? Et aujourd'hui?

Le tonus des couleurs c'est Mir Couleurs.

MiR COULEURS
avec protecteur de couleurs
lavez sans déla...

Mir Couleurs, le spécialiste de la couleur. Une formule efficace, étudiée pour laver vos vêtements de couleurs ou délicats en machine de 30 °C à 60 °C.
Une formule avec un agent protecteur de couleurs exclusif, garantie sans aucun agent blanchissant.
Mir Couleurs, les couleurs sont en pleine forme!

LAVEZ SANS DÉLAVER AVEC MIR COULEURS.

E Vous avez l'heure? Avec un(e) camarade, jouez le rôle du client et de la vendeuse. Répondez d'après les images.

F Le premier jour de classes.   Dites ce que font les élèves et à quelle heure.

A dix heures, Isabelle a éducation physique.

Isabelle

1. moi

2. Michel

3. Sophie et toi

4. Patrick et moi

5. toi

6. Sylvie et François

Parlons de toi.

1. Quel est ton cours préféré? Pourquoi?
2. En quelle matière est-ce que tu es fort(e)? En quelle matière est-ce que tu es nul(le)?

G Où est-ce qu'on va? Indiquez où vont les gens et comment ils y vont.

Tu vas à la campagne en camion.

tu

1. vous   2. je   3. tu

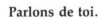

4. nous   5. mes parents   6. Sara

Parlons de toi.
1. Comment est-ce que tu vas de chez toi au lycée?
2. D'habitude, où est-ce que tu vas après les cours?

Il faut aller tout droit!

H Pardon, monsieur. Un touriste parle avec un agent de police. Il demande des renseignements.

—*Pardon, monsieur l'agent. La gare, s'il vous plaît? Est-ce qu'elle est loin d'ici?*

—*Pas du tout, monsieur. Elle est assez près. D'abord, allez tout droit. Vous allez passer la rue du Pont. Ensuite, continuez jusqu'à la rue du Château. Tournez à gauche; la gare est là, en face.*

—*Merci beaucoup, monsieur.*

—*Je vous en prie. A votre service.*

Maintenant vous êtes le (la) touriste. Un(e) autre élève est l'agent de police. Imaginez votre conversation.

I La famille Gérard. C'est l'anniversaire d'Agnès. Tous les membres de sa famille sont là. Pouvez-vous deviner leurs relations?

1. Agnès est *(la mère, la tante, la femme)* d'Yves. Alors Yves est son *(oncle, mari, père)*.
2. Nicolas est *(le cousin, le frère, l'oncle)* d'Elise. Alors Elise est sa *(sœur, cousine, tante)*.
3. Eve et Arthur sont *(les parents, les grands-parents, les frères)* de Nicolas et d'Elise. Alors Nicolas et Elise sont leurs *(cousins, parents, enfants)*.
4. Eve est *(la tante, la mère, la sœur)* de Gilles et de Jean-Pierre. Alors Gilles et Jean-Pierre sont ses *(enfants, fils, neveux)*.
5. Alain est *(le père, l'oncle, le frère)* d'Elise. Alors Elise est sa *(nièce, fille, femme)*.
6. Yves et Agnès sont *(le père et la mère, l'oncle et la tante, le fils et la fille)* de Geneviève et d'Arthur. Alors Geneviève est leur *(sœur, cousine, fille)* et Arthur est leur *(frère, fils, fille)*.

Parlons de toi.

1. Est-ce que tu as des frères et des sœurs, ou est-ce que tu es fils (fille) unique?
2. Est-ce que tes cousins et tes cousines sont aussi tes amis?

J   Les jours fériés *(Holidays).*   Quand il n'y a pas cours, vous et vos amis, vous faites toujours la même chose. Dites ce que vous faites d'après le tableau *(chart).*

> *Le soir, Eric danse.*
> *Le matin, Eric et moi, nous jouons aux échecs.*

	moi	toi	Coralie	Eric
le matin	jouer aux échecs	téléphoner à tous tes copains	étudier	jouer aux échecs
l'après-midi	assister au match de football	assister au match de football	jouer au tennis	jouer au tennis
le soir	dîner chez mes grands-parents	regarder un film à la télé	regarder un film à la télé	danser

Parlons de toi.

Qu'est-ce que tu aimes faire quand tu n'as pas cours?

Un match de rugby

K Quand est-ce que nos copains vont rentrer de vacances?
Demandez à un(e) autre élève quand vos copains vont rentrer de vacances. Cet élève va répondre d'après les calendriers.

Christiane
ÉLÈVE 1 *Quand est-ce que Christiane va rentrer?*
ÉLÈVE 2 *Elle va rentrer le 7 septembre. C'est un samedi.*

1. Gisèle
2. Henri
3. Jacques

4. les frères Bisset
5. les sœurs Marly
6. Aurélie

Parlons de toi.
En quelle saison est-ce que ta famille et toi vous prenez des vacances?
Quand est-ce que vous partez? Quand est-ce que vous rentrez?

L Comment sont-ils? Qu'est-ce que vous pensez de ces gens?
Faites attention à l'accord des adjectifs.

Ma mère …   *Ma mère est jolie, blonde et sérieuse.*

1. Mes parents …
2. Moi, je …
3. Ma petite sœur (Mon petit frère) …
4. Nous, nous …
5. Toi, tu …
6. Mes copains (Mes copines) …
7. Vous, vous …
8. Les chanteurs de rock …
9. Les Américains …
10. Nos professeurs …

adorable	désagréable	impoli	riche
aimable	drôle	inconnu	roux
amusant	égoïste	inquiet	sérieux
avare	énergique	intelligent	sévère
beau	ennuyeux	intéressant	sincère
bête	fatigué	jeune	snob
blond	fauché	joli	sportif
brun	formidable	maigre	super
calé	généreux	méchant	sympa
calme	gentil	moche	timide
célèbre	grand	paresseux	triste
charmant	gros	patient	
chic	heureux	pauvre	
chouette	hypocrite	petit	
content	impatient	poli	

Parlons de toi.
Décris l'ami(e) idéal(e).

M Les saisons. Répondez aux questions d'après les images.

le 28 juin

1. a. Quelle est la date?
   b. Quel temps fait-il?
   c. Est-ce qu'il fait nuit?
   d. Quelle est la saison?
   e. Quels sont les mois de cette saison?
   f. Qu'est-ce que les gens font?
   g. Qu'est-ce qu'il y a dans le jardin?

le 3 octobre

2. a. Quelle est la saison?
   b. Quels sont les mois de cette saison?
   c. Quelle est la date?
   d. Combien d'équipes est-ce qu'il y a?
   e. Quelle équipe gagne le match?
   f. Quel temps fait-il?

le 1er février

3. a. Quelle est la date?
   b. C'est avant ou après les vacances de Noël?
   c. Quel temps fait-il?
   d. A quoi est-ce que les jeunes filles et le garçon jouent?
   e. Quelle est la saison?
   f. Quels sont les mois de cette saison?

le 14 avril

4. a. Est-ce qu'il neige?
   b. Est-ce qu'il fait froid?
   c. Quelle est la date?
   d. Quelle est la saison?
   e. Quels sont les mois de cette saison?
   f. Que fait la jeune fille?
   g. Que font ses parents?

Parlons de toi.
1. Quel temps fait-il aujourd'hui?
2. Quelle est ta saison préférée? Pourquoi?

N Qu'est-ce qu'on fait? Répondez d'après les images.

Mes copains font du ski.

mes copains

1. tu

2. vous

3. nous

4. maman et papa

5. je

6. Alain

7. vous

8. Claude

9. mon frère et moi

Parlons de toi.
Quel est ton sport préféré?

O Oui, si ou non? Conversez selon les modèles.

> ÉLÈVE 1 *Tu aimes les maths?*
> ÉLÈVE 2 *Oui, j'aime les maths.*
> OU: *Non, je n'aime pas les maths.*
> ÉLÈVE 1 *Tu n'aimes pas les sports?*
> ÉLÈVE 2 *Si, j'aime les sports.*
> OU: *Non, je n'aime pas les sports.*

1. Tu comprends bien le français?
2. Tu n'aimes pas l'histoire?
3. Tes devoirs sont faciles?
4. Tu vas partir en voyage cet hiver?
5. Tu ne regardes pas la télé le soir?
6. Tu n'aimes pas jouer au football?
7. Tu téléphones à tes amis le soir?
8. Tu n'obéis pas à tes parents?
9. Tu dessines bien?

P Nous sommes très occupés. Qu'est-ce qu'on fait?
Répondez en employant les verbes donnés.

Nous choisissons un chemisier.

nous / choisir

1. nous / applaudir 2. vous / réussir 3. tu / choisir

4. moi / finir 5. vous / ne ... pas / désobéir à 6. les chanteurs / finir

Q Les achats. Vous êtes en ville pour faire des achats. Il y a cinq choses que vous allez acheter et cinq choses que vous n'allez pas acheter. Choisissez un mot de chaque colonne pour chaque phrase. Attention à l'ordre des mots et à l'accord des adjectifs.

Je vais acheter ce beau maillot orange.
Je ne vais pas acheter cette grosse voiture américaine.

I	II	III	IV
ce	beau	anorak	blanc
cet	bon	bottes	bleu
cette	dernier	chaussures	gris
ces	grand	chemise	jaune
	gros	chemisier	noir
	joli	jean	orange
	large	jupe	rouge
	mauvais	maillot	vert
	nouveau	manteau	violet
	petit	pantalon	
	vieux	pull	allemand
		robe	américain
		short	français
		tee-shirt	italien
		tennis	
			adorable
		bateau	cher
		mobylette	chic
		moto	démodé
		vélo	magnifique
		voiture	

R Une confession. Mireille et Martine Fabray parlent de leurs journées quand leurs parents sont au bureau. Elles n'obéissent pas beaucoup. Qu'est-ce qu'elles font?

1. Nous *(servir)* des hot-dogs pour le petit déjeuner.
2. A 9 heures du matin, Martine *(servir)* de la glace et des frites.
3. Nous *(partir)* pour l'école en retard.
4. Martine et ses amies *(sortir)* quand il faut étudier.
5. Je *(dormir)* jusqu'à midi.
6. Mireille *(sortir)* sans manteau quand il fait froid.
7. Le chien *(dormir)* dans mon lit.

Parlons de toi.

1. Jusqu'à quelle heure est-ce que tu dors les jours d'école? Et le week-end?
2. Est-ce que tu sors le samedi? Où est-ce que tu vas? Avec qui?

Un magasin de vêtements
à Grenoble

S **Les grandes vacances.** Avec deux autres élèves, faites des projets de vacances en Europe. Chaque élève du groupe va choisir un pays différent et va répondre aux questions.

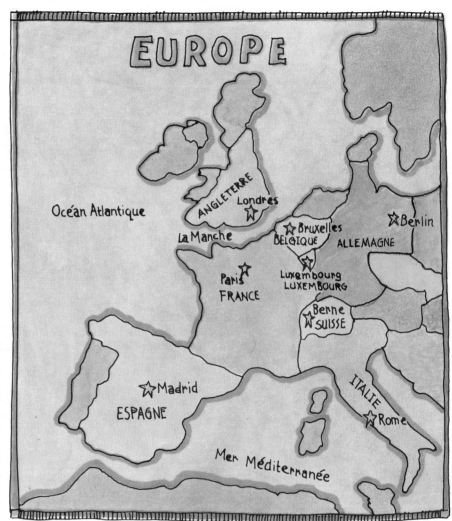

Elles partent en vacances avec le sac sur le dos.

1. Dans quel pays est-ce que vous allez?
2. Où se trouve ce pays?
3. Quelle langue est-ce qu'on parle dans ce pays? Est-ce que vous parlez cette langue?

   Je vais en Italie. L'Italie se trouve au sud-est de la France. On parle italien en Italie, mais je ne parle pas italien.

Ensuite, une personne de chaque groupe peut présenter les projets du groupe à la classe.

T **Un petit mot.** Patricia aime écrire à son amie Marie. Malheureusement, elle ne sait pas la forme correcte de tous les verbes. Aidez-la.

Chère Marie,

Le cours de maths va bientôt finir. Je *(aller)* laisser cette petite lettre dans ton manteau.

Tu sais, cette année, Bruno et moi, nous *(apprendre)* l'espagnol.

5 Notre professeur, Mme Dupont, est assez sympa. Aujourd'hui nous *(commencer)* un nouveau chapitre. Moi, je *(comprendre)* assez bien le dialogue, mais les exercices, pas du tout. Bruno *(comprendre)* tous les exercices et le dialogue. Il est très calé. Toi, tu *(apprendre)* l'anglais, n'est-ce pas?

10 Nous *(sortir)* ce soir avec des copains. Nous allons *(prendre)* un hamburger et des frites. Pauvre Bruno, qui *(grossir),* ne *(aller)* rien prendre. Tu veux nous accompagner? Bruno habite près de chez toi. Vous *(prendre)* le bus ensemble si vous voulez. A ce soir!

Un restaurant de style américain à Paris

U Quand j'ai ...   Vous parlez de vos réactions avec votre camarade. Conversez selon le modèle.

> ÉLÈVE 1   *Qu'est-ce que tu fais quand tu as soif?*
> ÉLÈVE 2   *Quand j'ai soif, je prends un grand verre d'eau.*

I

1.

2.

3.

II

aller à la piscine
rougir un peu
prendre un citron pressé
rester chez moi
porter un manteau
manger un sandwich
chercher un agent de police
dormir, bien sûr
chercher un restaurant
prendre un chocolat chaud
corriger mes fautes
prendre un grand verre d'eau
etc.

4.

5.

6.

7.

Parlons de toi.
Qu'est-ce que tu fais quand tu n'as pas de devoirs?

V Les ordres. Jouez des rôles différents et donnez des ordres.
Vous êtes un professeur qui parle à ses élèves.

> faire vos devoirs
> *Faites vos devoirs.*   OU: *Ne faites pas vos devoirs.*

1. écouter les bandes
2. dormir en classe
3. être polis
4. manger en classe
5. apprendre les mots

Vous êtes un parent qui parle à son enfant.

> étudier tes maths
> *Etudie tes maths.*   OU: *N'étudie pas tes maths.*

6. rester très tard au cinéma
7. manger tes carottes
8. finir tes devoirs
9. chercher ton imperméable
10. dormir jusqu'à 10 heures

Vous parlez à vos copains.

> jouer aux cartes
> *Jouons aux cartes.*   OU: *Ne jouons pas aux cartes.*

11. regarder la télé
12. aller à la bibliothèque
13. sortir samedi soir
14. écouter les nouveaux disques
15. obéir à nos parents

Au Bois de Vincennes,
à Paris

W J'ai faim! Vous êtes devant un restaurant avec un(e) camarade et vous regardez la carte. Parlez de vos préférences. Conversez selon le modèle.

ÉLÈVE 1 *Tu aimes les escargots comme hors-d'œuvre?*
ÉLÈVE 2 *J'adore les escargots.*
OU: *Je préfère les huîtres.*

Chez Nicole

Hors-d'œuvre
les escargots	25,00 F
les crevettes	29,00 F
les huîtres	27,00 F
la quiche lorraine	18,00 F

Plats principaux
la blanquette de veau	48,00 F
le bœuf bourguignon	50,00 F
la bouillabaisse	60,00 F
le poulet provençal	45,00 F
le tournedos	70,00 F

Légumes
les carottes	10,00 F
les haricots verts	10,00 F
les petits pois	10,00 F

Desserts
la coupe de glace	10,00 F
la crème caramel	10,00 F
les crêpes	20,00 F
la mousse au chocolat	12,00 F

Boissons
l'eau minérale (Evian, Vittel, Volvic)	10,00 F
le vin (la ½ bouteille)	20,00 F
le jus de fruit (pomme, raisin, orange)	12,00 F
le café	9,00 F
le thé	9,00 F

Service 15% compris

X Au marché aux puces *(flea market).*   Vous êtes au marché aux puces et vous avez mille francs dans votre portefeuille. Qu'est-ce que vous allez acheter?

Moi, je vais acheter la chaise à 300 francs, la valise à 35 francs, etc.

Y A la gare. Vous êtes arrivé(e) à la gare pour attendre un(e) ami(e). Qu'est-ce que vous faites? Et les autres gens, qu'est-ce qu'ils font?

On répond aux questions des touristes.

I	II
nous	attendre le train pendant une demi-heure
cet agent de police	attendre un taxi devant la gare
tu	descendre du train
je	entendre le train qui arrive
les touristes	perdre une valise
on	répondre aux questions des touristes
vous	vendre des billets

Ce soir, il y a beaucoup de monde à la Gare de l'Est.

Z L'Agence amicale *(Friendship service).*   Vous avez décidé de trouver l'ami(e) idéal(e). On vous demande de répondre à ces questions. Ecrivez vos réponses. Ensuite, avec un(e) camarade, comparez vos réponses. Conversez selon le modèle.

> ÉLÈVE 1   *Comment est-ce que tu t'appelles?*
> ÉLÈVE 2   *Je m'appelle Virginie. Et toi?* etc.

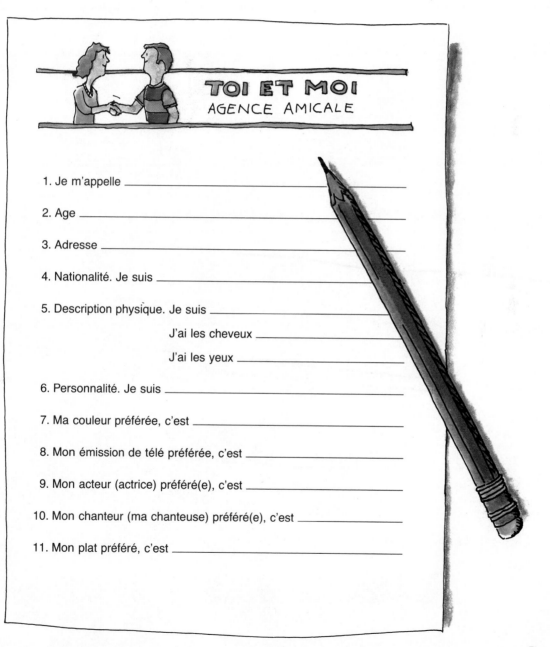

TOI ET MOI
AGENCE AMICALE

1. Je m'appelle _____

2. Age _____

3. Adresse _____

4. Nationalité. Je suis _____

5. Description physique. Je suis _____

    J'ai les cheveux _____

    J'ai les yeux _____

6. Personnalité. Je suis _____

7. Ma couleur préférée, c'est _____

8. Mon émission de télé préférée, c'est _____

9. Mon acteur (actrice) préféré(e), c'est _____

10. Mon chanteur (ma chanteuse) préféré(e), c'est _____

11. Mon plat préféré, c'est _____

CHAPITRE 1

PRÉLUDE CULTUREL | LE LYCÉE

In France, the start of the school year is called *la rentrée des classes,* or simply *la rentrée*, and everyone except university students goes back to school on the same day.

Do you remember being a little anxious at the idea of starting high school? Your French counterparts get nervous, too, as they enter *la seconde,* the first of the three grades of the *lycée.* This will be followed by *la première,* when they will decide which course of study to choose, a decision that will most likely affect their entire lives. The final year of *lycée* is called *la terminale.*

France has a national system of education. Schedules, courses, graduation requirements, etc., are all determined by the Ministry of Education in Paris. All students entering *seconde* must take seven basic subjects plus a couple of optional classes. They must have each week at least four hours of *français,* three hours of *histoire-géographie-instruction civique,* three hours of *langues vivantes* (modern languages), four hours of *mathématiques,* three hours of *sciences physiques,* two hours of *sciences naturelles,* two hours of *éducation physique et sportive,* and up to eleven hours of electives.

Lycée classes are difficult. They're often more like college courses here. The days are long, too. A typical day can run from 8:00 A.M. to 6:00 P.M.—with a two-hour break for lunch! Although students go for only half a day on Wednesdays, they also have to be there when the bell rings on Saturday morning to spend another half day. Add to that several hours of homework every night, and you have the picture.

Why do French students work so hard? Most often it is because of *le bac (le baccalauréat),* an extremely difficult exam they must take at the end of *terminale.* Actually, the *bac* is a series of oral and written tests based on the course of study you chose in *seconde.* There are more than twenty kinds of *bacs.* The *bac A* is what a future English teacher might take; a future lawyer might take the *bac B,* and so on. When you take the *bac,* you are judged by teachers you don't know, and who don't know you.

About 60% of students will pass the *bac* on their first try. Those who don't pass will usually try again the following year. Passing the *bac* means both graduation from the *lycée* and acceptance into a university. There is only one way to describe what a *lycéen* or *lycéenne* feels once the ordeal is over: RELIEF!

MOTS NOUVEAUX I

En cours de français

Je vais vous dire que.....

faire un exposé oral

...driiing... sonner

une cloche

une rédaction

une diapositive
(une diapo)

un transparent

un projecteur

un écran

CONTEXTE
COMMUNICATIF

1 En cours de français nous **utilisons** souvent l'ordinateur. | **utiliser** *to use*

Variations:
- l'ordinateur → un magnétoscope
- souvent → **rarement** | **rarement** *rarely*
- souvent l'ordinateur → l'ordinateur **de temps en temps** | **de temps en temps** *from time to time*
- souvent → **régulièrement** | **régulièrement** *regularly*

◆ COMMUNICATIVE
OBJECTIVES
To describe classroom activities
To hurry someone
To greet a friend

To encourage
To agree to do something
To tell someone to be quiet
To get someone's attention

le proviseur[1]   la directrice

taper à la machine

une machine à écrire

un ordinateur

un petit mot

un dictionnaire

une cassette-vidéo
pl. des cassettes-vidéo

un magnétoscope

enregistrer

2 Il y a du monde dans le couloir. La cloche sonne. **C'est l'heure d'**entrer.

LE PROVISEUR **Allez-y,** mais **doucement!**

c'est l'heure de   *it's time to …*

allez-y!   *go ahead! go on!*
doucement   *quietly*

[1]French students spend four years at a *collège* (ages 11 to 14 or 15) before going on to a *lycée* or a technical school (ages 15 to 18 or 19). The principal of a *collège* is *un principal (une principale);* the principal of a *lycée* is *un proviseur (une directrice).*

Mots Nouveaux I   **31**

3 PHILIPPE   Salut! **Quoi de neuf?**

MARION   Oh, rien. Tu fais toujours de l'allemand?

PHILIPPE   Oui, malheureusement. Je suis nul en allemand.

MARION   **Bon courage quand même.**

- quoi de neuf → **qu'est-ce qui se passe**
  oh, rien → pas beaucoup

4 LE PROFESSEUR   Regardez l'écran et **décrivez** le transparent, Benoît.

BENOÎT   **Volontiers,** mademoiselle.

ROSE   *(à Annick)* Qu'est-ce que tu penses de Benoît?

ANNICK   Il est très intelligent et c'est un élève **travailleur.**

- BENOÎT → BÉATRICE
  il → elle
  intelligent → intelligente
  un élève travailleur → une élève travailleuse

5 SYLVIE   Dis, tu as **des nouvelles** de Daniel?

VIVIANE   Oui, il a passé trois mois en Italie l'été dernier. Il parle italien **couramment** maintenant.

SYLVIE   Quand est-ce qu'il a commencé à étudier l'italien?

VIVIANE   Il y a **peu de temps.**

- il y a peu de temps → il n'y a pas longtemps

6 Dans la salle de permanence. Les lycéens **sont en train de réviser** leurs leçons.

FERNAND   Pst! L'interro **écrite,** c'est quand?

MARIE   Chut! Parle **plus bas!** ... C'est pour demain.

FERNAND   Qu'est-ce que tu dis? Parle **plus fort!**

MARIE   Je dis que c'est pour demain.

FERNAND   Ah là là! On a beaucoup de travail **quand même!**

- écrite → **orale**

---

quoi de neuf? *what's new?*

bon courage! *don't get discouraged!*
quand même *anyway; all the same*
qu'est-ce qui se passe? *what's happening?*

décrire *to describe*

volontiers *gladly*

travailleur, -euse *hardworking*

les nouvelles *(f.pl.) news*

couramment *fluently*

peu de temps *a short time*

être en train de + inf. *to be in the middle of, to be in the process of doing something*
réviser *to go over, to review*
écrit, -e *written*
plus bas *more softly*
plus fort *louder*

quand même! *really!*

oral, -e; oraux, -ales *oral*

EXERCICES

A Les devoirs. Vous préparez un exposé. De quoi avez-vous besoin? Répondez d'après les images.

J'ai besoin d'un projecteur.

1.

2.

3.

4.

5.

6.

7.

8.

Mots Nouveaux I   **33**

B **La semaine de Benoît.** Complétez ces phrases qui parlent de la semaine de Benoît avec une des expressions entre parenthèses.

1. Benoît, tu vas décrire le transparent? *(Quand même! / Volontiers! / Quoi de neuf?)*
2. Benoît parle très bien anglais? Oui, il le parle *(couramment / peu de temps / plus fort).*
3. Je ne t'entends pas, Benoît. Parle *(plus bas / plus fort / de temps en temps).*
4. Benoît a *(des nouvelles / des petits mots / une rédaction)* de Sylvie; elle lui a téléphoné hier.
5. Benoît va passer un examen aujourd'hui. Il est assez inquiet. On lui dit *(Bon courage! / Quoi de neuf? / C'est l'heure de dormir).*
6. Dis, Benoît, tu utilises souvent ton magnétoscope? Pas du tout, je l'utilise *(tous les jours / régulièrement / rarement).*
7. Qu'est-ce qui se passe? Chut, écoute! Benoît est en train de *(faire un exposé oral / réviser ses leçons / faire une rédaction).*
8. Benoît a toujours des bonnes notes. Il est très *(écrit / travailleur / mauvais).*

Si on est travailleur, on réussit ses études.

C Parlons de toi.

1. Et toi, est-ce que tu utilises des dictionnaires? Est-ce que tu utilises un dictionnaire anglais-anglais? anglais-français / français-anglais? un dictionnaire de synonymes? Pour quel cours? Pourquoi?

2. Est-ce que tu as besoin d'une machine à écrire? Au lycée, avez-vous un ordinateur? Un projecteur de transparents ou de diapositives?

3. Est-ce que ton lycée a une directrice ou un proviseur? Est-ce que tu es déjà allé(e) à son bureau? Pourquoi?

4. Est-ce qu'il y a une cloche dans ton lycée? Sonne-t-elle souvent? de temps en temps? Est-ce que tu arrives toujours à l'heure pour tes cours, ou est-ce que tu es quelquefois en retard?

5. Est-ce que tu as un magnétoscope chez toi? Quelle est ta cassette-vidéo préférée? Pourquoi?

6. Pour quels cours est-ce que tu fais des exposés oraux? Sur quels sujets *(topics)*? Est-ce que tu aimes faire des exposés oraux? Pourquoi ou pourquoi pas?

ACTIVITÉ

Qu'est-ce que c'est? Send one student out of the room. Choose an object in the classroom which that student must try to discover. The student who is outside should then come back in and ask the class yes/no questions to find out what they picked.

> *Est-ce que c'est gros?*
> *Est-ce que c'est à gauche du prof?* etc.

Can the object be discovered in seven questions or less?

Le Penseur, célèbre sculpture de Rodin

APPLICATIONS

La rentrée[1] de Renaud

RENAUD	Salut, Valérie. Quoi de neuf?
VALÉRIE	Pas grand-chose.[2]
RENAUD	Alors tu es en terminale* maintenant, bientôt le bac?
VALÉRIE	Oui, pas toi?
5 RENAUD	Eh non! Toujours en première.
VALÉRIE	Et les vacances?
RENAUD	En Angleterre. FOR-MI-DABLE!
VALÉRIE	Tu parles couramment anglais, alors?
RENAUD	Ah non, mais j'ai un bon dictionnaire.
10 VALÉRIE	Tiens, mais où sont tes bouquins?[3]
RENAUD	Des bouquins le jour de la rentrée?! Mais on ne va pas travailler aujourd'hui quand même!

---

[1]**la rentrée (des classes)**   *start of the school year*
[2]**pas grand-chose**   *not much*   [3]**le bouquin** *(slang)   book*

*The three grades of the *lycée* are *seconde* (10th grade), *première* (11th grade), and *terminale* (12th grade). It's not unusual for students to have to repeat a grade. The *bac* (graduation exam) comes at the end of *terminale*.

Questionnaire

1. Est-ce que Valérie et Renaud sont dans la même classe *(grade)?* Dans quelle classe est Valérie?   2. Où est-ce que Renaud a passé ses vacances? A-t-il passé des mauvaises vacances? Est-ce qu'il parle couramment anglais maintenant?   3. Pourquoi est-ce que Renaud n'a pas de bouquins aujourd'hui? Renaud est un bon élève? Comment est-ce que vous le savez?

Situation

Working with a classmate, create a dialogue about your first day at school. Greet each other, ask what year of school you are in (use *première année du lycée, deuxième année,* etc.), and ask about summer vacations. You needn't follow the *Dialogue* exactly, but some of the words used there may be helpful.

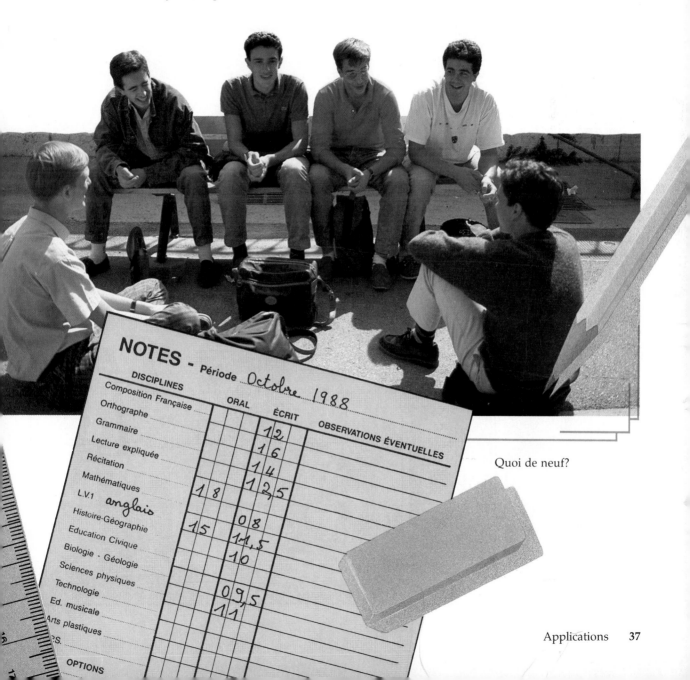

Quoi de neuf?

NOTES - Période _Octobre 1988_			
DISCIPLINES	ORAL	ÉCRIT	OBSERVATIONS ÉVENTUELLES
Composition Française			
Orthographe			
Grammaire		12	
Lecture expliquée		16	
Récitation		14	
Mathématiques	18	12,5	
L.V.1 *anglais*			
Histoire-Géographie	15	08	
Education Civique		11,5	
Biologie - Géologie		10	
Sciences physiques			
Technologie		09,5	
Ed. musicale		11	
Arts plastiques			
E.P.S.			
OPTIONS			

MOTS NOUVEAUX II

**To discuss newspapers
or books**

**To issue and accept an
invitation**

**CONTEXTE
VISUEL**

Tu aimes lire?

l'horoscope (m.)

un article

le courrier du cœur

la météo

une petite annonce

un kiosque

une librairie

un roman d'espionnage

un roman
d'aventures

une biographie

un roman de science-fiction

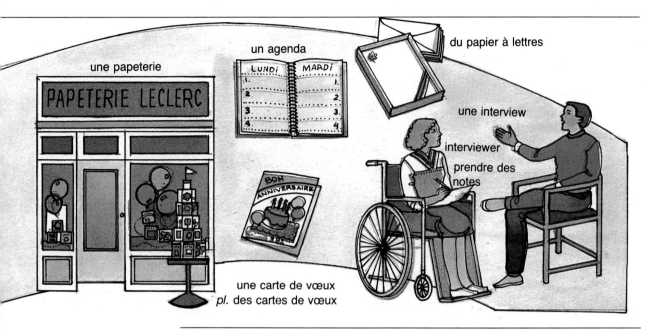

une papeterie

PAPETERIE LECLERC

un agenda

LUNDI   MARDI

du papier à lettres

une interview

interviewer
prendre des notes

une carte de vœux
pl. des cartes de vœux

CONTEXTE COMMUNICATIF

1 PIERRE   Qu'est-ce que tu as acheté à la librairie?
  ANNIE   Quelques **bouquins,** un guide **touristique**
              d'Espagne et **un plan** de Madrid pour papa.

le bouquin (slang) *book*
touristique (*adj.*) *tourist*
le plan *city map*

Variations:

■ bouquins → livres de poche
  un guide touristique → une carte routière
■ à la librairie → à la papeterie
  quelques … Madrid → du papier à lettres, des cahiers, des
                        enveloppes et une carte de vœux

2 UN TOURISTE Est-ce qu'on vend des journaux près d'ici?
  MME PAYARD   Oui, il y a un kiosque **dans l'avenue** Victoria.

■ dans l'avenue Victoria → **sur le boulevard** Lannes

(dans) l'avenue (*f.*) (*on*) …
  Avenue
(sur) le boulevard
  (*on*) … *Boulevard*

3 Au kiosque.

CHANTAL	Le *Quinze Ans* de cette semaine, s'il vous plaît.
LE MARCHAND	Voilà, mademoiselle. Ça fait douze francs.

Le marchand **a réussi à** vendre tous ses *Quinze Ans*.

réussir à + inf.   *to succeed in doing something*

- *Quinze Ans* → *Télé 7 jours*
- voilà … francs → Désolé, je n'en ai plus. Vous voulez un autre magazine?

4

ROBERT	Qu'est-ce que tu aimes lire dans le journal?
ÉDOUARD	J'adore les bandes dessinées.

- les bandes dessinées → les articles sur le sport

5

FABRICE	Dis, tu es libre samedi soir?
MIREILLE	Je ne sais pas. Attends, je regarde dans mon agenda. Qu'est-ce que tu proposes?
FABRICE	Il y a un film d'espionnage au Rex.
MIREILLE	Chouette, je suis libre. J'**accepte** volontiers!

accepter   *to accept*

- un film d'espionnage → un film de science-fiction

6

JEAN	Tu as eu quelle note à l'exposé oral?
ÈVE	Dix-sept.[1]
JEAN	Félicitations! On dit que tu donnes toujours de **bonnes** réponses.

bon, -ne   (here) *right*

- à l'exposé oral → à l'interrogation orale
  donnes … réponses → ne donnes jamais de **mauvaises** réponses

mauvais, -e   (here) *wrong*

7 Chez les Guérin.

RAOUL	Où sont mes bandes dessinées? Et mes diapos, quelqu'un les a prises!
MME GUÉRIN	Tes B.D., les voilà sur le piano. Et tes diapos, tu les as peut-être laissées chez Luc?

- mes diapos → ma cassette-vidéo
  quelqu'un les a prises → quelqu'un l'a prise
  tes diapos, tu les as peut-être laissées → ta cassette, tu l'as peut-être laissée

[1]French tests are graded 0 to 20. 20 is a perfect grade.

EXERCICES

A Qu'est-ce qu'on est en train de lire? Répondez aux questions
d'après les images.

le proviseur
Le proviseur est en train de lire un guide touristique.

1. toi, tu 2. Fernand et Marie 3. Viviane et moi, nous

4. la principale 5. moi, je 6. Jean-François

7. mes parents 8. Sophie 9. le touriste

B Le mot juste.

Trouvez un synonyme ou une expression synonyme.

1. Madame Payard a acheté quelques *livres.*
2. J'ai écrit *une courte lettre* à Jeanne pour lui dire «au revoir».
3. Il y a beaucoup d'arbres *dans les avenues.*
4. La réponse de Mireille est *correcte.*
5. Annie n'est pas une élève *sérieuse.*

Trouvez un antonyme ou une expression antonyme.

6. Chantal *refuse* de nous accompagner à la bibliothèque.
7. Edouard parle *mal* allemand.
8. Nous avons *beaucoup de temps* pour réviser le chapitre.
9. Les élèves utilisent *rarement* l'ordinateur.

Trouvez les mots à plusieurs sens. Complétez les phrases avec les mots suggérés par les images.

10. Je déteste prendre des _____ en cours d'histoire.
11. Mais j'ai eu une bonne _____ quand même.
12. Je t'ai écrit une _____ postale de Dijon.
13. Tu vois Dijon sur la _____ routière?
14. Au restaurant de la gare, on n'a pas de menu; nous avons commandé à la _____ .
15. Après, dans notre chambre, nous avons joué aux _____ .

C **Ah là là!** Vous cherchez quelque chose à lire, mais votre petit frère a tout déchiré *(torn up)*. Lisez les phrases suivantes pour trouver où vont les feuilles.

dans un agenda	dans l'horoscope
dans un article de sport	dans les petites annonces
dans la météo	sur une carte de vœux
dans le courrier du cœur	dans une biographie

«Mes devoirs pour le 10 octobre …»
Ça va dans un agenda.

1. «Rendez-vous chez le médecin à 10h …»
2. «Victor Hugo est né en 1802 …»
3. «L'équipe de Paris a gagné …»
4. «J'ai un problème avec mon ami …»
5. «Nous allons voir du soleil l'après-midi …»
6. «Voiture à vendre …»
7. «Bon anniversaire! …»
8. «Vous allez gagner un million de francs …»

D **Parlons de toi.**

1. Est-ce que tu aimes lire le journal? Quelles sections est-ce que tu lis régulièrement? De temps en temps? Tu aimes les articles sur le sport? Les articles sur la politique?

2. Est-ce qu'il y a un journal dans ton lycée? Comment il s'appelle? Comment sont les articles? Il y a combien de numéros *(issues)* par an?

3. Pour quels cours as-tu beaucoup d'interro écrites? Qu'est-ce qui est plus facile—une interro écrite ou une interro orale? Pourquoi?

ÉTUDE DE MOTS

Most French adverbs are formed by adding *-ment* to the feminine singular form of the adjective. Make adverbs out of these adjectives and give their meanings.

     sûr, -e   correct, -e   gratuit, -e   faux, fausse

If the masculine form of the adjective ends in a vowel, add *-ment* to the masculine form. Make adverbs out of these adjectives.

     vrai, -e   poli, -e   calme

When the masculine form of an adjective ends in *-ent* or *-ant,* replace *-nt* with *-mment.* (An exception is *lent,* which adds *-ment* to the feminine form: *lentement.*) Can you give the adjectives related to the following adverbs and tell what the words mean?

     évidemment   bruyamment   récemment   patiemment

Can you make adverbs out of these adjectives? Use the adverbs to answer the questions below.

bruyant	intelligent	aimable
patient	impatient	sérieux
calme	sévère	libre
correct	poli	timide
facile	bête	impoli
rapide	lent	parfait

1. Comment parles-tu avec tes copains?
2. Comment parles-tu aux gens impolis?
3. Comment réponds-tu aux questions en français?
4. Comment chantes-tu?
5. Comment nages-tu?
6. Comment danses-tu?

EXPLICATIONS I

Le verbe *dire*

◆ COMMUNICATIVE
OBJECTIVES
To open a conversation
To report what others
say
To get someone's
attention

Review the forms of the verb *dire* ("to say"). Note that the *vous* form is very irregular.

INFINITIF   **dire**

		SINGULIER		PLURIEL	
PRÉSENT	1	je	**dis**	nous	**disons**
	2	tu	**dis**	vous	**dites**
	3	il elle on	} **dit**	ils elles	} **disent**

IMPÉRATIF   **dis! disons! dites!**
PASSÉ COMPOSÉ   **j'ai dit**

1   You can use the imperative of *dire* to get someone's attention in order to start a conversation.

    Dites, vous n'avez pas trouvé des diapos?   ***Tell me,** did you happen to find some slides?*

    Dis donc, tu as des nouvelles de Daniel?   ***Say,** have you had any news from Daniel?*

2   You can also use the imperative to tell other people what to say.

    Paul, **dis à** ta sœur **de** rentrer tout de suite!   *Paul, **tell** your sister **to** come home right away!*

3   When you want to tell what someone is saying or has said, use *que* after the form of *dire*. In English, we can drop the word "that," but *que* cannot be left out.

    Il **dit que** le prof n'est pas là.   *He **says (that)** the teacher isn't there.*

EXERCICES

A Que dites-vous?   Que dites-vous dans les situations suivantes
(following situations)? Choisissez une réponse de la liste.

> Qu'est-ce que *vous dites* quand un ami vous dit de venir
> tout de suite?
> *Je dis, «J'arrive!»*

bon courage!	j'arrive!	présent(e)!
bonne soirée!	je suis désolé(e)!	salut, tout le monde!
bonsoir!	parlez doucement!	volontiers!

1. Qu'est-ce que *vous dites* quand:
   a. votre professeur fait l'appel?
   b. vos parents ont besoin de vous?
   c. vous arrivez chez quelqu'un à 7h du soir?
2. Que *disent vos camarades* de classe quand:
   a. vous avez peur de rater votre examen?
   b. vous les invitez au café?
   c. ils rentrent dans la salle de classe?
3. Que *dit votre prof* quand:
   a. vous parlez trop fort en classe?
   b. il/elle prononce mal votre nom?
   c. c'est l'heure de partir?

C'est l'heure de la récréation.

B **Quelle journée!** Gérard est de mauvaise humeur *(in a bad mood)* parce qu'aujourd'hui tout le monde lui dit de faire quelque chose. Qu'est-ce qu'on lui dit? Suivez le modèle.

> mère / faire ses devoirs
> *Sa mère lui dit de faire ses devoirs.*

1. prof de maths / écrire au tableau
2. frères / chercher leurs diapos
3. camarades / ne pas prendre de notes
4. père / acheter le journal
5. ami / enregistrer une cassette
6. prof d'anglais / faire un exposé oral
7. petite sœur / réviser ses leçons avec elle

C **Le bavardage.** *(Gossip.)* Tout le monde répète le bavardage. Répondez aux bavardages avec les expressions données. Conversez selon le modèle.

> Mme Cresson a gagné un million de francs.
> ÉLÈVE 1 *On dit que Mme Cresson a gagné un million de francs.*
> ÉLÈVE 2 *Ça alors!*
> ÉLÈVE 1 *Tu dis ‹‹ça alors››, moi, je dis «quelle chance!»*

bof	c'est vrai	je suis désolé(e)
bon	chouette	pas vrai
ça alors	formidable	quelle chance
c'est dommage	impossible	quelle horreur
c'est possible	jamais	tiens

Librairie Générale Française

Fonds général, Livres d'Art, Sciences humaines, Livres spécialisés, Littérature jeunesse, Littérature québécoise, Services: institutionnel, commande spéciale, chèque-cadeau

1. Luc a écrit un roman d'aventures.
2. Le proviseur a perdu les diapositives.
3. Marguerite a interviewé Paul Newman.
4. Le prof a lu la lettre que Jean a écrite au courrier du cœur.
5. J'ai vu Yolande et Yann ensemble à la librairie.
6. Paul a cassé le magnétoscope du prof.
7. Martin a eu une très mauvaise note en français.
8. Marie a acheté un maillot de bain rouge et violet.

Les verbes *écrire* et *lire*

The verbs *écrire* ("to write") and *lire* ("to read") have present-tense forms much like those of *dire*. Review their forms now. Note that *lire* has an unusual past participle.

◆ COMMUNICATIVE
OBJECTIVE
To tell what someone is
reading or writing

INFINITIFS	**écrire**		**lire**
PRÉSENT	j' **écris**	je	**lis**
	tu **écris**	tu	**lis**
	il, elle, on **écrit**	il, elle, on	**lit**
	nous **écrivons**	nous	**lisons**
	vous **écrivez**	vous	**lisez**
	ils, elles **écrivent**	ils, elles	**lisent**

IMPÉRATIF	**écris! écrivons! écrivez!**	**lis! lisons! lisez!**
PASSÉ COMPOSÉ	j'**ai écrit**	j'**ai lu**

Décrire ("to describe") follows the pattern of *écrire*.

Elles sont en train de lire et d'écrire à la terrasse d'un café.

EXERCICES

A **Qui lit quoi?** Vous faites un sondage *(You are taking a poll)* pour le journal de votre lycée sur ce que les gens lisent. Posez des questions à vos camarades de classe. Conversez selon le modèle.

> de temps en temps   quelquefois   régulièrement
> tous les jours   jamais   rarement   souvent

> ÉLÈVE 1   *Est-ce que tu lis le journal?*
> ÉLÈVE 2   *Je ne lis jamais le journal.*
>   OU: *Je lis le journal de temps en temps.*

1.   2.   3.

4.   5.   6.

7.   8.   9.

B **Dans la salle de permanence.** Que font les élèves maintenant? Répondez selon le modèle.

> Je _____ un livre en français. (lire)
> *Je lis un livre en français.*

1. Marc et moi, nous _____ des exercices. (écrire)
2. Chantal et toi, vous _____ une pièce, n'est-ce pas? (lire)
3. Aurélie _____ «Zut!» parce qu'elle a fait une faute. (dire)
4. Tu _____ une lettre, n'est-ce pas? (écrire)
5. Quelques élèves travailleurs _____ des poèmes. (écrire)
6. Moi, je _____ ma classe de maths à une copine. (décrire)
7. Deux élèves _____: «Silence!» (dire)
8. Sara _____ un nouveau bouquin. (lire)
9. Sylvie et toi, vous _____: «Bonjour». (dire)

C Hier, à 9h30. Qu'est-ce que les élèves ont fait hier? Refaites les phrases de l'Exercice B au passé composé. Suivez le modèle.

> Je _____ un livre en français. (lire)
> *J'ai lu un livre en français.*

D Parlons de toi.

1. Est-ce que tu as écrit une lettre récemment *(recently)*? A qui est-ce que tu l'as écrite? Est-ce que tu écris souvent des lettres? Tes lettres sont longues? De combien de pages d'habitude?
2. Comment est-ce que tu écris tes lettres: à la main, à la machine à écrire ou sur un ordinateur? Est-ce que tu préfères écrire des lettres ou parler au téléphone? Pourquoi?
3. Tu écris des petits mots de temps en temps à l'école? A qui? Est-ce que tu as écrit un petit mot aujourd'hui? Pourquoi ou pourquoi pas? Est-ce que tu dis des choses importantes dans tes petits mots?

POÈME

This untitled poem was written by a French teenager named Christian. Do you agree with what he is saying? Why or why not?

> Il n'y a qu'une différence
> Entre l'école et les vacances
> C'est que je fais ce qui[1] me plaît.[2]
>
> Il n'y a qu'une différence
> 5 Entre la classe et la maison
> C'est le ciel bleu par la fenêtre.
>
> Il n'y a qu'une différence
> Entre la cour et mon jardin
> C'est que je joue avec mon chien.
>
> 10 Il n'y a qu'une différence
> Entre un élève et un ami
> C'est que l'ami je le choisis.

From *Adolescence en poésie* (Gallimard, Collection folio junior, 1982).

---

[1]**ce qui** *(pronoun)* *what*   [2]**plaire** *to please*

1. Est-ce que tu écris des poèmes quelquefois? Tu aimes lire les poèmes? Pourquoi ou pourquoi pas?
2. Est-ce que tu apprends des poèmes par cœur de temps en temps? Est-ce que tu penses que c'est une bonne idée? Pourquoi ou pourquoi pas?

APPLICATIONS

Que fais-tu cette année?

C'est le premier jour des cours. Où sont ces deux élèves?
Qu'est-ce que Jean-Claude a à la main? Avec qui est-ce qu'il parle?

Jouez les rôles de Jean-Claude et de Julie. Julie pose beaucoup
de questions à Jean-Claude. Voici quelques expressions pour
votre conversation.

—qu'est-ce que tu fais …?
—avoir un bon emploi du temps?
—quelle est ta matière préférée?
—être nul en …? être fort en …?
—être calé/bête en quoi …?

—d'habitude quelles notes as-tu
aux devoirs de …?
—ne sois pas …! fais de ton mieux!
—le prof est bon? explique bien?
—les camarades de classe/sympa?

EXPLICATIONS II

L'emploi du présent

At the end of this book, you will find a section called *Verbes*, which gives models for all the verbs you have already learned and those that you will learn in this book. You may want to refer to that section from time to time, just to refresh your memory.

◆ COMMUNICATIVE OBJECTIVES

To describe what is going on now

To tell about things that happen regularly

To tell about things that will happen soon

1 The present tense is generally used to describe actions that are going on as you speak. To describe two actions that are happening at the same time, use *pendant que* or *quand.*

Luc **entre dans** le labo **pendant que** la cloche **sonne.**	Luc *is going into* the lab *while* the bell *is ringing.*
Elle **sonne** toujours **quand** la prof **commence** à faire l'appel.	*It's still **ringing when** the teacher **starts** to call roll.*

2 The present tense can be used to describe things you do regularly. If you are talking about actions that always take place on the same day, remember to use a definite article in front of the day of the week.

Le samedi je **joue** au basket.	*I **play** basketball **on Saturdays.***

3 You can also use the present tense to talk about events that are about to happen, just as you can in English.

Sophie **part** dans cinq minutes. On **va** au cinéma demain.	*Sophie's **leaving** in five minutes. We're **going** to the movies tomorrow.*

4 To stress that something is going on right now, use *être en train de* + an infinitive: *Je ne peux pas parler. Je **suis en train d'***étudier.*

EXERCICES

A Au travail.   Suzanne et Yvette travaillent dans une bibliothèque. Que font-elles? Répondez avec ces verbes. Suivez le modèle.

aider	fermer	parler
chercher	lire	prendre
écrire	manger	taper
enregistrer	ouvrir	utiliser

Suzanne aide une dame pendant qu'Yvette utilise l'ordinateur.

1.

2.

3.

4.

5.

6.

POUR MANGER
LES MEILLEURES PÂTES DU MONDE,
**IL SUFFIT DE SAVOIR
LIRE !**

"LES PÂTES D'ITALIE : UNE EXPÉRIENCE IRREMPLAÇABLE"

POUR ÊTRE TRÈS FORT
JE LIS **PHOSPHORE**

B **L'agenda.** Qu'est-ce que vous faites régulièrement? Parlez de vos habitudes avec un(e) camarade. Conversez selon le modèle. Choisissez une réponse de la liste à droite, ou donnez une autre réponse, si vous voulez.

le vendredi soir

ÉLÈVE 1 *Moi, le vendredi soir, je sors avec mes amis. Et toi?*
ÉLÈVE 2 *Moi, le vendredi soir, je sors danser.*

1. le vendredi soir
2. le week-end
3. l'été
4. le samedi soir
5. le dimanche après-midi
6. après les cours
7. le lundi soir

a. aller à la campagne
b. aller au cinéma
c. faire du sport
d. faire du vélo
e. faire mes devoirs
f. dîner avec ma famille
g. regarder la télévision
h. aller en ville
i. sortir avec mes amis
j. sortir danser

ACTIVITÉ

Les proverbes. General truths are often stated in the present tense. This is why you'll find the present tense in many proverbs. With a partner, complete the ones below. Decide together which one would make the best caption for the picture.

On *(apprendre)* à tout âge.
Qui va à la chasse *(perdre)* sa place.
Ne choisit pas qui *(emprunter)*.
La nuit tous les chats *(être)* gris.
Tout *(être)* bien qui *(finir)* bien.
On ne *(faire)* pas d'omelette sans casser des œufs.

Now see if you can think of ways to illustrate the other proverbs.

Le passé composé avec *avoir*

◆ COMMUNICATIVE
  OBJECTIVES
  To describe past actions
  **To describe a series of
  past actions**
  **To tell how long ago
  something happened**

To talk about past actions, you can use the passé composé. The passé composé of most verbs is formed by using the present tense of *avoir* and the past participle of the verb. For regular verbs, you find the past participle by dropping the last two letters of the infinitive and adding either -*é*, -*i*, or -*u*.

VERB GROUP	PAST PARTICIPLE ENDING	
verbes en -*er*	**-é**	j'ai joué, nous avons gagné
verbes comme *dormir*	**-i**	tu as dormi, vous avez servi
verbes comme *finir*	**-i**	il a fini, elles ont choisi
verbes comme *perdre*	**-u**	elle a perdu, ils ont répondu

Some verbs have irregular past participles. Here are some of the ones you have learned. The others will be presented when you review those verbs.

VERB	PAST PARTICIPLE	
avoir	**eu**	J'ai eu peur.
être	**été**	Il a été malade.
faire	**fait**	Elle a fait une faute.
prendre	**pris**	Nous avons pris les diapos.
offrir	**offert**	Ils ont offert ce cadeau.
ouvrir	**ouvert**	Vous avez ouvert la porte.
dire	**dit**	Tu as dit la vérité.
écrire	**écrit**	Il a écrit une lettre.
lire	**lu**	Nous avons lu ce roman.

1   To tell about a series of events in the past, you can use *d'abord*, *ensuite*, and *enfin*.

D'abord, j'ai ouvert la porte.	*First,* I opened the door.
Ensuite, j'ai parlé avec le monsieur pendant quelques minutes.	*Then* I talked with the man for a few minutes.
Enfin, j'ai fermé la porte.	*Finally,* I closed the door.

2 To tell how long ago something happened, use *il y a* + an expression of time.

> Elle a fini **il y a une heure.**   *She finished **an hour ago.***
> On a commencé **il y a longtemps.**   *We started **a long time ago.***

EXERCICES

A La boum. Quelques copains ont organisé une boum pour Martine. Tout le monde a fait quelque chose. Parlez-en selon le modèle.

> Marie-Hélène / acheter les boissons
> *Marie-Hélène a acheté les boissons.*

1. Viviane et moi, nous / téléphoner aux cousins de Martine
2. Monique / inviter les voisins
3. moi, je / commander un gâteau
4. Laurent et toi, vous / préparer les sandwichs
5. Georges / apporter des boissons
6. toi, tu / dessiner une carte de vœux
7. Robert et Lisette / cacher les cadeaux
8. moi, je / emprunter des nouveaux disques à mon frère

B Toujours des ordres. Tout le monde vous donne des ordres. Expliquez que vous avez déjà fait ce qu'on vous demande de faire.

> Le professeur vous dit, «Finissez cet exercice!» *(une heure)*
> *«Mais nous avons fini cet exercice il y a une heure!»*

1. La prof vous dit, «Fermez vos livres!» *(dix minutes)*
2. Ton père te dit, «Rends ces livres à la bibliothèque!» *(une semaine)*
3. Ta sœur te dit, «Sers le déjeuner!» *(une demi-heure)*
4. Le professeur vous dit, «Répondez à toutes les questions!» *(cinq minutes)*
5. Ta mère te dit, «Remercie tes grands-parents!» *(vingt minutes)*
6. Ton copain Alexandre te dit, «Finis tes devoirs!» *(trois heures)*
7. Vos parents vous disent, «Faites le ménage dans votre chambre!» *(un mois)*
8. Ton père te dit, «Ecris ta rédaction!» *(deux heures)*

C Un week-end très occupé. Parlez du week-end dernier avec un(e) camarade. Conversez selon le modèle.

> regarder la télé
>
> ÉLÈVE 1 *Tu as regardé la télé?*
> ÉLÈVE 2 *Oui, j'ai regardé la télé.*
> OU: *Non, je n'ai pas regardé la télé.*

1. écouter des disques
2. jouer au tennis
3. être au cinéma samedi
4. écrire des lettres
5. faire tes devoirs
6. dîner au restaurant
7. lire des bandes dessinées
8. téléphoner à tes amis
9. garder des enfants
10. dormir jusqu'à midi

D Parlons de toi.
1. Quand est-ce que ta classe a commencé ce chapitre?
2. Pour quels cours est-ce que tu as eu des devoirs hier? En combien de temps est-ce que tu as fini tous tes devoirs?
3. Pendant combien de temps est-ce que tu as révisé le français pour ta dernière interro? Quand est-ce que tu as eu cette interro?
4. Est-ce que tu as perdu quelque chose dans les deux derniers mois? Qu'est-ce que tu as perdu?

Les pronoms compléments d'objet direct

◆ COMMUNICATIVE
OBJECTIVES

To refer to someone or something already mentioned

To emphasize

Here are the direct object pronouns. Remember that a direct object tells who or what receives the action of the verb. A pronoun replaces a noun so that you don't have to repeat the noun.

SINGULIER		PLURIEL	
me	*me*	**nous**	*us*
te	*you*	**vous**	*you*
le	*him, it*	**les**	*them*
la	*her, it*		
l'	*him, her, it*		

1   *Le, la, l'*, and *les* are used to refer to either people or things. They must agree in gender and number with the noun they replace. They come right before the verb in the present tense. Note that there is elision and liaison when the verb begins with a vowel sound.

Tu cherches **le proviseur?**
Oui, je **le** cherche.

*Are you looking for **the principal?***
*Yes, I'm looking for **him.***

Tu aimes **ma machine à écrire?**
Oui, je **l'**aime beaucoup.

*Do you like **my typewriter?***
*Yes, I like **it** a lot.*

On attend **les cars?**
Non, on ne **les** attend pas.

*Are we waiting for **the buses?***
*No, we're not waiting for **them.***

2   The pronouns *me, te, nous,* and *vous* are used only for people.

PAUL   Tu **m'**aimes?
LISE   Oui, je **t'**aime bien.

LES ÉLÈVES   Vous **nous** attendez?
LE PROF   Je **vous** attends ici.

3   In the future with *aller* and in present-tense sentences with a conjugated verb followed by an infinitive, the object pronouns go directly in front of the infinitive.

Mes devoirs?   Je n'aime pas **les** faire.
Je vais **les** faire ce soir.

4   In the passé composé, the object pronoun comes directly before the form of *avoir*. When there is a direct object pronoun before the form of *avoir*, the past participle then agrees in gender and number with the pronoun.

Le journal?   Il **l'**a regardé.
La directrice?   Je **l'**ai attendu**e**.

Ces livres?   Je **les** ai acheté**s**.
Les chansons?   Elle **les** a chanté**es**.

The same is true of *me, te, nous,* and *vous,* when they are direct objects.

Je **t'**ai compris**e**, maman.
Je **vous** ai cherché**e**, madame.
Ils **nous** ont attendu**s**?

5   To add special emphasis, the French often use a noun at the beginning of a sentence, and then use a direct object pronoun as well.

Ses devoirs, il **les** fait toujours!
Mon frère, je ne **l'**embête jamais!

EXERCICES

A Où faut-il aller? Où est-ce qu'on trouve ces choses? Suivez le modèle.

> le beurre
> *Le beurre, on le trouve dans une crémerie.*

1. les croissants
2. le papier à lettres
3. les dictionnaires
4. les romans
5. la moutarde
6. les journaux
7. les cartes de vœux
8. le poisson
9. l'horoscope

B Oui ou non? Vous proposez des projets pour le week-end à un(e) camarade. Votre camarade peut accepter ou refuser. Conversez selon le modèle.

> m'accompagner à la plage
> ÉLÈVE 1 *Tu m'accompagnes à la plage?*
> ÉLÈVE 2 *Oui, je t'accompagne.*
> OU: *Non, je ne peux pas t'accompagner.*

1. nous attendre après le match
2. m'accompagner au restaurant
3. nous accompagner au cinéma
4. m'inviter au match de foot
5. nous inviter chez toi
6. m'aider avec mes devoirs

C Fini, le week-end. Maintenant le week-end est fini. Ecrivez des phrases pour dire ce que vous avez fait. Employez les phrases de l'Exercice B. Attention à l'accord du participe passé! Suivez le modèle.

> m'accompagner à la plage
> *(Luc) m'a accompagné(e) à la plage.*
> OU: *(Luc) ne m'a pas accompagné(e) à la plage.*

D Une interview. Interviewez un(e) camarade à propos de *(about)* ces sujets. Conversez selon le modèle.

> lire le journal
> ÉLÈVE 1 *Tu lis quelquefois le journal?*
> ÉLÈVE 2 *Je le lis de temps en temps (rarement, etc.).*
>
> ÉLÈVE 1 *Quand est-ce que tu le lis?*
> ÉLÈVE 2 *Surtout le soir (avant le dîner, etc.).*

1. regarder la télévision
2. regarder les informations
3. regarder les dessins animés
4. regarder les cassettes-vidéo
5. écouter la radio
6. garder les enfants
7. faire la vaisselle
8. faire le ménage
9. faire la lessive
10. utiliser l'ordinateur

E Parlons de toi.

1. Est-ce que tu as lu un roman récemment *(recently)*? Tu l'as commencé il y a combien de temps? Où est-ce que tu l'as acheté? Est-ce que tu as lu ce livre pour toi ou pour un cours?

2. Combien de livres est-ce que tu as lus l'année dernière? Dis le titre d'un livre que tu as lu. Est-ce que tu as aimé ce livre? Pourquoi?

3. Combien de temps est-ce que tu passes à faire tes devoirs chaque jour? A lire des livres ou des magazines chaque jour? A regarder la télé?

4. Est-ce que tu es en train de répondre à ces questions au lycée ou chez toi? D'habitude, où est-ce que tu fais tes devoirs? Tu aimes les faire dans un endroit calme ou un endroit bruyant? Tu écoutes la radio pendant que tu les fais?

ACTIVITÉ

Les petits mots.   Bring to class a blank sheet of stationery or note-paper. Fold it in half and write your name on the outside. Put all the blank, addressed notes in a bag. Each student should then draw out one piece of paper. Be sure you don't draw your own!

Look at the name on the paper, then write five questions about events in the past for that person to answer in writing. Each question must contain a direct object noun. Leave space between the lines for a reply.

The notes should then be collected and returned to the persons named. Answer your questions with direct object pronouns.

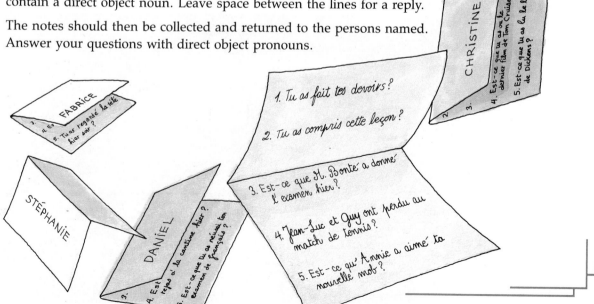

APPLICATIONS

Formez des phrases en français d'après les modèles.

1. Aujourd'hui au lycée, *il a enregistré une cassette-vidéo.*
    (I gave a talk)
    (we looked at some slides)

2. *Le prof montre régulièrement les diapos.*
    (From time to time we use the dictionary.)
    (Papa rarely reads the advice column.)

3. *En cours de français, j'ai lu un poème intéressant.*
    (In math class, she wrote two difficult exercises.)
    (In Spanish class, we said the new words.)

4. *Au kiosque le garçon a acheté un magazine de motos.*
    (At the stationery shop, she bought a datebook.)
    (At the bookstore, we bought several spy thrillers.)

5. *D'abord nous les avons préparées pour le dîner.*
    (Then he bought it [f.] for his mother.)
    (Finally you [pl.] accepted it [m.] for your group.)

6. Maintenant *il est* en train d'*écrire un petit mot.*
    (we are)   (interviewing the guests)
    (they [f.] are)   (taking notes)

Au labo de physique du
lycée Voltaire à Paris

THÈME

Trouvez les expressions françaises qui correspondent à l'anglais et rédigez un paragraphe.

1. Today at school, Odile interviewed a student.

2. She always records her interviews.

3. In English class she gave a talk.

4. In the library, she found a dictionary.

5. Then she used it for her composition.

6. Now she's in the middle of doing her homework.

RÉDACTION

Maintenant choisissez un de ces sujets.

1. Imagine what the interview in picture 1 is about. Create at least three sentences for each student.

2. Write a paragraph describing Odile's thoughts in picture 6.

CONTRÔLE DE RÉVISION CHAPITRE 1

A Au Lycée Victor Hugo.
Qu'est-ce qu'on trouve dans ce lycée? Ecrivez des phrases.

On trouve des dictionnaires.

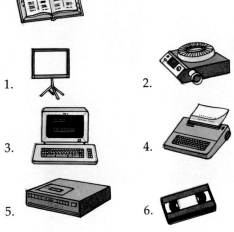

1. 2.

3. 4.

5. 6.

B Pendant le week-end dernier.
Ecrivez des phrases pour dire ce que ces gens ont fait le week-end dernier.

je / écouter mes disques
J'ai écouté mes disques.

1. Stéphane / finir son exposé
2. Odile et Claire / taper leurs rédactions
3. tu / vendre ton projecteur
4. Eric et toi, vous / lire vos cartes de vœux
5. nous / prendre la voiture de papa
6. maman / servir deux grands repas
7. les Dulac / faire du jardinage
8. ma grand-mère / avoir un rhume

C C'est vrai?
Refaites les phrases 1–5 de l'Exercice B en employant un pronom complément d'objet direct. Suivez le modèle.

je / écouter mes disques
Mes disques, je les ai écoutés.

D Qu'est-ce que tu dis?
Complétez les réponses.

Ta maman demande: «Tu me cherches?»
Tu dis: «Oui, *je te cherche.*»
Tes copains demandent: «Tu nous cherches?»
Tu dis: «Non, *je ne vous cherche pas.*»

1. Ton prof demande: «Tu m'as entendu?»
   Tu dis: «Oui,...»
2. Ton père demande: «Tu m'écoutes?»
   Tu dis: «Oui,...»
3. Ton ami demande: «Tu vas m'aider?»
   Tu dis: «Oui,...»
4. Tes copains demandent: «Tu nous invites au ciné?»
   Tu dis: «Non,...»
5. Tes parents demandent: «Tu nous as compris?»
   Tu dis: «Non,...»

E Les habitudes.
Ecrivez des phrases pour dire ce qu'on fait régulièrement.

d'habitude nous / dire la vérité
D'habitude nous disons la vérité.

1. le matin, la directrice / lire les devoirs
2. d'habitude les élèves / écrire leurs rédactions en perm
3. tous les jours nous / lire nos agendas
4. vous / dire régulièrement «bonjour» au prof
5. tu / écrire toujours tes petits mots en classe
6. je / décrire souvent les diapos en français

F Mais hier, on ne l'a pas fait!
Refaites les phrases de l'Exercice E pour dire qu'on n'a pas fait ces choses. Employez un pronom complément d'objet direct. Attention à l'accord du participe passé!

d'habitude nous / dire la vérité
Mais hier, nous ne l'avons pas dite.

VOCABULAIRE DU CHAPITRE 1

Noms

l'agenda *(m.)*
l'article *(m.)*
l'aventure *(f.)* (un roman
    d'aventures)
l'avenue *(f.)* (dans l'avenue)
la biographie
le boulevard (sur le boulevard)
le bouquin
la carte de vœux, *pl.* les cartes
    de vœux
la cassette-vidéo, *pl.* les
    cassettes-vidéo
la cloche
le courrier du cœur
la diapositive (la diapo)
le dictionnaire
la directrice
l'écran *(m.)*
l'espionnage *(m.)* (un roman
    d'espionnage)
l'exposé *(m.)* (faire un exposé)
l'horoscope *(m.)*
l'interview *(f.)*
le kiosque
la librairie
la machine à écrire
le magnétoscope
la météo
la note *(note)* (prendre des notes)
les nouvelles *(f.pl.)*
l'ordinateur *(m.)*
la papeterie
le papier à lettres
la petite annonce
le petit mot
le plan
le projecteur
le proviseur
la rédaction
la science-fiction (un film /
    roman de science-fiction)
le transparent

Adjectifs

bon, bonne (*"right"*)
écrit, -e
mauvais, -e (*"wrong"*)
oral, -e; oraux, -ales
touristique
travailleur, -euse

Verbes

accepter
décrire
enregistrer
être en train de + *inf.*
interviewer
réussir à + *inf.*
réviser
sonner
taper (à la machine)
utiliser

Adverbes

couramment
de temps en temps
doucement
plus bas (plus fort)
rarement
régulièrement
volontiers

Questions

qu'est-ce qui se passe?
quoi de neuf?

Expressions

allez-y!
bon courage!
c'est l'heure de
peu de temps
quand même

CHAPITRE 2

PRÉLUDE CULTUREL | AU RESTAURANT

No trip to France would be complete without sampling the food of the different regions. Let's join the Smiths in Paris for several days of dining *à la française*.

Mr. and Mrs. Smith and their two teenage children have decided to take turns choosing where they will eat each day. Mark is first. He remembers from his French classes that the cooking of Provence in the south of France includes tomatoes, garlic, and green peppers, so he selects Le Soleil de Provence, a *petit restaurant* recommended by the hotel receptionist. The owner of Le Soleil is also the chef, and the Smiths are proud that Mark can exchange a few words with him when he approaches their table to ask if they are enjoying their meal.

The next day, Mr. Smith gets to choose. He picks La Brasserie Gruber. A *brasserie* or *bistrot* is more like a café or bar than a restaurant. Here, the cooking is more important than the atmosphere. Brasserie Gruber specializes in the hearty *cuisine alsacienne* with its sauerkraut, pork chops, sausages, and potatoes *(la choucroute garnie)*.

The next day the family rents a car for a drive west to Normandy. Karen spots her restaurant from the car window. La Belle Normande is a *restaurant de tourisme*, offering two fixed-price meals *(des menus)*, so one can know in advance how much the dinners will cost. The family enjoys *escalopes à la crème*, thin slices of veal served with mushrooms and a rich cream sauce. The cheese course at the end of the meal is familiar to all of them now, but they have never seen so many different kinds. Since apples are one of the regional specialties, the meal ends with an upside-down apple tart.

For their last evening in Paris, Mr. and Mrs. Smith will go to *un restaurant à deux étoiles* to sample fine French cooking. The Michelin red guide rates these extra-special restaurants with one, two, or three stars. This evening will be more expensive than the others, but the atmosphere, the service, and the food will be among the best in the world. Since the Smiths will spend two to three hours at the table, this evening is sure to be one they will long remember.

The children will watch French TV tonight and order room service for dinner. They aren't sure yet what they'll have; but Mark has become quite skilled at reading the menus, and he hasn't thought of hamburgers all week!

To shop for food

To hesitate or stall for
time

To describe specific
quantities

To ask for and give a
price

To say what you feel like
doing

To offer/accept/refuse
help

MOTS NOUVEAUX I

Tu m'accompagnes au supermarché?

CONTEXTE
VISUEL

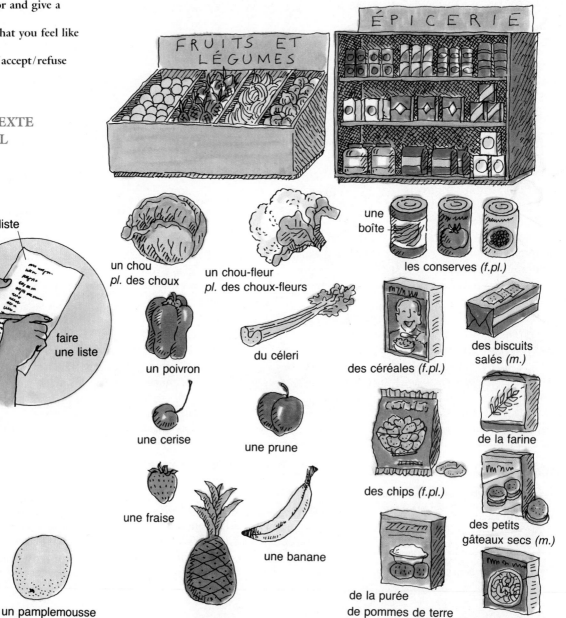

une liste

faire
une liste

un chou
pl. des choux

un chou-fleur
pl. des choux-fleurs

une boîte

les conserves *(f.pl.)*

un poivron

du céleri

des céréales *(f.pl.)*

des biscuits
salés *(m.)*

une cerise

une prune

des chips *(f.pl.)*

de la farine

une fraise

une banane

des petits
gâteaux secs *(m.)*

un pamplemousse

un ananas

de la purée
de pommes de terre

des pâtes *(f.pl.)*

les surgelés (m.pl.)

du poisson surgelé

une pizza surgelée

des frites surgelées

du camembert

du brie

du bleu

l'agneau (m.)

une côtelette d'agneau (m.)

du bifteck haché

un caissier

une caissière

une caisse

la caisse

un chariot

un comptoir

CONTEXTE COMMUNICATIF

1 Nicole et Bernard vont au supermarché.

BERNARD   Tu as fait une liste?

NICOLE   Oui. **Voyons** … quatre côtelettes d'agneau, deux choux, **une dizaine de** bananes, des biscuits salés et de l'ananas **en boîte**.

Variations:
- d'agneau → de porc
  choux → poivrons
  des biscuits salés → des chips
  de l'ananas → des prunes

voyons …   *let's see…*
une dizaine de   *about ten*
en boîte   *canned*

Mots Nouveaux I   **67**

2 Nadine et son père font des courses au supermarché.

NADINE Les bananes sont trop **mûres.** Elles sont **presque pourries.**

M. LAROCHE Prenons des fraises, alors. Tu peux me donner **un sac en plastique?**

NADINE Bien sûr, voilà.

- les bananes / trop mûres → les pamplemousses / trop mûrs
  elles sont presque pourries → ils sont **tout à fait** pourris
- trop mûres / presque pourries → très belles / **superbes**
  prenons des fraises, alors → prenons des fraises aussi

mûr, -e *ripe*
presque *almost*
pourri, -e *rotten*
le sac en plastique *plastic bag*

tout à fait *completely, totally*
superbe *superb*

3 PAUL Combien de beurre est-ce que tu as pris?

NATHALIE J'en ai pris **un paquet.**

- combien de beurre → combien de fromage
  un paquet → cinq cents **grammes**
- combien de beurre → combien de lait
  un paquet → un **demi**-litre
- combien de beurre → combien de jambon
  un paquet → six tranches

le paquet *package (box, bag, sack)*

le gramme *gram*

demi- *(adj.)* *half*

4 A la caisse.

M. LAROCHE Combien coûte le beurre?

LA CAISSIÈRE Sept francs le paquet.

- combien coûte le beurre → quel est **le prix** du beurre
- le beurre → le jus de raisin
  le paquet → le litre
- coûte le beurre → coûtent les pamplemousses
  sept francs le paquet → deux francs **la pièce**

le prix *price*

la pièce *apiece, for each one*

5 Nicole entre dans la cuisine avec un sac de **provisions.**

AURÉLIE Qu'est-ce que tu as acheté?

NICOLE Du céleri. J'**ai envie de** manger **des crudités.**

- du céleri → des pommes de terre
  manger des crudités → faire une purée de pommes de terre
- du céleri → du bifteck haché
  des crudités → un hamburger

les provisions *(f.pl.)* *groceries*

avoir envie de + inf. *to feel like (doing something)*
les crudités *(f.pl.)* *raw vegetables*

6 AURÉLIE Je peux t'aider à **ranger** les provisions?
NICOLE Oui, s'il te plaît.

- oui, s'il te plaît → merci, c'est très gentil
- oui, s'il te plaît → non, ça va, je peux les ranger

ranger *to put away; to arrange*

7 PAUL Tu sais où il faut mettre cet ananas?
NATHALIE Maman le met **au frais.**

- le met au frais → le **garde** au frais
- cet ananas → ces pommes de terre
  le met au frais → les met dans **le placard**

au frais *in the fridge*

garder *to keep*

le placard (here) *kitchen cupboard*

A la caisse d'un supermarché

FRANPRIX
LE MESNIL LE ROI
VOUS SOUHAITE LA BIENVENUE

MAIS GR.DOR
2   x   1,00   7,95
BAZAR
SEVEN UP 1L5   2,00
WASA BLEU   9,30
16 ESQ PRAL   6,20
FROSTIES   23,95
FARINE FLUID   13,95
PAIN CHOCO.   4,95
COTES PORC.   12,10
CHARCUTERIE   16,75
HITBURG. 15%   11,45
CHIPTELLE   10,60
FRITELLES   3,75
LEG CITRON 1   3,75
ROQUEF. SOC.   22,90
KIRI 8 PTS   14,80
PROD. FRAIS   8,70
                         9,30

CHEQUES   182,40
                 182,40
NB ART 18
A BIENTOT
MERCI DE VOTRE VISITE
23.06.89 17:27/ 2/ 129.01.

EXERCICES

A Les courses. Sophie a fait des courses et son frère l'aide à ranger les choses qu'elle a achetées. Conversez selon le modèle.

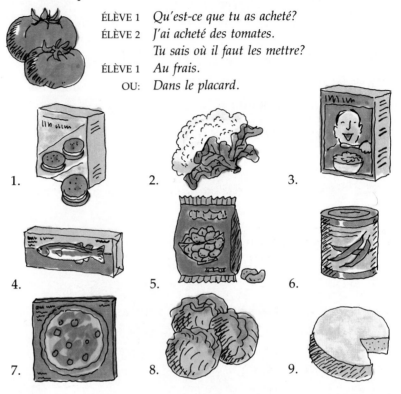

ÉLÈVE 1 *Qu'est-ce que tu as acheté?*
ÉLÈVE 2 *J'ai acheté des tomates.*
          Tu sais où il faut les mettre?
ÉLÈVE 1 *Au frais.*
    OU: *Dans le placard.*

1. 2. 3.

4. 5. 6.

7. 8. 9.

B Au supermarché. Jean a des listes de quatre choses à acheter au supermarché. Sur chaque liste, trouvez la chose qui n'est pas au même rayon *(section)* que les autres.

1. le chou-fleur, le céleri, le camembert, les petits pois
2. l'agneau, la farine, le porc, le veau
3. le bleu, le brie, le camembert, les biscuits
4. le lait, les poivrons, le céleri, les choux
5. le gâteau, les pâtisseries, les petits gâteaux secs, le bifteck haché
6. les prunes, la purée, les cerises, les pamplemousses
7. le bifteck, le rôti de veau, les frites surgelées, les côtelettes d'agneau
8. le jus de fruit surgelé, le poisson surgelé, la pizza surgelée, les pâtes
9. l'ananas en boîte, une boîte de haricots verts, des bananes, les boîtes de petits pois

C Le mot juste.

Trouvez un synonyme ou une expression synonyme.

1. Les enfants *veulent* manger des chips.
2. Le marchand dit que ses fraises sont *excellentes* aujourd'hui.
3. Tu veux acheter *dix* prunes?
4. Comme hors-d'œuvre, il a préparé *du céleri, du chou et des carottes.*

Trouvez un antonyme ou une expression antonyme.

5. Les bananes du marchand sont *vertes*.

Trouvez un mot associé.

6. Toutes les oranges ont *gelé* cet hiver. Alors il faut acheter du jus d'orange _____ .
7. Mille _____ font un *kilogramme.*
8. Allez à la *caisse* pour trouver la _____ .
9. Je voudrais *compter* les provisions que tu as achetées. Tu veux les ranger sur le _____ ?

Trouvez les mots à plusieurs sens. Complétez les phrases avec les mots suggérés par les images.

 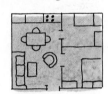 

10. J'ai besoin de téléphoner. Tu peux me prêter quelques _____ ?
11. Combien de _____ a ton appartement?
12. Il fait _____ aujourd'hui. Porte ton pull.
13. J'ai acheté des œufs. Je vais les mettre au _____ .

D Parlons de toi.

1. Quand tu organises une boum, qu'est-ce que tu achètes à manger? Dans quels magasins est-ce que tu vas? Est-ce que tu fais une liste?
2. Qui fait les courses dans ta famille, d'habitude? Est-ce que tu l'aides? Combien de fois par semaine est-ce que cette personne va au supermarché?
3. Quand tu achètes des provisions, qu'est-ce que tu achètes en boîte en général? dans des paquets? surgelé?
4. Est-ce que c'est toi qui ranges les provisions? Qu'est-ce que tu ranges dans les placards? au frais?

ACTIVITÉ

Au marché. With a classmate, play the roles of a *marchand(e)* and a *client(e)*. Salespersons brag about their produce and urge their customers to buy. Customers should confirm prices, decide whether or not to buy, hand over bills of 50F or 100F for the produce, and take the change.

Il vend des fruits et des légumes.

APPLICATIONS

Les provisions de Ghyslaine

GHYSLAINE	Voilà, j'ai fait ma liste, regarde.
BERTRAND	Voyons … *(Il lit.)* Une dizaine de sachets[1] de potage instantané,[2] cinq boîtes de petits pois, une douzaine d'œufs, six boîtes de raviolis à la viande, trois paquets de petits gâteaux secs, quatre paquets de chips….
GHYSLAINE	*(inquiète)* Tu penses que c'est assez?
BERTRAND	Assez? Mais où tu vas avec toutes ces provisions?
GHYSLAINE	Faire du camping avec deux cousines.
BERTRAND	Et vous partez pour longtemps?
GHYSLAINE	Eh bien oui! Tout le week-end!

5

10

---

[1]**le sachet**   *envelope*   [2]**le potage instantané**   *powdered soup mix*

Questionnaire

1. Qu'est-ce que Bertrand lit?   2. Qu'est-ce que Ghyslaine va acheter? Pourquoi est-ce qu'elle va acheter des provisions?   3. Ghyslaine va partir pour combien de temps? Pourquoi est-ce que Bertrand pense qu'elle part pour longtemps?

Situation

With a classmate, create a dialogue. It is Saturday, your parents have gone away for the weekend, and you are in charge of the cooking for you and your brother (sister). Make a shopping list and show it to a friend. Your friend will suggest that you not buy certain items, and that you add others.

◆ COMMUNICATIVE
OBJECTIVES

To order a meal

To ask for a
recommendation

To ask for and give an
opinion

To make polite requests

To describe food

MOTS NOUVEAUX II

Je t'invite au restaurant!

CONTEXTE
VISUEL

~Hors-d'œuvre~

les huîtres

les escargots de Bourgogne

l'assiette de charcuterie

la quiche lorraine

les crevettes à l'ail

les crudités

les fruits
de mer *(m.pl.)*

la salade niçoise

les tomates
provençales

~Soupes~

la soupe à l'oignon

la soupe
aux légumes

~Plats~

la bouillabaisse

le bœuf bourguignon

le poulet provençal

le coq au vin

la choucroute garnie

le canard à l'orange

~Desserts~

la mousse
au chocolat

la crème caramel

la coupe
de glace

la tarte aux fruits

le soufflé à l'orange

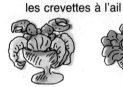

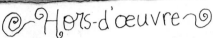

74 Chapitre 2

Menu du jour

Charcuterie
Blanquette de veau
Fromage ou dessert
Vin rosé, rouge ou blanc
Eau minérale

69F service compris

Menu à 120F
(service compris)

★★★

Les fruits de mer
La salade niçoise

★★★

La côtelette de porc normande
Le coq au vin
Le tournedos Henri IV

★★★

Légumes et salade de saison

★★★

La tarte aux cerises
La coupe de glace
La mousse au chocolat

BOISSONS	
Boissons chaudes	
café	8F
thé	9F
chocolat chaud	12F
Boissons froides	
jus de fruit	9F
citron pressé	12F
eau minérale	10F
Vins	
Beaujolais Villages	65F
Rosé d'Anjou	37F
Sauternes-Château du Parc	167F

CONTEXTE COMMUNICATIF

1 MARTIN   Tu aimes la cuisine provençale?

    MURIEL   Je l'adore, surtout la salade niçoise.

Variations:

- la salade niçoise → les tomates provençales
- la cuisine provençale → la cuisine française
  la salade niçoise → le canard à l'orange

2 MARTIN   Tu connais un bon restaurant provençal?

    MURIEL   Il y en a un dans la rue Bercy, «La Bonne Fourchette».

- dans la rue → sur le boulevard

3 Au restaurant.

LE SERVEUR	Bonjour. Commandez-vous à la carte ou prenez-vous un menu?
ANDRÉ	A la carte. Qu'est-ce que tu veux comme hors-d'œuvre, Rose?
ROSE	Des fruits de mer. C'est **une spécialité** de ce restaurant.

■ des fruits de mer → euh … une soupe à l'oignon

la spécialité *specialty*

4

LE SERVEUR	Qu'est-ce que vous allez prendre comme plat principal?
ROSE	Du poulet provençal, s'il vous plaît.
LE SERVEUR	Et comme boisson?
ANDRÉ	**Une demi-bouteille** de vin rouge.

■ du poulet provençal → une côtelette d'agneau
une demi-bouteille de vin rouge → de l'eau

la demi-bouteille *half-bottle*

5

LE SERVEUR	**Comment trouvez-vous** le poulet, mademoiselle?
ROSE	Je le **trouve** délicieux.
LE SERVEUR	Très bien. Et n'oubliez pas de prendre un dessert.

■ le poulet → la soupe
je le trouve délicieux → je la trouve excellente

comment trouvez-vous …? *what do you think of…?*

trouver + adj. *to think something is (+ adj.)*

6

LA SERVEUSE	Allez-vous prendre du fromage ou un dessert?
MURIEL	Rien pour moi. J'ai trop bien mangé.
MARTIN	Je vais prendre un soufflé à l'orange.

■ un soufflé à l'orange → de la tarte aux fraises

7 Sara adore la cuisine **alsacienne.** Alors, Mme Muller l'a invitée à dîner chez elle. Elle a préparé de la choucroute.

MME MULLER	Comment trouves-tu la choucroute?
SARA	Elle est délicieuse. Avec quoi avez-vous fait ça?
MME MULLER	Avec des côtelettes de porc, du jambon, de la choucroute … Ce n'est pas une cuisine **légère!**

■ alsacienne → française
la choucroute → la blanquette de veau
des côtelettes … choucroute → du veau, des oignons,
                                                    de la crème

alsacien, -ne *from the Alsace region*

léger, -ère (here) *light in calories or less in amount*

8 AURÉLIE   Donne-moi un petit morceau de ton fromage, **veux-tu?**

     NICOLE   Comment tu le trouves?

     AURÉLIE   Voyons … *(Elle y goûte.)* Il est assez **fort.**

- voyons … Il est assez fort $\rightarrow$ mmm, il est très **doux**
- fromage $\rightarrow$ soufflé
  assez fort $\rightarrow$ trop **sucré**
- un petit morceau de ton fromage $\rightarrow$ un peu de ta soupe
  comment tu le trouves? $\rightarrow$ tu aimes?
  il est assez fort $\rightarrow$ elle est trop **salée**

veux-tu	*please*
fort, -e	*strong*
doux, douce	*mild*
sucré, -e	*sweet*
salé, -e	*salty*

EXERCICES

A   **Tu y goûtes?**   Bertrand et Christine font la cuisine ensemble. Chacun goûte aux plats que l'autre prépare. Conversez selon le modèle. Employez des mots de la liste pour vos réponses.

assez	très	léger, épicé
presque	trop	chaud, froid
un peu	salé, sucré	excellent, superbe
tout à fait	doux, fort	bien cuit, saignant

ÉLÈVE 1   *Goûte à la bouillabaisse. Comment tu la trouves?*
ÉLÈVE 2   *Elle est très bonne.*
    OU: *Oh, elle est trop salée.*

1.   2.   3.

4.   5.   6.

7.   8.   9.

B Le mot juste.

Trouvez un mot associé.

1. Les Muller habitent à Strasbourg, en *Alsace*. Ils travaillent dans un restaurant _____.
2. Tu prends du *sucre* dans ton café? Oui, j'aime le café _____.
3. Le canard à l'orange est un plat *spécial*. C'est la _____ de ce restaurant.
4. Est-ce qu'il y a assez de *sel* dans la soupe aux légumes? Oui, elle est assez _____.

Trouvez le mot à plusieurs sens. Complétez les phrases avec les mots suggérés par les images.

5. La valise bleue est plus _____ que la verte.
6. En été je préfère les repas _____.

C Parlons de toi.

1. A quels plats de la page 74 n'as-tu jamais goûté?
2. Quelle est la cuisine que tu préfères: chinoise? italienne? mexicaine? une autre? Pourquoi? Quelle cuisine est-ce que tu n'aimes pas? Pourquoi? Tu préfères la cuisine épicée ou douce?
3. Quel est ton plat préféré? Ta mère aime quel plat? Et ton père?
4. Qu'est-ce que tu as envie de manger ce soir?

Dans un restaurant alsacien

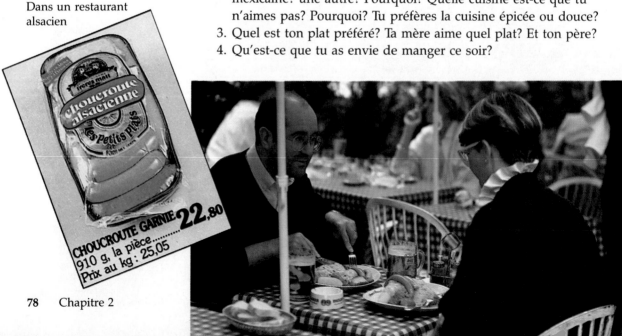

CHOUCROUTE GARNIE **22,80**
910 g, la pièce...........
Prix au kg: 25,05

A la terrasse d'un café
à Paris

ACTIVITÉ

Le nouveau restaurant. You and a partner are going to open a new restaurant. Working together, come up with a name for the restaurant. Then develop an *à la carte* menu that includes choices of appetizers, main courses, vegetables, desserts, and drinks. Give everything a price in francs.

Now exchange menus with another pair of students. Take turns ordering the items that interest you most. What does your bill come to?

ÉTUDE DE MOTS

You know that *demi* means "half." When you want to talk about half of something, put *demi* in front of the noun, joined to it with a hyphen. When *demi* is in front of the noun, it does not show any agreement: *une demi-douzaine, une demi-heure*.

When you want to describe a whole plus an extra half, place the words *et demi(e)* after the noun. In this case, *demi* does agree with the noun, but only in gender: *une heure et demie, deux kilos et demi*.

Look at the following nouns. Write them first with *demi* in front of them, and then with *et demi(e)* after them. Be careful to make necessary agreement changes. Finally, tell what each of the expressions means in English.

une bouteille	une heure	un paquet	une tasse
une douzaine	un litre	une boîte	une cuillère

EXPLICATIONS I

Les verbes *pouvoir* et *vouloir*

◆ COMMUNICATIVE
OBJECTIVES

To tell what you want

To describe what you can do

To ask permission

To make polite requests

Here are the forms of the verbs *pouvoir* ("can / to be able (to)") and *vouloir* ("to want (to)").

INFINITIFS		**pouvoir**		**vouloir**
PRÉSENT	je	**peux**	je	**veux**
	tu	**peux**	tu	**veux**
	il, elle, on	**peut**	il, elle, on	**veut**
	nous	**pouvons**	nous	**voulons**
	vous	**pouvez**	vous	**voulez**
	ils, elles	**peuvent**	ils, elles	**veulent**

IMPÉRATIF **veux-tu ... voulez-vous ... veuillez ...**

PASSÉ COMPOSÉ **j'ai pu j'ai voulu**

1 To ask permission to do something, or to make a polite request, use *pouvoir* + an infinitive.

> Dis, maman, je **peux organiser** une boum pour samedi soir?
> Guy, est-ce que tu **peux** me **prêter** ton vélo, s'il te plaît?

2 You can use *tu veux* and *vous voulez* to soften the tone of commands. You can also use the inverted forms *veux-tu* and *voulez-vous*. In this case, the inversion is used even in informal situations.

Apporte l'écran!	Ecrivez une lettre!
Tu veux apporter l'écran?	**Vous voulez** écrire une lettre?
Apporte l'écran, **veux-tu?**	**Voulez-vous** écrire une lettre?

3 You know how to make polite requests with *je voudrais* and *nous voudrions*. Another way to soften commands is to make a question with *pourriez-vous* or *voudriez-vous*.

> **Je voudrais** un autre morceau de camembert, papa.
> **Nous voudrions** deux assiettes, monsieur.
> **Pourriez-vous** m'apporter la carte, madame?
> **Voudriez-vous** nous donner encore un peu de salade?

4 *Vouloir* has an imperative form, *veuillez*, that is used in formal situations and in writing: ***Veuillez*** *nous écrire cette semaine.*

A la terrasse d'un restaurant à St-Jean-de-Luz sur la côte Atlantique près de l'Espagne

EXERCICES

A **Que voulez-vous faire?** Demain c'est samedi. Anne veut aller au parc, mais tous ses amis ont d'autres projets. Qu'est-ce qu'ils veulent faire? Suivez le modèle pour expliquer leurs projets.

> Bernard / nager
> *Bernard veut nager.*

1. Nicole / préparer sa rédaction
2. Nadine et Aurélie / aller au cinéma
3. Paul et moi / passer l'après-midi en ville
4. les garçons / jouer au foot
5. vous / dormir
6. Benoît / lire un roman
7. Luc / écrire des lettres
8. Et toi, qu'est-ce que tu veux faire demain?

B **Oh, non!** Il y a une interrogation lundi. Les amis d'Anne ont passé le week-end à préparer l'interro. Alors, ils n'ont pas pu faire les choses qu'ils ont voulu faire. Refaites l'Exercice A. Suivez le modèle.

> Bernard / nager
> *Bernard a voulu nager, mais il n'a pas pu le faire.*

C **On peut?** Le professeur est absent aujourd'hui. Il y a une remplaçante *(substitute)*. Richard a beaucoup de choses à lui demander! Suivez le modèle.

> Muriel / nous lire un poème
> *Muriel peut nous lire un poème?*

1. Françoise / manger son sandwich
2. Serge et Thierry / aller à la salle de documentation
3. Chantal et moi / sortir pendant quelques minutes
4. Paul / écrire un petit mot à sa copine
5. Anne et Eve / lire nos horoscopes
6. nous / chanter une chanson
7. moi, je / écouter mon baladeur
8. vous / aller au parc avec la classe

D S'il vous plaît! Employez des formes de *pouvoir* ou de *vouloir* dans ces situations.
1. Vos parents partent pour le week-end. Demandez-leur la permission de faire trois choses pendant leur absence.
2. Vous demandez à votre frère ou à votre sœur de faire trois choses pour vous. Soyez poli(e)!
3. Vous êtes au restaurant. Commandez deux plats et ensuite demandez au serveur de vous apporter deux choses qui ne sont pas sur la table. Soyez poli(e)!

E Que dites-vous?
1. Vous êtes dans un très bon restaurant. Vous voulez savoir le prix d'une demi-bouteille de vin. Que dites-vous au serveur?
2. Vous voulez savoir si votre ami(e) prend un dessert. Qu'est-ce que vous lui demandez?
3. Vous voulez avoir l'addition. Que dites-vous au serveur?

Chez Bocuse, le célèbre restaurant près de Lyon

Les verbes *connaître* et *savoir*

♦ COMMUNICATIVE
OBJECTIVES
To tell what and whom
you know
To tell what you know
how to do

French has two verbs that mean "to know," but they are used in
different ways. First look at their forms.

INFINITIFS	connaître		savoir
PRÉSENT	je **connais**		je **sais**
	tu **connais**		tu **sais**
	il, elle, on **connaît**		il, elle, on **sait**
	nous **connaissons**		nous **savons**
	vous **connaissez**		vous **savez**
	ils, elles **connaissent**		ils, elles **savent**

PASSÉ COMPOSÉ   j'**ai connu**   j'**ai su**

1 *Connaître* means "to know" in the sense of being *acquainted* or *familiar
   with* a person, place, or thing.

> **Janine?** Oui, je la **connais.**
> Vous **connaissez** un peu **Paris?**
> Il ne **connaît** pas ce **poème.**

2 *Savoir* means to know facts or information.

> Tu **sais** la **date?**
> Vous **savez à quelle heure** il arrive?

3 When you use *savoir* + an infinitive, it means "to know how (to)."

> Est-ce que tu **sais danser?**   *Do you **know how to** dance?*

4 Remember that though we can omit "that" in English, you must
   always use *que* in a similar sentence in French.

> Je **sais qu**'il est là.   *I **know (that)** he's there.*

5 When someone asks if you know a fact or a piece of information,
   you can use the pronoun *le* in your answer.

> Tu sais **qu'il a gagné?**   *Do you know **that he won?***
> Oui, je **le** sais.   *Yes, I know **(that).***

EXERCICES

A Tu le connais? Pierre est sûr que ses amis connaissent plus de personnes et plus de choses que lui. Il leur pose toujours beaucoup de questions. Conversez selon le modèle.

> tu / cette chanson
> ÉLÈVE 1 *Tu connais cette chanson?*
> ÉLÈVE 2 *Oui, je la connais. Et toi?*
> ÉLÈVE 1 *Non, moi je ne la connais pas.*

1. vous / ce monsieur
2. Marie / ton ami italien
3. il / les rues de Paris
4. tu / bien l'Angleterre

5. François / Pierre
6. vous / les Martin
7. vous / leur cousine
8. tu / ses parents

B Qui sait le faire? Marie-Christine a une très grande famille. Tout le monde fait quelque chose à la maison. Quelle est la spécialité de chacun? Suivez le modèle pour répondre.

sa grande sœur
Sa grande sœur sait faire la lessive.

1. Richard et Paul   2. moi   3. Louis

4. Catherine   5. nous   6. sa petite sœur

7. Et toi, qu'est-ce que
   tu sais faire à la maison?

C **Sais-tu?** Hélène et Marc déjeunent ensemble. Complétez les phrases avec la forme correcte de *savoir* ou *connaître*.

HÉLÈNE Est-ce que tu _____ quel jour on est?

MARC Oui, on est vendredi.

HÉLÈNE Ah zut! Aujourd'hui c'est l'anniversaire de Georges et je n'ai pas de cadeau pour lui.

5 MARC Qui est Georges? Je ne le _____ pas.

HÉLÈNE C'est un ami à moi. Il est très grand avec les cheveux noirs. Ta sœur le _____ très bien.

MARC Ah oui, je _____ qui c'est. A quelle heure est la boum?

HÉLÈNE A sept heures. Ça va être chez lui. Je _____ l'adresse. Mais
10 je ne _____ pas comment y aller. C'est dans la rue du Général de Gaulle. Tu la _____ ?

MARC Je ne _____ pas sa maison, mais je _____ la rue. Tu as une voiture?

HÉLÈNE Bien sûr! Tu _____ ma voiture, la vieille Renault 4.

15 MARC Ah oui! D'accord. Donne-moi l'adresse, je vais t'expliquer comment y aller.

HÉLÈNE Merci.

D **Chez nous.** Imaginez que vous êtes un(e) nouvel(le) élève. Posez des questions au sujet de votre ville ou de votre lycée avec *tu sais* ou *tu connais*. Conversez selon le modèle.

le nom du proviseur
ÉLÈVE 1 *Tu sais le nom du proviseur?*
ÉLÈVE 2 *Oui, il s'appelle (M. Duval).*

1. le (la) prof d'algèbre
2. le nom du professeur de français
3. un bon restaurant
4. où on peut aller danser
5. des gens sympa
6. où on peut aller étudier
7. l'adresse du lycée

restaurants vegetariens | **RV**

05 GRENIER DE NOTRE-DAME (LE), 18, rue de la Bûcherie, 43.29.98.29. Tlj. Sce jsq 23h30. Sur la rive gauche, près de Saint-Michel, on vous servira dans un cadre rustique, un beau choix de spécialités végétariennes et macrobiotiques. Env. 100 F t.c. Menus à 48,50 et 68,50 F s.c.

07 JARDIN DU BAC (LE), 100, rue du Bac, 42.22.81.56. Tlj. Sce jsq 23h30. Un rfestaurant-salon de thé, voué à la cuisine macrobiotique. Boutique de produits diététiques. Env. 150 F t.c.

06 MACROBIOTHEQUE, 17, rue de Savoie, 43.25.04.96. F. Dim. Sce jsq 22h. Un petit restaurant au décor rustique, et ses spécialités macrobiotiques, également vendues à emporter. Env. 70 F t.c.

05 ROSELIGHT, 29, quai de la Tournelle, 46.33.66.66. F. Lun. Sce 12h à 15h, 19h à 0h. Restaurant, salon de thé, spéc. Macrobiotique. Menu à 48 F s.c. (65 F s.c. Ambs musicale.

brasseries | **BR**

08 ALSACE, 39, Champs-Elysées, 43.59.44.24. Tlj. Sce 24h sur 24. L'une des meilleures ambassades Alsaciennes à Paris. Remarquables fruits de mer et belles viandes. Env. 170 F t.c. Menu à 112 F s.n.c.

02 AUBERGE D'ALSACE, 1, bd des Italiens, 42.96.61.20. Tlj. Sce continu de 11h à 2h du mat. Une brasserie Alsacienne, avec choucroutes, mais aussi

creperies | **CR**

02 CREPERIE (LA), Glacier. 62, 64 passage Panorama. Mº Montmartre/Bourse, Crêpes et galettes bretonnes. Coupes de glaces composées.

12 CREPERIE DU PARC, allée des Pins. Parc floral de Paris (près chateau de Vincennes), 43.28.08.43. Tlj de 10h à 19h30. Carte simple mais variée, crêpes et glaces. Thé dansant le Dim à partir de 15h.

17 CREPERIE DES ETOILES, 20, rue du Débarcadère. Près du Palais des Congrés, 45.72.59.39. Tlj. Sce continu de 12h à 1h du mat. 60 variétés de crêpes-repas. Salades. Amb. musicale dans un décor Holly-woodien.

specialites regionales | **SR**

Alsace

08 ALSACE, 39, Champs-Elysées, 43.59.44.24. Tlj. Sce 24h sur 24. L'une des meilleures ambassades Alsaciennes à Paris. Remarquables fruits de mer et belles viandes. Env. 170 F t.c. Menu à 112 F s.n.c.

06 ALSACE A PARIS, 9, Place St André-des-Arts 43 26.89.36. Tlj. Sce jsq 1h du mat. Spéc. d sserie : grillades, poissons et choucroutes. Salon 10 à 60 cts. Env. 150 t.c. Menu à 115 F s.n.c.

ALSACE AUX HALLES, 16, rue Coquillière 36.74.24. Tlj. Sce 24h/24. Le décor et la cuisin s transporteront au cœur de l'Alsace : foie gras ucroutes, poissons, grillades et fruits de mer. En 0 F t.c. Menu à 120 F. Vin et s.c.

AUBERGE D'ALSACE, 1, bd des Italiens 96.61.20. Tlj. Sce continu de 11h à 2h du mati brasserie à la mode Alsacienne, avec aussi de ts de mer. Orchestre le soir. Env. 140 F t.c. Menu 50 F s.n.c.

BAUMANN-MARBEUF, 15, rue Marbeu 20.11.11. Tlj. Sce jsq 1h du mat. 10 variations s hème de la (bonne) choucroute : au poisson, a

E   Parlons de toi.

1. Qu'est-ce que tu sais très bien faire? Où est-ce que tu peux faire cette chose? Quand est-ce que tu peux la faire?
2. Qu'est-ce que tu veux faire ce week-end? Est-ce que tu vas pouvoir le faire? Si non, pourquoi pas? Si oui, où est-ce que tu vas aller pour le faire?
3. Qu'est-ce que tu veux devenir? Tu connais des gens qui font ce travail? Est-ce qu'ils aiment le faire?
4. Est-ce que tu sais faire la cuisine? Quel plat est-ce que tu sais faire?
5. Est-ce que tu connais beaucoup de plats français? Quels plats est-ce que tu connais?
6. Est-ce que tu connais des magasins chics, mais pas trop chers? Qu'est-ce qu'on peut y acheter?

Ce chien a envie d'entrer dans la charcuterie.

APPLICATIONS

L'apprenti artiste

AVANT DE LIRE

Avant de lire cette histoire, cherchez les réponses à ces questions.
1. Où est-ce que l'histoire a lieu *(take place)*?
2. Qui raconte *(tells)* l'histoire?
3. Le mot *apprenti* est comme quel mot anglais?

Luc est élève au LEP* en section cuisine. Le célèbre restaurant «Les Trois Gourmands» a accepté de le prendre comme apprenti. C'est aujourd'hui son premier jour. Il raconte[1] son histoire.

Le Chef[†] me regarde, sévère.

5 «Bien, il est cinq heures, tu es à l'heure. Dis-moi, qu'est-ce qu'on t'a appris au LEP?

— Euh … Eh bien … (Timide, je ne réponds pas.)

— Oui, je vois, tu ne sais rien. Ici, ce n'est pas une cantine. Tu es dans un restaurant trois étoiles.[‡] Mes cuisiniers[2] sont des artistes. Toi, tu
10 es là pour obéir, travailler et apprendre. Ce soir, tu vas rester avec Philippe. Allez!»

J'ai rêvé[3] d'être ici pendant des années et maintenant j'ai envie de pleurer:[4] mon tablier[5] est trop grand, et il fait chaud…. Philippe me demande de couper[6] des légumes. Couper des légumes!! Mais je fais ça
15 tous les jours chez nous! Moi, je veux apprendre à faire des sauces compliquées, des plats fins,[7] des recettes[8] uniques. Mais enfin, il faut obéir. Je ne suis qu'un apprenti! Je prends un couteau, une pomme de terre, et je commence.

Philippe revient et hurle:[9]
20 «Mais non! Tu vas y passer des heures! Regarde!»

Il prend le couteau et je vois un miracle. Entre ses mains, le couteau est léger, et en quelques mouvements précis, rapides et énergiques, il transforme une pomme de terre en petits cubes parfaits.

---

[1]**raconter** *to tell*   [2]**le cuisinier, la cuisinière** *cook*   [3]**rêver** *to dream*   [4]**pleurer** *to cry*   [5]**le tablier** *apron*   [6]**couper** *to cut*   [7]**fin, -e** *delicate*   [8]**la recette** *recipe*   [9]**hurler** *to yell*

LEP (Lycée d'enseignement professionnel): One choice students may make at the end of *collège* is to attend a *lycée d'enseignement professionnel*, where they learn a trade at the same time as they take academic subjects. At the end of the LEP, students receive a professional certificate.

[†]***le Chef:*** The head chef of a three-star restaurant is at the peak of the profession, and no longer cooks regularly. The chef develops new dishes, oversees food purchases, and supervises the kitchen staff. In the best restaurants, the staff includes a *sous-chef* (assistant chef), a *saucier* (sauce cook), a *pâtissier*, and several *apprentis*.

[‡]***trois étoiles:*** Hotels and restaurants in France are rated by the well-known Guide Michelin. Restaurants receive one, two, or three stars. Those with three stars—and there are few—are sure to offer the very best dining in France.

«A toi!»

25 Et il me rend le couteau. Je le trouve lourd, mais allons, il faut faire
un effort! Et j'imite Philippe.

Une heure plus tard, j'ai mal aux mains, mais j'ai enfin fini. Je regarde
mon travail avec satisfaction. Le Chef donne ses ordres au saucier.
Derrière lui, le pâtissier vient de finir un gâteau magnifique. Des
30 artistes, oui, il a raison, le Chef! Et je rêve: Moi aussi, je transforme
légumes, viandes et sauces en œuvres d'art.[10]

Tout à coup j'entends:

«Luc! Qu'est-ce que tu fais là, ça va pas! On attend les champignons!»
Et je recommence.

35 Il est huit heures. Je suis fatigué, mais il faut continuer. Les premiers
clients sont arrivés et j'entends le bruit des fourchettes et des couteaux
dans la salle à manger du restaurant.

Vers neuf heures, le Chef vient me voir.

«C'est bien, petit, tu aimes ton travail et tu le fais bien.»

40 Oui, c'est vrai, j'adore ce travail. Et je comprends quelque chose: Pour
devenir un grand cuisinier, il faut des années de travail et de patience.
J'ai appris quelque chose d'autre aussi: Bien couper une pomme de terre
est aussi important que[11] bien tourner une sauce ou décorer un gâteau
superbe. Une œuvre d'art est composée de mille petites choses.

---

[10]l'œuvre (f.) d'art   *work of art*   [11]aussi … que   *as…as*

Le chef du restaurant L'An
Zéro à Paris.

Questionnaire

1. D'après le Chef, pourquoi est-ce que Luc est là?
2. Quel est le premier travail de Luc? Est-ce qu'il aime ce travail?
   Qu'est-ce qu'il veut faire?
3. Est-ce que Luc travaille vite?
4. Pourquoi est-ce que Luc a mal aux mains?
5. Après les pommes de terre, qu'est-ce qu'il faut couper?
6. A quelle heure est-ce que les clients arrivent? Comment est-ce que
   Luc sait qu'ils sont là?
7. Est-ce que le Chef pense que Luc fait bien son travail? Est-ce que Luc
   aime son travail?
8. Qu'est-ce qu'il faut pour devenir un grand cuisinier?

EXPLICATIONS II

Les pronoms compléments d'objet indirect

Remember that an indirect object tells *to whom* or *for whom* an action is performed. Here are the indirect object pronouns.

SINGULIER		PLURIEL	
me	*to me, for me*	**nous**	*to us, for us*
te	*to you, for you*	**vous**	*to you, for you*
lui	*to him/her*	**leur**	*to them, for them*
	for him/her		

1 There is elision with *me* and *te* before a vowel sound, and there is liaison with *nous* and *vous*.

2 Like direct object pronouns, indirect object pronouns are placed right before the verb in the present tense. In the future with *aller*, and in present-tense sentences with a verb and an infinitive, the object pronouns go before the infinitive.

> Tu **leur** téléphones?
> Non, je ne **leur** téléphone pas.

> Tu veux **lui** écrire une lettre?
> Vous allez **nous** écrire bientôt?

3 In the passé composé, indirect object pronouns come before the form of *avoir*. The past participle does not change to agree with an indirect object pronoun.

> Je **vous** ai parl**é** hier, **madame.**
> Ils ne **nous** ont pas parl**é** cette semaine.

4 To emphasize the people you're referring to, mention them at the beginning of the sentence, and then use a pronoun as well: *La concierge, je lui dis toujours «bonjour».*

EXERCICES

A   Bien sûr.   Vous êtes très gentil(le), et vous faites toujours les choses que vos amis vous demandent de faire. Conversez selon le modèle.

> à nous / dire au revoir
> ÉLÈVE 1 *Tu vas nous dire au revoir?*
> ÉLÈVE 2 *Bien sûr, je vais vous dire au revoir.*

1. à moi / téléphoner demain
2. à nous / apporter ton nouveau disque
3. à nous / prêter ton baladeur demain après-midi
4. à moi / expliquer les devoirs de maths
5. à eux / écrire une lettre demain
6. à nous / faire une visite ce week-end
7. à moi / parler de tes vacances
8. à lui / donner ton pull

B   Le bon choix.   On ne fait pas la même chose avec tout le monde. Que faites-vous avec chacune de ces personnes? Suivez le modèle.

> le serveur / je rends
> *Le serveur, je lui rends la carte.*

1. mon petit cousin / je lis
2. mes copains / je prête
3. mes parents / j'emprunte
4. l'épicier / je demande
5. les invités / j'apporte
6. le facteur / je donne
7. le professeur / je rends
8. ma copine / j'achète

a. des disques de rock
b. les devoirs
c. une histoire
d. un kilo de sucre
e. les hors-d'œuvre
f. la voiture
g. les lettres
h. la carte
i. des fleurs

ACTIVITÉ

A qui?   Write five sentences describing things you do regularly to or for someone else. Use the verbs of the previous exercises and indirect object pronouns. Read these sentences to a classmate who will try to guess who that someone is. Then change roles.

> ÉLÈVE 1 *Je lui demande souvent de l'argent.*
> ÉLÈVE 2 *Ta mère, tu lui demandes de l'argent?*

Le partitif et le pronom *en*

♦ COMMUNICATIVE
OBJECTIVES
**To refer to things or
places already mentioned**
To discuss quantity

1   When you want to talk about "some" or "any" of something that cannot be counted, you use a partitive article: *du, de la,* or *de l'*.

Tu veux **du** sucre?	*Do you want **some** sugar?*
Tu prends **de la** crème?	*Do you take **(any)** cream?*
Voici **de l'**eau.	*Here's **some** water.*

2   You know that in a negative sentence the indefinite articles *un, une,* and *des* become *de (d')*, meaning "any." The same is true of the partitive article.

> Tu veux **du** pain? Merci, je **ne** veux **pas de** pain.

But imagine that you are asking the identity of something in a sentence using a form of *être*. Even if the answer is negative, the article stays the same.

> C'**est du** brie? Non, ce **n'est pas du** brie, c'est du camembert.

3   The direct object pronoun *en* can replace the partitive article + a noun.

Tu prends **du** céleri?	*Are you having **any** celery?*
Oui, j'**en** prends.	*Yes, I'll have **some.***

4   When you tell how much of something there is, use *de (d')* as part of the expression of quantity.

> On a **deux kilos de** sucre, et on a **beaucoup de** farine aussi.

You can use the pronoun *en* with these expressions to avoid repeating the noun, but keep the quantity expression when you do.

> **Du sucre?** On **en** a **deux kilos.**
> **De la farine?** On **en** a **beaucoup.**

En France, on trouve une grande variété de pains.

EXERCICES

A Non, merci. Sophie visite une école de cuisine avec quelques amis. On lui propose de goûter à tous les plats, mais Sophie est au régime *(on a diet)*. Conversez selon le modèle.

ÉLÈVE 1 *Vous voulez du coq au vin?*
ÉLÈVE 2 *Non, merci, je ne veux pas de coq au vin.*

1.
2.
3.
4.
5.
6.
7.
8.
9.

B Bon appétit! Marie et Charles veulent goûter à tout, même les plats que Charles ne connaît pas. Conversez selon le modèle, en employant les plats de l'Exercice A.

ÉLÈVE 1 *Prenons du coq au vin.*
ÉLÈVE 2 *Moi, je n'en ai jamais mangé.*

C Mon dîner chez André. Votre camarade André vous a invité(e) chez lui pour manger. Vous essayez de *(try to)* deviner quel plat il va servir.

poulet / canard à l'orange
ÉLÈVE 1 *Oh, ça sent bon! C'est du poulet?*
ÉLÈVE 2 *Non, ce n'est pas du poulet. C'est du canard à l'orange. Tu aimes ça?*
ÉLÈVE 1 *Oui, j'adore ça!*
OU: *Oui, j'aime bien.*

1. soupe de poissons / bouillabaisse
2. chou / chou-fleur
3. soupe à l'oignon / soupe aux légumes
4. bifteck haché / bifteck
5. blanquette de veau / bœuf bourguignon
6. camembert / brie
7. tarte aux pommes / soufflé à l'orange

Le pronom *en*

◆ COMMUNICATIVE
OBJECTIVES

To refer to things or
places already mentioned

To discuss quantity

You know that *en* can replace the partitive article + a noun. It can also replace other phrases.

1 *En* can replace an indefinite article + a noun. Note that it goes in the same position as the other object pronouns, and that the past participle does not agree.

Tu as acheté **des jeans** hier?	Oui, j'**en** ai acheté.
Il va acheter **un manteau?**	Oui, il va **en** acheter un.

2 *En* can replace combinations of *de* + a noun or infinitive.

Tu reviens **du supermarché?**	Oui, j'**en** reviens.
Il a peur **des chiens?**	Oui, il **en** a peur.
Elle a eu envie **de partir?**	Oui, elle **en** a eu envie.
Tu n'as pas besoin **de dormir?**	Si, j'**en** ai besoin.

3 To tell how much or how many of something there is (are), you may use *en* with an expression of quantity or a number. If you use *il y a* in the sentence, place *en* between *y* and *a*.

Tu as **combien de frères?**	J'**en** ai **trois.**
Il y a **beaucoup de chips?**	Oui, il y **en** a **trois paquets.**

EXERCICES

A Où faut-il aller? Nadine passe le week-end chez une amie. Son amie lui demande d'acheter des provisions. Où faut-il aller pour tout trouver? Conversez selon le modèle. Répondez en employant les magasins de la liste.

la boucherie	l'épicerie
la boulangerie	le marché
la charcuterie	la pâtisserie
la crémerie	la poissonnerie

ÉLÈVE 1   *Voyons … J'ai besoin de fraises.*
ÉLÈVE 2   *D'accord. Je peux en trouver au marché (à l'épicerie).*

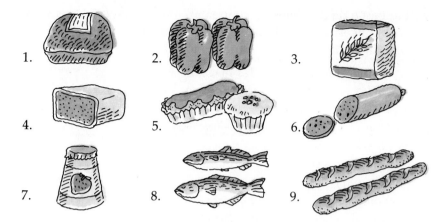

1. 2. 3. 4. 5. 6. 7. 8. 9.

B **C'est la fête!**   Votre classe va organiser une boum pour fêter *(celebrate)* l'anniversaire du prof. Vous discutez des choses que vous allez servir. Conversez selon le modèle.

> chips / deux paquets
> ÉLÈVE 1 *On va servir des chips?*
> ÉLÈVE 2 *Ah oui, je vais en acheter deux paquets.*

1. eau minérale / cinq bouteilles
2. petits gâteaux secs / trois paquets
3. pommes / deux kilos
4. jus d'orange / trois bouteilles
5. jambon / un kilo
6. crudités / beaucoup
7. biscuits salés / quatre paquets
8. fromage / un peu

C **Toujours la fête.**   Vous avez acheté toutes les provisions pour la boum, mais vous avez besoin d'autres choses. Qui peut faire quoi? Conversez selon le modèle.

> tu / apporter de la salade
> ÉLÈVE 1 *Tu peux apporter de la salade?*
> ÉLÈVE 2 *Oui, je peux en apporter.*

1. Marie / acheter des assiettes en papier
2. vous / apporter des disques
3. Jacques / jouer de la guitare
4. tu / apporter du jus de fruits
5. Benoît et Thierry / écrire des invitations
6. Luc / apporter de la glace
7. Christine / dessiner des affiches
8. nous / préparer des sandwichs

D J'ai envie de ...   Vous rencontrez un touriste français dans votre ville. Il ne sait pas où trouver les choses qu'il veut. Vous l'aidez. Dites la vérité. Conversez selon le modèle.

> avoir envie d'acheter des magazines
> ÉLÈVE 1   *J'ai envie d'acheter des magazines.*
> ÉLÈVE 2   *Vous pouvez en trouver au supermarché «Fred's Foods» (à la librairie à Spring Valley Mall, etc.).*

1. avoir envie de manger de la glace
2. avoir besoin de trouver un journal
3. avoir envie d'acheter du fromage
4. avoir besoin d'acheter des timbres
5. avoir envie de manger des croissants
6. avoir besoin d'acheter du papier à lettres
7. avoir envie d'acheter un roman
8. avoir besoin d'acheter un billet d'avion

E Parlons de toi.

1. Quand tu vas être en retard, tu téléphones à tes parents? Qu'est-ce que tu leur dis? Si tu rentres tard, qu'est-ce que tes parents te disent?
2. La dernière fois que tu as fait un voyage, à qui est-ce que tu as écrit? Qu'est-ce que tu lui (leur) as écrit? Qui t'écrit des cartes postales? Des lettres?
3. Est-ce que tu offres des cadeaux d'anniversaire à tes frères et sœurs? Est-ce que tu offres la même chose à tes copains et à ta famille? Qu'est-ce que tu offres à tes grands-parents? A tes parents? A tes amis? Qu'est-ce qu'on t'a offert cette année?
4. Tu manges souvent du fromage? Tu aimes le fromage fort ou le fromage doux?
5. Tu manges des fruits et des légumes? Quels fruits? Quels légumes? Tu en manges souvent? Combien de fois par semaine est-ce que tu en manges? Où est-ce que tu les achètes?
6. Tu as des chats ou des chiens? Combien est-ce que tu en as? Quels autres animaux est-ce que tu as?

ACTIVITÉ

Faisons notre liste!   You and a partner have decided to make a special dinner. Plan a complete menu from *hors-d'œuvre* to *dessert*. Then prepare a shopping list based on what you expect to serve. As your partner reminds you of what you need, write down the food and the quantity or number of containers on your shopping list.

beaucoup	litre	bouteille
trop	demi-litre	morceau
assez	gramme	tranche
un peu	kilo	paquet
quelques	douzaine	boîte
peu	dizaine	sac

ÉLÈVE 1   *Nous allons servir du ...; alors, on a besoin de beurre, n'est-ce pas?*
ÉLÈVE 2   *D'accord. On en prend un paquet.*

When you have your list, go to the *supermarché* shown on the map. As you go down the aisles, your partner lists the store department and what you have picked up there: *A la boucherie, nous avons pris six côtelettes d'agneau ...* Turn in your shopping list and your store department list to your teacher when you have finished.

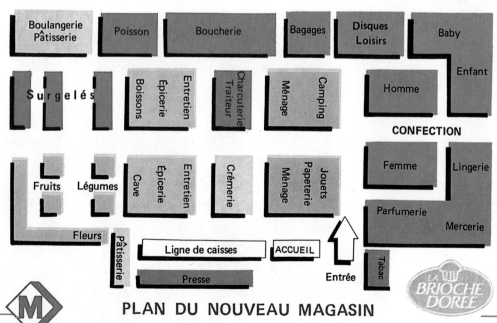

POUR MIEUX VOUS SERVIR MONOPRIX s'agrandit et s'embellit.

PLAN DU NOUVEAU MAGASIN

97

APPLICATIONS

Formez des phrases en français d'après les modèles.

1. *Tu as voulu prendre un sac pour les provisions mardi.*
   (They [m.] wanted to make a list for the party Saturday.)
   (We wanted to put the groceries away in the cupboard yesterday.)

2. *Je lui ai dit: «Prenons des fraises comme fruit et de la purée comme légume.»*
   (He told me, ''Let's order stuffed tomatoes for an appetizer and grape juice for a drink.'')
   (We told her, ''Let's prepare lamb chops for the meat and chocolate mousse for dessert.'')

3. *J'ai pris une boîte de haricots, deux cents grammes de poivre et des pâtes.*
   (He looked for a package of chips, half a liter of milk, and two pineapples.)
   (You [fam.] bought a slice of blue cheese, a kilo of flour, and a grapefruit.)

4. *Le jour de l'examen, nous leur avons écrit: «Bon courage!»*
   (The day of his birthday, I asked him, ''How old are you?'')
   (The day of the party, Luc said to us, ''Congratulations!'')

5. *Tu sais, elle a très bien joué, mais elle n'a pas pu gagner.*
   (You [pl.] know, they [m.] studied rather well, but they couldn't pass.)
   (You [form.] know, we ate very little, and we couldn't work.)

Au marché de la Place d'Aligre, Paris

Trouvez les expressions françaises qui correspondent à l'anglais et rédigez un paragraphe.

1. Mom wanted to prepare a special meal for my birthday Monday.

2. I told her: "Let's prepare beef burgundy for the main dish and orange soufflé for dessert."

3. She bought ten onions, two kilos of beef, and several green peppers.

4. The day of the dinner, everyone told me: "Happy birthday!"

5. You (fam.) know, I ate too much and I couldn't go to school.

Maintenant choisissez un de ces sujets.

1. Make a shopping list of the ingredients the mother needs for the beef burgundy and the orange soufflé, and of other things you think she might have bought for the party. Be sure to include quantities.

2. Write a paragraph describing who came to the party and what each person brought as a gift.

3. Imagine what gifts three people gave the girl, then write thank-you notes for the gifts. Give some reasons why you like the gifts.

CONTRÔLE DE RÉVISION   CHAPITRE 2

A   Les provisions.
Dites si les choses suivantes sont:

a. des légumes   c. du fromage
b. des fruits   d. de la viande

_____ 1. un poivron
_____ 2. du bleu
_____ 3. un pamplemousse
_____ 4. une côtelette
_____ 5. un chou
_____ 6. du brie
_____ 7. du bifteck haché

B   Vouloir, ce n'est pas pouvoir.
Dites que ces gens veulent faire ces choses, mais qu'ils ne peuvent pas.

vous / aller au supermarché
Vous voulez aller au supermarché,
mais vous ne pouvez pas.

1. elle / acheter des céréales
2. nous / trouver un chariot
3. tu / goûter au brie à la crémerie
4. je / aller à la caisse
5. ils / prendre un sac en plastique
6. vous / ranger les provisions

C   Soyons polis!
Il faut être sympa avec les gens. Transformez ces ordres en questions polies en employant *veux-tu* ou *voulez-vous.*

1. Téléphone à ta cousine!
2. Range les provisions dans le placard!
3. Apportez le fromage à la table!
4. Regardez devant vous!
5. Mange tes pâtes!

D   *Savoir* ou *connaître?*
Complétez les phrases en employant la forme correcte de *savoir* ou de *connaître.*

1. Michel est un bon ami. Je le _____ bien.
2. Il a appris ce poème. Il le _____ par cœur.
3. Vous _____ ce professeur?
4. Je _____ taper à la machine maintenant.
5. Est-ce que tu _____ combien ce repas a coûté?
6. Nous _____ très bien Marseille.
7. Vous _____ si elle vient à la boum?
8. Tu _____ le nouveau restaurant?

E   A qui?
Répondez *non* à ces questions, en employant un pronom complément d'objet indirect.

Il parle à ton ami?
Non, il ne lui parle pas.

1. Elle demande pourquoi à la prof?
2. Il vous a expliqué cet exercice?
3. Elles vont t'apporter le journal?
4. Tu as écrit à ton père et à ta mère?
5. Nous allons téléphoner à nos amis?
6. Ils vont offrir ce chien à toi et à ta sœur?
7. Elle va prêter des disques à François et à moi?

F   D'accord!
Répondez *oui* aux questions en employant le pronom *en.*

Tu prends du fromage?
Oui, j'en prends.

1. Vous allez faire de la géographie?
2. Tu as envie de manger de la glace?
3. Elle a demandé de la purée?
4. Vous allez commander de la soupe?
5. Ils sont revenus du magasin?
6. Nous avons besoin de sortir?

VOCABULAIRE DU CHAPITRE 2

Noms

l'agneau *(m.)*
l'ananas *(m.)*
la banane
le bifteck haché
le biscuit salé
le bleu
la boîte *(can)* (en boîte)
le brie
la caisse
le caissier, la caissière
le camembert
le canard à l'orange
le céleri
les céréales *(f.pl.)*
la cerise
le chariot
les chips *(f.pl.)*
le chou, *pl.* les choux
la choucroute garnie
le chou-fleur, *pl.* les choux-fleurs
le comptoir
les conserves *(f.pl.)*
la côtelette
les crudités *(f.pl.)*
la demi-bouteille
la dizaine (de)
la farine
la fraise
les fruits de mer *(m.pl.)*
le gramme
la liste

le pamplemousse
le paquet
les pâtes *(f.pl.)*
le petit gâteau sec
la pièce *(apiece)*
le placard *(cupboard)*
le poivron
le prix
les provisions *(f.pl.)*
la prune
la purée (de pommes de terre)
le sac en plastique
la salade niçoise
le soufflé (à l'orange)
la soupe (à l'oignon, aux légumes)
la spécialité
les surgelés *(m.pl.)*
la tomate provençale

Adjectifs

alsacien, -ne
demi-
doux, douce
fort, -e
léger, -ère
mûr, -e
pourri, -e
salé, -e
sucré, -e
superbe
surgelé, -e

Verbes

avoir envie de + *inf.*
garder
ranger
trouver (+ *adj.*)

Adverbes

presque
tout à fait

Questions

Comment trouvez-vous …?
pourriez-vous …?
veux-tu …?
voudriez-vous …?

Expressions

au frais
faire une liste
veuillez …
voyons …

CHAPITRE 3

PRÉLUDE CULTUREL | LES TRANSPORTS

Traveling in France is easier than in almost any country in the world, thanks to an excellent public transportation system. The Paris subway *(le métro)* opened in 1900 and today includes 365 stations on fifteen lines that crisscross each other. No spot in the city is more than a few minutes' walk from a subway entrance.

Today *le métro* has come to mean more than just a fast and cheap way of getting around the city. *La RATP (la Régie Autonome des Transports Parisiens)*, which is in charge of subways and buses, provides passengers with a variety of services and entertainment. At some of the stations, a computerized system *(le SITU)* will help you decide, free of charge, the best way to get anywhere in the city. Waiting for the métro, you can shop, listen to live concerts, watch videos, or admire art reproductions from nearby museums.

If you're going out to the suburbs, you might jump on one of the high-speed métro lines called *le RER (le Réseau Express Régional)*, which transport passengers across Paris in twelve to thirteen minutes and continue out into the suburbs *(la banlieue)*.

Riding the bus is a pleasant way to see Paris. Buses are clearly marked both outside and inside with the destination and stops along the way. Unlike the métro, which shuts down between 1:00 and 5:00 A.M., some buses run all night long.

In both the métro and the bus, the same yellow tickets are used to pay for single rides. In the métro, each trip within the city limits costs only one ticket, regardless of the distance. A bus ride might require one or two tickets, depending on the distance. Most Parisians, however, prefer to buy *une Carte Orange*, a weekly, monthly, or yearly commuter card with their signature and photo. It's good for an unlimited number of trips. As a tourist, you could buy one, too. Or you might buy a special card for tourists, the *Carte Sésame*, good for two, four, or seven days of rides.

If you decide to see other parts of France, take the train! French trains are reasonably priced, comfortable, and hardly ever late. They are operated by a government agency called *la SNCF (la Société Nationale des Chemins de Fer Français)*. France boasts one of the fastest and most reliable high-speed trains in the world: *le TGV (Train à Grande Vitesse)*. With an average speed of over a hundred miles an hour, *le TGV* travels from the north to the south of France in a few hours.

MOTS NOUVEAUX I

On prend le métro ou l'autobus?

CONTEXTE
VISUEL

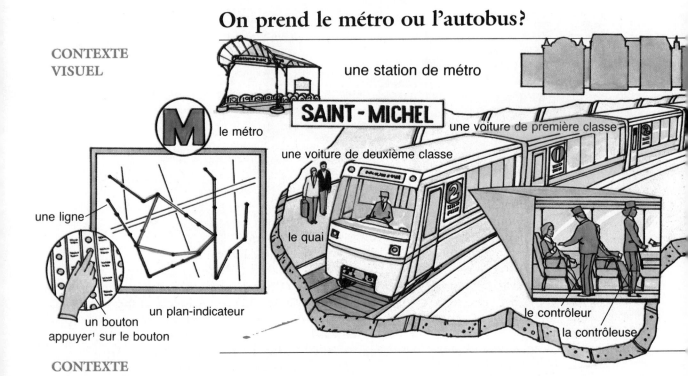

une station de métro

SAINT - MICHEL

le métro

une voiture de première classe

une voiture de deuxième classe

une ligne

le quai

le contrôleur

la contrôleuse

un bouton
appuyer¹ sur le bouton

un plan-indicateur

CONTEXTE
COMMUNICATIF

1   YVES   Pardon, monsieur, **quel est le chemin pour aller au** musée du Louvre?

    M. DUPONT   C'est loin. Prenez le métro. Il y a une station là-bas, à 500 **mètres** d'ici.

Variations:

- prenez le métro → prenez l'autobus
  une station → un arrêt

2   A Paris **la plupart des** touristes prennent le métro. A la station de métro on achète un carnet. Pour trouver son chemin sur le plan-indicateur, on appuie¹ **juste** sur un bouton, et on peut voir quelle ligne il faut prendre. Mais attention, la plupart du temps il ne faut pas aller **jusqu'au bout** de la ligne. Il faut prendre **une correspondance.**

¹Verbs that end in -yer are like regular -er verbs, except that in the present tense the -y- becomes an -i- in the singular forms and in the third-person plural form: *j'appuie, tu appuies, il appuie, nous appuyons, vous appuyez, elles appuient.*

quel est le chemin pour aller à ...? *how do you get to ...? which way to ...?*

le chemin *way*

le mètre *meter (1.000 mètres = 1 kilomètre)*

la plupart (de) *most (of), the majority (of)*

juste *just*

jusqu'au bout *up to the end*
la correspondance *transfer (to another line)*

◆ COMMUNICATIVE
OBJECTIVES

To use public
transportation

To ask for and give
directions

To get someone's
attention

To beg pardon

To ask permission

To respond politely to a
request or invitation

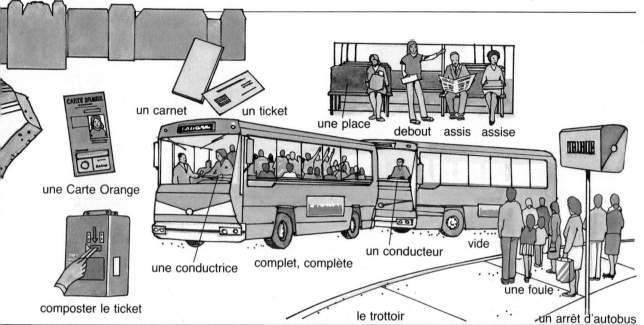

un carnet   un ticket

une place   debout   assis   assise

une Carte Orange

un conducteur   vide

une conductrice   complet, complète

une foule

composter le ticket

le trottoir   un arrêt d'autobus

3   MME DEPUIS   Quelle foule **autour de** nous!

M. DEPUIS   Aux **heures de pointe,** la plupart des gens
rentrent en **banlieue.**

MME DEPUIS   Le bus est presque complet.

M. DEPUIS   On va rester debout pendant tout **le trajet.**

4   Dans le bus.

LE CONDUCTEUR   Madame, avez-vous composté votre ticket?

MME BOULET   Oui, je viens de le faire.

LE CONDUCTEUR   Et vous, monsieur?

M. BOULET   Non, j'ai une Carte Orange.

■ avez-vous composté votre ticket →
êtes-vous allée chercher un ticket

autour de   *around*

les heures de pointe *(f.pl.)*
   rush hour

la banlieue   *suburbs*

le trajet   *trip, distance, ride*

aller chercher   *to go to get*

5

CHANTAL	**Hé,** ne **pousse** pas!
OLIVIER	**Excuse-moi,** mais je veux descendre et tu es **contre** la porte.
CHANTAL	Bon, je vais te laisser **de la place.**
OLIVIER	Merci, j'ai eu bien peur de **rater** mon arrêt.

hé! *hey!*
pousser *to push*
excuse-moi *excuse me*
contre *against*
de la place *room ("space")*
rater (here) *to miss*

6 Dans le métro.

JULIE	Notre station est encore loin?
ÉRIC	Non, on y est. Il faut descendre.
JULIE	**Vous permettez,** madame? Nous voulons juste **passer** pour descendre.

vous permettez? *allow me*
passer *to get by, to go by*

7

| NICOLAS | Vous voulez ma place, madame? |
| MME JACOB | **Avec plaisir.** Merci, jeune homme. |

avec plaisir *with pleasure*

■ avec plaisir → volontiers
■ NICOLAS → NICOLE
   jeune homme → mademoiselle

8 Après le cinéma, à Paris.

SABINE	Comment tu vas rentrer en banlieue?
CORINNE	Je ne sais pas. A cette heure-ci il n'y a plus de métros.
SABINE	Rentre avec moi. Mes parents **viennent** me **chercher.**
CORINNE	Avec plaisir, merci.

venir chercher *to pick up*

■ je ne sais pas → en taxi
   il n'y a plus de métros → il n'y a que des taxis

Des gens attendent un bus parisien sous la pluie.

EXERCICES

A Dans l'autobus. Répondez aux questions d'après les images.

Où sont-ils?
Ils sont à l'arrêt d'autobus.

1. Qu'est-ce qu'on montre au conducteur?

2. Qu'est-ce qu'on dit pour descendre?

3. Ce bus est complet?

4. Qu'est-ce qu'on fait?

5. Ce bus est vide?

6. C'est le contrôleur?

7. Qui attend l'autobus?

8. Ces dames sont assises?

9. Le monsieur monte dans l'autobus?

B A la station de métro. M. et Mme Duchêne veulent aller au zoo.
Complétez leur conversation avec les mots ci-dessous.

banlieue   chemin   jusqu'au bout   plan-indicateur
bouton   correspondance ligne   station

M. DUCHÊNE   Quel est le _____ pour aller au zoo de Vincennes?
MME DUCHÊNE Oh, c'est loin, presqu'en _____ . Prenons le métro.

(A la station de métro)

M. DUCHÊNE   Quelle _____ faut-il prendre?
5 MME DUCHÊNE Regardons le _____ .
M. DUCHÊNE   Il n'y a pas de _____ zoo de Vincennes.
MME DUCHÊNE C'est vrai. Mais le zoo est près de la station Porte
             Dorée. Appuie sur le _____ Porte Dorée.
M. DUCHÊNE   Pour aller à la station Porte Dorée, il faut prendre une
10   _____ à la station République.
MME DUCHÊNE Oui, on ne va pas _____ de la ligne, on va descendre
             avant.

On peut regarder le
«Métro-Vidéo» dans
certaines voitures.

C   Que dites-vous?

1. Vous ne voulez pas rater votre arrêt d'autobus. Que dites-vous au monsieur qui est debout contre la porte?
2. Le bus est complet. Vous êtes assis(e). Il y a un vieux monsieur devant vous. Qu'est-ce que vous lui dites?
3. Vous voulez aller au musée du Louvre mais vous ne connaissez pas le chemin. Qu'est-ce que vous demandez au conducteur d'autobus?

D   Parlons de toi.

1. Est-ce que ta ville a un métro? Des autobus? Des taxis? Une gare? Un aéroport? Tu prends souvent le métro ou l'autobus? Pourquoi ou pourquoi pas? Combien coûte un ticket d'autobus dans ta ville?
2. Quelles sont les heures de pointe dans ta ville? Est-ce que tu voyages *(travel)* aux heures de pointe?
3. Est-ce que tu as une voiture ou un(e) ami(e) qui a une voiture? Tu penses avoir une voiture bientôt? Quand?
4. Comment est-ce que tu vas au lycée? A pied, en autobus, en voiture, en métro? Comment est-ce que tu sors avec tes amis?

On attend le métro à la station Champs-Elysées Clemenceau.

APPLICATIONS

Aux heures de pointe

Il est 5h30 du soir. Christian et Aurore rentrent chez eux en autobus.

CHRISTIAN Tiens, voilà mon arrêt. Allez,[1] salut et à demain au lycée.

5   AURORE D'accord. Eh! N'oublie pas de faire le problème de maths pour demain.

CHRISTIAN Oh, zut, c'est vrai. Bon, je vais essayer[2] de descendre. Pardon, madame. Je veux juste descendre.

UNE DAME (irritée) Eh bien, descendez, alors.

10   CHRISTIAN Mais vous êtes contre la porte!

AURORE Oh, Christian, le bus part!

CHRISTIAN (résigné) Eh bien, si c'est comme ça,[3] tu vas avoir le temps de m'expliquer le problème de maths.

---

[1]**allez ...** (here) = alors   [2]**essayer** to try   [3]**si c'est comme ça** if that's the way it is

Questionnaire

1. Est-ce que cette conversation se passe (happens) avant ou après les cours?   2. Est-ce que Christian veut monter dans le bus?   3. Pourquoi est-ce qu'il y a beaucoup de monde dans le bus?   4. Est-ce que Christian a pu descendre de l'autobus?   5. Pourquoi est-ce qu'Aurore va avoir le temps d'expliquer le problème de maths à Christian?

GAMBETTA-MAIRIE 20ᵉ
CHAMP DE MARS-SUFFREN

birague
st-paul
vieille du temple-mairie 4e
r. du pt louis-philippe
hôtel de ville
châtelet
rivoli—pont neuf
louvre—rivoli
pt neuf—q. du louvre
pt des arts—q. louvre
palais royal-th. français
pt carrousel-q. louvre
pyramides—tuileries
pt-royal-q. des tuileries
pt-royal—q. voltaire
lille—solférino
bac—st-germain
solférino—bellechasse

Situation

With two classmates, create a dialogue on a crowded bus. You and a friend are returning home. When your friend can't get off the bus because of another passenger, he or she decides to go with you to your house to study for a while, or to phone his or her parents.

◆ COMMUNICATIVE
OBJECTIVES
To arrange for train
travel
To understand public
announcements
To travel by train

CONTEXTE
VISUEL

MOTS NOUVEAUX II

On prend le train?

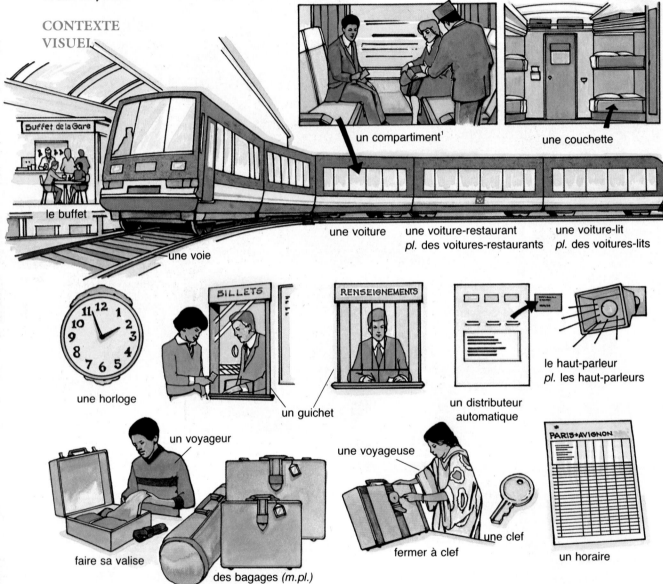

un compartiment[1]

une couchette

le buffet

une voie

une voiture   une voiture-restaurant   une voiture-lit
pl. des voitures-restaurants   pl. des voitures-lits

une horloge

un guichet

un distributeur
automatique

le haut-parleur
pl. les haut-parleurs

un voyageur

une voyageuse

faire sa valise

des bagages (m.pl.)

fermer à clef

une clef

PARIS→AVIGNON

un horaire

[1]Compartments still exist on older French trains. They have two long seats facing one
another, and a door that opens onto a corridor. Newer trains, however, have seats and
aisles like those on an airplane.

CONTEXTE COMMUNICATIF

1 Au bureau de renseignements de la gare d'un village.

SANDRINE   Quand est-ce qu'il y a des trains pour Paris, s'il vous plaît?

L'EMPLOYÉE   Il y en a tous les jours, **sauf** le dimanche. Voilà un horaire.

sauf *except*

2 Au guichet de la gare.

L'EMPLOYÉ   Vous désirez, monsieur?

M. BERGER   Un **aller et retour** pour Cambrai.

L'EMPLOYÉ   Voilà, monsieur …

l'aller et retour *round-trip ticket*

Variations:
- un aller et retour → **un aller**
- un aller et retour → un billet de **première classe**
- un aller et retour → un billet de **deuxième classe**

l'aller (*m.*) *one-way ticket*
première (deuxième) classe *first (second) class*

3 HERVÉ   Je voudrais acheter un billet au distributeur automatique, mais il n'accepte pas mon billet de cent francs. Avez-vous de la monnaie, s'il vous plaît?

L'EMPLOYÉE   Désolée, mais je n'ai plus de monnaie.

4 LE CONTRÔLEUR   **Attention au départ!** Les voyageurs pour Nice, **en voiture**, s'il vous plaît, voie 6, quai B.[2]

attention au départ … en voiture *all aboard!*

SUZANNE   Vite, **monte** les bagages. On **annonce**[3] **le départ** du train!

ALAIN   Attends! Je n'ai pas **encore** fermé ma valise à clef.

monter *to bring up; to take up*
annoncer *to announce*
le départ *departure*
encore (here) *yet*

---

[2]The two sides of the *quai* between trains are called A and B. Your train is on either the A or B side, and that's where you board.

[3]Like *commencer*, *annoncer* changes *c* to *ç* in the *nous* form: *Nous annonçons une nouvelle.*

Mots Nouveaux II   **113**

5	LE CONTRÔLEUR	Voici votre compartiment, madame.	**voyager** *to travel*
	MME DELARUE	Mais je **voyage**[4] en voiture-lit.	
	LE CONTRÔLEUR	**Sortez** votre billet, s'il vous plaît. *(Il le regarde.)* Oui, il **comprend** bien le prix de la voiture-lit. C'est par là alors.	**sortir** *to take out* **comprendre** *(here) to include*

■ oui, il comprend bien → non, il ne comprend pas
c'est par là alors → il faut **payer un supplément** pour une couchette

payer (un supplément) *to pay (extra)*

6	SERGE	Regarde l'horloge, il est midi. Nous avons deux heures avant le départ.	
	CHRISTINE	Allons au buffet, **puisque** nous sommes **en avance.**	**puisque** *since* **en avance** *early*
	SERGE	Bonne idée! Je n'ai rien mangé ce matin.	

■ je n'ai rien mangé → je n'ai pris qu'un croissant

7 Dans le train de Nice.

| | ALAIN | Quelle est notre heure d'**arrivée** à Nice? | **l'arrivée** *(f.) arrival* |
| | SUZANNE | Je ne sais pas. Demande au contrôleur. | |

■ au contrôleur → à un autre voyageur

■ je ne sais pas ... contrôleur → nous arrivons dans dix minutes

| 8 | SUZANNE | Nous sommes arrivés! | |
| | ALAIN | Bon, je vais **descendre** les valises. | **descendre** *to bring down; to take down* |

■ arrivés → en retard
je vais → je ne vais pas encore

---

[4]Like *manger*, *voyager* adds an *e* in the *nous* form: *Nous voyageons souvent.*

EXERCICES

A Le voyageur. Votre ami prend le train pour aller faire une visite à ses cousins. Choisissez une des expressions entre parenthèses.

1. On trouve *(des couchettes / des guichets)* dans les voitures.
2. Les voyageurs attendent le train *(sur le quai / sur la voie)*.
3. Dans le train, on dîne *(au buffet / dans la voiture-restaurant)*.
4. Au guichet, l'employé nous dit: *(Vous désirez? / Vous permettez?)*.
5. Le train part à 10h, d'après *(cette nouvelle horloge / ce nouvel horaire)*.
6. A l'hôtel, je sors mes vêtements *(de la valise / de la voie)*.
7. Puisque je reste à Paris, je voudrais *(un aller / un aller et retour)*.
8. Ce monsieur-là est tout à fait désagréable. Je vais chercher *(le contrôleur / le haut-parleur)*.
9. Ne prenez pas les trains de banlieue de 7h à 9h et de 17h à 19h. Ce sont *(les heures de départ / les heures de pointe)*.
10. Ecoutez! On annonce le départ: *(Avec plaisir / En voiture)*.

B Le mot juste.

Trouvez un synonyme ou une expression synonyme.

1. Il y a *beaucoup de monde* sur le quai.

Trouvez un mot associé.

2. Au mois d'août les Français *voyagent* beaucoup à l'étranger. Il y a beaucoup de _____ dans les gares.
3. Quand *arrive* le Paris–Nice? Je ne connais pas l'heure d' _____ .
4. On utilise un _____ pour *parler* à une foule.

Trouvez un antonyme ou une expression antonyme.

5. Les voyageurs attendent *l'arrivée* du train.
6. Tu penses que l'horloge est *en avance* d'une heure?
7. Vous pouvez m'aider à *monter* mes valises?

Trouvez le mot à plusieurs sens. Complétez les phrases avec les mots suggérés par les images.

8. Vous voulez ma _____ , madame?
9. Il n'y a plus de _____ dans la voiture.
10. J'ai rendez-vous à 8h à la _____ de la République.

C Parlons de toi.

1. Est-ce que tu es un(e) grand(e) voyageur (voyageuse)? Est-ce que tu as beaucoup voyagé? Comment est-ce que tu voyages: en voiture, en train, en avion? Tu aimes arriver vite à ta destination, ou est-ce que tu aimes passer plus de temps? Pourquoi?

2. Est-ce que tu voyages pendant les vacances? Est-ce que tu voyages loin de chez toi ou est-ce que tu préfères rester près de chez toi?

3. Est-ce que tu as déjà voyagé en train? Tu as dormi en voiture-lit? Tu as mangé en voiture-restaurant?

4. Quand tu rates ton train ou ton autobus, est-ce que tu restes calme? Qu'est-ce qu'il faut faire si tu rates le train ou le bus?

5. Quand tu voyages, qui fait tes bagages? Tu en prends beaucoup? Quelles choses importantes est-ce que tu mets dans ta valise? Est-ce que tu fermes toujours tes bagages à clef?

Le TGV passe près de la Seine à Legoulet.

ACTIVITÉ

A la gare. For this activity, the class divides into two groups: *les employés de la SNCF* and *les voyageurs*. Each *employé* chooses to work in one of these three places: *le guichet, le bureau de renseignements,* or *le buffet*. The *employés* make signs for their desks to tell where they work. Meanwhile, each *voyageur* writes down three questions, one for each kind of *employé*.

The train for Nice is leaving in five minutes. When your teacher tells you to start, the *voyageurs* have five minutes to find *employés* to answer their questions. If an *employé* answers appropriately, the *voyageur* writes down the answer and moves on. If the *employé* doesn't understand the question, or doesn't respond appropriately, the *voyageur* must look for another *employé* until the question is answered.

When your teacher calls out *En voiture!* the *voyageurs* must present their written questions and answers as their "ticket" to get on the train. Only those with three correct questions and answers can get on.

ÉTUDE DE MOTS

Abbreviations are part of most languages. You have seen examples of the French fondness for abbreviations in this chapter: SNCF, RER, TGV, RATP, etc. You might come across the following abbreviations in your reading. Can you figure out what they mean?

un dictionnaire: dire qqch. à qqn, inviter qqn à faire qqch, qqf.
une carte routière: N, S, E, O, km.
une enveloppe: M., MM., Mme, M^{11e}, av., bd, r.
un petit mot: Venez me chercher, s.v.p.
une lettre: T.S.V.P., R.S.V.P.
une banque: FF, FB, FS
une petite annonce: 16e arr., M^o Jasmin, bel imm., r.-d.-ch.,
    gd salon, cuis., s. à mang., 3 chbres, s.d.b.,
    gar., tt cft

EXPLICATIONS I

Le verbe *venir*

◆ COMMUNICATIVE
OBJECTIVES
To describe something
that just happened
To explain why someone
is arriving
To ask and tell where
someone comes from

Here are the forms of the verb *venir* ("to come"). All verbs that end in
-venir follow this pattern. You know two others: *revenir* ("to come back")
and *devenir* ("to become").

INFINITIF	**venir**		
PRÉSENT	je **viens**	nous	**venons**
	tu **viens**	vous	**venez**
	il elle on } **vient**	ils elles }	**viennent**

IMPÉRATIF **viens!** **venons!** **venez!**

PASSÉ COMPOSÉ je **suis venu,** je **suis venue**

1 To say that an action or event has just been completed, use *venir de*
+ an infinitive.

Je **viens d'acheter** ces bouquins.   *I just bought these books.*

2 To give the reason for coming to a place, use *venir* + an infinitive.

Je **viens** vous **apporter** vos
livres de poche.

*I'm coming to bring you
your paperbacks.*

A la station de métro
de la Place de la
Bastille, Paris

EXERCICES

A D'où venez-vous?   Vous êtes dans une auberge de jeunesse *(youth hostel)* en France. Vous voulez savoir de quels pays viennent les autres jeunes gens. Conversez selon le modèle.

> vous / américaine / St. Louis
> ÉLÈVE 1 *Vous êtes américaine?*
> ÉLÈVE 2 *Oui, je viens de St. Louis.*

1. ils / belges / Bruxelles
2. tu / italien / Naples
3. María et Luis / espagnols / Madrid
4. Gunther / allemand / Bonn
5. vous / anglais / Londres
6. Ana / mexicaine / Acapulco
7. Daniel / canadien / Toronto
8. vous / suisse / Zurich

B Pourquoi?   Votre petite sœur demande toujours «pourquoi?» Choisissez la réponse que vous préférez dans la liste de droite. Conversez selon le modèle.

> tu / triste
> ÉLÈVE 1 *Pourquoi est-ce que tu es triste?*
> ÉLÈVE 2 *Parce que je viens de perdre un livre.*

1. Jacques / malade   a. corriger les examens
2. tu / heureux(-euse)   b. faire un long voyage
3. le prof / fatigué   c. lire un roman triste
4. vous / ennuyé(e)(s)   d. manger deux pizzas
5. Sylvie / triste   e. perdre aux cartes
6. tu / désolé(e)   f. perdre un livre
7. vous / fatigué(e)(s)   g. rater le train
8. ils / contents   h. gagner un match de foot
                              i. casser un verre
                              j. voir un bon film

Le pronom *y*

◆ COMMUNICATIVE
OBJECTIVE
To refer to places and
things already
mentioned

1 You've already learned that the pronouns *lui* and *leur* can replace
à + a person. In the same way, the pronoun *y* can replace
à + a thing.

> Les élèves pensent **au prochain examen?**   Oui, ils **y** pensent.
> Tu as répondu **aux questions?**   Non, je n'**y** ai pas répondu.

2 *Y* is also used to replace expressions of location. Very often, these
expressions contain the preposition *à* + a place, though they may also
contain other prepositions such as *dans, chez, derrière, devant, en,* etc.

> Tu vas **à Paris?**   **Oui,** j'**y** vais.
> Elle va habiter **en banlieue?**   Non, elle ne va pas **y** habiter.
> La clef est **dans la valise?**   Oui, elle **y** est.

Note that *y* goes in the same position as the other object pronouns.
There is elision (*j'y, n'y*) and liaison (*on y, nous y, vous y, ils y, elles y*).

EXERCICES

A **Tu le fais souvent?**   Vous parlez de vos habitudes (*habits*) avec
un(e) ami(e). Conversez selon le modèle.

> aller en banlieue
> ÉLÈVE 1 *Tu vas souvent en banlieue?*
> ÉLÈVE 2 *Oui, j'y vais souvent. Et toi?*
>   OU: *Non, je n'y vais jamais. Et toi?*

1. aller à la plage
2. dîner dans la voiture-restaurant d'un train
3. faire tes devoirs à la bibliothèque
4. aller au cinéma
5. répondre aux questions du professeur
6. rester en ville après les cours
7. rester chez toi le week-end
8. penser à faire tes devoirs

B **On dit ...** On vous dit que votre petit(e) ami(e) *(boyfriend, girlfriend)* sort avec une autre personne. Qu'est-ce que vous faites? Employez *lui, leur* ou *y* dans les réponses. Suivez le modèle.

> Tu écris des lettres à ton ami(e)?
> *Oui, je lui écris des lettres.*
>
> OU: *Non, je ne lui écris pas de lettres.*

1. Tu téléphones tous les jours à ton ami(e)?
2. Tu réponds à ses petits mots?
3. Tu parles à ton ami(e) chaque matin?
4. Tu parles à tes amis de ce problème?
5. Tu penses souvent à ce problème?
6. Tu offres des petits cadeaux à ton ami(e)?
7. Tu demandes de ses nouvelles à ses copains?

C **Parlons de toi.**

1. De quelles villes viennent tes parents? Et tes grands-parents? De quel état *(state)* vient ton professeur? De quel pays vient ta famille?
2. Qui est venu chez toi le week-end dernier? Pourquoi?
3. Qu'est-ce que tu dis à tes parents quand tu reviens d'une journée au lycée? D'un examen au lycée? D'un match de basket? D'une soirée avec tes amis?
4. Quel pays est-ce que tu veux visiter? Quand est-ce que tu veux y aller? Qu'est-ce que tu veux y faire?

ACTIVITÉ

Devinettes *(Riddles).* Think of a place to go. Then write a riddle describing where you're going in four lines. Increase the number of syllables in each line and end with a sentence. Then sit with a partner and read your riddle. Example:

> ÉLÈVE 1 *Devine où je vais:*
> *Endroit,*
> *Près du parc,*
> *Bâtiment ancien,*
> *On y voit des belles choses.*

Your partner will try to guess where *(endroit, pays, ville)* you're going.

> ÉLÈVE 2 *Ah, c'est le musée! Tu y vas?*
> ÉLÈVE 1 *Oui, j'y vais.*
> OU: *Non, je n'y vais pas. Devine encore une fois.*

APPLICATIONS

Dans le métro

Voici le métro qui arrive. Où est-on? Est-ce que la voiture de métro est vide? Que font les voyageurs?

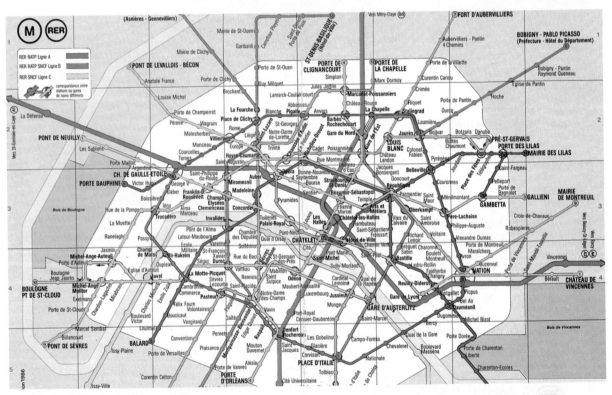

Regardez le plan du métro. Comment est-ce qu'on va de la station Porte d'Orléans jusqu'à la station Trocadéro? Où est-ce qu'on prend une correspondance? Comment est-ce qu'on va de la Porte d'Orléans au Louvre? Où est-ce qu'on prend une correspondance?

Vous montez dans le métro près de l'hôtel du Midi, votre hôtel parisien. Quels monuments et quels endroits voulez-vous visiter aujourd'hui? Faites des projets avec un(e) camarade.

—avoir envie de voir …
—quel est le chemin pour aller à …
—descendre à la station …

—aller en direction de …
—prendre une correspondance à …

la tour Eiffel
Mᵒ Trocadéro

l'arc de triomphe de l'Étoile
Mᵒ Charles-de-Gaulle-Étoile

le Centre Pompidou
Mᵒ Châtelet-les-Halles

la cathédrale de Notre-Dame
Mᵒ Cité

le musée du Louvre
Mᵒ Louvre

la basilique du Sacré-Cœur
Mᵒ Anvers

EXPLICATIONS II

Le passé composé avec *être*

Review these verbs that form their passé composé with *être*.

◆ COMMUNICATIVE
OBJECTIVE

To describe actions in
the past

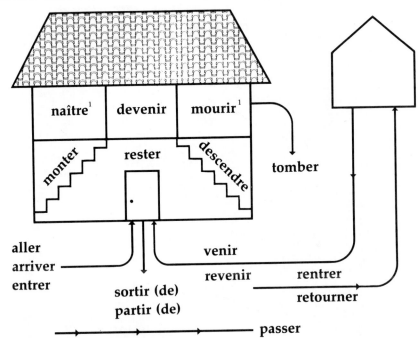

1 When a verb forms its passé composé with *être*, the past participle agrees with the subject of the verb.

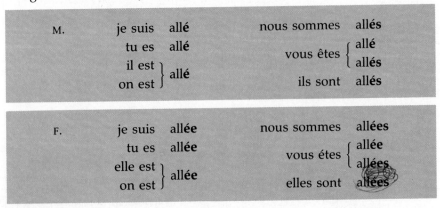

[1]*Naître,* "to be born," and *mourir,* "to die," are irregular verbs. You need know only their past participles: *Il est né en 1910; elle est morte en 1980.*

2 When *descendre, monter,* and *sortir* are followed by a direct object, they form their passé composé with *avoir.*

> Je **suis descendu** à 9h.   J'**ai descendu ma valise.**
> Ils **sont montés** lentement.   Ils **ont monté leurs bagages.**
> Elle **est sortie** du garage.   Elle **a sorti la voiture** du garage.

3 *Passer* can also take a direct object: *J'**ai passé le sel** à Luc; Il **a passé un bon week-end.*** When you want to talk about "stopping by" or "looking in on" a place, use the passé composé with *être: Je **suis passé** chez eux hier soir.*

EXERCICES

A Une journée en ville. Ces gens ont passé la journée en ville. Qu'est-ce qu'ils y ont fait? Complétez les phrases avec le nom des personnes.

Un distributeur automatique

1. _____ sont descendus du métro à 10h.
2. _____ est allée chercher ses enfants à la gare.
3. _____ sont sorties du métro devant le magasin «Au Printemps».
4. _____ est restée une demi-heure dans un restaurant.
5. Vers midi _____ sont arrivées au magasin.
6. _____ est monté au premier étage d'un magasin de disques.
7. _____ sont arrivés avant le dîner.
8. _____ est passé chez son frère vers 20h.

B Le voyage. Rémi et Nicolas sont partis à Nice. Racontez *(tell about)* leur voyage. Mettez l'histoire au passé composé. Attention, quelquefois il faut employer *avoir* et d'autres fois *être*.

Rémi et Nicolas *vont* à la gare. Ils *regardent* l'horaire. Ensuite ils *descendent* sur le quai où ils *restent* quelques minutes. Leur mère *vient* leur dire «Bon voyage!» Ils *trouvent* leur train pour Nice. Ils *montent* dans la voiture, ils *entrent* dans le compartiment et le train *part.* Les
5 deux garçons *sortent* leurs billets et le contrôleur les *composte.* Un peu plus tard, ils *vont* à la voiture-restaurant où ils *prennent* leur dîner. Le train *arrive* à Nice à 9h du soir. Rémi et Nicolas *descendent* leurs valises du train. Nicolas *reste* près des valises pendant que Rémi *va* chercher un téléphone. Il *téléphone* à leur cousine qui *vient* tout de
10 suite les chercher.

Les expressions négatives

Do you remember how to turn affirmative sentences into negative ones by using negative expressions?

Paul écoute **toujours.** Paul écoute **quelquefois.**	} Lise **n'**écoute **jamais.**
Paul écoute **tout le monde.** Paul écoute **quelqu'un.**	} Lise **n'**écoute **personne.**
Paul écoute **tout.** Paul écoute **quelque chose.**	} Lise **n'**écoute **rien.**
Paul écoute **toujours.** Paul écoute **encore.**	} Lise **n'**écoute **plus.**

1 One other expression you know that works like the negative expressions is *ne … que.* It means the same thing as *seulement.* It is usually easier to use *seulement.*

Je **n'**ai **que** 200F. = J'ai **seulement** 200F.

2 Compare the position of these expressions in the passé composé and the futur proche.

Il **n'a jamais** compris.   Il **ne** va **jamais** comprendre.
Il **n'a plus** compris.   Il **ne** va **plus** comprendre.
Il **n'a rien** compris.   Il **ne** va **rien** comprendre.

but: Il **n'a** compris **personne**.   Il **ne** va comprendre **personne**.
Il **n'a** compris **qu'**un mot.   Il **ne** va comprendre **qu'**un mot.

Jamais, plus, and *rien* follow the same pattern as *pas. Personne* and *que* come after the past participle or the infinitive.

3 *Personne* and *rien* can be the subject of a sentence.

Personne n'est resté ici.   ***Nobody*** *stayed here.*
Rien ne coûte cher là-bas.   ***Nothing*** *is expensive there.*

EXERCICES

A Jamais! Vous parlez avec un(e) camarade à Paris des moyens de transport *(transportation)*. Conversez selon le modèle.

prendre le bus *(jamais)*
ÉLÈVE 1 *Est-ce que tu prends le bus?*
ÉLÈVE 2 *Non, je ne prends jamais le bus.*

1. dormir dans les voitures du métro *(jamais)*
2. parler avec les autres voyageurs *(personne)*
3. acheter un carnet de tickets *(jamais)*
4. manger des bonbons dans le métro *(rien)*
5. voyager en première classe *(plus)*
6. connaître des contrôleurs *(personne)*
7. lire le journal sur les quais *(rien)*
8. descendre à la station Porte de Pantin *(plus)*

On attend le train.

B Dans un compartiment. Un étranger commence à vous parler dans le train Paris–Bruxelles. Donnez des réponses négatives. Employez *jamais, pas, personne, plus* ou *rien* selon le cas. Suivez le modèle.

> Vous voyagez quelquefois en avion?
> *Non, je ne voyage jamais en avion.*

1. Vous voyagez quelquefois en première classe?
2. Ce train est toujours complet le week-end?
3. Vous connaissez des gens en Belgique?
4. Il y a quelqu'un dans le couloir?
5. Le monsieur qui descend a oublié quelque chose?
6. Vous lisez encore ce journal?
7. Quelqu'un vous a aidé à monter votre valise?
8. Vous descendez au prochain arrêt?

C Après les vacances. Patrick et son frère Daniel viennent de rentrer d'un voyage. Les deux frères sont très différents l'un de l'autre. Pour chaque phrase, dites que Daniel a fait le contraire. Suivez le modèle.

> Patrick est sorti tous les soirs.
> *Daniel, lui, n'est jamais sorti.*

1. Patrick est allé à la plage chaque après-midi.
2. Patrick a lu le Guide vert.
3. Patrick a écrit beaucoup de cartes postales.
4. Patrick est descendu en ville tous les jours.
5. Patrick a parlé avec beaucoup de gens.
6. Patrick a acheté des souvenirs.
7. Patrick est allé au musée deux fois.

D Parlons de toi.
1. Est-ce que tu es passé(e) chez des copains hier? Comment est-ce que tu y es allé(e)? A quelle heure est-ce que tu y es arrivé(e)? A quelle heure est-ce que tu es parti(e)? A quelle heure est-ce que tu es rentré(e) chez toi? Est-ce que tu vas toujours chez tes copains, ou est-ce qu'ils viennent quelquefois chez toi?
2. Est-ce que tu es allé(e) en vacances l'été dernier? Où est-ce que tu es allé(e)? Combien de temps est-ce que tu y es resté(e)? Qu'est-ce que tu as fait? Est-ce que tu as passé des bonnes vacances?
3. Est-ce que tu as déjà pris le train pour faire un voyage? Où est-ce que tu es allé(e)? Est-ce que tu aimes les trains? Pourquoi est-ce qu'on prend plus souvent l'avion que le train ici, penses-tu? Quels sont les avantages (*advantages*) de prendre le train? De prendre l'avion?

4. Qu'est-ce que tu fais quand tu ne veux plus travailler? Qu'est-ce que tu peux faire quand tu n'as plus d'argent?

5. Est-ce que tu portes quelquefois des vêtements que tu as empruntés à ton frère, à ta sœur où à un(e) ami(e)? Quels vêtements? Est-ce que tu les rends toujours vite, ou est-ce que tu les gardes quelquefois longtemps?

POÈME

Le Contrôleur

Allons allons
Pressons[1]
Voyons pressons
Il y a trop de voyageurs
5   Trop de voyageurs
Pressons pressons
Il y en a qui font la queue[2]
Il y en a partout[3]
Beaucoup …
10 Allons allons
Voyons
Soyons sérieux
Laissez la place
Vous savez bien que vous ne pouvez
        pas rester là …
15 Allons allons
Pressons pressons
Soyez polis
Ne poussez pas.

Jacques Prévert, *Paroles*
©Éditions Gallimard

[1]**presser**   *to hurry up (someone)*   [2]**faire la queue**   *to stand in line*
[3]**partout**   *everywhere*

APPLICATIONS

Formez des phrases en français d'après les modèles.

1. *Monique vient de composter son ticket dans l'autobus.*
   (He just announced the news at the party.)
   (We just missed our bus for the suburbs.)

2. *Nous y avons pris le métro.*
   (I took out my schedule there.)
   (He left his book of tickets there.)

3. *Il est sorti du bureau et il est allé chercher un sandwich au café.*
   (I got on the train and went to look for my compartment in the sleeping car.)
   (She entered the school and came to pick up her child in the nurse's office.)

4. **Ensuite** *j'ai appris les chansons et je les ai chantées dans la cour.*
   (she took out the photos and showed them to the bus driver [f.].)
   (he brought down the luggage and left it in the hall.)

5. *Puisque tu as payé un supplément, tu as eu une couchette.*
   (Since he missed his stop, he continued his conversation.)
   (Since we pressed the button, we found the métro line.)

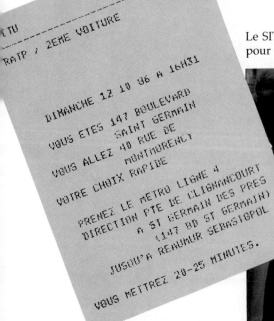

Le SITU donne à cette femme un papier qui lui indique le meilleur trajet pour aller à sa destination.

THÈME	Trouvez les expressions françaises qui correspondent à l'anglais et rédigez un paragraphe.

1. Sabine and Paule just left their cousins in Rouen.

2. They spent a week there.

3. They arrived at the train station and went to get their tickets at the ticket window.

4. Then they took their suitcases and loaded them into the compartment.

5. Since they found their sandwiches, they ate in their compartment.

RÉDACTION

Maintenant choisissez un de ces sujets.

1. Write a short paragraph telling what Sabine and Paule did during their holiday in Rouen. Decide whether it was pleasant or boring.

2. Write a six-line dialogue between the people in picture 3. The girls need to have information about schedules, ticket class, and prices.

3. Imagine the conversation between the girls in picture 5.

CONTRÔLE DE RÉVISION   CHAPITRE 3

A   Bon voyage!
Choisissez le mot qui *ne peut pas* compléter la phrase.

1. Pour prendre le métro, il faut avoir _____.
   a) une Carte Orange   b) un carnet
   c) un chemin   d) un ticket
2. On peut utiliser une clef pour ouvrir _____.
   a) les bagages   b) un guichet
   c) une valise   d) une porte
3. Pour prendre le train, il faut avoir _____.
   a) un aller   b) un aller et retour
   c) un billet   d) une couchette
4. Du haut-parleur on entend _____.
   a) les annonces   b) l'heure de départ
   c) la foule   d) l'heure d'arrivée
5. On prend quelque chose à manger _____.
   a) au buffet   b) à la correspondance
   c) au café   d) à la voiture-restaurant
6. La personne qui peut vous aider est _____.
   a) la conductrice
   b) le contrôleur
   c) le distributeur automatique
   d) l'employée de la station
7. On paie un supplément pour _____.
   a) un billet de 1ère classe   b) une place
   c) une couchette   d) la voiture-lit

B   Oui ou non.
Complétez les réponses aux questions. Employez *y*, *lui* ou *leur* dans vos réponses. Suivez les modèles.

> Il faut aller *à la gare*? Oui …
> *Oui, il faut y aller.*
> Il faut demander l'horaire *à l'employé*? Non …
> *Non, il ne faut pas lui demander l'horaire.*

1. Tu as annoncé les nouvelles *à tes amis*? Oui …
2. Tu es resté(e) *dans ton compartiment*? Oui …
3. Tu vas montrer ton billet *au contrôleur*? Non …
4. Tu es descendu(e) *à Nice*? Oui …
5. Tu as dit «excusez-moi» *aux voyageurs*? Oui, …
6. Tu vas demander *à ce monsieur* de sortir? Non …

C   On y va et on en revient.
Refaites les phrases en employant les verbes entre parenthèses.

> Je *pars pour* Lyon. *(revenir de)*
> *Je reviens de Lyon.*

1. Les Dufy *vont* chercher leurs billets. *(venir)*
2. Vous *rentrez* demain soir. *(revenir)*
3. Nous *sortons* souvent avec eux. *(venir)*
4. Tu *es* inquiet. *(devenir)*
5. Diane *arrive* de Rouen. *(venir)*

D   Hier.
Mettez le paragraphe au passé composé. Commencez par *Hier, …*

Corinne et Nicolas *sortent* de bonne heure. Ils *descendent* en ville pour aller chercher un cadeau d'anniversaire pour leur grand-père. Juste avant midi ils *rentrent* chez eux pour avoir le temps de préparer un gâteau. Nicolas *va* chercher les belles assiettes. Corinne *sort* les beaux verres. Vers 6h du soir, leurs grands-parents *arrivent*. Ils *dînent* à la maison, et ensuite toute la famille *va* au cinéma. Ils *retournent* à la maison où ils *mangent* du gâteau.

E   A la gare.
Ecrivez des phrases négatives.

> Luc / ne … jamais / voyager / en 1ère classe
> *Luc ne voyage jamais en première classe.*

1. ils / ne … jamais / pousser / les gens / sur les quais
2. nous / ne … rien / manger / au buffet
3. elle / ne … personne / parler à / dans le compartiment
4. M. Duclos / ne … que / acheter / un seul billet
5. vous / ne … plus / monter / les bagages

Maintenant refaites les phrases au passé composé.

> Luc / ne … jamais / voyager / en 1ère classe
> *Luc n'a jamais voyagé en première classe.*

VOCABULAIRE DU CHAPITRE 3

Noms
l'aller *(m.)*
l'aller et retour *(m.)*
l'arrêt *(m.)* d'autobus
l'arrivée *(f.)* (l'heure d'arrivée)
les bagages *(m.pl.)*
la banlieue (en banlieue)
le bouton
le buffet
le carnet
la Carte Orange
le chemin
la clef
le compartiment
le conducteur, la conductrice
le contrôleur, la contrôleuse
la correspondance
la couchette
le départ (l'heure de départ)
le distributeur automatique
la foule
le guichet
le* haut-parleur, *pl.*
     les haut-parleurs
les heures de pointe *(f.pl.)*
l'horaire *(m.)*
l'horloge *(f.)*
la ligne
le mètre
le métro
la place *(seat; room, space)*
le plan-indicateur
la plupart (de)
le quai
la station (de métro)
le ticket
le trajet
le trottoir
la voie
la voiture (de métro, de train)
la voiture-lit, *pl.*
     les voitures-lits

la voiture-restaurant, *pl.*
     les voitures-restaurants
le voyageur, la voyageuse

Adjectifs
assis, -e
complet, -ète
vide

Verbes
aller chercher
annoncer
appuyer sur
composter
comprendre *(to include)*
descendre *(to bring / take down)*
monter *(to bring / take up)*
passer *(to go by)*
payer
pousser
rater *(to miss)*
sortir *(to take out)*
venir chercher
voyager

Adverbes

debout
encore *(yet)*
juste

Prépositions
autour de
contre
sauf

Conjonction
puisque

Question
quel est le chemin pour aller
     à ... ?

Expressions
attention au départ! en voiture,
     s'il vous plaît!
avec plaisir
en avance
excuse-moi (excusez-moi)
faire sa valise (ses bagages)
fermer à clef
hé!
jusqu'au bout
payer un supplément
première (deuxième) classe
vous permettez?

CHAPITRE 4

PRÉLUDE CULTUREL | LES COURSES À PARIS

In France, just as here, shopping is a favorite pastime. And Paris is one of the shopping capitals of the world. There are over 50,000 small retail stores in Paris alone. In the heart of the city you'll also find the giant department stores *(les grands magasins),* which date back to the late nineteenth century. (In fact, the idea of selling all kinds of merchandise under one roof began in Paris.) Today, the stores *Au Bon Marché, les Galeries Lafayette,* and *Au Printemps* attract millions of customers each year.

You can buy everything at the *grands magasins,* from designer clothes to household appliances. Because most Parisians work during the week and stores are closed on Sundays, Saturday is always especially busy. Throngs of tourists compete with crowds of French people, moving through mile upon mile of aisles. *Galeries Lafayette* alone covers more than three city blocks with its six-story buildings. Tourists consider it a monument to be visited, like other famous places in Paris.

More adventurous shoppers who love to bargain *(marchander)* can go to one of several flea markets *(les marchés aux puces)* around Paris. The oldest and most popular one is *le Marché aux Puces de Saint-Ouen,* just north of Paris. It's open several days a week, including Sunday, and offers a variety of merchandise, from antique furniture and bric-a-brac to new and second-hand clothes.

Your shopping trip in Paris should include a visit to the specialty markets. The colorful *Marché aux Fleurs,* for example, is located right in the center of town. Only flowers are sold there, while at the nearby *Marché aux Timbres,* stamp collectors bump into each other, trying to get a closer look.

In the Middle Ages, craftspeople set up their trades in specific areas of the city. The tradition has lived on, and so the best place to buy furniture is still in the neighborhood around Rue Saint-Antoine, where stores have replaced cabinetmakers' workshops. Student life has always revolved around the Sorbonne *(l'Université de Paris IV)* on the Rive Gauche, with its many bookstores and *bouquinistes,* who sell used and rare books from stalls along the quais of the Seine. Luxury stores on the Rive Droite cater to wealthy clients who can afford to buy their designer clothes, expensive jewelry, and fine leather goods.

Wherever you find Parisians buying things, you will also see them indulging in one of their most-loved activities: window-shopping *(le lèche-vitrines).* And that might just be the best part of your shopping day in Paris, too!

◆ COMMUNICATIVE OBJECTIVES

To shop for clothes
To assert oneself
To express needs and wants
To express preference
To make comparisons
To make suggestions

CONTEXTE VISUEL

MOTS NOUVEAUX I

Allons dans un grand magasin!

une vitrine

faire du lèche-vitrines

un escalier roulant

1er étage

un ascenseur

Chaussures

LES GALERIES BONHEUR

le rayon des chaussures

le sous-sol

le rayon de ménage

Ménage

Caisse

Toilettes

Rez-de-Chaussée

le rayon des sports

Sports

faire la queue

une étiquette

950 F

CONTEXTE COMMUNICATIF

1 A la maison.

M. COURTY J'ai besoin d'un pantalon.

MME COURTY Et moi, je voudrais choisir un cadeau pour Luc.

M. COURTY Eh bien, allons dans **un grand magasin.**

Variations:

■ d'un pantalon → de sous-vêtements
je voudrais choisir un cadeau pour Luc → j'ai besoin
d'un collant

le grand magasin *department store*

le collant *pantyhose*

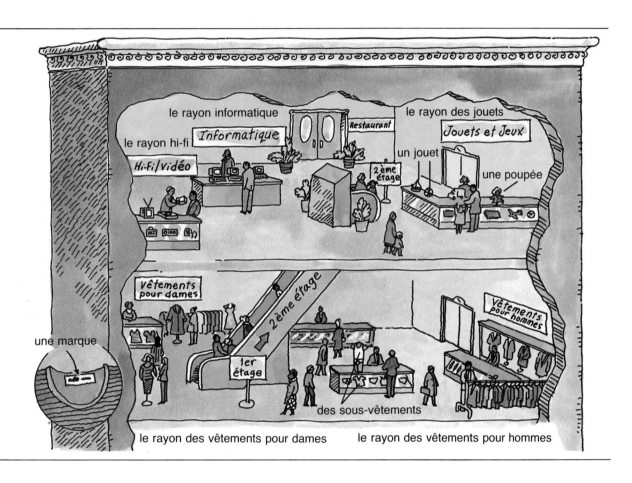

le rayon informatique

le rayon hi-fi

Informatique

Hi-Fi/vidéo

Restaurant

le rayon des jouets

Jouets et Jeux

un jouet

une poupée

2ème étage

une marque

Vêtements pour dames

2ème étage

1er étage

Vêtements pour hommes

des sous-vêtements

le rayon des vêtements pour dames

le rayon des vêtements pour hommes

2 Devant un grand magasin.

ANNIE — Regarde ce beau pull dans la vitrine!

MME PICARD — Je ne veux pas **perdre mon temps à** faire du lèche-vitrines. Entrons!

■ perdre mon temps à → **passer mon temps à**

perdre son temps à + *inf.* *to waste one's time (doing something)*

passer son temps à + *inf.* *to spend one's time (doing something)*

3 Dans le rayon des chaussures il y a une foule près de la caisse. Personne ne fait la queue.

UN MONSIEUR	Ne poussez pas, madame. **Chacun son tour.**
UNE DAME	*(au caissier)* Le rayon des vêtements pour hommes, s'il vous plaît?
LE CAISSIER	Au premier étage, à droite de l'escalier roulant.

chacun (chacune) son tour
each in turn

- des vêtements pour homme → des jouets
- le rayon des vêtements pour hommes → où sont les toilettes
- au premier étage, à droite de l'escalier roulant → au sous-sol, à droite de l'escalier

4 Yves aide Cédric à choisir des vêtements.

YVES	Prends le manteau bleu. Il est plus **élégant** et **moins** cher **que** le gris.
CÉDRIC	Non, je préfère le gris. C'est **le plus** beau.
YVES	Tu choisis toujours les vêtements les plus chers!

élégant, -e *elegant*
moins + *adj.* **que** *less ... than*
le (la) plus + *adj.* *the most ...*

- le manteau bleu → la chemise bleue
  il est plus élégant et moins cher que le gris → elle est plus élégante et moins chère que la grise
  le gris → la grise
  le plus beau → la plus belle

5 Hubert regarde un pantalon jaune.

LE VENDEUR	Vous voulez l'**essayer?**[1] Je l'ai aussi en vert et en noir.
HUBERT	Ah, **montrez-moi** le vert, s'il vous plaît.
LYDIE	Tu as raison, le vert **te va bien.**

essayer *to try , to try on*

montrez-moi *show me*
aller (bien) à quelqu'un *to fit someone, to look (good) on someone*
mieux *better*
mettre en marche *to turn on, to start up*

- le vert te va bien → le vert te va **mieux**
- un pantalon → une radio-cassette
  l'essayer → la **mettre en marche**
  le vert → la verte
  le vert te va bien → la verte est plus belle

[1]Remember that verbs ending in *-yer* form the present tense with the same endings as regular *-er* verbs, but the *y* in the stem changes to *i* in the singular forms and in the third-person plural form.

6 ROBERT   Faire du lèche-vitrines, **ça te plaît?**

JEAN-LOUIS   Oui, **ça me plaît!**

ROBERT   Eh bien, essaie ce pull gris. Il est **génial.**

JEAN-LOUIS   Oui, mais, tu as **remarqué** le prix?
Il **coûte les yeux de la tête!**

- ce pull gris → ces gants noirs
  il est génial → ils sont géniaux
  il coûte → ils coûtent

ça te plaît? *do you like it?*

ça me plaît *I like it*

génial, -e géniaux, -ales
neat, great

remarquer *to notice*

coûter les yeux de la tête *to cost an arm and a leg*

Deux amies regardent des chemises dans une boutique.

139

EXERCICES

A A quel rayon, s'il vous plaît? Vous travaillez au bureau de renseignements des Galeries Bonheur. Employez les images de cette page et des pages 136–137 pour répondre aux questions des clients. Conversez selon le modèle.

> ÉLÈVE 1 *Pardon, monsieur (mademoiselle). Je cherche une jupe et un chemisier.*
>
> ÉLÈVE 2 *Le rayon des vêtements pour dames est au premier étage, monsieur (mademoiselle).*

1.  2. 3.

4. 5. 6.

7. 8. 9.

B Au grand magasin. Complétez les phrases avec une des expressions entre parenthèses.

1. Les gens qui attendent le vendeur sont polis. Ils font (*du lèche-vitrines / la queue*).
2. Ne poussez pas, s'il vous plaît. (*Bon courage! / Chacun son tour!*)
3. Vous désirez, mademoiselle? Non, je (*regarde / remarque*), c'est tout.

SERVICES	MAGASIN	ÉTAGE	PLAN
		R.d.C.	B 7
	1		C 3
Accueil - Information	2	1er S/Sol	D 5
Restauration	2	R.d.C.	D 4
Change	2	R.d.C.	B 7

A VOTRE SERVICE :

4. Je viens de remarquer ce beau manteau. Je peux *(le montrer / l'essayer)*?
5. Le bleu vous *(va / vient)* bien.
6. Mon père dit toujours: «Ne *(perds / pousse)* pas ton temps à faire du lèche-vitrines!»
7. Tu veux savoir le prix? Regarde donc *(l'étiquette / la marque)*!
8. Pour *(monter / descendre)* au sous-sol, il faut prendre l'escalier roulant.
9. Je suis très fatigué. Prenons *(l'ascenseur / l'escalier)*.
10. Pour payer, on va *(à la caisse / à la vitrine)*.

C Que dites-vous?

1. Vous faites la queue. Quelqu'un vous pousse. Que dites-vous?
2. Votre frère passe des heures à faire du lèche-vitrines. Que dites-vous?
3. Un(e) camarade achète un tee-shirt qui coûte six cents francs! Que dites-vous?
4. Votre ami(e) a un très beau manteau vert. Que dites-vous?

D Parlons de toi.

1. Est-ce que tu vas souvent dans les grands magasins? Quel est ton grand magasin préféré? D'habitude, tu achètes des choses ou tu fais du lèche-vitrines? A quel rayon est-ce que tu passes la plupart de ton temps? Est-ce que tu préfères les grands magasins ou les boutiques spécialisées? Pourquoi?
2. Quand tu as besoin de vêtements, est-ce que tu les achètes tout(e) seul(e) ou avec une autre personne? Avec qui est-ce que tu préfères aller acheter des vêtements? Pourquoi?
3. Est-ce que tu as déjà travaillé dans un grand magasin? A quel rayon est-ce que tu as travaillé? Est-ce que tu as aimé y travailler? Pourquoi?
4. Est-ce que tu aimes passer du temps au rayon informatique? Est-ce que tu achètes quelque chose? Est-ce que le vendeur (la vendeuse) met en marche des ordinateurs pour toi? Tu les essaies?

141

APPLICATIONS

Le fan de Lionel Crakos

Dans un magasin de chaussures.

LA VENDEUSE	Bonjour. Vous désirez, monsieur?
RAOUL	Je voudrais des bottes rouges et jaunes, s'il vous plaît.
5 LA VENDEUSE	*(surprise)* Rouges et jaunes?
RAOUL	Oui, comme celles[1] de Lionel Crakos.
LA VENDEUSE	Pardon, Lionel qui?
RAOUL	Crakos, le chanteur du groupe «Directions».
LA VENDEUSE	Ah! Je vais voir. Asseyez-vous,[2] s'il vous plaît.
10	Quelle pointure faites-vous?[3]
RAOUL	Du quarante et un, comme Lionel. Je suis un de ses fans, alors, je sais tout de lui!

La vendeuse revient avec trois paires de bottes.

LA VENDEUSE	Voilà, j'ai des très belles bottes rouges, des noires
15	et des grises.
RAOUL	Ah non, je les voudrais rouges et jaunes, comme celles de …
LA VENDEUSE	*(exaspérée)* De Lionel, oui, je sais! Ecoutez, puisque vous faites la même pointure que lui, écrivez-lui et
20	demandez-lui de vous envoyer[4] ses bottes!
RAOUL	Bonne idée! A un fan comme moi, il ne peut rien refuser!

---

[1]**celle,** *pl.* **celles** *the one; those*   [2]**asseyez-vous** *sit down*
[3]**quelle pointure faites-vous?** *what shoe size do you take?*
[4]**envoyer** *to send*

Questionnaire

1. Qu'est-ce que Raoul veut acheter? Quelles couleurs veut-il? Pourquoi?
2. Qui est Lionel?   3. Quelle pointure est-ce que la vendeuse va chercher?   4. Raoul aime-t-il les bottes que la vendeuse lui montre? Pourquoi?   5. Pourquoi la vendeuse dit-elle à Raoul d'écrire à Lionel?
6. Raoul est-il optimiste ou pessimiste? Expliquez votre réponse.

CHAUSSURES

FEMMES		HOMMES	
FR	USA	FR	USA
		42	8 1/2
37	7	43	9 1/2
38	7 1/2	44	10 1/2
38 1/2	8		

CHEMISIERS/CHEMISES

FEMMES		HOMMES	
FR	USA	FR	USA
34	6		
36	8	37-38	14 1/2-15
38	10	39-40	15 1/2-16
		41-42	16

Situation

Avec un(e) camarade de classe, imaginez une conversation entre un(e) client(e) et une vendeuse aux Galeries Bonheur. Qu'est-ce que vous cherchez? De quelle couleur? Quelle est votre pointure ou votre taille *(clothing size)*? Que dit la vendeuse?

MOTS NOUVEAUX II

Tu m'emmènes aux puces?

CONTEXTE
VISUEL

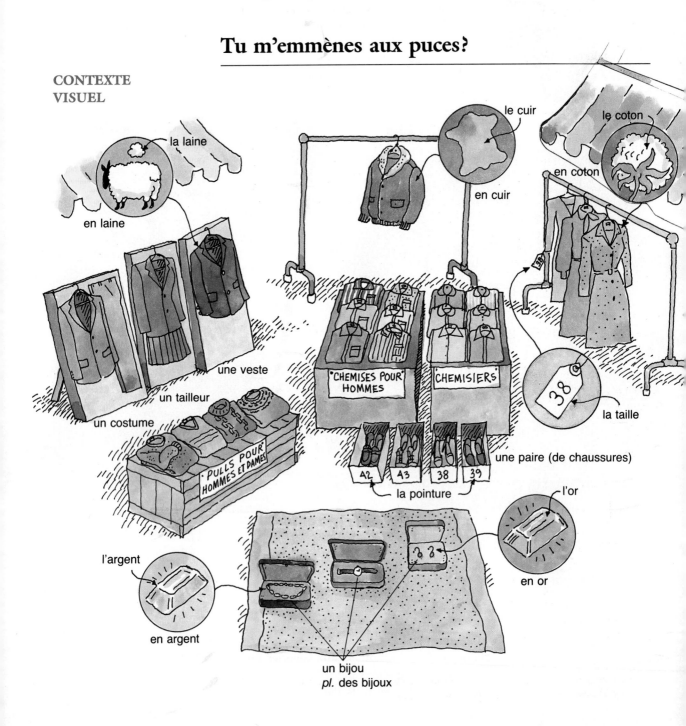

la laine
en laine
le cuir
en cuir
le coton
en coton
une veste
un tailleur
un costume
CHEMISES POUR HOMMES
CHEMISIERS
la taille
une paire (de chaussures)
PULLS POUR HOMMES ET DAMES
42 43 38 39
la pointure
l'or
en or
l'argent
en argent
un bijou
pl. des bijoux

To shop at a flea market

To ask and tell shoe and
clothing sizes

To emphasize who is
doing something

To call a halt to
something

To tell what something
is made of

To bargain

To express doubt or
surprise

To ask permission

To promise

CONTEXTE
COMMUNICATIF

1 Au marché aux puces, on peut acheter des vêtements
neufs[1] ou **d'occasion.**

SANDRINE	Demain ma mère m'**emmène** aux puces. Je vais vendre mes vieux vêtements.
GHISLAINE	C'est une bonne idée. Moi, quand je ne peux plus mettre mes vêtements, je les **jette.**

Variations:

■ vêtements → tailleurs

le marché aux puces (les puces)
    flea market
neuf, neuve *brand-new*
d'occasion *used*
emmener *to take*

jeter *to throw (away)*

2 Il y a des **soldes partout** dans le grand magasin.

FRANÇOIS	Tu as remarqué ces chaussures? Elles sont **en solde** et il y a ma pointure.[2]
M. HENRI	**Ça suffit!** On a déjà trop **dépensé!**

■ ces chaussures → ces chemises
    ma pointure → ma taille

le solde *sale*
partout *everywhere*
en solde *on sale*
ça suffit! *that's enough!*
dépenser *to spend (money)*

3

CARINE	Bonjour, madame. Je voudrais essayer les chaussures-là, dans la vitrine.
LA VENDEUSE	**Quelle pointure faites-vous?**
CARINE	Du 40.

■ les chaussures → la robe
    quelle pointure → quelle taille
    du 40 → du 42

quelle pointure faites-vous?
    what size do you take?

---

[1]Use *neuf* to describe something just built or manufactured, or that you have just bought.

[2]*La pointure* refers to shoe size, *la taille* to clothing size.

4 Antoine adore **marchander** aux puces.

LA VENDEUSE   Vous regardez les blousons en cuir? J'ai les plus beaux vêtements en cuir!

ANTOINE   Vous me **faites** un petit **prix** pour ce blouson-ci?

LA VENDEUSE   **Vous plaisantez?** A ce prix-là, c'est un cadeau!

■ blousons → vestes
ce blouson-ci → cette veste-ci

marchander   *to bargain*

faire un prix à quelqu'un   *to give a deal to someone, to offer a reduced price*
plaisanter   *to be kidding*

5 LA VENDEUSE   Un petit prix, non, je ne peux pas. Ils sont déjà **bon marché.**[3]

ANTOINE   A côté, on vend les mêmes et ils sont **meilleur marché.**

LA VENDEUSE   Oui, mais ici **la qualité** est **meilleure.**

■ oui, mais ici la qualité est meilleure
→ mais non, à côté le cuir est moins beau

bon marché   *inexpensive, cheap*
meilleur marché   *less expensive*

la qualité   *quality*
meilleur, -e   *better*

6 NATHALIE   Regarde cette montre ancienne. Elle est magnifique.

OLIVIER   Elle est en or, tu penses?

NATHALIE   Oh oui, elle coûte 1000F. A ce prix-là, c'est de l'or.

■ en or → en argent
de l'or → de l'argent
■ cette montre ancienne → cette veste bleue
en or → en laine
1000F → 800F
c'est de l'or → c'est de la laine

7 NICOLAS   Et voilà, j'ai eu ce pantalon en cuir pour cinq cents francs.

PATRICK   **Hein?** Dis donc, c'est **une bonne affaire!** Tu marchandes **mieux que** nous.

■ c'est une bonne affaire → tu **as fait une bonne affaire**

hein? *(interj.)*   *huh? eh?*
la bonne affaire   *bargain*
mieux que   *better than*
faire une bonne affaire   *to get a good deal*

[3]*Bon (meilleur) marché* is invariable: *Ces chaussures sont **bon marché;** ces bottes sont* **meilleur marché.**

8	ANNICK	Tu ne mets plus ta veste marron?	
	NADÈGE	Non, elle est trop petite. Je vais la jeter ou la donner.	
	ANNICK	Mais non, **vends-la** aux puces!	**vends-la!** *sell it!*

■ ta veste → ton tailleur
elle / petite / la → il / petit / le
vends-la → **vends-le**

vends-le! *sell it!*

■ ta veste marron → tes chaussures marron
elle est / petite / la → elles sont / petites / les
vends-la → **vends-les**

vends-les! *sell them!*

9	JEANNE	Papa, tu me **permets** d'aller aux puces samedi avec Delphine?	**permettre (à ... de)** *to let, to permit*
	M. RELLET	Mais oui, pourquoi pas? Si tu veux, je viens avec vous.	
	JEANNE	Bon, d'accord. Alors, **c'est promis.** Samedi, on va **tous**[4] aux puces.	**c'est promis** *that's a promise*
			tous, toutes *all, everything, everybody*

[4]You know the singular pronoun *tout, toute: Je lui ai **tout** dit; **Tout** va bien*. The plural pronoun—*tous, toutes*—often follows another noun or pronoun for emphasis: *Elles m'ont **toutes** dit la vérité.* When *tous* is used as a pronoun, the *s* is pronounced: [tus].

Des jeunes cherchent un blouson au marché aux puces.

EXERCICES

A Aux puces. Vous et votre ami François, vous êtes au marché aux puces. Complétez les phrases avec une des expressions entre parenthèses.

1. Au marché aux puces, François a acheté beaucoup de vieux bijoux. Il a trop *(dépensé, jeté, emmené)*.
2. Pour faire une bonne affaire, il faut savoir *(remarquer, marchander, dépenser)*.
3. Regarde les annonces publicitaires! Il y a des soldes *(partout, surtout, en tout)*.
4. Mes chemises sont trop petites. Je vais les *(permettre, plaisanter, jeter)* et en acheter d'autres ici.
5. Dans les grands magasins, on n'achète que des vêtements *(d'occasion, neufs, en paires)*.
6. On m'a fait un petit prix. Cette veste est *(bon marché, chère, meilleur marché)*.
7. Je peux essayer ce tailleur? Mais oui, quelle *(pointure, taille, paire)* faites-vous?
8. Ces fourchettes sont *(en coton, en argent, en laine)*.

B Le cadeau. Vous voulez acheter un cadeau pour une amie. La vendeuse vous aide à choisir. Conversez selon le modèle. Employez la liste de droite pour des idées, mais vous pouvez donner d'autres réponses aussi.

en coton
ÉLÈVE 1   *Je cherche quelque chose en coton.*
ÉLÈVE 2   *Voici une chemise en coton.*

1. en or	a. une bague
2. en cuir	b. un bijou
3. en solde	c. un chapeau
4. en laine	d. des chaussures
5. en argent	e. une chemise
6. en coton	f. un costume
7. en cuir noir	g. une montre
8. en laine rouge	h. une robe
	i. un tailleur
	j. une veste

C **Vendeurs et clients.** Lisez les phrases, puis décidez qui les dit, le vendeur ou le client.

Ce costume coûte les yeux de la tête! *le client*

1. Est-ce qu'on peut marchander ici?
2. Vous plaisantez! On n'est pas aux puces.
3. Qu'est-ce que vous désirez?
4. Je voudrais essayer une paire de chaussures noires.
5. Et ces bottes, elles coûtent combien?
6. Nous ne vendons que des articles de la meilleure qualité.
7. Ça suffit. J'ai dépensé assez d'argent.
8. C'est la journée des soldes. Achetez, messieurs-dames!
9. Vous pouvez faire des bonnes affaires.
10. C'est promis, je ne dépense pas plus de deux cents francs.

Le monsieur achète un pull neuf.

D Parlons de toi.

1. Est-ce qu'il y a un marché aux puces près de chez toi? Tu y vas quelquefois? Qu'est-ce que tu aimes acheter d'occasion? Est-ce que tu aimes les vêtements d'occasion des années cinquante?

2. Quand tes vêtements sont vieux ou trop petits, qu'est-ce que tu fais? Est-ce que tu les jettes? Tu les donnes à quelqu'un d'autre? Est-ce que tu les vends au marché aux puces?

3. Est-ce que tu aimes marchander? Quelles choses as-tu achetées comme ça? Est-ce que tu fais des bonnes affaires?

4. Qu'est-ce que tu préfères: des vêtements bon marché ou de bonne qualité? Pourquoi?

ACTIVITÉ

Une bonne affaire. Choisissez un objet d'occasion que vous voulez «vendre» à vos camarades de classe. Décrivez l'objet. Mentionnez son prix et pourquoi c'est une bonne affaire. Vos camarades vont vous dire pourquoi ce n'est pas une bonne affaire et ils (elles) vont marchander. Décidez si vous allez vendre l'objet.

ÉTUDE DE MOTS

As you have already learned, *sous* and *sur* may be used as prepositions meaning "under" and "on." They may also be used as prefixes in words like *sous-vêtements*, *sous-sol*, and *surtout*. How would you explain the meaning of the prefix and the root word in each of these words?

Use your knowledge of the prefixes *sur-* and *sous-* to figure out what the italicized words mean.

1. Ce film a des *sous-titres*.
2. Rose aime faire de la plongée *sous-marine*.
3. C'est un vrai *surhomme*; ses efforts sont *surhumains*.
4. Monsieur Dupont n'est pas l'inspecteur; c'est le *sous-inspecteur*. Il travaille dans les pays *sous-développés* partout dans le monde.
5. Maurice porte son *survêtement* avant le match de basketball.
6. Le vendeur a *sous-estimé* la qualité de ces bijoux.
7. On peut traverser la rue parce qu'il y a un passage *souterrain*.

Des vendeuses au marché aux puces

EXPLICATIONS I

Le verbe *mettre*

◆ COMMUNICATIVE
OBJECTIVES

To tell where you put
things

To tell people what to
wear

To ask permission

To make promises

The verb *mettre* has the basic meaning "to put, to put on." Here are its forms.

INFINITIF	**mettre**				
		SINGULIER		PLURIEL	
PRÉSENT	1	je	**mets**	nous	**mettons**
	2	tu	**mets**	vous	**mettez**
	3	il elle on	**met**	ils elles	**mettent**

IMPÉRATIF   **mets!   mettons!   mettez!**

PASSÉ COMPOSÉ   **j'ai mis**

1 You have seen *mettre* used in a number of different ways.

Je vais **mettre** un pull.	*I'm going **to put on** a sweater.*
Annie, **mets** le couvert.	*Annie, **set** the table.*
Tu veux **mettre** la machine **en marche?**	*Would you **start** the machine, please?*

2 The verbs *permettre* ("to permit") and *promettre* ("to promise") follow the pattern of *mettre*. To tell *what* is being permitted or promised, add *de* + an infinitive.

MICHEL	Maman, tu me **permets de sortir** ce soir?
MME RABIN	Oui, si tu me **promets de rentrer** avant minuit.
MICHEL	D'accord. C'est promis!

EXERCICES

A Bon anniversaire! On prépare un grand dîner pour célébrer l'anniversaire de grand-mère Dufour. Chacun fait quelque chose. Complétez les phrases avec la forme correcte du verbe *mettre,* *permettre* ou *promettre.*

> moi, je / des fleurs sur la table
> *Moi, je mets des fleurs sur la table.*

1. oncle Antoine et moi / le couvert
2. tu / d'être très gentille
3. vous / aux enfants de rester à table
4. Cécile et Serge / de rentrer de bonne heure
5. moi, je / d'aller chercher le gâteau
6. grand-père / d'écrire une carte de vœux
7. tu / d'arriver à l'heure
8. les enfants / leurs nouvelles chaussures

B La garde-robe *(wardrobe).* Pour chaque occasion il y a des vêtements appropriés. Qu'est-ce qu'on met dans les situations suivantes? Posez la question à un(e) camarade. Conversez selon le modèle.

> pour faire du ski   ÉLÈVE 1 *Qu'est-ce qu'on met pour faire du ski?*
>   ÉLÈVE 2 *On met un anorak, bien sûr!*

1. pour aller à la piscine
2. pour ne pas avoir froid
3. pour aller au bureau
4. pour aller jouer au tennis
5. pour aller danser
6. sous les autres vêtements
7. pour marcher dans les champs
8. quand il pleut

La comparaison des adjectifs

◆ COMMUNICATIVE
OBJECTIVES

To compare people and
things
To express opinions

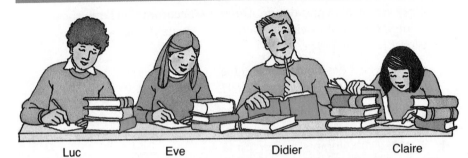

Luc   Eve   Didier   Claire

Comment sont les élèves?   Eve est **aussi** travailleuse **que** Luc.
Luc est **moins** travailleur **que** Claire.
Eve et Luc sont **plus** travailleurs **que** Didier.

1   To compare people or things to one another, add *plus, moins,* or *aussi*
in front of the adjective. *Que* is the same as "than" or "as" in English.
Note that the adjective agrees with the subject of the sentence.

2   To avoid repeating nouns, you can use disjunctive pronouns after *que.*

Luc? Eve est aussi travailleuse **que lui.**

3   The adjective *bon* has a special comparative form, *meilleur, -e,* when
you want to say that one person or thing is better than another.

Eve est une **bonne** élève. Claire est **meilleure.** Luc est **meilleur
que** Didier. Eve et Luc sont **meilleurs que** lui.

4   To say that someone or something is "the most" or "the least," add a
definite article in front of *plus* or *moins.* This is called the superlative.

Claire est **la plus** travailleuse.
Didier est **le moins** travailleur.

Always put the superlative construction in the same position as the
adjective you're using. If the adjective comes after a noun that has a
definite article, use the article in the superlative construction.

Il a acheté **la plus belle chemise.**
Il n'a pas acheté **la chemise la plus chère.**

5   When you use the superlative, you often will want to tell what
group the person or object belongs to. In English, we use "in the" or
"of the." In French, you use a form of *de.*

Claire est la plus travailleuse **des élèves.**
Didier est le moins travailleur **du groupe.**

EXERCICES

A Des idées contraires. Paul et son frère ont des idées très différentes. Conversez selon le modèle. Attention à l'accord des adjectifs.

> un costume bleu / un costume gris / élégant
> ÉLÈVE 1 *Un costume bleu est plus élégant qu'un costume gris.*
> ÉLÈVE 2 *Mais non, il est moins élégant.*

1. une moto / une voiture / rapide
2. un blouson en cuir / un blouson en laine / chic
3. les films policiers / les romans d'aventures / intéressant
4. le rock / le jazz / bruyant
5. la chimie / l'algèbre / facile
6. les bandes dessinées / le courrier du cœur / amusant
7. les bijoux en or / les bijoux en argent / beau

B Qu'est-ce que tu en penses? Dites vos propres (*own*) idées sur les phrases de l'Exercice A. Conversez selon le modèle.

> ÉLÈVE 1 *Je pense qu'un costume bleu est plus (moins, aussi) élégant qu'un costume gris.*
> ÉLÈVE 2 *Tu as raison, il est plus (moins, aussi) élégant.*
> OU: *Tu as tort, il est moins (plus) élégant.*

C Au supermarché. Quels produits est-ce que vous préférez? Employez une forme de *meilleur* dans votre réponse. Suivez le modèle.

> *Le pain est meilleur que les croissants.*
> OU: *Les croissants sont meilleurs que le pain.*

1.

2.

3.

4.

5.

6.

D A mon avis *(In my opinion).*   Donnez vos idées sur chaque sujet que vous voyez ici. Ecrivez des phrases complètes. Suivez le modèle.

__?__ / voiture / beau / monde
Je pense que la (Bobcat 212X) est la plus belle voiture du monde.

1. __?__ / le professeur / sympa / lycée
2. __?__ / le roman / ennuyeux / bibliothèque
3. __?__ / l'élève / énergique / notre classe
4. __?__ / le cours / difficile / mon emploi du temps
5. __?__ / actrice / bon / Hollywood
6. __?__ / équipe / bon / lycée

Maintenant, avec deux ou trois camarades, comparez vos réponses.

ÉLÈVE 1   *Je pense que la Bobcat 212X est la plus belle voiture du monde. Et toi, Annie?*

ÉLÈVE 2   *Moi, je pense que la Fergatti Fuego est la plus belle voiture du monde. Et toi, Eric? etc.*

La comparaison des adverbes

◆ COMMUNICATIVE
  OBJECTIVES
To compare and contrast
actions
To express preference

Luc   Eve   Didier   Claire

Eve parle **aussi** fort **que** Didier.
Luc parle **moins** fort **que** ses amis.
Claire parle **plus** fort **que** ses amis.

1 To compare the actions of people or things, add *plus, moins,* or *aussi* to the adverb. Remember that an adverb describes *how* an action is performed, and that it does not agree with the subject of the sentence.

2 The adverb *bien* has a special comparative form, *mieux*, that is used when you want to say that someone or something performs an action better.

> Jean-Luc chante **bien,** mais Pierre chante **mieux.**

3 You can use the superlative to describe action. However, with adverbs, you always use the definite article *le*.

> De tous les copains, c'est Claire qui parle **le plus** fort.
> Anne et Gisèle chantent **le mieux.**

EXERCICES

A **Un complexe d'infériorité.** Henri pense très souvent que ses amis font tout mieux que lui. Sa camarade Annick essaie de le rassurer *(reassure)*. Conversez selon le modèle.

> David / comprendre les maths / vite
> ÉLÈVE 1   *David comprend les maths plus vite que moi.*
> ÉLÈVE 2   *Mais non, David comprend les maths moins vite que toi.*

1. Brigitte / faire de la gym / souvent
2. Murielle et Sophie / parler espagnol / couramment
3. Michel / lire les journaux / régulièrement
4. Cécile / faire des fautes / rarement
5. Bernard et Nadine / prendre des notes / patiemment
6. Eric / taper à la machine / vite
7. Odile et Thierry / travailler au labo de langues / longtemps
8. Fernand et Gilles / parler à la directrice / poliment

B **Tu es sûre?** Henri n'est toujours pas rassuré. Il répète ses phrases de l'Exercice A à sa camarade. Cette fois, elle répond qu'Henri fait ces choses aussi bien que les autres. Suivez le modèle.

> David / comprendre les maths / vite
> ÉLÈVE 1   *David comprend les maths plus vite que moi.*
> ÉLÈVE 2   *Mais non, tu comprends les maths aussi vite que lui.*

C **Toujours le contraire.** Votre camarade aime toujours le contraire de ce que vous aimez. Dites ce que vous préférez. Votre camarade va dire le contraire. Conversez selon le modèle.

travailler à la bibliothèque / travailler à la maison

ÉLÈVE 1 *Moi, j'aime bien travailler à la bibliothèque.*
ÉLÈVE 2 *Moi, j'aime mieux travailler à la maison.*
OU:
ÉLÈVE 1 *Moi, j'aime bien travailler à la maison.*
ÉLÈVE 2 *Moi, j'aime mieux travailler à la bibliothèque.*

1. jouer au tennis / jouer au base-ball
2. prendre du chocolat chaud le matin / prendre du café le matin
3. aller au cinéma / regarder la télé
4. faire mes devoirs / faire des courses
5. apprendre la chimie / apprendre les maths
6. faire du lèche-vitrines / acheter des vêtements
7. dépenser beaucoup d'argent / marchander
8. prendre l'ascenseur / monter l'escalier

La Bibliothèque
Schœlcher à Fort-de-
France, Martinique

D **Mieux ou meilleur?** Choisissez les mots corrects (*bon / meilleur* ou *bien / mieux*) et complétez les phrases selon le modèle.

les côtelettes de porc / le poulet
Les côtelettes de porc sont bonnes, mais le poulet est meilleur.

1. Sandrine chante / Florence
2. la choucroute / la bouillabaisse
3. les légumes / la glace
4. Raoul parle / Suzette
5. les pêches / les pommes
6. Danièle écrit / Nicole
7. le chocolat chaud / les jus de fruits
8. Laurence marchande / Monique

E **Jeu-test!** Vous posez des questions à un(e) camarade de classe, mais il (elle) ne répond pas tout de suite. Essayez de deviner ses réponses et écrivez-les. Ensuite, demandez-lui ses réponses et comparez-les avec les réponses que vous avez devinées.

1. Quel chanteur chante le mieux? Quelle chanteuse? Quel groupe joue le mieux?
2. Quel acteur joue le mieux? Quelle actrice?
3. Quelle est la marque de la voiture la plus rapide?
4. Quel professeur parle le plus vite? Le plus lentement?

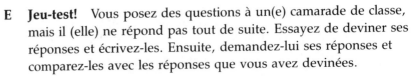

5. Quelle émission de télé est-ce que tu regardes le plus régulièrement?
6. Quels vêtements est-ce que tu achètes le plus souvent?
7. Pour quel cours est-ce que tu étudies le plus longtemps?
8. Qu'est-ce que tu manges au déjeuner le plus souvent?

F   Parlons de toi.
1. Est-ce que tes parents te permettent de regarder la télé après 10h?
   Toujours? Souvent? Quand? Est-ce que tes parents te permettent
   de sortir très tard? Jusqu'à quelle heure?
2. Quels vêtements est-ce que tu mets pour aller au lycée? A une
   boum? Pour faire des courses?
3. Qui est la personne la plus géniale de ta classe? La plus intelligente?
   La plus travailleuse? La plus sportive? La plus amusante?
4. D'après toi, quel est le meilleur film de cette année? Quel est le
   plus mauvais film? Quelle est la meilleure émission de télé?
   Quelle est la plus mauvaise émission? Explique tes choix.
5. Parle de ton meilleur ami (ta meilleure amie). Pourquoi est-ce qu'il
   (elle) est unique? Qu'est-ce qu'il (elle) fait le mieux de tous tes amis?
6. Qu'est-ce que tu aimes mieux passer ton temps à faire? Tu le fais
   souvent? Régulièrement? Rarement? Tu veux le faire plus souvent?

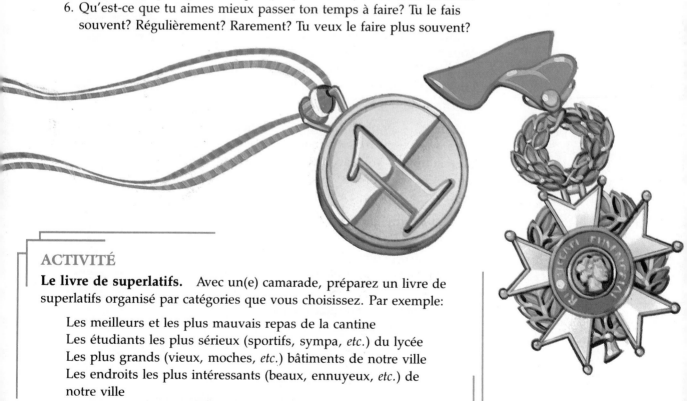

ACTIVITÉ

Le livre de superlatifs.   Avec un(e) camarade, préparez un livre de
superlatifs organisé par catégories que vous choisissez. Par exemple:

Les meilleurs et les plus mauvais repas de la cantine
Les étudiants les plus sérieux (sportifs, sympa, *etc.*) du lycée
Les plus grands (vieux, moches, *etc.*) bâtiments de notre ville
Les endroits les plus intéressants (beaux, ennuyeux, *etc.*) de
notre ville
Les personnes qui jouent le mieux à _____

APPLICATIONS

A chacun sa couleur!

AVANT DE LIRE

Avant de lire la *Lecture*, cherchez les réponses à ces questions.

1. D'après le premier paragraphe, qu'est-ce que les couleurs disent?
2. On parle de combien de couleurs ici? Quelle est votre couleur préférée?
3. Regardez les paragraphes qui parlent du violet. Combien de mots est-ce que vous pouvez y trouver qui sont comme des mots anglais?

Le savez-vous? Votre couleur préférée montre votre personnalité. Aux puces vous remarquez six sweat-shirts. Choisissez-en un: sa couleur vous dit la nature de votre caractère.

5 Vous avez choisi le jaune? C'est la couleur de l'optimisme. Vous aimez rire,[1] vous amuser[2] et vous avez beaucoup d'amis. Vous dites la vérité, donc vous détestez les hypocrites. Simple et franc, vous remarquez toujours les qualités des gens autour de 10 vous.

Vous êtes curieux et vous adorez voyager. Mais attention! N'allez pas trop vite. Etre énergique, c'est bien, mais il faut aussi passer du temps à penser.

Pour les fans du violet: c'est la couleur du mystère. 15 Vous avez beaucoup d'imagination, la routine vous fait peur. Sensible,[3] vous restez toujours très secret. On vous connaît mal, mais vous savez utiliser votre charme quand il le faut.

On peut penser que vous êtes prétentieux, triste ou 20 froid. Mais non, vous êtes juste original et peut-être un peu timide. Vous avez seulement quelques bons amis et ils sont comme vous. Alors, sortez de votre univers mystérieux. La réalité est intéressante aussi!

Le bleu montre que vous êtes rêveur[4] et 25 sentimental. Vous avez un tempérament d'artiste et de la créativité, mais de temps en temps le courage et la confiance[5] sont absents. Allez jusqu'au bout de vos idées. Vous pouvez réussir, vous aussi!

Difficile à définir, vous êtes en même temps[6] 30 sociable et solitaire, ouvert et mystérieux. Mais vous avez beaucoup d'amis qui apprécient vos contradictions et les trouvent amusantes.

---

[1]**rire** *to laugh* [2]**vous amuser** *to have fun* [3]**sensible** *sensitive* [4]**rêveur, rêveuse** *a dreamer* [5]**la confiance** *confidence* [6]**en même temps** *at the same time*

Le rouge: Vous êtes courageux, agressif de temps en temps. Pour vous, l'existence est une grande aventure. Vous avez beaucoup
35 d'énergie! Quand même, n'en faites pas trop: vous aussi, vous pouvez être fatigué!

Très indépendant, vous n'avez pas besoin d'amis. Au contraire, vous aimez commander. Quand vous avez un objectif, vous n'hésitez pas à aller droit au but,[7] sans faire attention aux autres.
40 C'est dangereux, pour vous aussi!

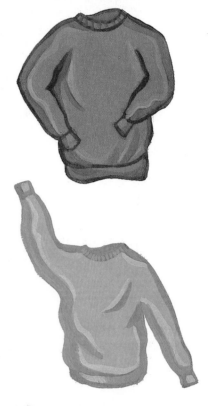

L'orange: une explosion! Voici un cocktail explosif: vitalité, énergie, enthousiasme. Formidable! Mais n'oubliez pas que le tact est aussi une grande qualité! L'aventure vous fascine, mais seul: vous aimez votre liberté et votre indépendance plus que tout.

45 Oui, vous êtes nerveux. Vous avez besoin de bouger[8] tout le temps et vous cherchez les situations difficiles pour tester votre courage. Votre plus grande qualité: votre sens de l'humour. On rit[9] beaucoup autour de vous et c'est bien agréable.

Si vous avez choisi le vert: c'est l'idéal! Une nature exceptionnelle:
50 loyal et généreux, vous êtes l'ami idéal. Vous aimez donner plus que recevoir.[10] Une personnalité solide: vous avez le sens des responsabilités. Vous aidez les autres avec plaisir.

Mais vous aimez facilement les autres; à vos yeux, tout le monde est sympathique. Alors, bien sûr, vous êtes souvent déçu.[11] Vous
55 donnez votre affection tout de suite et on vous influence vite. N'oubliez pas qu'on ne peut pas plaire à[12] tous.

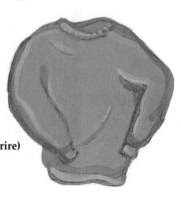

Alors, maintenant vous avez compris: pour plaire, fasciner ou partir à l'aventure, portez des couleurs différentes! Rouge, jaune, violet, vert, orange ou bleu: essayez donc la palette des humeurs![13]

---

[7]**aller droit au but** *to go straight to the point*   [8]**bouger** *to move around*   [9]**on rit (rire)** *to laugh*   [10]**recevoir** *to receive*   [11]**déçu, -e** *disappointed*   [12]**plaire à** *to please*
[13]**l'humeur** *(f.)* *mood*

Questionnaire

1. Si vous aimez le jaune, quelle est la nature de votre caractère?
2. Quelle est la couleur du mystère? Quelle sorte de personne l'aime?
3. Décrivez la personne qui aime le bleu. Pour cette personne, qu'est-ce qu'il faut faire pour réussir?
4. Comment sont les gens qui aiment le rouge?
5. Les gens énergiques, quelle couleur choisissent-ils? Pourquoi est-ce qu'ils sont des «cocktails explosifs»?
6. Quelle couleur met l'ami(e) idéal(e)? Pourquoi est-ce que cette personne a des problèmes de temps en temps?
7. Quelle est votre couleur préférée? Est-ce que cette couleur montre votre personnalité? Comment? Quelle est la couleur préférée de la personne à votre droite dans la classe? Est-ce que vous pensez que la description ici lui va?

Une jeune choisit une carte dans un magasin à Aix-en-Provence.

EXPLICATIONS II

Les verbes comme *répéter, acheter* et *jeter*

With most -*er* verbs, you use the same stem to make all the forms—the infinitive minus the -*er.* Some -*er* verbs, though, have two present-tense stems: one formed the usual way for the *nous* and *vous* forms, and a second stem that is used for all the other forms. For example:

◆ COMMUNICATIVE OBJECTIVE

To describe actions

INFINITIF **répéter**

PRÉSENT	1	je **répète**	nous **répétons**
	2	tu **répètes**	vous **répétez**
	3	il elle on } **répète**	ils elles } **répètent**

IMPÉRATIF **répète! répétons! répétez!**
PASSÉ COMPOSÉ **j'ai répété**

INFINITIF **acheter**

PRÉSENT	1	j' **achète**	nous **achetons**
	2	tu **achètes**	vous **achetez**
	3	il elle on } **achète**	ils elles } **achètent**

IMPÉRATIF **achète! achetons! achetez!**
PASSÉ COMPOSÉ **j'ai acheté**

INFINITIF **jeter**

PRÉSENT	1	je **jette**	nous **jetons**
	2	tu **jettes**	vous **jetez**
	3	il elle on } **jette**	ils elles } **jettent**

IMPÉRATIF **jette! jetons! jetez!**
PASSÉ COMPOSÉ **j'ai jeté**

A Chartres, deux jeunes femmes choisissent des cartes postales.

1 For each of these verbs, the singular forms and the third plural form
   are pronounced alike. They each contain the vowel sound of the
   word *sept*. For verbs like *répéter*[1] and *acheter*,[2] sound is represented by
   an *accent grave* over the e: *je répète, ils achètent*. For verbs like *jeter*, the
   sound is shown by doubling the final consonant of the stem: *il jette*.

2 The *e* in the *nous* and *vous* forms of stem-changing verbs is usually
   not pronounced if the stem contains two or more syllables: *nous
   achetons, vous emmenez*. However, if the stem contains only one
   syllable, the *e* is pronounced with the vowel sound of the word *deux*:
   nous jetons.

---

[1]*Préférer* is another verb like *répéter*.
[2]*Emmener* and *geler* are other verbs like *acheter*.

EXERCICES

A **On fait des courses.** Nous sommes samedi et tout le monde fait
   des courses. Choisissez le meilleur endroit pour acheter chaque
   chose. Suivez le modèle.

à la boulangerie	au rayon hi-fi	au supermarché
dans une boutique	au marché aux puces	chez l'opticien
à la librairie	au rayon de jouets	

   moi, je / un livre neuf *Moi, j'achète un livre neuf à la librairie.*

   1. ma mère / des livres d'occasion
   2. ma mère / une nouvelle veste
   3. mon père / des lunettes de soleil
   4. nous / des fruits et des légumes
   5. ma sœur / une poupée
   6. mon frère / une vieille table
   7. moi, je / une baguette
   8. toi, tu / un tourne-disque

B **Nettoyage de printemps. *(Spring cleaning.)*** Au printemps, on ne
   parle que des vieux vêtements à jeter et des nouveaux vêtements à
   acheter. Complétez les phrases avec la forme correcte d'*acheter* ou de *jeter*.

   1. Martine et ses copines _____ toujours leurs vieux vêtements.
   2. Elles vont dans un grand magasin pour _____ des vêtements neufs.
   3. Toi et ta sœur, vous avez _____ vos bottes d'hiver?
   4. Oui, nous _____ des bottes neuves tous les ans.
   5. Vous avez encore ce vieux tee-shirt! Vous ne _____ jamais rien.
   6. C'est vrai, je n' _____ pas beaucoup de vêtements.
   7. Et toi? Tu _____ quelque chose dans un grand magasin?

C Préférences. Quelles sont les préférences de tous ces gens? Ecrivez des phrases selon le modèle. Ensuite, lisez-les à un(e) camarade.

> comme légume / mon père
> *Comme légume, mon père préfère (les épinards).*

1. comme voiture / moi
2. comme vêtement / ma mère
3. comme cours / mon meilleur ami
4. comme émission / ma famille et moi
5. comme restaurant / mes parents
6. comme couleur / moi

Les pronoms compléments d'objet et l'impératif

You already know how to use object pronouns in statements and questions. Here is how they are used when you give commands.

1 When you are telling people *not* to do something, the object pronoun goes between *ne* and the verb. Note that there is elision with *y* and *en*.

N'achète pas ce bouquin!	Ne **l'**achète pas!
Ne parle pas à ces gens!	Ne **leur** parle pas!
Ne va pas au magasin!	N'**y** va pas!
Ne prends pas de mon papier!	N'**en** prends pas!

2 When you tell people *to* do something, the object pronoun follows the verb and is joined to it by a hyphen. There is liaison with *y* and *en*.

Achète **cette robe!**	Achète-**la!**
Téléphonez **à vos parents!**	Téléphonez-**leur!**
Allons **chez Marie-France!**	Allons-**y!**
Prends un peu **de gâteau!**	Prends-**en** un peu!

3 The object pronoun *me* changes to *moi* in affirmative commands.

> Ne **me** regarde pas! Regarde-**moi!**

4 You know that when you give commands with *aller* and with *-er* verbs, the *-s* at the end of the *tu* form is dropped. However, in affirmative commands with *y* and *en*, the *s* is not dropped, and there is liaison.

> **Va** dans ta chambre! **Vas-y! Achète** du jambon! **Achètes-en!**

EXERCICES

A **La meilleure idée.** Vous expliquez à votre ami(e) pourquoi vous n'aimez pas aller dans les grands magasins. Il (elle) a une idée simple. Conversez selon le modèle.

> faire les courses ÉLÈVE 1 *Je n'aime pas faire les courses.*
> ÉLÈVE 2 *Alors ne les fais pas!*

1. faire la queue
2. dépenser tout mon argent
3. jeter les vieux vêtements
4. chercher le meilleur prix
5. prendre l'escalier roulant
6. emmener ma petite sœur
7. acheter les vêtements en solde
8. écouter le haut-parleur

B **Au journal.** Vous travaillez pour un journal. Vous posez des questions à votre patronne *(boss)* et elle vous répond. Conversez selon le modèle.

> le dictionnaire d'anglais / utiliser
> ÉLÈVE 1 *Je peux utiliser le dictionnaire d'anglais?*
> ÉLÈVE 2 *Mais bien sûr, utilisez-le.*

1. écrire / l'article sur le concert
2. enregistrer / la musique du groupe
3. interviewer / le président de la société
4. jeter / ce vieil agenda
5. réviser / les petites annonces
6. étudier / vos notes sur mon travail
7. mettre dans votre bureau / l'argent

C **Le premier jour de classe.** C'est le premier jour de classe pour votre petit frère. Il est inquiet et il vous pose des questions. Donnez une réponse positive ou négative en employant *lui, leur, en* ou *y.* Conversez selon le modèle.

> dire bonjour *au professeur*
> ÉLÈVE 1 *Je dis bonjour au professeur?*
> ÉLÈVE 2 *Oui, dis-lui bonjour!*
> OU: *Mais non, ne lui dis pas bonjour!*

1. parler *aux autres élèves*
2. attendre *devant l'école après les cours*
3. apporter une pomme *au professeur*
4. jouer *dans le couloir*
5. offrir *des bonbons* à la concierge de l'école
6. prêter *du papier* aux autres
7. apporter mes jouets *en classe*

D Que dites-vous? Employez l'impératif et un pronom.

1. Votre copain (copine) va jeter un vieux jean. Il vous va très bien. Que lui dites-vous?
2. C'est l'anniversaire de votre mère. Votre père vous demande où il faut l'emmener pour dîner. Vous savez que son restaurant préféré, c'est «L'Alsacienne». Que lui dites-vous?
3. Vous montrez votre nouveau blouson en cuir à deux amis. Quand vous leur dites le prix, ils disent que c'est impossible. Vous avez toujours l'étiquette avec le prix. Que leur dites-vous?

E Parlons de toi.

1. De toutes les choses que tu fais le week-end, quelle est la plus amusante? Et la moins amusante? Pourquoi?
2. Quand tu ne peux plus mettre tes vêtements, est-ce que tu les jettes? Est-ce que tu les donnes à quelqu'un? Et tes parents, est-ce qu'ils gardent leurs vieux vêtements ou est-ce qu'ils les jettent?
3. Est-ce que tu as toujours tes jouets, ou est-ce que tu les as jetés? Est-ce que tu les as donnés à quelqu'un ou tu les as vendus?
4. Chez toi, quels ordres est-ce que ton père te donne? Et ta mère?
5. Si tu as un jeune frère ou une jeune sœur, est-ce que tu lui donnes des ordres? Quels ordres est-ce que tu lui donnes? Est-ce que tu le fais souvent? Pourquoi?

Beaucoup de monde devant les Galeries Lafayette

RÉVISION

Formez des phrases en français d'après les modèles.

1. *Je jette mon costume dans le placard.*
   (We're taking some friends to the department store.)
   (They [f.] prefer the jewels in the store window.)

2. C'est ici que *nous perdons le moins souvent notre temps.*
   (you [pl.] stand most often in line.)
   (Dad bargains best.)

3. *Permettez-lui de mettre en marche les plus petits baladeurs.*
   (Promise [sing.] us to read the best story.)
   (Let [pl.] me try on the most elegant shoes.)

4. *Ne lui donnez pas les plus grands.*
   (Don't read [sing.] us the shortest one [f.].)
   (Don't show [pl.] me the ugliest ones.)

5. Tu *lui* dis *d'acheter le costume en laine.*   *Il est cher et à la mode.*
   (me)   (to throw away the cotton jacket.) (It's old and dirty.)
   (us)   (to spend the silver coins.)   (They're ancient and beautiful.)

6. La prochaine fois, *nous allons y aller ensemble. C'est plus agréable.*
   (he's going to travel there alone. It's less amusing.)
   (they [f.] are going to stay there several days. It's more interesting.)

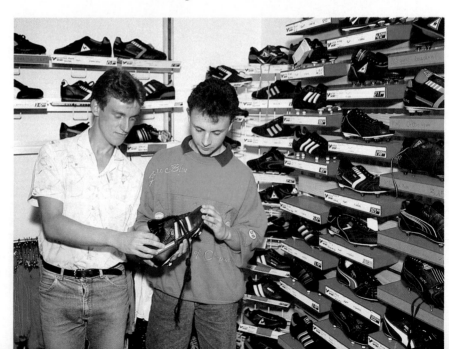

Ces jeunes ont un grand choix de chaussures de sport.

Trouvez les expressions françaises qui correspondent à l'anglais et rédigez un paragraphe.

1. Odile is taking Christian and Gabrielle to the Galeries Bonheur.

2. It's here that she most often buys her clothes.

3. "Help me choose the best ski boots."

4. "Don't show me the most expensive ones!"

5. Christian tells her to try on the blue ski boots. They're of good quality and inexpensive.

6. Next time, Odile is going to go there alone. It's less difficult.

RÉDACTION

Maintenant choisissez un de ces sujets.

1. Imagine that you've been invited to the country for a weekend, but you need to buy some things. Make a list for a shopping trip to the Galeries Bonheur. Next to each item, write the color you want, the quantity you need, and the department where you expect to find it.

2. After Odile chooses her ski boots, the salesperson tries to sell her some other items. Write their conversation.

3. That evening Odile writes a short note to her pen pal, René, describing the shopping trip. She begins: *Cher René, Aujourd'hui je suis allée aux Galeries Bonheur.* Complete her letter.

CONTRÔLE DE RÉVISION   CHAPITRE 4

A   Choisissez!
Quelle phrase de la deuxième colonne suit *(follows)* la plus logiquement chaque phrase de la première colonne?

1. Ça coûte cher!
2. Il fait toujours une bonne affaire au marché.
3. Choisis le bleu!
4. Tu ne vas pas trop dépenser.
5. Tu ne peux pas être sérieux.
6. Les ordinateurs?
7. Faites la queue, s'il vous plaît.

a. Tu plaisantes!
b. Oui, ça coûte les yeux de la tête.
c. Chacun son tour!
d. Ils se trouvent au rayon informatique.
e. Je sais que la marchande va te faire un petit prix.
f. Il sait marchander.
g. Cette couleur te va très bien.

B   Les achats.
Répondez aux questions d'après les pronoms et les images.

Qu'est-ce qu'on jette?

1. nous   2. ils   3. tu

Qu'est-ce qu'on essaie?

4. elle   5. je   6. vous

C   Tout le monde donne des ordres.
Ecrivez des ordres affirmatifs et négatifs.

1. Mme Roy parle à M. Roy: prendre ce taxi
   Prenons-le!   Ne le prenons pas!
   a. acheter des provisions
   b. mettre en marche la voiture maintenant
   c. prêter de l'argent

2. M. Roy parle aux enfants: ranger vos livres
   Rangez-les!   Ne les rangez pas!
   a. emmener vos amis avec vous
   b. rester longtemps en ville
   c. téléphoner à Jean-Claude maintenant
3. Je parle à Luc: m'attendre près de l'entrée
   Attends-moi près de l'entrée!
   Ne m'attends pas près de l'entrée!
   a. me permettre d'emprunter ton baladeur neuf
   b. m'acheter ce disque
   c. me parler des soldes au rayon hi-fi

D   Opinions.
Faites des comparaisons avec *plus … que*.

   les tailleurs / les robes / élégant
   Les tailleurs sont plus élégants que les robes.

1. les chats / les chiens / intelligent
2. les jeunes filles / les garçons / travailleur
3. ma veste / son tailleur / bon marché
4. le français / les maths / facile
5. le métro / l'autobus / rapide

E   Opinions contraires.
Refaites l'Exercice D en employant *moins … que*.

   les tailleurs / les robes / élégant
   Les tailleurs sont moins élégants que les robes.

F   Des comparaisons.
Complétez les comparaisons.

1. Sylvie est une bonne élève. Voici des notes en maths: Sylvie, 16; Janine, 18; Thérèse, 20.
   a. Janine est ____ en maths ____ Sylvie.
   b. Thérèse est ____ ____ élève.
2. Chantal va au ciné une fois par mois. André et Didier y vont trois fois par mois. Sophie y va une fois par semaine.
   a. Sophie y va ____ souvent ____ Didier.
   b. Chantal y va ____ souvent ____ André.
   c. Didier y va ____ souvent ____ André.
   d. Sophie y va ____ ____ souvent.

Noms
l'argent *(m.)* (en argent)
l'ascenseur *(m.)*
le bijou, *pl.* les bijoux
le collant
le costume
le coton (en coton)
le cuir (en cuir)
l'escalier roulant *(m.), pl.* les
    escaliers roulants
l'étiquette *(f.)*
le grand magasin
l'informatique *(f.)*
le jouet
la laine (en laine)
le marché aux puces (les puces
    [*f.pl.*])
la marque
l'or *(m.)* (en or)
la paire
la pointure
la poupée
la qualité
le rayon
le solde (en solde)
le sous-sol
les sous-vêtements *(m.pl.)*
la taille
le tailleur
la veste
la vitrine

Pronoms
chacun, chacune
tous, toutes

Adjectifs
élégant, -e
génial, -e; -aux, -ales
meilleur, -e (le meilleur)
neuf, neuve

Verbes
dépenser
emmener
essayer
jeter
marchander
permettre (à ... de)
plaisanter
remarquer

Adverbes
mieux ... que (le mieux)
moins ... que (le moins)
partout
le plus

Interjection
hein?

Questions
ça te plaît?
quelle pointure (taille)
    faites-vous?
vous me faites un (petit) prix

Expressions
aller (bien) à quelqu'un
bon (meilleur) marché
ça me plaît
ça suffit!
c'est promis
chacun (chacune) son tour
coûter les yeux de la tête
d'occasion
faire du lèche-vitrines
faire la queue
faire une bonne affaire
faire un prix à quelqu'un
mettre en marche
passer son temps à + *inf.*
perdre son temps à + *inf.*

CHAPITRE 5

PRÉLUDE CULTUREL | LA LOUISIANE

You've already discovered some English words which have made their way into modern French, such as *le tee-shirt* and *le western*. Now imagine a place in the United States where an embarrassed child might say, "*Mais*, I'm so *honte* ('ashamed') I could die!" or if he were hungry he might hint to his favorite aunt, "*Tante* Alice, do you have an *envie* for some ice cream?"

In the region of southern Louisiana known as Acadia, many young people spice up their English with borrowed words that they don't even recognize as French. These children and their families are "Cajuns." This term is the English version of *Cadiens* or *Acadiens*, referring to their ancestors, the French colonists who in the 1630s settled *l'Acadie*, a part of present-day Nova Scotia in Canada.

After the British exiled the Acadians from *l'Acadie* in 1755, many of them eventually found a new home in another French colony, *la Louisiane*, which Robert Cavelier, Sieur de La Salle, had claimed in honor of Louis XIV in 1682. Spaniards, Germans, Africans, West Indians, British, and people of many other different nationalities also came to make their home in Louisiana. Each of these cultures was assimilated by the French, yet influenced the area in its own way. That's why in Louisiana someone named Hernandez or Smith is as likely to speak French as someone named LeBlanc or Hébert. Today the term "Cajun" has expanded to include any Louisianian of Acadian or French ancestry, or anyone who practices their traditions.

Southern Louisiana remained predominantly French-speaking into the twentieth century, when the oil industry and modern technology began to replace traditional ways of life. For a time, French was even forbidden on the schoolgrounds in a short-sighted effort to bring Cajun children into the "modern world."

Even though English has become the common language of the younger generation, thousands of *Louisianais* still use French in business and leisure. Cajun children are still likely to call their grandparents *mémère* and *pépère* and to grow up in families where spicy cooking, accordion music, and other Cajun traditions thrive.

More and more young Cajuns are studying French in school and abroad. For these *jeunes Cadiens*, French is a key to understanding their own cultural identity. As an added *lagniappe* (bonus), the language that "isolated" their grandparents from the rest of America now offers them a window on the world.

MOTS NOUVEAUX I

On va chez le coiffeur.

CONTEXTE
VISUEL

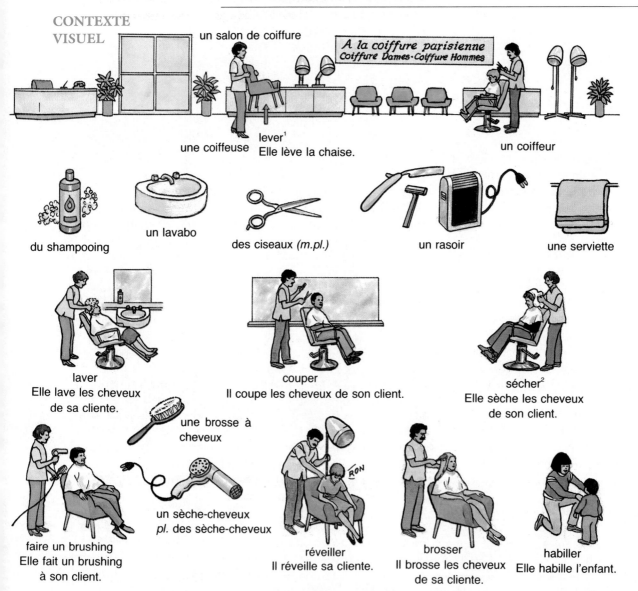

un salon de coiffure

A la coiffure parisienne
Coiffure Dames · Coiffure Hommes

une coiffeuse

lever[1]
Elle lève la chaise.

un coiffeur

du shampooing

un lavabo

des ciseaux (m.pl.)

un rasoir

une serviette

laver
Elle lave les cheveux
de sa cliente.

couper
Il coupe les cheveux de son client.

sécher[2]
Elle sèche les cheveux
de son client.

une brosse à
cheveux

faire un brushing
Elle fait un brushing
à son client.

un sèche-cheveux
pl. des sèche-cheveux

réveiller
Il réveille sa cliente.

brosser
Il brosse les cheveux
de sa cliente.

habiller
Elle habille l'enfant.

[1]*Lever* is a stem-changing verb like *acheter: je lève, tu lèves, il lève, nous levons, vous levez, elles lèvent.*

[2]*Sécher* is a stem-changing verb like *répéter: je sèche, tu sèches, il sèche, nous séchons, vous séchez, elles sèchent.*

♦ COMMUNICATIVE
OBJECTIVES

To go to a barber or
hairdresser

To ask and tell what
something is used for

To ask how to do
something

To agree or disagree

To express disbelief

To exclaim

CONTEXTE COMMUNICATIF

1 Madame Bernard emmène son petit fils chez le coiffeur. Il va **se faire couper les cheveux** pour la première fois.

YVES	**Ça sert à quoi,** ça?
MME BERNARD	**Ceci?** C'est un sèche-cheveux. Ça **sert à** sécher les cheveux.

Variations:

■ un sèche-cheveux → du shampooing
sécher → laver

se faire couper les cheveux *to get a haircut*

ça sert à quoi? *what's that for?*

ceci, cela *(pron.) this, that*

servir à (here) *to be used (for)*

2

LE COIFFEUR	**Je vous coupe les cheveux comment?**
LE CLIENT	Assez courts sur **les côtés,** longs derrière et très courts devant.

■ assez → pas trop
longs → assez longs
très → pas très

je vous coupe les cheveux comment? *how shall I cut your hair?*

le côté *side*

3 Un peu plus tard.

LE COIFFEUR	Voilà, levez la tête, s'il vous plaît. Ça vous plaît?
LE CLIENT	Oui, ça me va très bien.

■ oui, ça me va très bien → pas tout à fait, je les voudrais plus courts devant

4 Dans un grand magasin, le vendeur du rayon **des articles de toilette** montre des rasoirs à Arnaud.

LE VENDEUR	Voici notre meilleur **modèle.** Il est léger, facile à utiliser et pas trop cher.
ARNAUD	Il est **électrique?**
LE VENDEUR	Oui, mais il **marche** aussi avec des **piles.**

■ rayon des articles de toilette → rayon hi-fi
des rasoirs → des magnétophones

les articles de toilette *toilet articles*

le modèle *model*

électrique *electric*

marcher *to run, to work (machines)*

la pile *battery*

5 Plus tard, à la maison.

SYLVIE   Oh, tu as un nouveau rasoir!

ARNAUD   Oui, attends, je vais le **brancher.**
Il marche vraiment bien.

■ brancher → **débrancher**
vraiment bien → aussi avec des piles

brancher   *to plug in*

débrancher   *to unplug*

6 DANIEL   Demain je vais chez le coiffeur me faire couper
les cheveux.

ROBERT   **Où tu vas chez le coiffeur?**

DANIEL   «A la Coiffure parisienne».

■ DANIEL → JULIE
me faire couper les cheveux → me faire faire un
shampooing et un brushing

où tu vas chez le coiffeur?
*where do you get your hair cut
(done)?*

7 MARIE   J'adore la nouvelle **coiffure** de Sandrine.
Elle est géniale. Elle se fait couper les cheveux
«Chez Mireille», non?

LAETITIA   **Je crois que oui.**

■ coiffure de Sandrine → **coupe** de Lionel
elle se fait couper → il se fait couper

la coiffure   *hairstyle*

je crois que oui (non / si). *I
think so (not; I think so, yes)*
la coupe   *haircut*

8 SABINE   Regarde, c'est Maryse Azani là, sur le trottoir!

XAVIER   Maryse Azani! La chanteuse? Je ne te **crois**
pas, tu **mens!**[3]

SABINE   Mais si! **Comme** elle est belle!

■ la chanteuse → l'actrice

croire   *to believe, to think*
mentir   *to lie*
comme …! *gosh, is (she) …!*

[3]*Mentir is conjugated like dormir: Je mens de temps en temps; tu mens, il ment, nous mentons,
vous mentez, elles mentent.*

EXERCICES

A Chez le coiffeur.   Vous avez emmené votre petit frère chez le coiffeur. Il regarde autour de lui et pose toujours la même question: «Qu'est-ce que c'est?». Répondez selon le modèle.

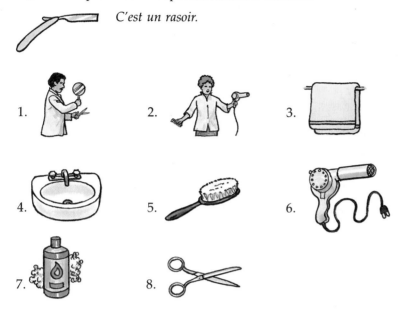

C'est un rasoir.

1.

2.

3.

4.

5.

6.

7.

8.

B A quoi ça sert?   Maintenant votre petit frère veut savoir à quoi servent les choses qu'il voit. Regardez les dessins 3 à 8 de l'Exercice A. Conversez selon le modèle.

ÉLÈVE 1   *A quoi ça sert, une serviette?*
ÉLÈVE 2   *Ça sert à sécher les cheveux des clients.*

La coiffeuse fait un
brushing à sa cliente.

C Le mot juste.

Complétez les phrases par des mots logiques.

1. J'ai essayé plusieurs _____ de sèche-cheveux dans le magasin.
2. Ce rasoir n'est pas électrique. Il marche avec des _____.
3. Comme je suis bête! Pour mettre en marche ce rasoir électrique, il faut le _____.
4. Maintenant, j'ai les cheveux courts. Je viens de me faire _____.
5. Les _____ servent à couper le papier.

Trouvez un synonyme ou une expression synonyme.

6. Je *pense* qu'ils sont un peu trop longs sur les côtés.
7. Je suis sûr qu'il *ne dit pas la vérité*.

Trouvez un mot associé.

8. Je viens de chez le *coiffeur*. Tu aimes ma nouvelle _____?
9. Marc va se faire *couper* les cheveux. Il veut une _____ très à la mode.
10. La coiffeuse *lave* les cheveux de son client dans le _____.

Trouvez les mots à plusieurs sens. Complétez les phrases avec les mots suggérés par les images.

11. Mettez la _____ sur la nappe à côté de l'assiette.
12. Il y a de l'eau sur la table. Allez chercher une _____.
13. René _____ assez vite pour arriver à l'heure.
14. Tu sais, ce rasoir _____ vraiment bien.

D Que dites-vous?

1. Vous êtes chez le coiffeur. Il vous demande comment il faut vous couper les cheveux. Que dites-vous?
2. Vous aimez beaucoup la coiffure (la coupe, le brushing) d'un(e) ami(e). Que dites-vous?

Comment sont ses cheveux?

3. Vous faites du lèche-vitrines avec un(e) ami(e). Vous remarquez une nouvelle radio-cassette dans la vitrine. Dites à votre ami(e) pourquoi vous la trouvez bien.
4. Votre copain a besoin d'un nouveau sèche-cheveux. Vous venez d'en acheter un et il marche très bien. Que dites-vous à votre copain?
5. Vous êtes vendeur (vendeuse) au rayon des articles de toilette. Un client essaie de mettre en marche un rasoir, mais il ne marche pas. Que dites-vous?

E   **Parlons de toi.**
1. Chez quel coiffeur (quelle coiffeuse) est-ce que tu vas? Tu y vas combien de fois par an? Combien est-ce que ça coûte? Est-ce que tu trouves que c'est cher?
2. Qui te coupe les cheveux? Ça prend combien de temps? Est-ce que tu trouves que c'est long?

BEAUTÉ
M. LE DOLEDEC

CHEVEUX :
A TOUTES
LES COUPES
ON GAGNE

Cet hiver,
les grands coiffeurs
n'en font qu'à
votre tête. Toutes les
longueurs, toutes
les coupes sont permises.
Du très court pour
têtes bien faites, au très
long pour têtes en
fête, vive la vague du
long-court !

prix moyen
140 f
SHAMPOOING
COUPE COIFFURE

APPLICATIONS

Les bonnes adresses

Devant le lycée, après les cours.

GAËLLE   Dis donc, tu as vu Jacqueline? Elle a la même coiffure que toi.

AURORE   Je ne te crois pas, tu mens!

5   GAËLLE   Mais si, regarde, elle est là!

AURORE   *(furieuse)* Oh! Elle exagère!¹ Elle m'a demandé l'adresse de mon coiffeur la semaine dernière!

GAËLLE   Elle ne t'a pas aussi demandé où tu achètes tes vêtements?

10   AURORE   *(surprise)* Si, pourquoi?

GAËLLE   Tu n'as pas remarqué qu'elle porte le même manteau que toi?

---

¹**exagérer** (here)   *to go too far, to take advantage*

Des amies parlent ensemble.

Questionnaire

Vrai ou faux? Corrigez les phrases fausses.

1. Gaëlle a une nouvelle coiffure.
2. Aurore n'a pas remarqué la coiffure de Jacqueline tout de suite.
3. Aurore et Jacqueline sont allées au même salon de coiffure.
4. Aurore est contente parce que Jacqueline aime sa coiffure.
5. Jacqueline est timide.

Maintenant, à vous. Ecrivez quelques questions d'après le dialogue. Ensuite répondez à vos questions.

Où ...
Où sont les deux jeunes filles? Elles sont devant le lycée.

6. Qui (De qui) ...?   7. Qu'est-ce que ...?   8. Pourquoi ...?

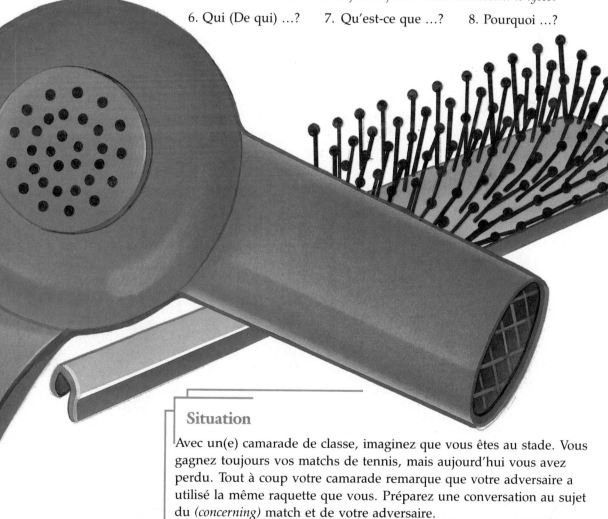

Situation

Avec un(e) camarade de classe, imaginez que vous êtes au stade. Vous gagnez toujours vos matchs de tennis, mais aujourd'hui vous avez perdu. Tout à coup votre camarade remarque que votre adversaire a utilisé la même raquette que vous. Préparez une conversation au sujet du *(concerning)* match et de votre adversaire.

◆ COMMUNICATIVE
OBJECTIVES

To describe one's daily routine

To shop for personal hygiene items

To express impatience, resignation, or satisfaction

To tell when things happen

Je fais ma toilette!

CONTEXTE VISUEL

un réveil

se réveiller
Paul se réveille.

se lever
Lise se lève.

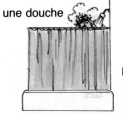

une douche

prendre une douche

la figure

se laver
Il se lave la figure.

Elle se lave les cheveux.

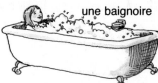

une baignoire

prendre un bain

se sécher
Elle se sèche
les cheveux.

se brosser
Il se brosse
les dents.

Il se brosse
les cheveux.

un peigne

se peigner
Elle se peigne.

une barbe

se raser
Il se rase.

du maquillage
se maquiller
Elle se maquille.

s'habiller
Il s'habille.

Elle s'habille
en bleu.

du savon

un gant de toilette

du dentifrice

une brosse à dents

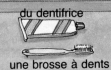

du papier hygiénique

un bébé
promener
Paul promène le bébé.

coucher
Lise couche le bébé.

endormir
Elle endort le bébé.

se promener
Paul se promène.

se coucher
Lise se couche.

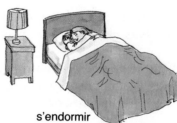

s'endormir
Elle s'endort vite.

CONTEXTE COMMUNICATIF

1 Pour se laver le matin, on a besoin d'un gant de toilette, de savon et d'une serviette. Il ne faut pas oublier de se brosser les dents. Voici la brosse à dents et le dentifrice. Et après le bain, ce n'est pas encore fini. Il faut se sécher les cheveux avec un sèche-cheveux.

2 Chez les Bernier.

MME BERNIER **Appelle**[1] ton frère, Nathalie.

NATHALIE Il ne veut pas se lever, maman.

MME BERNIER Attends, je vais le lever, moi! Oh! Jean!

appeler *to call*

Variations:

■ se lever → se réveiller
le lever → le réveiller

[1]*Appeler* is a stem-changing verb like *jeter*. Double the consonant in the singular forms and the third-person plural form: *J'appelle le chien; tu appelles, il appelle, nous appelons, vous appelez, elles appellent. S'appeler (je m'appelle Jean; comment tu t'appelles?)* works in the same way.

3 JEAN   Sors de la salle de bains! Je veux me peigner!
             Je suis **pressé!**

    NATHALIE   Une minute! Je ne suis pas encore **prête.** Je
             suis en train de me maquiller!

- me peigner → me laver
  me maquiller → m'habiller
- me maquiller → peigner notre petite sœur
- me maquiller → **faire ma toilette**

4 MME CHATEL   Tu ne peux pas partir au travail sans brosser tes
             chaussures.

    M. CHATEL   Oui, tu as raison. Tiens, je peux **me servir de**
             cette brosse-ci?

    MME CHATEL   Ah non, ça, c'est la brosse à vêtements.

- brosser tes chaussures → te brosser les cheveux
  la brosse à vêtements → la brosse à chaussures

5 BÉATRICE   Il faut te réveiller, Simon. Il est **tard.**

    SIMON   Il est déjà huit heures! **Tant pis!** Aujourd'hui je
             vais être en retard pour mon premier cours.

6 M. BERNIER   Qui va promener le chien ce soir?

    JEAN   Pas moi, je viens de me promener avec des
             copains.

- va promener le chien ce soir → a envie de quelque chose
  à **boire**
  me promener → boire un café

7 Neuf heures sonnent chez les Bernier.

    MME BERNIER   Il n'y a pas d'école demain, tu peux te lever
             plus tard.

    JEAN   **Tant mieux.** Mais je vais me coucher
             maintenant. Je suis fatigué.

- tu peux te lever plus tard → tu n'as pas besoin de te
  lever **tôt**
- te lever plus tard → **faire la grasse matinée**

---

pressé, -e *in a hurry*
prêt, -e *ready*

faire sa toilette *to wash up*

se servir de *to use*

tard *late*
tant pis! *too bad!*

boire *to drink*

tant mieux *so much the better!*

tôt *early*
faire la grasse matinée *to sleep late*

EXERCICES

A **Chez Nathalie.** Décrivez la journée de votre amie Nathalie d'après le modèle.

Elle s'endort à 10h15.

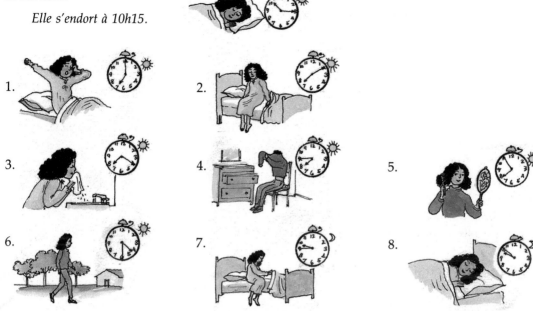

9. Et toi, décris ta journée. A quelle heure est-ce que tu fais ces choses?

B **Chez les Dulac.** Nathalie est allée passer le week-end chez les Dulac pour garder leur enfant. Décrivez les choses qu'elle fait pour le petit Antoine.

Elle endort Antoine à 8h.

1.
2.

3.
4.
5.

6.
7.
8.

C Un invité difficile.   Votre cousin passe le week-end chez vous. Conversez selon le modèle.

ÉLÈVE 1   *Je veux me brosser les dents.*
ÉLÈVE 2   *Voici une brosse à dents.*

1.

2.

3.

4.

5.

6.

7.

8.

D Le mot juste.

Trouvez un synonyme ou une expression synonyme.

1. Je peux *utiliser* ton sèche-cheveux?
2. Le samedi, j'adore *dormir tard*.

Trouvez un antonyme ou une expression antonyme.

3. Je n'ai pas le temps de prendre une douche. *Tant mieux!*
4. Je ne veux pas me réveiller trop *tard*.
5. Elle *s'endort* plusieurs fois pendant la nuit.
6. Il *se couche* à 11h.

Trouvez un mot associé.

7. La prof fait *l'appel* à 8h, alors ma mère m' _____ à 7h05.
8. Odile passe beaucoup de temps à se *maquiller.* J'aime son _____.
9. Papa n'a plus de barbe. Il se *rase* tous les jours, alors je lui ai acheté un _____ électrique.
10. Ce soir, sa mère ne _____ pas le bébé dans sa chambre à *coucher.*
11. Charles est souvent en *retard* le matin parce qu'il se couche _____ le soir.

E Parlons de toi.

1. Est-ce que tu préfères prendre des bains ou des douches? Est-ce que tu en prends le matin ou le soir? Quels articles de toilette est-ce que tu utilises régulièrement pour ton bain ou pour ta douche?

2. Est-ce que tu te sers d'un sèche-cheveux? Ton sèche-cheveux est léger ou lourd? Tu penses que tes cheveux sont plus beaux quand le coiffeur (la coiffeuse) les sèche, ou quand tu le fais, toi?

3. Pour quelle heure est-ce que tu mets *(set)* ton réveil? Tu te lèves toujours quand le réveil sonne, ou de temps en temps est-ce que tu te rendors *(go back to sleep)*?

4. Pendant les week-ends, est-ce que tu fais la grasse matinée? Et pendant les vacances? Pourquoi?

ÉTUDE DE MOTS

You have already learned that two words can be put together with a preposition to make a compound noun. Usually the preposition is *à* or *de: une brosse à vêtements, un article de toilette.*

In English the most important part of a compound noun comes last: bed**room,** cassette **player.** In French the most important noun comes first: ***une chambre*** *à coucher,* ***un magnétophone*** *à cassettes.* If the preposition is *à,* the word following usually explains the purpose to which the thing is put: *une chambre à coucher* ("a room intended for sleeping").

Do you remember what these compound nouns with *à* mean?

du papier à lettres   une brosse à dents   une machine à écrire

Here are some words whose individual parts you know. Try to guess the meanings of the new compound words.

une assiette à dessert	une machine à laver	un sac à dos
une cuillère à soupe	une boîte à bijoux	un sac à main
une salle à manger	une brosse à chaussures	un verre à vin

In the plural, usually only the first word of these compounds changes: *des assiettes à dessert.* Can you make the other compound nouns in the list plural?

EXPLICATIONS I

Les verbes pronominaux

◆ COMMUNICATIVE
OBJECTIVE
To describe daily routine

Compare these sentences:

Anne a un bébé.   Elle **le** couche.   Elle **se** couche.

In the middle sentence, Anne is performing an action for someone else—
le bébé (le). In the last sentence, she is doing something for herself *(se)*.

When we want to say that we perform an action to or for ourselves, we
need a special set of object pronouns called reflexive pronouns. They are
used to show that the object of the verb is the same as the subject of the
verb. When verbs are used with these pronouns, they are called
pronominal verbs.

INFINITIF   **se laver**

		SINGULIER			PLURIEL		
PRÉSENT	1	je	**me**	lave	nous	**nous**	lavons
	2	tu	**te**	laves	vous	**vous**	lavez
	3	il elle on }	**se**	lave	ils elles }	**se**	lavent

Except for *se*, the reflexive pronouns have the same forms as the indirect
and direct object pronouns.

1 Like other object pronouns, reflexive pronouns come before the verb, or before the infinitive if there is a verb + an infinitive.

Nous **nous** habillons vite.   Je vais **me** lever de
bonne heure.

Il ne **s'**habille pas vite.   Tu préfères **te** réveiller tard?

Note that there is elision with *me, te,* and *se,* and liaison with *nous* and *vous* before a vowel sound.

2 Use the definite article when referring to parts of the body, and not a possessive adjective.

Tu **te** laves **la** figure?   *Are you washing **your** face?*
Nous **nous** brossons **les** dents.   *We're brushing **our** teeth.*

EXERCICES

A **Dans la salle de bains.**   Chacun prend quelque chose dans le placard. D'après les articles, qu'est-ce qu'on fait? Suivez le modèle.

moi, je
Moi, je me coupe les cheveux.

1. toi, tu

2. maman

3. nous

4. elles

5. vous

6. papa

7. ma sœur

8. il

B **Au salon de coiffure.** Aujourd'hui, vous êtes coiffeur (coiffeuse). Choisissez l'un des deux verbes. Puis employez la forme correcte de ce verbe.

Vous travaillez dans un grand salon de coiffure. Votre dernière cliente, Madame Simon, vient d'arriver. D'abord, vous *(laver / vous laver)* les mains. Ensuite, vous *(laver / vous laver)* les cheveux de Madame Simon. Vous voulez aussi *(couper / vous couper)* les cheveux
5 de cette dame; mais aujourd'hui, elle n'a pas le temps.

  Vous *(sécher / vous sécher)* les mains avec une serviette. Enfin, vous commencez à *(sécher / vous sécher)* les cheveux de Madame Simon. Pour cela, vous *(servir à / vous servir d')* un sèche-cheveux pour faire un brushing à votre cliente. Madame Simon est contente de sa
10 nouvelle coiffure. Vous dites au coiffeur à côté de vous: «A demain!» La journée a été longue!

La vitrine d'un salon de coiffure

C Une interview.   Avec un(e) camarade de classe, faites des
comparaisons entre les membres de vos familles. Posez des questions
à votre camarade et écrivez ses réponses. Ensuite, changez de rôle.

1. Qui se lève le plus tôt chez toi? A quelle heure?
2. Qui se lève le plus tard? A quelle heure?
3. Qui se lave les cheveux le plus souvent? Combien de fois par
   semaine ou par jour?
4. Qui prend des bains? Qui prend des douches?
5. Qui se promène régulièrement? Combien de fois par semaine?
6. Qui se couche le plus tôt? A quelle heure?
7. Qui se couche le plus tard? A quelle heure?

D Parlons de toi.

1. Comment est-ce que tu t'habilles pour sortir? Pour assister à un
   match sportif? Pour aller au lycée?
2. A quelle heure est-ce que tu te réveilles en semaine? Le week-end?
3. A quelle heure est-ce que tu te couches d'habitude? Est-ce que tu
   t'endors tout de suite? Tu aimes lire ou écouter la radio avant de
   t'endormir? Chez toi, qui se couche le plus tard? Pourquoi?
4. Quand tu vas chez le coiffeur, est-ce qu'on te lave les cheveux?
   Est-ce qu'on te fait un brushing?
5. Tu aimes te promener? Seul(e), ou avec des amis? Où est-ce que
   tu vas pour te promener? Si tu as un chien, est-ce que tu le
   promènes avec toi?

Tu te promènes lentement.

ACTIVITÉ

Un peu de mime.   Formez des groupes de trois ou quatre personnes.
Chaque groupe va écrire trois ou quatre phrases en employant *tu* et des
verbes pronominaux: *Tu te promènes lentement,* etc. Chaque groupe met
ses phrases dans un sac et donne le sac à un autre groupe. Dans chaque
groupe, un des membres du groupe sort une phrase du sac et essaie de
mimer cette phrase. Les autres membres du groupe essaient de la deviner.
Chaque groupe marque un point par une action correctement décrite.

APPLICATIONS

Au salon de coiffure

Vous allez vous faire couper les cheveux au nouveau salon
«Coupe-coupe». Il y a combien de coiffeurs et de coiffeuses ici?
Qu'est-ce qu'ils font?

Vous entrez dans le salon. Qu'est-ce que vous dites à la
coiffeuse? Quels services est-ce que vous voulez aujourd'hui?
Imaginez la conversation. Comment est-ce que vous voulez les
cheveux? Vous voulez vous faire couper les cheveux? Vous
voulez un brushing? Vous êtes content(e) quand elle a fini? Il y
a quelque chose qui ne va pas? Combien est-ce qu'il faut payer?
Vous prenez rendez-vous pour la prochaine fois?

Une jeune fille regarde pendant qu'on fait un brushing à son amie.

DOCUMENT

Les gestes.   Imagine that you are at a party. Not much is happening. You notice a French exchange student brushing his or her cheek (as if shaving), looking up at the sky, and sighing «*La barbe!*» The gesture and remark means "How boring!" To refer to a boring person or to one who talks just to hear himself or herself talk, this same person might say: «*Quel raseur!*» ("What a bore!") If the person is absolutely bored to tears, he or she might even say to the speaker: «*Tu nous rases avec tes histoires!*» What do you think that means? (Keep in mind that it's never very nice to tell people they are boring. Save these expressions for talking with very good friends!)

EXPLICATIONS II

Les verbes *voir* et *croire*

◆ COMMUNICATIVE
OBJECTIVES
To tell what you see
To tell whom or what
you believe
To give an opinion

The verbs *voir* ("to see") and *croire* ("to believe") follow the same pattern.

INFINITIFS	**voir**	**croire**
PRÉSENT	je **vois**	je **crois**
	tu **vois**	tu **crois**
	il, elle, on **voit**	il, elle, on **croit**
	nous **voyons**	nous **croyons**
	vous **voyez**	vous **croyez**
	ils, elles **voient**	ils, elles **croient**

IMPÉRATIF **vois! voyons! voyez!**   **crois! croyons! croyez!**

PASSÉ COMPOSÉ **j'ai vu**   **j'ai cru**

1 When you tell what you see or what you believe, both *voir* and *croire* can be followed directly by a noun, or by *que* + a phrase. Though we can leave out "that" in English, *que* cannot be omitted.

> Je **crois** mes amis. Je **crois** qu'ils ont toujours raison.
> Tu **vois** la prof? Tu **vois** qu'elle n'est pas contente?

2 You can agree and disagree by using *je crois que oui (non, si)*.

> Paul a menti?   Je **crois que oui,** il **croit que non.**
> Paul n'a pas menti!   Je **crois que si.**

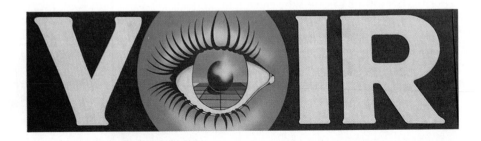

EXERCICES

A **A la télé.** Qu'est-ce qu'on voit à la télé ce soir? Suivez le modèle.

Sabine
Sabine voit un match de foot.

1. Alain   2. Nathalie et Rose   3. tu

4. Sandrine et moi   5. moi, je   6. Eric et toi

7. Et toi, qu'est-ce que tu as vu à la télé hier soir?

B **Quoi de neuf?** Vos amis et vous, vous avez passé un week-end intéressant. Vous êtes tous allés à un endroit différent. Qu'est-ce que vous avez vu? Répondez comme vous voulez. Suivez le modèle.

moi / à la gare
J'ai vu beaucoup de voyageurs (des voitures, un contrôleur, des quais, etc.) à la gare.

1. Laurent et Blanche / à la ferme
2. les sœurs Moulin / chez le coiffeur
3. Gisèle et toi / au grand magasin
4. Annie / au supermarché
5. toi / à Paris
6. Rémi et ses parents / au château
7. moi / au marché aux puces
8. Marc et moi / en ville

C Dans le métro. Avec des camarades, vous observez les passagers et vous faites des suppositions en employant le verbe *croire*.

> Jean / cette fille est sportive
> *Jean croit que cette fille est sportive.*

1. elles / le costume du contrôleur est neuf
2. vous / il faut descendre à la prochaine station
3. Marcel / cette fille sort à la station du Louvre
4. moi, je / j'ai perdu mon ticket
5. Lise et Laure / ce garçon s'appelle André
6. tout le monde / je suis timide
7. nous / cette dame s'habille chez Dior

D Des prédictions. Donnez votre opinion sur deux des sujets suivants *(following)*. Est-ce que vos camarades sont d'accord *(agree)*?

> le prochain examen de français
> le temps demain
> le prochain concert de votre groupe préféré
> les prochaines élections dans votre lycée
> votre futur
> le futur d'un(e) camarade

> ÉLÈVE 1   *Je crois que je vais devenir prof de français.*
> ÉLÈVE 2   *Moi, je le crois aussi (je ne le crois pas).*
>   OU: *Je crois que oui (non).*

ACTIVITÉ

Mon œil! Ecrivez quatre détails de votre vie quotidienne *(daily life)*, vrais ou pas. Après, racontez-les à un(e) camarade qui va essayer de deviner si vous mentez ou si vous dites la vérité.

> ÉLÈVE 1   *Je me lève à 5h le matin.*
> ÉLÈVE 2   *Je te crois.*
>   OU: *Mon œil! Je ne te crois pas.*

Il faut dire si votre camarade a tort ou raison. S'il (elle) a tort, vous marquez un point. Sinon, c'est votre camarade qui marque le point. Changez de rôle, puis changez de partenaire.

Le verbe *boire*

Look at the irregular verb *boire* ("to drink").

INFINITIF **boire**

		SINGULIER	PLURIEL
PRÉSENT	**1**	je **bois**	nous **buvons**
	2	tu **bois**	vous **buvez**
	3	il elle on } **boit**	ils elles } **boivent**

IMPÉRATIF **bois!** **buvons!** **buvez!**

PASSÉ COMPOSÉ j'**ai bu**

◆ COMMUNICATIVE OBJECTIVE

To tell what someone is drinking

EXERCICES

A **Et comme boisson?** Tout le monde prend quelque chose au café. Qu'est-ce qu'ils boivent?

Annie *Annie boit du café.*

1. moi, je
2. mon père
3. mon grand-père
4. toi et ton ami
5. nous
6. mes cousins

7. Et toi, qu'est-ce que tu aimes boire?

B **Parlons de toi.**
1. Où est-ce que tu préfères voir des films: à la télé, en cassettes-vidéo, ou au cinéma? Pourquoi? Est-ce que tu as déjà vu un film français? Est-ce que tu as aimé cela?
2. Est-ce que tu crois que les informations à la télé sont vraies? Et dans les publicités, tu crois qu'on dit toujours la vérité? Pourquoi?
3. Qu'est-ce que tu bois au petit déjeuner? Et quand tu as soif dans la journée, est-ce que tu bois des jus de fruit ou des sodas?

▼APPLICATIONS

Formez des phrases en français d'après les modèles.

1. *Ils préfèrent se brosser les dents après le dîner.*
   (You [sing.] can get dressed after breakfast.)
   (I'm going to get a haircut before my birthday.)

2. *Je me lève de bonne heure pour me promener avant 7h.*
   (They [f.pl.] get dressed fast in order to leave on time.)
   (We go to bed late in order to watch the news at 11:00.)

3. *Maman peigne les cheveux de René pendant que papa se rase.*
   (You [pl.] walk the neighbors' dog while the girls brush their hair.)
   (Mr. Davy dresses the baby while Mrs. Davy washes her hands.)

4. *Ils croient les publicités. Comme ils sont bêtes!*
   (You [sing.] believe your parents. Gosh, you're smart!)
   (We drink some cold orangeade. Gosh, is it good!)

5. *Tant pis! Personne ne peut l'expliquer!*
   (So much the better! No one is going to believe him!)
   (Too bad! Nobody wants to try it!)

La coiffeuse coupe les
cheveux d'un jeune
homme à la mode.

THÈME

Trouvez les expressions françaises qui correspondent à l'anglais et rédigez un paragraphe.

1. Raoul wants to get a haircut before Gisèle's party.

2. He gets up early in order to arrive at the hairdresser's on time.

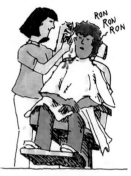

3. Raoul falls asleep while the hairdresser cuts his hair.

4. Raoul sees his new haircut. Gosh, is it interesting!

5. So much the better! No one is going to forget it!

RÉDACTION

Maintenant, choisissez un de ces sujets.

1. Imagine that you're going to the party of a good friend. Make a list of things that you want to do in order to leave a good impression.

2. Imagine the conversation that took place just before picture 3. The hairdresser asks how Raoul wants his hair and Raoul answers. Write the conversation in dialogue style.

3. Create a talk or thought balloon for the characters in each picture.

CONTRÔLE DE RÉVISION   CHAPITRE 5

A   De quoi est-ce qu'on a besoin?
Ecrivez une phrase pour chaque image. Dites ce que ces gens vont faire avec ces objets.

je *J'ai besoin d'une brosse à cheveux pour me brosser les cheveux.*

1. vous

2. elles

3. je

4. nous

5. tu

6. ma sœur et moi

7. papa

8. vous

B   Au Théâtre Métropole.
Laure travaille au théâtre et fait un peu de tout. Complétez les phrases.

(habiller / s'habiller)

1. Laure _____ en jean quand elle va au théâtre.
2. Elle _____ les actrices pour leurs rôles.

(brosser / se brosser)

3. Elle _____ les cheveux de Gabrielle.

(peigner / se peigner)

4. Ensuite elle _____ les cheveux de Gabrielle.
5. Comme Laure est occupée! Elle n'a pas le temps de _____ !

(laver / se laver)

6. Après, elle _____ les mains.
7. Elle refuse de _____ les serviettes.

(coucher / se coucher)

8. Chez elle, elle _____ son petit frère pour aider sa mère.
9. Laure _____ vers onze heures.

(endormir / s'endormir)

10. Elle _____ un peu après.

C   En cours de géographie.
Les élèves étudient la carte de France. Ecrivez des phrases pour dire ce qu'ils peuvent voir. Employez le verbe *voir* dans vos phrases.

1. David / la Seine
2. tu / la Bretagne
3. Paul et Marie / les Alpes
4. moi, je / Marseille
5. vous / la Manche
6. Yvonne et moi / la Loire

D   Qui est-ce qu'on croit?
Ecrivez des phrases pour dire s'il faut croire ces personnes.

> Lionel ment souvent. Je …
> *Je ne le crois pas.*

1. Sabine ment de temps en temps. Tu …
2. Daniel ne ment jamais. Nous …
3. Gabrielle ment régulièrement. Vous …
4. Anne-Marie ne ment pas. On …

E   Du jus de fruit?
Dites quelles sortes de jus de fruit ces personnes aiment boire.

> mes amies / le raisin
> *Mes amies boivent du jus de raisin.*

1. nous / la pomme
2. vous / l'ananas
3. Anne et Luc / la poire
4. tu / la fraise
5. Sabine / l'orange
6. moi, je / le pamplemousse

VOCABULAIRE DU CHAPITRE 5

Noms
l'article *(m.)* de toilette
la baignoire
le bain (prendre un bain)
la barbe
le bébé
la brosse (à cheveux, à dents)
les ciseaux *(m.pl.)*
le coiffeur, la coiffeuse
la coiffure
le côté
la coupe
le dentifrice
la douche (prendre une
    douche)
la figure
le gant de toilette
le lavabo
le maquillage
le modèle
le papier hygiénique
le peigne
la pile
le rasoir
le réveil
le salon de coiffure
le savon
le sèche-cheveux
la serviette
le shampooing

Pronoms
ceci, cela (ça)

Adjectifs
électrique
pressé, -e
prêt, -e

Verbes
appeler
boire
brancher
se brosser / brosser (les
    cheveux, les dents)
se coucher / coucher
    couper
    croire
    débrancher
s' endormir / endormir
s' habiller / habiller
se laver / laver
se lever / lever
se maquiller
    marcher *(to work)*
    mentir
se peigner / peigner
se promener / promener
se raser
se réveiller / réveiller
se sécher / sécher
    servir à
se servir de

Adverbes
tard
tôt

Questions
ça sert à quoi?
je vous coupe les cheveux
    comment?
où tu vas chez le coiffeur?

Expressions
comme …!
faire la grasse matinée
faire sa toilette
faire un brushing
je crois que oui / non / si
se faire (couper les
    cheveux)
tant mieux / tant pis

CHAPITRE 6

PRÉLUDE CULTUREL │ LE CINÉMA

Going to the movies has always been as popular with the French as it is with Americans. The movie camera had just been invented in 1895 when the Lumière brothers, Louis and Auguste, began filming everything that moved: trains, babies, walls falling down, etc.

Cinema is still a passion for young people in France. They tend to go to the movies often, partly because there are relatively few channels to choose from on French TV, but also because almost all movie theaters offer substantial discounts to students.

Just about every small town in France has a movie theater, and theater complexes with three or four screens are quite common. There are a few differences from what you may be used to, though. For example, in many theaters you are shown to your seat by an usher, called *l'ouvreuse*. When the *ouvreuse* holds out her hand, you should give her a tip of a franc or so for each person in your group. And in a lot of theaters, there is no concession stand. Instead, the *ouvreuses* come down the aisle with trays of candy and ice cream, and you buy items from them. Most movie theaters in Paris sell popcorn nowadays. It's even called *Le Popcorn Indian Chief*.

Films are often studied in *lycées*. In fact, in some *lycées* you can now major in audiovisual studies. Most *collèges* and *lycées* have *ciné-clubs* that show great film classics after school. The showings are usually followed by discussions.

The French view the cinema as an art form—it is often referred to as *le septième art*—and are extremely proud of the quality of their films. When they talk about films, though, they tend to identify them by the director's name, rather than by the actors involved. France has produced some of the world's greatest directors, including Jean Renoir, René Clair, and François Truffaut.

But the French also recognize the achievements of foreign moviemakers. It is very likely that the popular American movie you just enjoyed will soon be showing in French theaters, either with subtitles *(en version originale)* or dubbed with French voices *(en version française)*.

Perhaps the Cinémathèque de Paris, with locations at the Palais de Chaillot and the Centre Pompidou, is the best example of France's admiration for good movies. Its collection includes over 50,000 films, of which more than 2,000 are screened every year. Not even the greatest movie fan could possibly sit through all of that!

COMMUNICATIVE OBJECTIVES

To discuss movies, videos, and plays

To tell someone what they should do

To describe actions in sequence

To express uncertainty

To express accomplishment

To introduce someone formally

CONTEXTE VISUEL

Silence! On tourne!

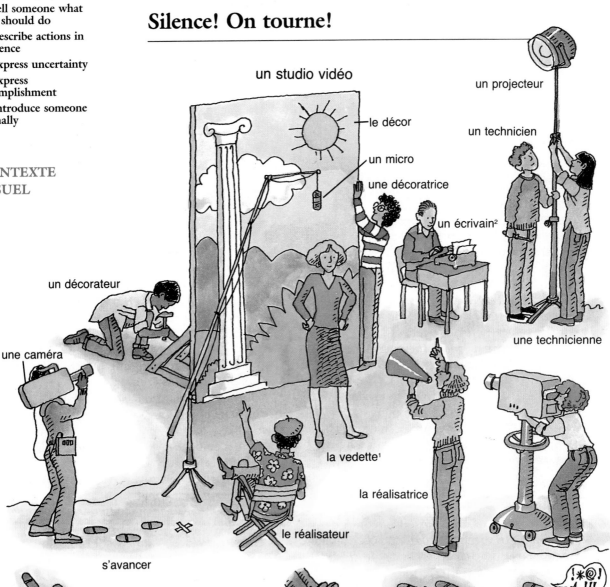

un studio vidéo

le décor

un micro

une décoratrice

un projecteur

un technicien

un écrivain²

une technicienne

un décorateur

une caméra

la vedette¹

la réalisatrice

le réalisateur

s'avancer

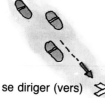

se diriger (vers)

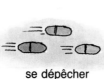

se dépêcher   s'arrêter

se tromper

se fâcher

¹*La vedette* is always feminine, even when it refers to a male.

²Like *un professeur* and *un médecin*, *un écrivain* may refer to either a man or a woman.

1 BERTRAND   Tu vas au studio vidéo après les cours?

NATHALIE   Oui, on **tourne une séquence.** C'est moi la réalisatrice.

Variations:

■ au studio vidéo → **au club** théâtre

tourne une séquence → **monte une pièce**

la réalisatrice → la technicienne

tourner   *to make a film*
la séquence   *video clip*

le club   *club*
monter une pièce   *to put on a play*

2 Au club théâtre les élèves **répètent** une pièce.

LE RÉALISATEUR   Tu **dois** te dépêcher. **C'est à toi d'**entrer en **scène.**

CORINNE   Attends! J'ai peur de me tromper.

LE RÉALISATEUR   Mais non, vas-y!

■ de me tromper → de parler trop bas

répéter   (here) *to rehearse*
devoir   *to have to, must*
c'est à toi de + *inf.   it's your turn to …*
la scène   *stage*

3 Au studio vidéo, on tourne une émission. Il fait chaud sous les projecteurs.

BENOÎT   Sylvie, **avance-toi. Puis** ouvre la fenêtre.

PIERRE   J'**avance** la caméra vers elle?

BENOÎT   Oui. Maintenant Sylvie, **dirige-toi en avant.**

PIERRE   Je **dirige** le micro vers elle?

BENOÎT   Oui. Bon, **arrête-toi,** Sylvie. C'est parfait. **Arrêtez** tout. Coupez!

■ arrête-toi, Sylvie → arrête de parler, Sylvie[3]

■ en avant → **en arrière**

avance-toi!   *move forward!*
puis   *then*
avancer   *to bring forward*
dirige-toi!   *head (toward) …!*
en avant   *forward*
diriger   *to aim, to direct*
arrête-toi!   *stop!*
arrêter   *to stop*
en arrière   *backward*

---

[3]To tell someone to stop doing something, use *arrêter de* + infinitive: *Arrête de m'embêter, veux-tu?*

4 LE RÉALISATEUR **Ça y est!** C'est fini!

CORINNE Oui, mais j'ai eu peur.

LE RÉALISATEUR Tu **t'es souvenue de** tout. C'est bien.

CORINNE Je ne me suis pas trompée?

LE RÉALISATEUR Non, tu as été formidable!

- je ne me suis pas trompée → je ne me suis pas avancée trop vite
- je ne me suis pas trompée → je ne me suis pas arrêtée trop tôt
- je ne me suis pas trompée → je ne me suis pas trop fâchée

5 Les élèves tournent une émission. Marcel joue le rôle d'un grand écrivain. Rachel l'interviewe.

RACHEL Mesdames, messieurs, je **suis heureuse de** vous **présenter** notre invité ce soir, l'écrivain Marcel Duboscq. Monsieur Duboscq, vous pouvez nous **raconter** votre dernier livre?

MARCEL Oui, bien sûr. Je suis très content d'être ici …

6 C'est la fin de l'émission. La réalisatrice dit: «Coupez!» Tout le monde **s'est** bien **amusé.** On applaudit Marcel et Rachel.

ça y est! *that's it! we did it!*

se souvenir de *to remember*

être + adj. + de + inf. *to be (adj.) to do something*
présenter *to present*
raconter *to tell (about)*

s'amuser *to have a good time, to enjoy oneself*

Beaucoup de monde pour tourner un film à Paris

EXERCICES

A Au studio. Vous donnez un petit tour de votre studio vidéo à quelques amis. Ils posent les questions «*C'est quoi, ça?*» et «*C'est qui, ça?*» pour tous les objets et toutes les personnes qu'ils voient. Conversez selon le modèle.

ÉLÈVE 1 *C'est quoi, ça?*
ÉLÈVE 2 *Ça, c'est le micro.*

1.

2.

3.

4.

5.

6.

7.

8.

9.

les principaux programmes

Programmes communiqués sous toutes réserves, la télévision française se réservant la possibilité de modification de dernière heure.

MERCREDI 22 OCTOBRE

7.45 ⑥ REDIFFUSION DE SERIES.
8.30 ② SERIE : Jeunes docteurs pour la vie.
9.00 ① ENFANTS : Récré A2.
10.05 ⊞ FILM : LE FOU DE GUERRE. 1985. 1h50. Drame psychologique, fr. ital., de Dino Risi avec Coluche, Beppe Grillo, Bernard Blier. En 1940, dans une antenne médicale de l'armée italienne, le destin d'un officier atteint de régression. Un Coluche étonnant.
10.45 ① SALUT LES PETITS LOUPS.
11.45 ① LA UNE CHEZ VOUS.
12.00 ② JEU : Tournez... manège.
12.05 ③ FEUILLETON : Coulisses.
12.?5 LA VIE A PLEINES DENTS : Spécial jeunes.
.30 ② MIDI TRENTE.
.00 ① JEU : L'académie des 9.
3.00 ② LE JOURNAL DE LA UNE.
3.00 ANTENNE 2 MIDI.
LE ROMAN : Demain l'amour.
MUPPETS SHOW.
ENFANTS : Vitamine.
② TELEFILM : L'OR BLANC. Réalisation ?ge Duran, avec Agnès Chateau, Maurice

LA VIDEOCASSETTE DE LA SEMA...

Tableau
MGM/UA *en cavale*
FILM OFFICE

VU A LA TÉLÉ

Mots Nouveaux I   **207**

B On tourne! Le réalisateur donne des ordres. Choisissez le mot correct.

1. Nous allons *(monter / tourner / avancer)* un film.
2. Est-ce que tout le monde est sur *(l'étage / la scène / le club)*?
3. Antoine, *(avance / raconte / présente)* la caméra.
4. Roger, n'oublie pas que tu es pressé. *(Répète / Dépêche-toi / Arrête-toi).*
5. Maintenant, Roger, *(amuse-toi / dirige-toi / souviens-toi)* vers Sylvie.
6. Sylvie, souviens-toi que tu n'es pas contente. Il faut *(te fâcher / te tromper / te dépêcher).*
7. Antoine, *(dirige / monte / raconte)* le micro vers eux.
8. C'est parfait! Je suis très content de *(raconter / présenter / tourner)* la séquence.
9. C'est fini. *(Ça y est / Continuez / Répétez encore une fois).*

C Le mot juste.
Trouvez un synonyme ou une expression synonyme.

1. L'acteur ne veut pas *avoir tort.*
2. *On l'a fini!*
3. Tu peux nous *dire* les nouvelles?
4. Il *ne faut pas oublier.*
5. Tu as beaucoup de devoirs. *Il faut* les finir, avant d'aller au club.

Trouvez un antonyme.

6. Marie, *continue à* répéter la chanson, s'il te plaît.
7. Les acteurs jouent mal; le réalisateur va *rester calme.*
8. Le prof pense que Mireille est calée. Il *a raison.*

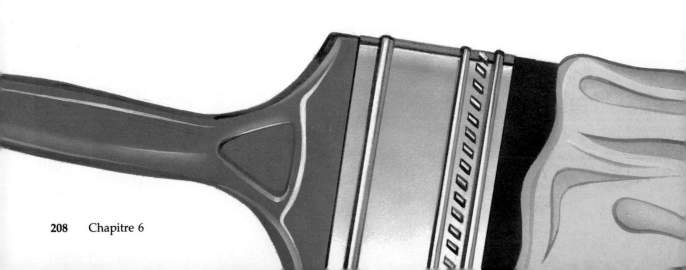

D Parlons de toi.

1. Est-ce qu'il y a un théâtre dans ton lycée? La scène est grande ou petite? Il y a des projecteurs? Est-ce qu'on utilise des micros, ou est-ce que le théâtre est assez petit pour entendre les gens sans micro?

2. On monte des pièces dans ton lycée? Quelles pièces? Tu en fais partie? Si oui, quel rôle est-ce que tu as joué? Pourquoi est-ce que tu aimes monter les pièces? Si tu n'en fais pas partie, est-ce que tu y assistes? Quelle pièce est-ce que tu aimes le mieux?

3. Est-ce qu'on peut apprendre à tourner des séquences dans ton lycée? Tu as déjà aidé à tourner une séquence? Si oui, racontes-en l'histoire.

4. Est-ce que tu as peur de te tromper devant tes camarades? Qu'est-ce que tu fais quand tu te trompes? Tu rougis?

5. Où est-ce qu'on va pour s'amuser dans ta ville? Est-ce qu'il y a un club de jeunes dans ta ville? Tu en fais partie? Pourquoi ou pourquoi pas?

Un décorateur à l'Opéra de Paris

APPLICATIONS

La star du lycée

Les élèves tournent une séquence vidéo. Arnaud, le réalisateur, donne des instructions à sa vedette, Christelle.

ARNAUD	Christelle, avance-toi vers la gauche.
CHRISTELLE	Comme ça?
5 ARNAUD	*(se fâchant)* Mais non, à gauche, pas à droite!
CHRISTELLE	Ne te fâche pas!
ARNAUD	Maintenant, tourne-toi lentement vers Jacques.
CHRISTELLE	D'accord.
ARNAUD	*(hurlant)*[1] Mais non! Lentement!
10 CHRISTELLE	Ecoute, Arnaud, parle-moi doucement, sinon[2] je pars, et sans vedette, tu ne peux rien faire!
ARNAUD	Où tu te crois[3] ici? A Hollywood? Des stars, il y en a partout dans les couloirs du lycée! Alors, salut, ma vieille!

On tourne un film dans la rue.

[1]**hurlant** *shouting*   [2]**sinon** *otherwise, if not*   [3]**se croire** *to imagine oneself*

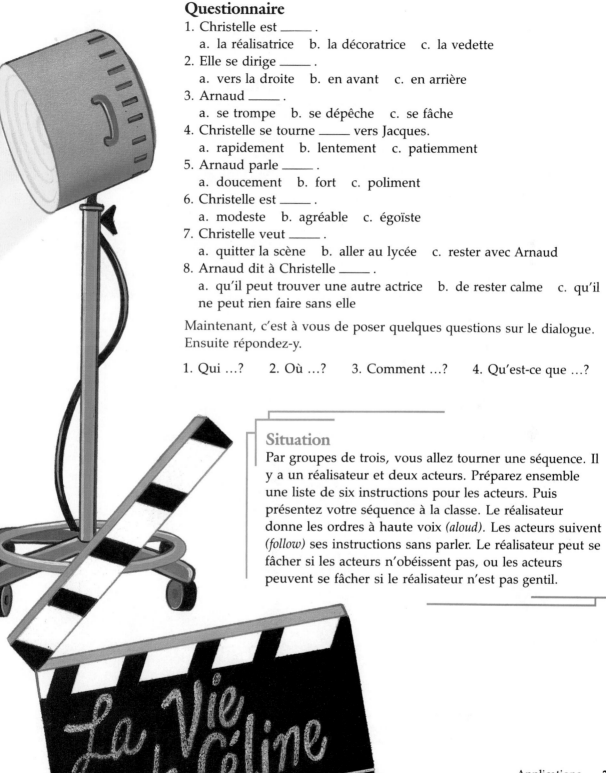

Questionnaire

1. Christelle est _____ .
   a. la réalisatrice   b. la décoratrice   c. la vedette
2. Elle se dirige _____ .
   a. vers la droite   b. en avant   c. en arrière
3. Arnaud _____ .
   a. se trompe   b. se dépêche   c. se fâche
4. Christelle se tourne _____ vers Jacques.
   a. rapidement   b. lentement   c. patiemment
5. Arnaud parle _____ .
   a. doucement   b. fort   c. poliment
6. Christelle est _____ .
   a. modeste   b. agréable   c. égoïste
7. Christelle veut _____ .
   a. quitter la scène   b. aller au lycée   c. rester avec Arnaud
8. Arnaud dit à Christelle _____ .
   a. qu'il peut trouver une autre actrice   b. de rester calme   c. qu'il ne peut rien faire sans elle

Maintenant, c'est à vous de poser quelques questions sur le dialogue. Ensuite répondez-y.

1. Qui …?   2. Où …?   3. Comment …?   4. Qu'est-ce que …?

Situation

Par groupes de trois, vous allez tourner une séquence. Il y a un réalisateur et deux acteurs. Préparez ensemble une liste de six instructions pour les acteurs. Puis présentez votre séquence à la classe. Le réalisateur donne les ordres à haute voix *(aloud)*. Les acteurs suivent *(follow)* ses instructions sans parler. Le réalisateur peut se fâcher si les acteurs n'obéissent pas, ou les acteurs peuvent se fâcher si le réalisateur n'est pas gentil.

To discuss films and
moviegoing

To ask and express
opinions

To express boredom

To ask to see something

To express probability

To ask what something
is about

To exclaim

To ask and tell where
something is

MOTS NOUVEAUX II

Quels films est-ce que tu préfères?

un film comique

un film d'aventures

un film d'amour

un film d'horreur

un film historique

un film de guerre

CONTEXTE
VISUEL

un film de science-fiction
un film de s.-f.

un film d'espionnage

un grand classique

un sous-titre

la version originale (en v.o.)
C'est un film sous-titré.

la version française (en v.f.)
C'est un film doublé.

[1]There is no masculine equivalent for the word *ouvreuse* in French. Should you ever have a
male usher, you would refer to him simply as *le monsieur*.

une ouvreuse[1]

1 SOPHIE   Quels films est-ce que tu préfères?

     THOMAS   J'adore les films policiers.

Variations:

■ les films policiers → les westerns

2 JEAN-MARC   Je **m'ennuie.**[2] On va au cinéma?

     JULIE   Bonne idée. On choisit un film?

     JEAN-MARC   Oui, regarde, **les titres** sont dans le journal.

     JULIE   **Fais voir.** Hmm ... On **passe un** bon **film** comique au Studio 5.

     JEAN-MARC   Génial! Ça **doit** être un film **marrant.** Allons-y!

■ un bon film comique → un nouveau dessin animé

■ un bon film comique → un bon film d'aventures

■ marrant → **passionnant**

s'ennuyer *to be bored*

le titre *title*
fais voir *let me see*
passer un film *to show a movie*
devoir *must (probability)*
marrant, -e *funny, hilarious*

passionnant, -e *exciting*

3 Au cinéma, l'ouvreuse vous dirige vers votre place. N'oubliez pas de lui donner un pourboire.

     LÉON   Tu as de l'argent pour l'ouvreuse?

     LUCIE   Oui, mais tu me **dois** déjà de l'argent. J'ai payé ta place, tu sais.

devoir *(here) to owe*

4 FABIENNE   Tu as vu le dernier film **du metteur en scène**[3] Jean-Luc Renier?

     MIREILLE   Hmm, je crois que oui. **Ça parle de quoi?**

     FABIENNE   Je ne me souviens pas très bien. C'est un film de guerre avec une nouvelle vedette américaine.

■ un film de guerre → un film d'amour

le metteur en scène *director (movies, theater)*

ça parle de quoi? *what's it about?*

---

[2]*S'ennuyer* is conjugated like *essayer: je m'ennuie, tu t'ennuies, il s'ennuie, nous nous ennuyons, vous vous ennuyez, elles s'ennuient.*

[3]Like *l'écrivain, le metteur en scène* applies to either a man or a woman.

5 A la sortie du cinéma.

GISÈLE   **Qu'est-ce qu'**il est bien, ce film!

HÉLÈNE   **Les images** sont belles!

6 DENIS   **Comment as-tu trouvé** le film?

ÉDOUARD   Bof, moi, les films comiques, je trouve ça **débile.**

- les films comiques → les films de guerre
  je trouve ça débile → je trouve ça trop **violent**
- les films comiques → la science-fiction
  je trouve ça débile → je trouve ça ennuyeux
- bof … débile → très marrant!
- bof … débile → **pas terrible!**

7 VALÉRIE   J'aime les films **des années cinquante,** pas toi?

MME MOREL   Si, **actuellement** il n'y a pas d'aussi bons films.

M. MOREL   Les grands classiques sont bien meilleurs que les films **actuels.**

- des années cinquante → des années quarante

8 SYLVIE   J'ai envie d'aller à la Rotonde. Il y a un film de guerre américain.

ANDRÉ   En v.f.?

SYLVIE   Non, en v.o., sous-titré.

ANDRÉ   Tant mieux. Je préfère entendre **la voix** des acteurs.

- SYLVIE, ANDRÉ → JOHN, MARY
  un film de guerre américain → un film comique français
  en v.f. → en version anglaise

9 Les Dufy partent au théâtre.

M. DUFY   Je ne trouve pas les billets.

MME DUFY   Ils **se trouvent** sur le piano.

- les billets → mon portefeuille
  ils se trouvent → il se trouve

---

qu'est-ce que …! *isn't that …!*
l'image (f.) *picture, image*

comment as-tu trouvé …?
what did you think of …?
débile *stupid*

violent, -e *violent*

pas terrible *not so hot*

**les années cinquante
(quatre-vingt,** etc.) *the fifties
(eighties, etc.)*
actuellement *currently*
actuel, -le *today's; current*

la voix *voice*

se trouver *to be found, to be
located*

EXERCICES

A Le choix d'un film.   Vous voulez sortir ce soir. Qu'est-ce qu'on passe à ces cinémas, et à quelle heure? Suivez le modèle.

Studio 5 / 19h
Au Studio 5, on passe un western à 19h.

1. Rex / 19h15   2. Ciné Champollion /   3. Dragon / 18h45
                       19h10

4. Cinéplex / 20h10   5. Cinéma 4 / 20h   6. Bijou / 19h40

7. Ciné Sébastopol /   8. Cinés Publicis /
   19h20   18h10

B Comment trouvez-vous ces films?   Demandez à un(e) camarade de classe ce qu'il (elle) pense des films de l'Exercice A. Voici quelques mots pour vous aider.

amusant	ennuyeux	marrant	superbe
beau	excellent	moche	terrible
chouette	intéressant	passionnant	violent
débile	long	sérieux	
drôle	magnifique	super	

ÉLÈVE 1 *Comment est-ce que tu trouves les westerns?*
ÉLÈVE 2 *Je les trouve géniaux.*
ÉLÈVE 1 *Quel est ton western préféré?*
ÉLÈVE 2 *Je crois que c'est* High Noon. *Et toi?*
ÉLÈVE 1 *Pour moi, c'est* Butch Cassidy and the Sundance Kid.

C Le mot juste.

Trouvez un synonyme ou une expression synonyme.

1. Les billets de théâtre ne sont pas sur le bureau. Où est-ce qu'ils *sont?*
2. Les films *d'aujourd'hui* sont trop violents.
3. *Ces jours-ci* j'adore les films des années soixante.
4. *Comme* il est amusant, ce film! Il est vraiment *très drôle!*

Trouvez un antonyme.

5. Quel film! On *s'ennuie* beaucoup.

D Parlons de toi.

1. Donne le titre d'un film que tu as vu récemment. Ce film parle de quoi?
2. Tu vas de temps en temps voir des films étrangers? Tu préfères un film sous-titré ou un film doublé? Pourquoi?
3. Tu aimes les films comiques? Et les films de science-fiction? Quels films est-ce que tu aimes le mieux? Pourquoi?
4. Qui est ta vedette préférée? Quels sont ses derniers films? Comment est-ce que tu les as trouvés?
5. Tu veux devenir vedette ou metteur en scène? Pourquoi?
6. Qu'est-ce qui est plus important pour un acteur ou pour une actrice: être célèbre, être riche ou jouer des bons rôles? Pourquoi?

ACTIVITÉ

Qu'est-ce qu'on dit? Trouvez dans des magazines et des journaux six photos intéressantes et apportez-les en cours. Avec un(e) camarade, écrivez un sous-titre pour chaque photo et présentez les meilleurs aux autres élèves.

ÉTUDE DE MOTS

Learning vocabulary is often made easier because many French words are similar to words that you already know in English. A French word and an English word that look similar and mean the same thing are cognates. For example, in this chapter you learned the French cognates *violent*, *caméra*, and *comique*.

Sometimes you see French words that appear to be cognates, but you find out that they mean something quite different. Such words are called *faux amis* ("false friends"). For example:

FRENCH	=	ENGLISH	*but*		ENGLISH	=	FRENCH
la nappe	=	tablecloth	≠		nap	=	*une sieste*
actuel	=	today's	≠		actual	=	*réel*
une pile	=	battery	≠		pile	=	*un tas*
dépenser	=	to spend	≠		to dispense	=	*distribuer*
une prune	=	plum	≠		prune	=	*un pruneau*
une veste	=	jacket	≠		vest	=	*un gilet*
taper	=	to hit	≠		to tape	=	*enregistrer*
gentil	=	nice	≠		gentle	=	*doux*
demander	=	to ask	≠		to demand	=	*réclamer*
le médecin	=	doctor	≠		medicine	=	*le médicament*
la figure	=	face	≠		figure	=	*la ligne*
sympathique	=	nice	≠		sympathetic	=	*compatissant*

You already know these *faux amis*. Can you complete the chart?

	FRENCH	=	ENGLISH	*but*		ENGLISH	=	FRENCH
1.	*large*	=	wide	≠		large	=	—
2.	*assister*	=	—	≠		to assist	=	—
3.	—	=	a whole day	≠		—	=	*un voyage*
4.	—	=	—	≠		to attend	=	*assister*
5.	*passer (un examen)*	=	—	≠		to pass (a test)	=	—
6.	—	=	to go over	≠		to revise	=	*corriger*

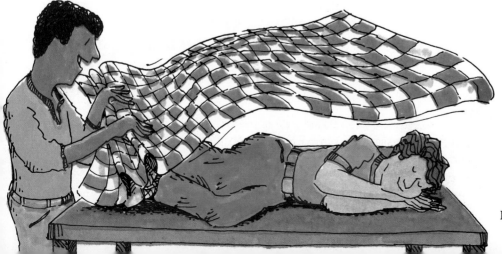

EXPLICATIONS I

Le passé composé des verbes pronominaux

◆ COMMUNICATIVE
OBJECTIVE

To describe past events

In Chapter 5, you learned about pronominal verbs in the present tense. In the passé composé, all pronominal verbs are conjugated with *être*. Look at the following.

M.	je	**me suis**	lavé	nous	**nous sommes**	lavés
	tu	**t'es**	lavé	vous	**vous êtes**	lavé(s)
	il on	**s'est**	lavé	ils	**se sont**	lavés

F.	je	**me suis**	lavée	nous	**nous sommes**	lavées
	tu	**t'es**	lavée	vous	**vous êtes**	lavée(s)
	elle on	**s'est**	lavée	elles	**se sont**	lavées

1 In the passé composé, the reflexive pronoun comes before the form of *être*. The past participle agrees with the pronoun.

2 In negative sentences, put the negative around the reflexive pronoun and the form of *être*.

Tu t'es levée, Anne? Non, je **ne me suis pas** encore levée, papa!

3 If a pronominal verb is followed by a direct object, the past participle does *not* agree with the reflexive pronoun.

Lise, tu t'es déjà **lavée?** Je me suis **lavé la figure,** maman.

EXERCICES

A Une mauvaise journée. La pauvre Chantal a eu une très mauvaise journée hier. Dites ce qui s'est passé *(what happened)*.

> ne pas se dépêcher le matin
> *Elle ne s'est pas dépêchée le matin.*

1. se réveiller tard
2. ne pas se brosser les dents
3. s'habiller rapidement
4. s'ennuyer dans la classe d'histoire
5. se fâcher avec son ami
6. se tromper en cours de maths
7. ne pas se souvenir d'un rendez-vous
8. ne pas s'amuser au match de basket

B La grande première *(Opening night)*. Hier soir, vous et vos amis du club théâtre avez présenté la grande première d'une pièce. Qu'est-ce que tout le monde a fait? Répondez d'après les images.

Liliane
Liliane s'est fâchée.

1. Sébastien

2. André et toi

3. Noël et Diane

4. Patrick et Roger

5. Monique

6. Thérèse

7. nous

8. Sylvie et Lise

9. les spectateurs

C **Qu'est-ce que vous avez fait hier?** Parlez de votre journée d'hier avec un(e) camarade. Conversez selon le modèle.

> se réveiller de bonne heure
> ÉLÈVE 1 *Est-ce que tu t'es réveillé(e) de bonne heure?*
> ÉLÈVE 2 *Non, je ne me suis pas réveillé(e) de bonne heure.*
> OU: *Oui, je me suis réveillé(e) de bonne heure.*

1. se lever tard
2. s'endormir en cours
3. se servir d'un sèche-cheveux
4. se tromper en cours de français
5. s'ennuyer devant la télévision
6. se fâcher avec un frère ou une sœur
7. s'amuser avec des ami(e)s
8. se coucher tard

Des jeunes regardent les affiches d'un cinéma au Luxembourg.

D **Parlons de toi.**
1. A quelle heure est-ce que tu t'es couché(e) hier? Et le week-end dernier? Est-ce que tu t'es réveillé(e) à l'heure ce matin? Qu'est-ce que tu fais quand tu te réveilles en retard?
2. Qu'est-ce que tu as fait ce matin pour te préparer pour l'école? Tu t'es réveillé(e), tu t'es levé(e), et ensuite?
3. Est-ce que tu t'es fâché(e) avec quelqu'un cette semaine? Avec qui? Pourquoi?
4. Tu t'es amusé(e) après les cours hier ou tu t'es ennuyé(e)? Pourquoi? Qu'est-ce que tu as fait?
5. Est-ce que tu as fait tes devoirs sérieusement hier ou est-ce que tu t'es dépêché(e)? Pourquoi?

ACTIVITÉ

Et hier? The class divides into teams of three or four. Each team writes four sentences using reflexive verbs in the present tense.

Play begins as a player from one team reads one of that team's sentences to members of the other teams waiting at the board: *Nous nous avançons,* adding *Et hier?* The first person at the board to write correctly *Nous nous sommes avancé(e)s* wins a point for his or her team. If the sentence stumps the people at the board, the point goes to the team that wrote it. Play continues with teams taking turns reading sentences until everyone has had a chance to go to the board. The team with the most points wins.

On achète sa place au cinéma. Le lundi, c'est moins cher!

APPLICATIONS

Le métier[1] d'acteur

AVANT DE LIRE

Avant de lire la *Lecture*,
cherchez les réponses à ces
questions.
1. Qui est-ce qu'on
interviewe dans cet article? 5
2. Quel est son métier?
3. Que dit-on en anglais
pour parler du *scénario* et
du *personnage*?

Aujourd'hui, *15 Ans*, le magazine des jeunes, est allé interviewer
Jacques Robertin, le grand acteur, dans sa maison de campagne.

15 ANS   Bonjour, M. Robertin, et d'abord, merci de nous recevoir.[2]

J.R.   C'est un plaisir pour moi. Je suis heureux de pouvoir
m'adresser aux jeunes dans *15 Ans*.

15 ANS   Pouvez-vous nous parler de votre carrière?[3] Comment
avez-vous choisi ce métier?

J.R.   Depuis[4] mon enfance, j'adore le théâtre. A la maison, mon
père m'a souvent dit: «Tu n'es pas sérieux, tu es un clown!»
C'est vrai. J'ai toujours aimé amuser les autres et inventer
des histoires.

15 ANS   Vous avez commencé votre carrière à la Comédie Française,*
n'est-ce pas?

J.R.   Oui, j'y ai joué des grands rôles: Tartuffe de Molière, Le Cid
de Corneille, Britannicus de Racine.†

15 ANS   Tous les grands classiques, donc. Pourquoi vous êtes-vous
arrêté et vous êtes-vous tourné vers le cinéma?

J.R.   Après dix ans de théâtre, j'ai décidé d'essayer autre chose.
On m'a proposé un film; j'ai trouvé le scénario intéressant et
voilà.

15 ANS   Que préférez-vous, le cinéma ou le théâtre?

J.R.   Ah, c'est très différent. Au théâtre, j'aime le contact avec le
public. On entend les gens, on voit leurs réactions. Quand le
public aime une pièce, il applaudit. C'est fantastique pour un
acteur. Mais, le théâtre, c'est aussi très fatigant. Tous les
soirs, il faut être courageux, énergique, enthousiaste. Au
cinéma, quand quelque chose ne marche pas bien, quand un

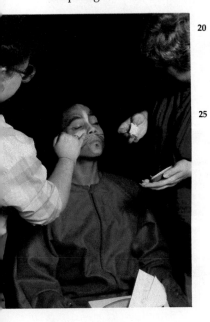

Avant la pièce, le
maquillage

---

la Comédie Française: Performances of *les grands classiques* have played in this Parisian
theater ever since 1680.

†**Tartuffe ..., Le Cid ..., Britannicus ...:** These are the leading characters in plays of the
same names. Molière wrote comedies; his Tartuffe is a hypocrite who pretends to be a
pious man while taking money from others. Corneille and Racine wrote tragedies. The
tragic hero Le Cid must kill the father of his fiancée in order to avenge the death of his
own father. Young Britannicus fights the corrupt emperor Nero for power in ancient Rome.

[1]**le métier** *job*   [2]**recevoir** *to welcome, to receive*   [3]**la carrière** *career*
[4]**depuis** *since, ever since*

acteur est fatigué, on peut recommencer. Au cinéma, c'est
facile d'être parfait.

30 15 ANS Vous avez fait une trentaine de films. Quel est, pensez-vous,
le meilleur?

J.R. Mon préféré, c'est *Jean-Baptiste*, le film sur Molière. C'est un
film très bien fait.

35 15 ANS Beaucoup de nos lecteurs et lectrices[5] veulent devenir des
stars. Quels conseils[6] pouvez-vous leur donner?

J.R. Lisez beaucoup, travaillez avec courage, préparez-vous à une
carrière difficile. Mais si vous en avez vraiment envie—
n'hésitez pas! C'est un métier formidable.

15 ANS Et le talent? Vous n'en parlez pas. Il en faut, n'est-ce pas,
40 pour devenir un grand acteur?

J.R. Vous savez, on ne devient pas acteur. On naît acteur. Quand
on a du talent, on le sait et on a envie de le montrer. Moi,
sur scène ou devant les caméras, je ne joue pas un
personnage, je suis ce personnage. Et ce n'est pas difficile
45 pour moi. C'est peut-être ça, le talent. Je voudrais dire ici à
vos lecteurs: le théâtre, le cinéma ont besoin de jeunes
talents. Alors, allez-y, essayez et bon courage!

15 ANS Eh bien, merci, M. Robertin, et à bientôt sur le grand écran.

---

[5]**le lecteur, la lectrice** *reader*   [6]**le conseil** *advice*

Questionnaire

1. On peut voir trois périodes dans la vie de M. Robertin:
   son enfance   sa carrière au théâtre
   sa carrière au cinéma

   Complétez les phrases avec une de ces expressions.
   a. Monsieur Robertin a fait une trentaine de films
      pendant …
   b. Il a été amusant pendant …
   c. Il a joué des rôles classiques
      pendant …
   d. Il a inventé des histoires pendant …
   e. Il a joué le rôle de Molière pendant …
   f. Il a aimé le contact avec le public pendant …
   g. Il a joué devant les caméras pendant …

2. Quel mot décrit le mieux le caractère
   de M. Robertin: *modeste, égoïste, sincère, hypocrite,
   réaliste, idéaliste, optimiste, pessimiste?* Pourquoi?

3. Ecrivez un article basé sur l'interview de M. Robertin
   pour le journal de votre lycée.

On joue *Dom Juan* de Molière à la
Comédie-Française à Paris.

EXPLICATIONS II

Le verbe *devoir*

◆ COMMUNICATIVE
OBJECTIVES

To tell what people have to do

To express probability

To tell what people owe

The verb *devoir* has the basic meaning "to have to" or "must."

Je **dois** partir maintenant.	*I **must** leave now.*
Tu **dois** faire tes devoirs?	*Do you **have to** do your homework?*

It follows this pattern:

INFINITIF **devoir**

		SINGULIER		PLURIEL	
PRÉSENT	1	je	**dois**	nous	**devons**
	2	tu	**dois**	vous	**devez**
	3	il elle on	**doit**	ils elles	**doivent**

PASSÉ COMPOSÉ **j'ai dû**

Un lycéen parisien fait ses devoirs.

1 You can use *devoir* + an infinitive to talk about things that you guess must be true.

Marie est absente aujourd'hui.	*Marie is absent today.*
Elle **doit être** malade.	*She **must be** sick.*
Ça **doit être** un rhume.	*It **must be** a cold.*
Elle a été absente hier aussi.	*She was absent yesterday, too.*
Elle **a dû passer** la journée chez elle.	*She **must have spent** the day at home.*

The last sentence could also be understood as "She **had to** spend the day at home." The context will often make the meaning clearer.

2 *Devoir* can also mean "to owe."

Je te **dois** 50F.	*I **owe** you 50 francs.*

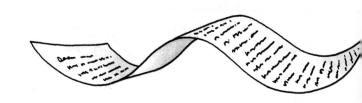

EXERCICES

A Obligations.   Si on vous rend service *(does you a favor)*, vous devez aussi leur rendre service. Complétez les phrases avec le présent de *devoir*.

1. Tu empruntes beaucoup d'argent à ta sœur. Alors, tu lui _____ beaucoup d'argent.
2. Les voisins m'ont prêté un kilo de farine. Maintenant, je leur _____ un kilo de farine.
3. J'ai écrit une lettre à Sylvie et Valérie. Elles _____ me répondre.
4. Aujourd'hui, Sébastien m'a emprunté du papier. Maintenant, il _____ me rendre du papier.
5. Ma grand-mère nous a prêté dix francs. Alors, nous lui _____ dix francs.
6. Les frères de Patrick ne lui empruntent jamais d'argent. Alors, ils ne lui _____ jamais d'argent.
7. Olivier ne vous donne jamais rien. Alors, vous ne lui _____ rien.
8. Edith a écrit une longue lettre à Anne. Anne lui _____ une réponse.

B Suppositions.   Vous croyez toujours tout savoir. Chaque fois qu'on vous dit quelque chose, vous faites une supposition. Conversez selon le modèle.

> Claire est absente aujourd'hui. (être malade)
> ÉLÈVE 1   *Claire est absente aujourd'hui.*
> ÉLÈVE 2   *Elle doit être malade, alors.*

1. Jean-Luc ne parle plus à Chantal. (être fâché)
2. Chantal et Marc se promènent tout le temps ensemble. (être amis)
3. Je n'ai pas de devoirs pour demain. (être content(e))
4. Nous sommes rentrés à 2h du matin cette nuit. (être fatigués)
5. Mes parents ne me permettent plus de sortir avec Luc. (être fâchés)
6. J'ai une interro à 10h, et je n'ai pas étudié. (avoir un peu peur)
7. Regarde Mme Marchand, comme elle se dépêche! (être en retard)

C Mon idéal. Pour chaque catégorie, écrivez trois phrases pour décrire votre idée de la perfection. Employez une forme de *devoir*. Par exemple, *L'ami idéal doit savoir jouer de la guitare.*

1. l'ami idéal
2. le professeur idéal
3. les parents idéaux
4. la voiture idéale
5. le frère idéal
6. la sœur idéale

D Tu as dû t'amuser! Pour chaque phrase, faites une supposition. Suivez le modèle.

> Je suis allé au concert hier soir.
> *Tu as dû t'amuser!*
> OU: *Tu n'as pas dû étudier hier soir.*
> OU: *Tu dois aimer le rock,* etc.

1. Je n'ai pas tapé ma rédaction à la machine.
2. J'ai donné toutes les bonnes réponses à l'interro.
3. Le professeur ne peut pas t'entendre.
4. Marc s'endort en classe.
5. Nous sommes allés voir un film d'amour.
6. Michel a un nouveau jean.
7. Mes parents ne me permettent pas de sortir ce week-end.

L'impératif des verbes pronominaux

◆ COMMUNICATIVE OBJECTIVES

To tell people (not) to do things

To make and reject suggestions

Commands with pronominal verbs are much the same as commands with the other object pronouns.

1 In negative commands, the reflexive pronoun comes between *ne* and the verb.

> **Ne te** couche **pas** si tard!
> **Ne nous** arrêtons **pas** ici!
> **Ne vous** endormez **pas!**

2 In affirmative commands, put the reflexive pronoun after the verb and join the two words with a hyphen. The pronoun *te* becomes *toi*.

> **Promène-toi** un peu avant le dîner!
> **Levons-nous!** Il est déjà 8h!
> **Brossez-vous** les dents!

A Quelle catastrophe! Vous êtes réalisateur. Personne ne fait ce qu'il faut faire. Donnez des ordres. Suivez le modèle.

> La vedette a sommeil parce qu'elle se couche tard.
> *Ne te couche pas trop tard.*

1. Les chanteurs s'avancent trop près des micros.
2. Eric se fâche avec Dominique, la décoratrice.
3. La technicienne se trompe toujours de projecteur.
4. Les acteurs s'arrêtent trop loin des caméras.
5. Marc et Lise se dirigent vers la gauche.
6. Annie s'endort sur la scène.
7. Sylvie s'habille très lentement.
8. Elle se maquille mal.

B Sois sage! *(Behave yourself!)* Vous passez la soirée à garder votre petit frère. Donnez-lui des ordres affirmatifs ou négatifs. Suivez les modèles.

> se brosser les cheveux   *Brosse-toi les cheveux.*
> ne pas s'arrêter devant la télé   *Ne t'arrête pas devant la télé.*

1. se laver les mains
2. se servir du savon
3. ne pas se tromper de serviette
4. se dépêcher de manger
5. ne pas se fâcher
6. ne pas s'ennuyer
7. s'amuser calmement
8. ne pas se promener dans le jardin
9. se brosser les dents
10. se coucher tout de suite

C Samedi prochain.   Avec un(e) camarade, vous faites des projets pour samedi prochain. Dites ce que *(what)* vous voulez faire et ce que vous ne voulez pas faire. Votre camarade va toujours dire le contraire *(opposite)*. Conversez selon le modèle.

> s'habiller à la mode
> ÉLÈVE 1   *Habillons-nous à la mode.*
> ÉLÈVE 2   *Ah, non, ne nous habillons pas à la mode!*

1. se lever de bonne heure
2. s'habiller tout de suite
3. se promener en ville
4. se dépêcher de partir
5. s'amuser en ville
6. s'arrêter à la pâtisserie
7. se servir de l'ordinateur
8. se coucher après minuit

Dans un café, une affiche de cinéma

D Parlons de toi.

1. Est-ce que tu dois quelque chose à quelqu'un? A qui? Tu lui dois de l'argent ou un service? Quand est-ce que tu vas payer?
2. Si un(e) de tes ami(e)s oublie qu'il (elle) te doit de l'argent, est-ce que tu lui dis quelque chose ou est-ce que tu ne lui dis rien? Et qu'est-ce que tu en penses?
3. Qu'est-ce que tu fais le matin que tes parents n'aiment pas? Qu'est-ce qu'ils te disent alors? Pourquoi? Qu'est-ce que tu fais le soir que tes parents n'aiment pas? Qu'est-ce qu'ils te disent alors? Pourquoi?
4. Quels autres ordres est-ce que ton père te donne? Et ta mère? Tes professeurs? Tes camarades?

DOCUMENT

On va au ciné? Discutez les films, les heures de séances *(show times)* et les prix. Décidez quel film vous allez voir et ce que vous allez faire avant et après le film.

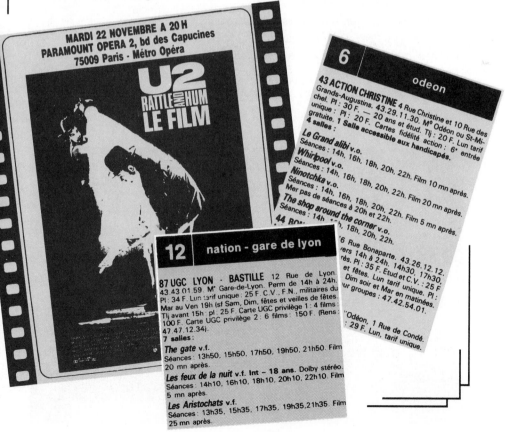

APPLICATIONS

RÉVISION

Formez des phrases en français d'après les modèles.

1. *Hier je me suis arrêtée à la mauvaise adresse.*
   (This morning the actress moved forward toward the other camera.)
   (Last night the Rochards were bored at the theater.)

2. *Je suis partie en avance. Le prof a dit: «Souviens-toi de l'examen!»*
   (The alarm clock rang.) (Your sister) ("Get up!")
   (She went out early.) (Her mother) ("Have a good time!")

3. *Les jeunes filles se sont habillées en bleu.*
   (The movie director headed toward the technicians.)
   (They [m.pl.] went to bed at midnight.)

4. *Maman a dit: «Ne te peigne pas maintenant! Coupe les légumes!»*
   (Dad) ("Let's not get up early! Let's sleep late!")
   (The set designer [m.]) ("Don't stop [pl.] there! Put the table here!")

5. *Ecoute-moi! Ce film comique est très marrant.*
   (Believe [pl.] me! That war movie is too violent.)
   (Let's leave! This spy movie is really stupid!)

6. *Ils ont dû trouver le shampooing. Ils se sont lavé les cheveux.*
   (Annie must have found the scissors. She cut her hair.)
   (He must have talked for too long. His wife fell asleep.)

Un titre de film américain
qu'on a laissé en anglais

Trouvez les expressions françaises qui correspondent à l'anglais et rédigez un paragraphe.

1. Last night Martin and I had a good time at the movies.

2. We arrived late. The usher said: "Hurry!"

3. We headed toward the first available seats.

4. Martin said: "Let's not stop here. Let's go over there!"

5. "Look! Frankenstein speaks French! This horror film is dubbed!"

6. We must have talked too loud. The gentleman behind us got angry.

RÉDACTION

Maintenant, choisissez un de ces sujets.

1. Imaginez que votre lycée va passer un film français. Ecrivez une liste de règles (*rules*) pour les spectateurs.

2. Imaginez la conversation entre les deux jeunes gens à la première image. Ils décident quel film ils vont voir.

3. Pensez à un film d'aventures que vous avez vu récemment. Racontez une scène qui vous a fait peur ou que vous avez beaucoup aimée.

CONTRÔLE DE RÉVISION   CHAPITRE 6

A   On fait du théâtre.

Complétez les phrases.

1. Puisque nous n'avons pas bien joué nos rôles, nous avons continué à _____ .
   a. répéter
   b. raconter
2. Attention, Corinne! _____ d'entrer en scène.
   a. Fais voir
   b. C'est à nous
3. C'est une bonne émission. Je l'ai trouvée _____.
   a. débile
   b. marrante
4. Je suis très heureux de vous _____ notre invité.
   a. arrêter
   b. présenter
5. La scène est vide. Rachel, tu vas ranger _____ .
   a. le décor
   b. l'image
6. Je n'aime pas les sous-titres. Je préfère entendre la _____ des acteurs.
   a. vedette
   b. voix
7. Il fait chaud sous _____ .
   a. la caméra
   b. le projecteur

B   Avant la répétition.

Ecrivez des phrases en employant le présent du verbe *devoir*.

1. tu / étudier ton rôle
2. je / ranger le décor
3. vous / diriger les techniciens
4. nous / tourner la séquence
5. Maurice / être le réalisateur
6. Etienne et Josette / apprendre leurs rôles

C   Au concert.

Ecrivez des conclusions en employant le passé composé du verbe *devoir*.

   Il ne peut pas entrer. (perdre son billet)
   Il a dû perdre son billet.

1. Ces chanteurs anglais chantent bien. (répéter régulièrement)
2. Tout à coup la chanteuse s'arrête de chanter. (oublier les paroles)

3. Tu applaudis. (aimer les acteurs)
4. Vous partez à 8h15. (vous ennuyer)
5. J'ai mal à la tête. (trop étudier)

D   Ça y est.

Le club vidéo a tourné une séquence. Voici les notes que la réalisatrice a écrites avant la répétition. Refaites-les en mettant les verbes en italique au passé composé pour dire ce qui s'est passé (*what happened*) à la répétition.

1. Les copains *vont tourner* la séquence vendredi. Ils *vont répéter* toute la journée jeudi.
2. Au commencement, Chantal *va se brosser* les cheveux.
3. David et Benoît *vont entrer* en scène. Chantal *ne va pas se lever* de sa chaise.
4. Marc, le technicien, *va avancer* la caméra vers David et Chantal et ils *vont se dépêcher* d'aller vers la fenêtre.
5. David *ne va pas se tromper* de fenêtre.
6. Puis Chantal *va se diriger* en avant.
7. Nicole, la décoratrice, *ne va pas se fâcher*.
8. Les copains *vont se souvenir* de tout.
9. Nous *allons nous amuser*.

E   Coupez! Arrêtez tout!

Quels ordres est-ce que la réalisatrice va donner dans l'Exercice D? Complétez les ordres selon les modèles.

1. Les copains, *tournons la séquence vendredi*. Les copains, *répétons jeudi!*
2. Chantal, *brosse-toi les cheveux!*
3. David et Benoît, *entrez en scène!* Chantal, …
4. Marc, … David et Chantal, …
5. David, …
6. Chantal, …
7. Nicole, …
8. Mes copains, …
9. Mes copains, …

VOCABULAIRE DU CHAPITRE 6

Noms
la caméra
le club
le décor
le décorateur, la décoratrice
l'écrivain *(m.)*
le film d'amour
    des années (cinquante)
    d'aventures
    comique
    d'espionnage
    de guerre *(f.)*
    historique
    d'horreur *(f.)*
    de science-fiction (de
      s.-f.)
le grand classique
l'image *(f.)*
le metteur en scène *(director of movies, theater)*
le micro(phone)
l'ouvreuse *(f.)*
le projecteur *(spotlight)*
le réalisateur, la réalisatrice
    (director of video, TV)
la scène
la séquence
le sous-titre
le studio vidéo
le technicien, la technicienne
le titre
la vedette
la version française (en v.f.)
la version originale (en v.o.)
la voix

Adjectifs
actuel, -le
débile
doublé, -e
marrant, -e
passionnant, -e
sous-titré, -e
violent, -e

Verbes
s'amuser
arrêter / s'arrêter (de)
avancer / s'avancer
se dépêcher
devoir
diriger / se diriger (vers)
s'ennuyer
se fâcher (avec qqn)
présenter
raconter
répéter *(to rehearse)*
se souvenir de
se tromper (de)
se trouver

Adverbes
actuellement
puis

Questions
ça parle de quoi?
comment as-tu trouvé …?
    (je l'ai trouvé + *adj.*)

Expressions
arrête (arrêtez) de + *inf.!*
ça y est!
c'est à (toi) de + *inf.*
en avant (arrière)
être + *adj.* + de + *inf.*
fais (faites) voir!
les années cinquante
    (quatre-vingt, etc.)
monter une pièce
pas terrible
passer un film
qu'est-ce que …! *(exclam.)*
tourner un film

CHAPITRE 7

PRÉLUDE CULTUREL | LA POSTE

It's 9 A.M. in Maureuil, a small town west of Paris, and the local post office has just opened its doors. The first customers arrive just as the mail carrier gets into his van with the day's mail *(le courrier)*. This is a small post office, so there are only two clerks. They're already busy with their different tasks for the P et T *(Postes et Télécommunications)*, the French national mail service.

The clerk sitting behind the first window sells stamps and *aérogrammes*, single-sheet air-letter forms that can be folded and mailed without being weighed. She also stamps the forms for registered letters, weighs packages, and sends telegrams, which are still a popular means of communication in France. She might sell you one of the special mailing cartons *(les emballages)* for the articles you're sending back home. And since the P et T also runs the national phone system, there are public phone booths in all French post offices.

Meanwhile, the other clerk is explaining to a local businessman the advantages of "Chronopost," a super-fast messenger service. It's a bit more expensive than regular mail and first-class mail *(le courrier urgent)*, but any letter or package is guaranteed to reach its destination in France within twenty-four hours, and within forty-eight hours anywhere else in the world. For really urgent messages,

electronic mail facilities are available in some post offices.

The next customer steps up to the window. He wants to withdraw money from his postal checking account *(les chèques postaux)* and deposit it into savings *(la caisse d'épargne)*. The P et T offers these services, too. The clerk hands over the proper forms.

You may have guessed that a French post office is not just a place where people drop off their mail. Here they can buy life insurance, invest their savings in government bonds, stocks, and retirement funds, or set up savings accounts.

It's noon now, and our post office is closing for a two-hour lunch break, like most businesses in town. So if you need a stamp, you'll try to find an open *bureau de tabac*, a store that sells candy, tobacco, and stamps. The letter carrier, though, hasn't come back yet. Not only does he deliver mail, but he also knows everyone on his route and makes it a point to stop and say a few words to all. That's probably why his customers are likely to buy the traditional *calendrier des Postes* from him. There is no set price for these calendars, and the most popular mail carriers can collect quite a bit of extra money from customers as a New Year's "bonus."

◆ COMMUNICATIVE
OBJECTIVES
To send something by
mail
To write a telegram
To ask what something
is worth

CONTEXTE
VISUEL

MOTS NOUVEAUX I

J'ai une lettre à mettre à la poste.

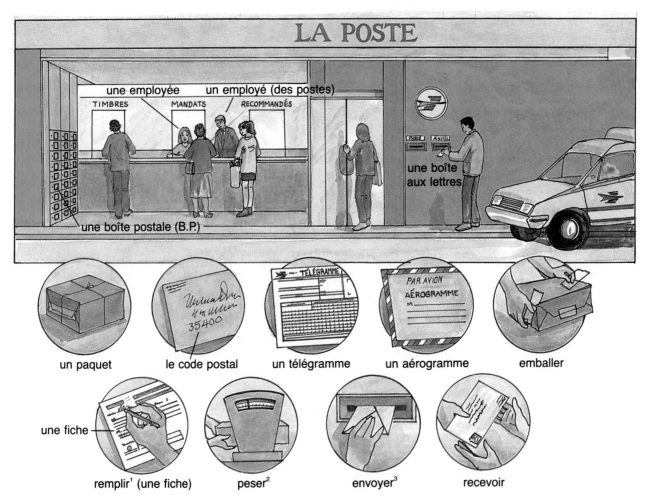

un paquet   le code postal   un télégramme   un aérogramme   emballer

une fiche — remplir¹ (une fiche)   peser²   envoyer³   recevoir

¹*Remplir* is a verb like *finir*. It means "to fill" or "to fill out." When you want to tell *what* you filled something with, use *remplir de*: J'ai **rempli** le paquet **de** vêtements.

²*Peser* is a stem-changing verb like *acheter*: Je pèse la lettre; tu pèses, il pèse, nous pesons, vous pesez, elles pèsent.

³*Envoyer* follows the pattern of *payer*: J'envoie ce paquet au Mexique; tu envoies, il envoie, nous envoyons, vous envoyez, elles envoient.

CONTEXTE
COMMUNICATIF

1 DIDIER   Je voudrais envoyer un télégramme au
Canada. Combien est-ce que ça coûte?

L'EMPLOYÉ   Vingt francs **tous les cinq mots.**

Variations:

■ au Canada → à Marseille
20 francs tous les cinq mots → 60 centimes le mot

tous (toutes) les + *number*
  + *noun every* + *number*
  + *noun*

2 Didier a envoyé ce télégramme à ses parents au Canada.
SUIS ARRIVÉ SANS PROBLÈME STOP COUSINE ANNIE
M'**ATTENDAIT** STOP ENVOIE LETTRE BIENTÔT STOP
BONS BAISERS STOP DIDIER

attendait *imperfect of* attendre
was waiting

3 MME BARRE   Voici un paquet pour les Etats-Unis. Ça fait
combien, s'il vous plaît?

L'EMPLOYÉE   C'est **selon le poids** du paquet, madame. Je
vais le peser.

■ un paquet → une lettre
du paquet → de la lettre
le peser → la peser

selon *according to*
le poids *weight*

4 L'EMPLOYÉ   Pour envoyer un aérogramme, il ne faut pas
faire la queue.

ANNIE   Je le mets dans la boîte aux lettres?

L'EMPLOYÉ   Oui, mademoiselle.

■ faire la queue → remplir de fiche

5 DENIS   Regarde, j'ai un nouveau timbre.

SOLANGE   Il est beau. **Il vaut combien?**

DENIS   Je ne sais pas. Mon grand-père m'a donné trois
vieux timbres pour mon anniversaire.

il (ça) vaut combien? *what's it
worth?*

Mots Nouveaux I   **237**

6	ROMAIN	J'ai un paquet **à envoyer** aux Etats-Unis.	**avoir qqch. à** + *inf. to have something to do*
	L'EMPLOYÉ	Vous voulez l'envoyer **par bateau** ou **par avion?**	**par bateau** *by sea*
			par avion *air mail*
	ROMAIN	Voyons ... il doit arriver avant Noël. Qu'en pensez-vous?	
	L'EMPLOYÉ	Par bateau, il y a assez de temps. Mais il faut bien l'emballer et **indiquer** le code postal.	**indiquer** *to indicate*

■ avant Noël → dans une semaine
par bateau, il y a assez de temps → par avion

7	Sophie et Nadine sont en vacances sans leurs parents.		
	NADINE	Tu écris encore à tes parents?	
	SOPHIE	Oui, j'ai promis de leur envoyer des nouvelles tous les jours et je ne veux pas les **décevoir.**	**décevoir** *to disappoint*

8	Chez les Nicolet.		
	MME NICOLET	Ah, voici **le courrier.**	**le courrier** *mail*
	NATHALIE	Il y a quelque chose pour moi?	
	MME NICOLET	Attends ... Non ... Mais ne **fais** pas **la tête!**	**faire la tête** *to make a face; to pout*
	NATHALIE	Oh, mais c'est mon anniversaire et je n'ai pas encore **reçu** une seule carte de vœux!	**reçu** *past participle of* recevoir

■ mon anniversaire → Noël

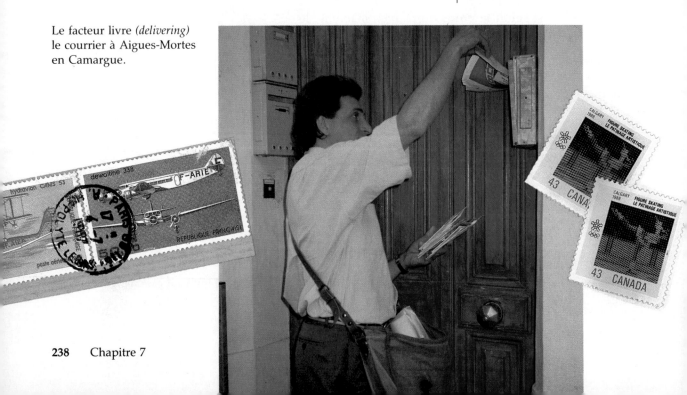

Le facteur livre (*delivering*)
le courrier à Aigues-Mortes
en Camargue.

EXERCICES

A A la poste. Qu'est-ce qu'on fait à la poste? Répondez aux questions d'après les images. Si possible, employez un pronom dans votre réponse.

Où est-ce qu'on fait la queue?
On la fait au guichet.

1. Où est-ce que Mme Fort trouve son courrier?

2. Où est-ce que Luc met ses lettres?

3. Qu'est-ce que Luc indique sur l'enveloppe?

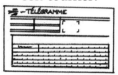 

4. Qu'est-ce que Didier envoie?

5. Que fait l'employée?

6. Que fait Mme Barre?

7. Qu'est-ce que Marc envoie?

8. Pourquoi est-ce qu'Anne fait la tête?

9. Et toi, qu'est-ce que tu fais à la poste?

B Au bureau de poste. Marc veut envoyer un paquet aux
Etats-Unis. Choisissez le meilleur mot pour chaque phrase.

> MARC Pardon, monsieur, est-ce que vous pouvez m'*(envoyer /
> indiquer)* le chemin pour aller au bureau de poste?
>
> LE MONSIEUR C'est le grand *(immeuble / imperméable)* là, en face.
>
> *(Au bureau de poste.)*
>
> 5 MARC Je veux *(envoyer / trouver)* un paquet aux Etats-Unis.
> Combien est-ce que ça coûte?
>
> L'EMPLOYÉ C'est selon le *(prix / poids)*. Il faut *(peser / pousser)* le
> paquet.
>
> MARC Est-ce que j'ai une fiche à *(recevoir / remplir)*?
>
> 10 L'EMPLOYÉ Oui. N'oubliez pas *(la carte postale / le code postal)*, et il
> faut bien *(emballer / enseigner)* le paquet!
>
> MARC Je dois aussi envoyer une lettre à mes parents. Je leur ai
> promis d'écrire et je ne veux pas les *(recevoir / décevoir)*.
> Et ma petite sœur va *(faire du vélo / faire la tête)* si je ne
> 15 lui envoie pas de carte!

C Que dites-vous?
1. Vous voyagez en France avec un groupe de camarades. Vous
   voulez envoyer des souvenirs chez vous aux Etats-Unis. Que
   dites-vous à l'employé des postes?
2. Votre grand-père adore les jolis timbres. Vous voulez en acheter
   cinq pour lui. Que dites-vous à l'employée des postes?
3. Vous vous promenez dans les rues de Paris. Un étranger vous
   demande où on peut trouver un téléphone. Que lui dites-vous?

D Parlons de toi.
1. Qui t'envoie du courrier? Est-ce que ses lettres sont intéressantes?
   De quoi est-ce qu'elles parlent?
2. Quand est-ce que tu dois envoyer un télégramme ou un
   aérogramme?
3. A qui est-ce que tu envoies des cadeaux? A quelle occasion?
   Quelles sortes de cadeaux est-ce que tu choisis d'habitude?

POÈME

Le Facteur

Le facteur n'a jamais de lettre
A me remettre.[1]

Il rit[2] quand je l'attends
Sous l'auvent.[3]

5   Je tremble chaque fois
Qu'il ouvre devant moi
Sa sacoche[4] à secrets.
«Cette facture-là,[5]
C'est pour votre papa,

10   Et la carte en couleur
Avec un cœur,[6]
C'est pour votre grande sœur.

Pour vous, il n'y a toujours rien,
Mademoiselle.»

15   Et il rit de plus belle[7]
En s'éloignant[8] sur le chemin.

Hélas! je le sais bien!
Il n'a jamais de lettre
A me remettre.

20   Et pourtant,[9] je l'attends
Chaque jour sous l'auvent.

"Le Facteur" from Poèmes pour petits enfants
*by Maurice Carême. Reprinted with the permission
of La Fondation Maurice Carême. All rights reserved.*

---

[1]**remettre** = donner   [2]**rire** *to laugh*   [3]**l'auvent** *(m.)*
canopy (of door entry)   [4]**sacoche** *sack*   [5]**la facture** *bill*
[6]**le cœur** *heart*   [7]**de plus belle** *even more*   [8]**en s'éloignant**
going away, disappearing   [9]**pourtant** *all the same*

Mots Nouveaux I   **241**

APPLICATIONS

Un cadeau bien français

ROBERT   J'ai envie d'envoyer un cadeau à mon correspondant américain.

MME DUFY   Bonne idée! Un beau livre sur la France!

JOCELYNE   Un livre! Mais non, voyons, choisis un cadeau bien français. Tiens,[1] un camembert.

5

ROBERT   *(sarcastique)* Ça ne va pas, non? Pourquoi pas une baguette aussi? Tu imagines la tête[2] de l'employé des postes?! «Bonjour, monsieur, je voudrais envoyer un fromage aux Etats-Unis.»

10 MME DUFY   Et la tête du correspondant quand il trouve un camembert bien fait[3] dans son paquet!

---

[1]**tiens**   (here) *look, how about …*   [2]**la tête**   (here) *expression, face*
[3]**bien fait**   (here) *ripe*

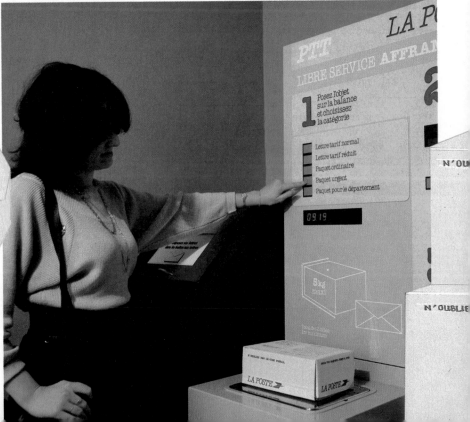

Une femme achète des timbres pour son paquet à une machine.

Questionnaire

1. Robert veut envoyer _____ à son correspondant.
   a. une carte postale   b. une lettre   c. un paquet
2. Son correspondant habite _____.
   a. aux Etats-Unis   b. en France   c. en Suisse
3. Jocelyne suggère *(suggests)* comme cadeau _____.
   a. un livre   b. du fromage   c. du parfum
4. Les jeunes gens imaginent que l'employé des postes va être _____.
   a. agréable   b. aimable   c. surpris
5. Robert trouve l'idée de Jocelyne _____.
   a. triste   b. mauvaise   c. formidable

Maintenant c'est à vous de poser des questions et d'y répondre.
1. Où … ?   2. Qu'est-ce que … ?   3. Qui … ?   4. Comment … ?

Situation

Imaginez que vous êtes le (la) correspondant(e) de Robert. Vous venez de recevoir le paquet qu'il a envoyé. Qu'est-ce qu'il y a dans le paquet? Décidez quel cadeau vous allez envoyer à Robert pour le remercier. Avec un(e) camarade, imaginez votre conversation avec votre mère (père).

MOTS NOUVEAUX II

Qu'est-ce qu'on était bien en vacances!

CONTEXTE
VISUEL

un paysage

un sac à dos
pl. des sacs à dos

la côte

une péninsule

une île

un téléski

une baie

une vallée

un lac

la forêt

une moufle

une salopette

une station de sports
d'hiver (de ski)

skier

un rocher

patiner

un bâton

une piste

une
patinoire

les patins à glace
(à roulettes)

CONTEXTE
COMMUNICATIF

1 Sara montre des photos de ses vacances d'hiver à Loïc.

SARA   Regarde, j'**étais** dans cette station de sports
         d'hiver-là.

LOÏC   C'était bien?

SARA   **Sensationnel!** Je **faisais du ski** tous les jours.

Variations:

■ sensationnel → **terrible**

étais *imperfect of* être *was*

sensationnel, -le *terrific,
sensational*

faisais du ski (faire) *went
skiing*

terrible *(slang) great,
tremendous*

2 LOÏC   Il **faisait** froid?

     SARA   Oui, mais je **portais** une salopette et quand je **skiais**, je **n'avais pas** froid.

- une salopette → un anorak
- skiais → **patinais**

3 SABINE   Tu t'es bien amusé en vacances?

     LIONEL   Non, j'ai été **déçu.** Il n'y avait pas assez de neige pour skier.

- assez de neige pour skier →
  assez de glace pour **faire du patin à glace**

4 SABINE   Tu n'as rien fait?

     LIONEL   Si, j'**ai profité de** mes vacances pour apprendre à **faire de l'alpinisme.**

- faire de l'alpinisme → **faire du patin à roulettes**
- si → non ... apprendre ... alpinisme → **me reposer**

5 FRANCINE   C'est une copine, cette fille sur la photo?

     MICHEL   Oui, je l'**ai rencontrée** près des téléskis le premier jour.

     FRANCINE   Vous **faisiez du ski** ensemble?

     MICHEL   Oui, on **s'amusait** bien **tous les deux.**

- près des téléskis → à la patinoire
  vous faisiez du ski → vous patiniez

6 FRANCINE   Elle skiait bien?

     MICHEL   Oui, mieux que moi. Mais un jour pendant qu'elle **descendait** une piste assez **dangereuse,** ses skis **ont glissé** sur de la glace et elle est tombée.

---

faisait (faire) (here) *was*

portais (porter) *was wearing*

skiais (skier) *was skiing*

n'avais pas ... (avoir) (here) *wasn't ...*

patinais (patiner) *was skating*

déçu, -e *disappointed*

faire du patin (à glace) *to (ice-)skate*

profiter de *to take advantage of*

faire de l'alpinisme (m.) *to go mountain climbing*

faire du patin à roulettes *to roller-skate*

se reposer *to rest, to relax*

rencontrer *to meet, to run into*

faisiez du ski (faire) *were skiing*

s'amusait (s'amuser) *were having a good time*

tous (toutes) les deux *both (of us)*

descendait (descendre) *was coming down*

dangereux, -euse *dangerous*

glisser *to slip*

7	PAUL	Qu'est-ce que tu **préférais** quand tu **étais** jeune, papa: faire du ski ou du patin?
	M. ROGET	Oh, faire du ski. A ton âge, je n'**hésitais** pas **à** aller vite.
	PAUL	Tu n'es jamais tombé?
	M. ROGET	Si! Un jour j'ai voulu **sauter** pour **éviter** des rochers et j'ai glissé.

■ éviter des rochers → éviter de tomber sur les rochers

préférais (préférer) *did you prefer*
étais (être) *were*
hésitais (hésiter) **(à)** *hesitated to*

sauter *to jump*
éviter (de) *to avoid*

8 Christine écrit à sa correspondante américaine. Elle lui raconte ses vacances d'hiver sur une carte postale.

le 11 février

Chère Betty,

Je suis en vacances dans une station de ski. Mes parents **ont loué** une maison ici. Je profite de mon **séjour** pour bien me reposer.

Hier, j'ai fait du ski avec des copains. C'était sensationnel. On est partis[1] avec nos sacs à dos. Je m'amusais à **glisser** sur la neige. On a déjeuné dans la forêt. On a fait **un** grand **feu** pour **se réchauffer**. J'**espère**[2] que tu t'amuses bien, toi aussi.

Bons baisers,

Christine

■ bon baisers → **amicalement**

cher, chère (here) *dear*

louer *to rent*
le séjour *stay, time spent*

glisser (here) *to glide*
le feu *fire*
se réchauffer *to get warmed up*
espérer *to hope*
bons baisers (letters) *"love and kisses"*
amicalement *best wishes, yours truly*

---

[1]When more than one person is specifically referred to, the past participle following *on* can be plural: *Mes sœurs et moi, nous nous sommes amusées. On est sorties plusieurs fois par semaine.*
[2]*Espérer* is a stem-changing verb like *répéter: J'espère que Luc va mieux; tu espères, il espère, nous espérons, vous espérez, elles espèrent.*

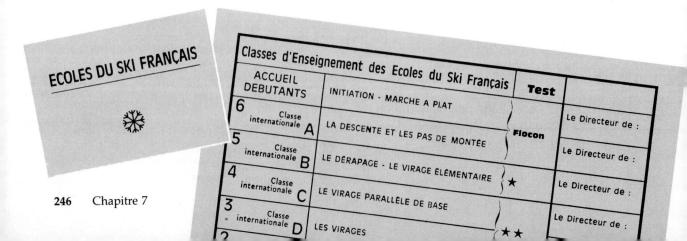

ECOLES DU SKI FRANÇAIS

❄

Classes d'Enseignement des Ecoles du Ski Français

ACCUEIL DEBUTANTS			Test	
6 Classe internationale A	INITIATION - MARCHE A PLAT	} Flocon		Le Directeur de :
5 Classe internationale B	LA DESCENTE ET LES PAS DE MONTÉE			Le Directeur de :
4 Classe internationale C	LE DÉRAPAGE - LE VIRAGE ÉLÉMENTAIRE	} ★		Le Directeur de :
3 Classe internationale D	LE VIRAGE PARALLÈLE DE BASE			Le Directeur de :
2	LES VIRAGES	} ★★		

A Des vacances sensationnelles.   Pendant les vacances on peut faire beaucoup de choses. Qu'est-ce qu'ils font? Répondez d'après les images.

nous
Nous skions.

1. vous

2. Marie-Hélène

3. Patrick

4. ils

5. moi, je

6. toi, tu

B Le mot juste.

Trouvez un mot associé.

1. Faisons du *patin* à glace à la _____.
2. Dans les *Alpes,* on fait de _____.

Trouvez un synonyme ou une expression synonyme.

3. J'ai profité du week-end pour *faire du ski* à la montagne.
4. *Il ne faut pas* manger les pommes trop vertes.
5. Il y a assez de neige pour skier. Les pistes sont *terribles!*

Trouvez un antonyme.

6. Enfin! C'est l'heure de *travailler!*
7. Quand je fais du ski, je *me dépêche de* prendre le téléski.
8. Avance-toi doucement, fais attention. Je ne sais pas si la piste est *bonne.*

C **Vive les vacances!** Dites où vous aimez aller et les choses que vous aimez faire en vacances. Choisissez des endroits et des activités sur ces deux listes ou vous pouvez en choisir d'autres. Conversez selon le modèle.

> ÉLÈVE 1 *Je veux aller près d'un lac parce que j'aime nager.*
> ÉLÈVE 2 *Moi, je préfère aller à la campagne parce que j'aime marcher.*

1. à la campagne   faire de l'alpinisme
2. à la montagne   faire de la voile
3. dans une forêt   faire du camping
4. dans une île   faire du vélo
5. dans une vallée   marcher
6. près d'un lac   nager
7. sur la côte   prendre un peu de soleil, skier, *etc.*

D **Pourquoi pas?** Maintenant, dites où vous n'aimez pas aller et les choses que vous n'aimez pas faire. Utilisez les endroits et les activités de l'Exercice C. Conversez selon le modèle.

> ÉLÈVE 1 *Je ne veux pas aller à la campagne parce que je n'aime pas marcher.*
> ÉLÈVE 2 *Moi non plus.*
> OU: *Moi si.*

E **Une carte postale, c'est mieux que rien.** En vacances, vous n'avez pas beaucoup de temps. Alors vous écrivez des cartes postales. Choisissez un mot ou une expression pour compléter les phrases.

(Cher / Chère) ————————————

Je passe des vacances formidables! Le matin, je prends (*des pistes / le rocher / mon sac à dos*) et je fais (*de l'alpinisme / du téléski / du bâton*) toute la journée. Ici, il y a (*un lac / une vallée / une moufle*)
5 sensationnel! Je profite (*de mon séjour / de la péninsule / de la côte*). J'espère que tu (*t'amuses / loues / hésites*) bien aussi.

(*Amicalement, / Par avion, / Volontiers,*)

————————————

Maintenant imaginez que vous êtes en vacances dans un endroit parfait. Ecrivez une carte postale à un(e) ami(e) pour décrire cet endroit.

F Parlons de toi.

1. Est-ce que tu préfères les sports d'hiver ou les sports d'été? Pourquoi? Quels sports est-ce que tu fais?
2. Est-ce que tu skies de temps en temps? Si oui, tu vas dans quelle station de sports d'hiver? Si tu ne skies pas, est-ce que tu connais des gens qui font du ski? Qui? Où est-ce qu'ils vont?
3. Qu'est-ce que tu portes pour faire ton sport préféré? Pourquoi?
4. Où est-ce que tu espères aller en vacances un jour? Pourquoi?
5. Quel est ton paysage préféré? Pourquoi?

ÉTUDE DE MOTS

Sometimes you can find a clue in the spelling of a French word that will help you guess what it means in English. The circumflex accent in many French words corresponds to the letter *s* in equivalent English words. Can you give the English words related to these French words that you've learned?

la bête	la côte	coûter	la forêt
l'île	l'hôpital	le rôti	

Now can you guess what these French words mean?

l'ancêtre	la conquête	l'intérêt	le plâtre
le baptême	l'hôte	le maître	

Il y a toujours une foule si on patine bien.

EXPLICATIONS I

L'imparfait

♦ COMMUNICATIVE
OBJECTIVES

To describe what was
happening over a period
of time

To describe how people
felt

To describe how things
used to be

To talk about past events, you need to use both the passé composé and a new tense, the *imparfait* or imperfect. The imperfect is used to describe the way things were during some period in the past.

1   For all verbs except *être*, the imperfect is formed by dropping the *-ons* of the *nous* form in the present tense, and then adding the imperfect endings *-ais, -ais, -ait, -ions, -iez,* and *-aient*. As a model, here are the imperfect forms of the verb *patiner*.

INFINITIF   **patiner**

	SINGULIER		PLURIEL	
1	je	patin**ais**	nous	patin**ions**
2	tu	patin**ais**	vous	patin**iez**
3	il elle on	patin**ait**	ils elles	patin**aient**

2   Verbs that end in *-cer* and *-ger* show one small spelling difference in the imperfect. In the *nous* and *vous* forms, verbs like *commencer* do not have a cedilla, and verbs like *diriger* do not have the extra *e: tu commençais,* but *nous commencions; je me dirigeais,* but *vous vous dirigiez.*

3   You know four verbs that we use only in the *il* form. Here is what they look like in the imperfect.

il pleut → il **pleuvait**   il neige → il **neigeait**
il gèle → il **gelait**   il faut → il **fallait**

4 *Etre* has an irregular stem, *ét-*, but its endings are all regular.

INFINITIF **être**

	SINGULIER		PLURIEL	
1	j'	**étais**	nous	**étions**
2	tu	**étais**	vous	**étiez**
3	il elle } **était** on		ils elles } **étaient**	

5 Use the imperfect to describe people, things, and conditions, and also to say how people felt.

PEOPLE: C'**était** une fille blonde. Elle **avait** les yeux verts. Elle n'**était** pas contente parce qu'elle **avait** très froid, mais elle n'**avait** pas du tout peur.

THINGS: Ses skis **étaient** neufs. Sa salopette lui **allait** bien.

CONDITIONS: Il y **avait** une piste devant elle.
Le ciel **était** bleu, il y **avait** du soleil ...
C'**était** chouette!

On s'amuse dans la neige aux Deux-Alpes.

6 The imperfect is used to describe actions or conditions that continued across a period of time, without telling when they began or ended. This is often the equivalent of "was (were)" + verb + "-ing" in English.

Elles **faisaient du ski.**   *They were skiing.*
Il **neigeait** ce soir-là.   *It was snowing that evening.*

7 Use the imperfect to talk about actions that used to take place regularly.

Nous **allions** aux stations de   *We used to (would) go to*
sports d'hiver tous les ans.   *winter resorts every year.*
Le dimanche il **restait** chez   *Sundays he used to stay home.*
lui.

EXERCICES

A Les vacances. Vous êtes parti(e) en vacances avec votre famille l'année dernière. Racontez ce que tout le monde faisait chaque jour. Suivez le modèle.

> ma sœur / faire du ski
> *Ma sœur faisait du ski.*

1. mon petit frère / patiner
2. mon père / faire de l'alpinisme
3. je / skier
4. tu / jouer dans la neige
5. ma mère et moi / regarder le paysage
6. mes cousins / glisser sur la piste
7. mon oncle et ma tante / se reposer

B Avant et maintenant. Comment étiez-vous quand vous étiez petit(e)? Décrivez vos habitudes de maintenant et vos habitudes d'avant. Suivez le modèle.

> mon frère et moi / jouer
> *Avant, mon frère et moi, nous jouions au baseball.*
> *Maintenant, nous jouons au tennis.*

1. moi, je / aller
2. mon ami(e) / manger
3. ma famille et moi / habiter
4. ma mère / travailler
5. mon père / faire
6. mon voisin / prendre
7. mes amis / voyager
8. mes cousins et moi / regarder

C Interview. Interviewez un(e) autre élève sur sa vie *(life)* à l'âge de dix ans. Demandez-lui:

1. où il (elle) habitait
2. comment il (elle) était à cet âge-là
3. à quels sports il (elle) jouait
4. s'il (si elle) avait un chien ou un chat et si oui, comment il était
5. qui étaient ses meilleur(e)s ami(e)s
6. ce qu'il (elle) faisait avec sa famille pendant les vacances
7. ce qu'il (elle) aimait (ou n'aimait pas) manger
8. ce qu'il (elle) faisait à la maison pour aider ses parents
9. ce qu'il (elle) voulait devenir

Ensuite, changez de rôle

D Le vol *(robbery).* Avec un(e) camarade, jouez les rôles d'un agent de police et d'un(e) voisin(e) qui a vu un vol *(theft)*. Utilisez le dessin pour poser des questions et pour y répondre. Suivez le modèle.

où / être / l'homme
ÉLÈVE 1 *Où était l'homme?*
ÉLÈVE 2 *Il sortait de la maison.*

1. comment / être / l'homme
2. de quelle couleur / être / ses cheveux
3. que / porter / il / à la main
4. quels vêtements / porter / l'homme
5. que / faire / il
6. quel temps / faire
7. quelle heure / être
8. que / faire / vous

E Parlons de toi.

1. Est-ce que tu as passé des bonnes vacances l'été dernier? Qu'est-ce que tu faisais quand il pleuvait?
2. L'hiver dernier, est-ce que tu as fait du sport? Quels sports est-ce que tu faisais régulièrement?
3. Quand tu étais plus jeune, qu'est-ce que tu aimais faire le samedi? Le samedi matin, qu'est-ce que tu regardais à la télé? L'après-midi, où est-ce que tu allais? Est-ce que tu faisais quelquefois des courses? Quoi encore?
4. Comment étais-tu il y a cinq ans? Décris-toi en quelques phrases. Est-ce que tu étais grand(e), petit(e), aimable, sportif (-ive), sérieux (-ieuse), travailleur (-euse)?

APPLICATIONS

A la poste

Vous venez d'arriver à la poste. Il y a des employés à trois des guichets. Comment sont les employés? A quel guichet est-ce qu'il faut aller pour acheter des timbres? Pour envoyer un télégramme? Pour acheter un aérogramme?

PAYEZ-LE PAR CHÈQUE POSTAL!

LA POSTE

LE CODE POSTAL MOT DE PASSE DE VOTRE COURRIER

TÉLÉPHONE

Poste Restante
Recommandés
Télégrammes

Timbres
Poste Aérienne

Paquets
Timbres de collection

Vous avez trois choses à envoyer aujourd'hui: un paquet pour vos parents aux Etats-Unis, une lettre à votre grand-mère et un télégramme à votre meilleur ami qui arrive la semaine prochaine. Choisissez une de ces choses. Avec un(e) camarade, imaginez votre conversation avec l'employé(e) au guichet. N'oubliez pas qu'il faut aller au bon guichet!

EXPLICATIONS II

Les verbes comme *recevoir*

The forms of *recevoir* ("to receive") are much like those of *devoir*.

◆ COMMUNICATIVE
  OBJECTIVES
To discuss giving and
receiving gifts
To express
disappointment

INFINITIF   **recevoir**

PRÉSENT		SINGULIER	PLURIEL
	1	je **reçois**	nous **recevons**
	2	tu **reçois**	vous **recevez**
	3	il elle } **reçoit** on	ils elles } **reçoivent**

IMPÉRATIF   **reçois! recevons! recevez!**
PASSÉ COMPOSÉ   j'**ai reçu**
IMPARFAIT   je **recevais**

1 When you write, remember the cedilla in the singular and third-person plural forms. The past participle, *reçu*, also has a cedilla.

2 *Décevoir* ("to disappoint") follows the pattern of *recevoir: Les élèves de M. Brel ne le déçoivent jamais.*

TÉLÉGRAMME
des Services Financiers Postaux

N° 1403

| RI | RE | RIT |

Ligne de numérotation

ZCZC

N° télégraphique

Ligne pilote

Bureau d'origine   Mots   Date   Heure

Étiquettes

Taxe principale
Taxes
accessoires {
Total

Signature de l'Agent

Timbre à date

Vu   Le Receveur.

Numéro
d'appel

INDICATIONS DE TRANSMISSION

N° de la ligne du PV
COLLATIONNEMENT
REÇU A _____ LIGNE

Département ou Pays

Mentions de Service

Indications de service télégraphique

POSTFIN

Indications de service postales

Bureau de destination

A REMPLIR PAR L'EXPÉDITEUR
EXPÉDITEUR

NOM (1) :

Adresse :

DESTINATAIRE (2)

MANDAT

| Numéro postal | Bureau d'émission | Poste comptable | Pays d'origine (3) | Nom de l'expéditeur |

Somme en chiffres   Somme en lettres, monnaie divisionnaire en chiffres

EXERCICES

A Les cadeaux de Noël. On offre toujours la même chose. Avec un(e) camarade parlez du cadeau que chacun reçoit. Conversez selon le modèle.

ton père
ÉLÈVE 1 *D'habitude, qu'est-ce que ton père reçoit pour Noël?*
ÉLÈVE 2 *Eh bien, lui, il reçoit toujours un agenda.*

1. tes amis   2. Rémi et toi, vous   3. Robert

4. maman et Cécile   5. Sandrine   6. Louis et toi, vous

7. ton grand-père   8. Valérie   9. toi, tu

B Le lendemain de *(The day after)* Noël. Hier, c'était Noël, et tout le monde a reçu son cadeau habituel. Conversez selon le modèle, en employant les articles de l'Exercice A.

ton père
ÉLÈVE 1 *Et ton père, qu'est-ce qu'il a reçu comme cadeau?*
ÉLÈVE 2 *Il a reçu un agenda, comme toujours.*

C Je suis déçu(e)! La vie *(life)* est belle, mais on est quelquefois déçu. Dites si ces personnes ou ces choses vous déçoivent de temps en temps. Si la réponse est *oui,* dites quand ou pourquoi.

> mon chien
> *Mon chien me déçoit quelquefois quand il n'obéit pas.*
> OU: *Mon chien ne me déçoit jamais.*

1. mon (ma) meilleur(e) ami(e)
2. les boums
3. mes notes
4. mes profs
5. le temps
6. mes cours
7. mon frère / ma sœur
8. mes parents

Le passé composé et l'imparfait

You now know two ways to talk about the past: the passé composé and the imperfect. These two tenses are used to give different kinds of information.

1 Look at these pairs of sentences.

> J'ai vu Jean il y a cinq minutes.   Il **t'attendait** au gymnase.
>
> J'ai vu Jean il y a cinq minutes.   Il **t'a attendu** au gymnase.

If you hear the first pair of sentences, you know that Jean may still be waiting for you, because the imperfect does not tell you whether an action was completed. It simply says that something was happening during a period in the past.

If you hear the second pair of sentences, you know that Jean is *not* waiting for you, because the passé composé tells you that the action is already completed.

◆ COMMUNICATIVE OBJECTIVES

To describe what was happening over a period of time

To tell what was happening when something else occurred

To describe cause and effect

OFFICE DU TOURISME DES 3 CANTONS
HAUT - JURA St CLAUDE-MOIRANS-LES BOUCHOUX

2 When you tell a story, use the passé composé to give the events that occurred. Use the imperfect to provide background information about the setting. The result is a complete story.

EVENTS	DESCRIPTION
Nous **sommes allés** faire du ski. Nous **avons quitté** Strasbourg assez tard. Nous **avons dû** passer la nuit à Lyon. Nous **sommes arrivés** à la montagne seulement samedi.	Il y **avait** beaucoup de voitures sur la route. Il **neigeait.** La route **était** mauvaise. Il **était** minuit. On **avait** sommeil.

STORY

Le week-end dernier nous sommes allés faire du ski. Nous avons quitté Strasbourg assez tard. Il y avait beaucoup de voitures sur la route. Il neigeait et la route était mauvaise. Il était minuit et on avait sommeil. Nous avons dû passer la nuit à Lyon. C'est pourquoi nous sommes arrivés à la montagne seulement samedi.

3 To say that one event occurred while something else was going on, use the passé composé and the imperfect in the same sentence.

Je **dormais** quand tu **as téléphoné.**	*I **was sleeping** when you called.*
Quand je **suis arrivé,** tu **patinais.**	*When I **arrived,** you **were skating.***

4 When the following verbs are used in the past, they are usually in the imperfect.

aimer	connaître	espérer	penser	savoir
avoir	croire	être	pouvoir	vouloir

EXERCICES

A Les habitudes. Maintenant qu'elle est en vacances, Corinne a changé ses habitudes. Parlez des différences. Suivez le modèle.

> D'habitude, Corinne se levait à 6h30. (7h)
> *Hier elle s'est levée à 7h.*

1. D'habitude, elle se peignait les cheveux lentement. (très vite)
2. D'habitude, elle prenait un bain. (une douche)
3. D'habitude, elle buvait du chocolat chaud au petit déjeuner. (du café au lait)
4. D'habitude, elle s'habillait en robe. (en jean)
5. D'habitude, elle allait à la bibliothèque à pied. (en voiture)
6. D'habitude, elle sortait de la maison à 8h. (8h25)
7. D'habitude, elle passait par le parc. (l'avenue)
8. D'habitude, elle déjeunait à la maison. (au restaurant)

B Chut! C'est le prof! Hier, le prof est arrivé en retard. Qu'est-ce qu'on faisait quand il est entré dans la salle de classe? Vous et votre camarade avez des souvenirs très différents. Conversez selon le modèle.

> tout le monde / être debout / être assis
> ÉLÈVE 1 *Quand il est entré, tout le monde était debout.*
> ÉLÈVE 2 *Non, ce n'était pas comme ça. Tout le monde était assis.*

1. Diane / se maquiller / regarder ses notes
2. tu / écrire un petit mot / réviser la leçon
3. Patrick / avoir les pieds sur le bureau / faire ses devoirs
4. Louis / essayer de dormir / lire son livre d'histoire
5. vous / manger des fruits / ranger les papiers
6. Valérie / parler avec Chantal / apprendre un poème
7. plusieurs élèves / jeter un ballon / faire attention
8. toi et Marc / écouter un baladeur / étudier en silence

Beaucoup de gens font la queue aux Deux-Alpes.

C **Une journée sportive.**   Didier vient de passer une journée difficile. Aidez-le à raconter son histoire. Suivez le modèle.

faire beau / prendre le téléski
Il faisait beau quand j'ai pris le téléski.

1. je / me réchauffer les mains / il / commencer à neiger

2. je / descendre vite / voir un rocher

3. j' / essayer de l'éviter / glisser sur la piste

4. mon frère / être là / je / me lever

5. nous / être fatigué / arriver dans la vallée

6. je / me reposer / mes amis / rentrer

D **L'anniversaire de maman.**   Hier soir, votre famille est sortie pour fêter *(celebrate)* l'anniversaire de votre mère. Racontez l'histoire en employant le passé composé et l'imparfait.

Comme c'*est* l'anniversaire de maman, nous *dînons* dans un restaurant près d'un lac. Nous *voulons* une table près de la fenêtre, mais il n'y en a pas de prête. Donc, nous *attendons* pendant que le garçon *met* un nouveau couvert. Le garçon nous *apporte* la carte et
5   nous *essayons* de choisir. Tout le monde *a* faim, mais qu'est-ce qu'on *va* prendre? Le garçon *dit* que le coq au vin et la bouillabaisse *sont* excellents. Papa et moi, nous *prenons* la bouillabaisse. Maman *dit* qu'elle *veut* le coq au vin. Après le repas, papa *sort* son portefeuille et *met* de l'argent sur la table. Il ne *laisse* pas de pourboire, parce que
10   le service *est* compris.

E A la station de sports d'hiver.   Vous avez passé la journée à faire des sports d'hiver avec vos camarades. Qu'est-ce que vous avez fait dans ces différentes situations? Répondez comme vous voulez.

> Puisque j'avais faim, je ...
> *Puisque j'avais faim, j'ai mangé un sandwich.*
> Patrick devait envoyer une lettre, alors il ...
> *Patrick devait envoyer une lettre, alors il s'est arrêté à la poste.*

1. Puisqu'il faisait chaud, tu ...
2. Puisque Nadine avait froid, elle ...
3. Il gelait, alors nous ...
4. Puisque Bertrand était fatigué, il ...
5. Je devais aller skier avec mes amis, alors je ...
6. Puisque Laure était malade, elle ...
7. Puisqu'il était déjà tard, nous ...
8. Puisque le téléski ne marchait pas, nous ...

F Parlons de toi.

1. Un copain est venu chez toi à 7h hier soir. Qu'est-ce que tout le monde faisait chez toi quand il est arrivé?
2. Qu'est-ce que tu faisais d'habitude le samedi l'année dernière? Qu'est-ce que tu as fait samedi dernier?
3. Qu'est-ce que tu prenais au petit déjeuner quand tu étais plus jeune? Et hier, qu'est-ce que tu as pris?
4. Pense à un moment où tu as eu très froid. Où étais-tu? Qu'est-ce que tu as fait pour te réchauffer?

ACTIVITÉ

Une lettre en chaîne.   Divisez la classe en trois groupes. Chaque groupe va écrire une lettre adressée à quelqu'un que vous connaissez. Par exemple:

> *Cher Monsieur le proviseur,*
> *Hier j'ai vu Marc devant le lycée.*

Un membre du groupe va être le «facteur». Il donne la lettre à un membre du groupe qui ajoute *(adds)* une phrase pour continuer l'histoire. Puis le «facteur» prend la feuille et la donne à quelqu'un d'autre. Continuez l'histoire en la passant à tous les membres du groupe. Les phrases peuvent être un peu bizarres, si vous voulez. Quand tout le monde a fini, les trois «facteurs» peuvent lire les lettres à la classe.

RÉVISION

Formez des phrases en français d'après les modèles.

1. *Hier Mme Roget a reçu un aérogramme de France.*
   (Saturday morning I filled out a form at the post office.)
   (This morning the tourists wrapped their souvenirs at the hotel.)

2. *Le dimanche nous nous reposions ou nous allions au ciné.*
   (Every afternoon, it rained or it snowed.)
   (In the evening, you [fam.] would read a novel or you would write letters.)

3. *La piste était dangereuse, mais ils aimaient la neige.*
   (We knew how to ski, but we didn't have our poles.)
   (I was cold, but I was warming up.)

4. *Un jour je me lavais quand ma mère m'a appelée.*
   (we were swimming when it began to rain.)
   (they [f.] were drinking milk when Mrs. Barre came in.)

5. *Il est parti. Il ne pouvait plus rester.*
   (They [f.] came back. They couldn't skate anymore.)
   (You got up. You couldn't sleep anymore.)

6. *La vedette avait toujours un rhume. Malheureusement, c'était l'heure de tourner la séquence.*
   (He was cold. Fortunately, it was his last afternoon on the slopes.)
   (I had a headache. Fortunately, it was the end of the documentary.)

Tout le monde fait du patin à glace sur le lac Beauport au Québec.

Plan de la station **alpe d'huez**

Dauphiné-France. L'Oisans aux 6 Vallées.

Trouvez les expressions françaises qui correspondent à l'anglais et rédigez un paragraphe.

1. Last year the Montands spent their vacation at a winter resort.

2. Every day they skied or ice-skated.

3. It was cold, but Solange and Denis were wearing mittens.

4. One day Solange was coming down a dangerous slope when she slipped.

5. She fell! She wasn't able to ski anymore.

6. She had a sore foot. Fortunately it was the last day of their vacation.

RÉDACTION

Maintenant choisissez un de ces sujets.

1. Imaginez que vous êtes Denis, le frère de Solange. Ecrivez une carte postale à votre copain Guy. Racontez les événements *(events)* de vos vacances.

2. Madame Montand est revenue chez elle. Elle se souvient du paysage à la station. Qu'est-ce qu'elle voyait de la fenêtre de sa chambre d'hôtel? Imaginez sa réponse en cinq phrases.

3. Ecrivez une bulle *(talk balloon)* pour chaque personne représentée dans l'image numéro 6.

CONTRÔLE DE RÉVISION   CHAPITRE 7

A   Devant les boîtes postales.
Dites ce que ces gens trouvent dans leurs boîtes postales aujourd'hui. Formez des phrases en employant le verbe *recevoir*.

1. les Roland   2. moi, je   3. vous

4. nous   5. tu   6. Marie-Hélène

B   Un séjour à la montagne.
Complétez la carte que Betty a écrite à Christine.

forêt	bons baisers	rocher	sauté
lac	alpinisme	téléski	chère
selon	paysage	rencontré	

___1___ Christine,
   Voici mon hôtel et le ___2___ où je suis allée hier pour nager. Ce matin j'ai fait du cheval dans la ___3___ avec Denis. J'ai ___4___ ce garçon à l'hôtel. Un lapin a ___5___ juste devant mon cheval. Il a tourné très vite et je suis tombée. Je suis vite remontée sans problème.
   Denis et moi, nous avons fait de l' ___6___ cet après-midi. Nous nous sommes reposés sur un ___7___. ___8___ lui, si on monte dans la montagne par le ___9___, on peut voir tout le ___10___. Et nous pensons le faire demain, s'il n'y a pas trop de vent. J'adore cette station.
                    ___11___,
                    Betty

C   La lettre de Betty.
Betty raconte la même histoire à Annie. Mettez les verbes à l'imparfait.

1. Il fait beau, mais l'eau est assez froide.
2. Il y a beaucoup de touristes à l'hôtel.
3. Denis a les cheveux frisés; il est drôle.
4. Le cheval s'appelle César. Il est magnifique.
5. Il faut parler doucement à César; il a peur.
6. Le chemin devient difficile.
7. Nous pouvons voir toute la vallée.

D   En voyage.
Formez des phrases selon le modèle.

   Luc / faire la tête / quand / sa mère / le regarder
   Luc faisait la tête quand sa mère l'a regardé.

1. papa / aller chercher les billets / quand / l'employé / annoncer le départ
2. je / sortir l'horaire / quand / maman / le demander
3. tu / descendre du train / quand / le bus / arriver
4. nous / être dans la voiture-restaurant / quand / maman / venir nous chercher
5. vous / prendre un café / quand / les tasses / tomber

E   En même temps. *(At the same time.)*
Formez des phrases selon le modèle.

   les élèves / commencer leurs rédactions / le prof / corriger leurs devoirs
   Les élèves commençaient leurs rédactions pendant que le prof corrigeait leurs devoirs.

1. elle / espérer rencontrer Denis / lui, il / essayer de / l'éviter
2. nous / écrire une lettre / ils / faire leurs devoirs
3. je / pouvoir me reposer / vous / skier

VOCABULAIRE DU CHAPITRE 7

Noms

l'aérogramme (m.)
la baie
le bâton
la boîte aux lettres
la boîte postale (B.P.)
le code postal
la côte
le courrier
l'employé, l'employée des
    postes
le feu
la fiche
la forêt
l'île (f.)
le lac
la moufle
la patinoire
les patins à glace (à roulettes)
    (faire du patin [à …])
le paysage
la péninsule
la piste
le poids
le rocher
le sac à dos, pl. les sacs à dos
la salopette
le séjour
la station de sports d'hiver
    (de ski)
le télégramme
le téléski
la vallée

Adjectifs

cher, chère (dear)
dangereux, -euse
déçu, -e
sensationnel, -le
terrible (great)

Verbes

décevoir
emballer
envoyer
espérer
éviter (de)
glisser (to glide; to slip)
hésiter (à)
indiquer
louer
patiner
peser
profiter de
recevoir
se réchauffer
remplir (de)
rencontrer
se reposer
sauter
skier

Préposition

selon

Question

il (ça) vaut combien?

Expressions

amicalement (letters)
avoir qqch. à + inf.
bons baisers! (letters)
faire de l'alpinisme (m.)
faire la tête
par avion (bateau)
tous (toutes) les
    + number + noun
tous (toutes) les deux

FÊTES

De Noël à la Chandeleur

Décembre: les vitrines sont décorées, les rues des villes sont illuminées. C'est le commencement de la saison des fêtes.[1] Mais en France, ça ne s'arrête pas après le Nouvel An! De Noël, jusqu'à la Chandeleur en février, on s'amuse! Nous vous invitons à célébrer ces fêtes avec les Leroux, une
5 famille française.

NOËL

N oël est une grande fête qui se prépare longtemps à l'avance. D'abord, tous les ans, Madame Leroux sort la crèche et les santons.* Puis, Monsieur Leroux emmène ses enfants, Fabrice et Nathalie, au supermarché choisir *un sapin*. La fête commence alors vraiment: les enfants
10 placent les guirlandes[2] multicolores sur le sapin. Monsieur Leroux allume *les guirlandes électriques* qui clignotent.[3] Fabrice, qui est le plus jeune enfant, a la joie[4] de placer la grande étoile dorée[5] au *sommet* de l'arbre de Noël. Enfin, quelques jours avant Noël, il faut choisir les cadeaux à offrir.

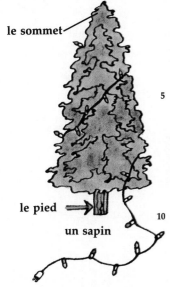

le sommet

le pied

un sapin

une guirlande électrique

Une crèche is a manger scene. In France, the custom of *la crèche* started in twelfth-century Provence. The manger scene was originally placed inside or in front of the church. *Les santons*, which are small terra-cotta figures, are still made in Provence. They are grouped around the manger to represent the townspeople in the story of the Nativity: fishermen, millers, knifegrinders, priests, sailors, butchers, etc. They are most often dressed in clothing typical of past eras in Provence.

[1]**la fête (fêter)** *holiday, celebration (to celebrate)*   [2]**la guirlande** *garland*   [3]**clignoter** *to blink*   [4]**la joie** *joy*   [5]**doré, -e** *gilded, golden*

Les arbres du Champ-de-Mars décorés pour les fêtes de fin d'année

Les «petits anges» espèrent trouver beaucoup de cadeaux dans leurs chaussures.

la veille
de Noël

Aujourd'hui, c'est le 24 décembre et chez les Leroux, on est très énervés.[6]
15 Il n'y a plus que quelques heures avant le réveillon.* Madame Leroux
surveille[7] la dinde aux marrons,[8] qui est déjà au four.[9] Monsieur Leroux
prépare les fruits de mer que les Leroux vont manger ce soir avec leur
famille. Il a déjà ouvert trois douzaines d'huîtres et ce n'est pas fini. Il
déclare, comme chaque année, qu'on ne mangera[10] plus d'huîtres à Noël,
20 c'est trop long à préparer. Madame Leroux lui répond avec un sourire que
la veille de Noël on ne doit pas rouspéter.[11]

*le réveillon: Most French families enjoy this holiday meal together twice: after midnight
mass on Christmas Eve and again on New Year's Eve. The expression that means to take
part in this celebration is *faire le réveillon* or *réveillonner.*

[6]**énervé, -e** *on edge* [7]**surveiller** *to watch over* [8]**la dinde aux marrons** *turkey
stuffed with chestnut dressing* [9]**le four** *oven* [10]**on mangera** *will eat (future tense)*
[11]**rouspéter** *to grumble*

La vitrine du pâtissier
avant Noël

Mais tout à coup, elle aussi se fâche. Elle a oublié d'aller chercher la bûche*
chez le pâtissier. Ouf![12] Il n'est que sept heures, les magasins sont encore
ouverts et Nathalie part vite chercher la bûche. Fabrice, lui aussi, est très
25 énervé: il attend le Père Noël avec impatience. Il met ses chaussures au
pied du sapin.

FABRICE Quand est-ce que le père Noël va venir avec mes cadeaux?

MME LEROUX Cette nuit, mais d'abord il faut aller à la messe[13] de minuit
et ensuite réveillonner.

30 FABRICE Tu crois qu'il va m'apporter tous les cadeaux que j'ai
demandés?

MME LEROUX Si tu es très sage,[14] oui.

une chandelle

la menorah

La bûche de Noël is a flat sponge cake covered with filling and then rolled and decorated
with icing to resemble a log. Some families choose *une bûche* made of ice cream.

[12]**ouf!** *whew!*   [13]**la messe** *Mass*   [14]**sage** *well-behaved, good*

Parlons de toi.

1. Si tu célèbres la fête de Noël, comment est-ce que tu la fêtes? Si tu ne
   fêtes pas Noël, tu fêtes peut-être Chanouka, la Fête des Lumières
   (lights)? Comment est-ce qu'on la fête?
2. Qu'est-ce que tu fais la veille de Noël? Quand est-ce qu'on ouvre les
   cadeaux de Noël chez toi?
3. Qu'est-ce qu'on prépare comme repas de fête chez toi?
4. Est-ce que ta famille décore un sapin pour les fêtes du mois de
   décembre? Comment est-ce que vous le décorez?

LA SAINT-SYLVESTRE* ET LE JOUR DE L'AN

Cette année pour la Saint-Sylvestre les Leroux vont chez des amis pour le réveillon. Madame Leroux est allée chez le coiffeur et elle est très
35 élégante dans une longue robe noire. Monsieur Leroux a apporté une bouteille de champagne: il va l'ouvrir à minuit pour fêter le nouvel an.

Le nouvel an, c'est aussi le moment des étrennes.† Tous les ans le facteur passe chez les Leroux vendre le calendrier des Postes et leur souhaiter¹ la bonne année.

40 LE FACTEUR   Bonjour, madame. Je viens vous souhaiter une bonne année et vous demander si vous désirez acheter un calendrier.

MME LEROUX   Merci, bonne année à vous aussi. Montrez-moi donc vos calendriers, s'il vous plaît.

---

*la Saint-Sylvestre: New Year's Eve is often called *la (nuit de) Saint-Sylvestre*. Usually Christmas is more of a family holiday, while New Year's Eve has more of a party atmosphere and is spent with friends. People are more likely to send greeting cards for New Year's than for Christmas.
†*Les étrennes* are small (usually cash) gifts that one offers at New Year's to people who provide regular services, such as an apartment concierge, a letter carrier, or the trash collector. Usually you receive nothing in return, but postal employees ''sell'' calendars in exchange for their *étrennes*.

¹**souhaiter** *to wish*

ACTIVITÉ

Dessinez une carte de vœux pour envoyer à un(e) ami(e), un(e) correspondant(e), etc. Voici quelques souhaits *(wishes)*.

Bonne année!
Bonne et heureuse année!
Meilleurs vœux pour le nouvel an!
Tous mes vœux pour le nouvel an!

une couronne

le roi   la reine

LA FÊTE DES ROIS*

45 Le 6 janvier, c'est la Fête des Rois. On déguste[1] une délicieuse galette.[2] Cachée dans la galette il y a une fève.[†] La personne qui la trouve devient *le roi* ou *la reine* de la fête. Il (elle) doit porter une couronne et choisir une reine (un roi).

Les Leroux ont invité leurs voisins à venir fêter les Rois chez eux. Nathalie
50 va faire la galette et son petit frère va l'aider: c'est lui qui va cacher la fève.

La Fête des Rois refers to Epiphany, which commemorates the visit of the three Magi to the infant Jesus.

[†]*Une fève* is a white bean that resembles a lima bean. *Une fève des Rois* can be a bean or a tiny charm of ceramic or porcelain, often trimmed in gold and kept from year to year.

[1]**déguster**   *to taste, to enjoy*   [2]**la galette**   *kind of cake having a flat, round shape*

ACTIVITÉ

Essayez de faire la galette de Nathalie chez vous d'après cette recette *(recipe):*

Ingrédients:

6   cuillerées à soupe
    (tablespoonsful)
    d'amandes pilées
    (ground almonds)

4   cuillerées à soupe de
    sucre

60 grammes *(2 oz.)* de
    beurre ramolli
    (softened)

2   jaunes d'œufs
    du blanc d'œuf

1   paquet (17-1/4 oz.) de
    pâte feuilletée *(puff
    pastry)* surgelée

1   fève

Préparation:

1. Mélanger *(mix)* le
   sucre, les amandes,
   les jaunes d'œufs
   et le beurre.

2. Diviser la pâte en deux
   et former deux cercles.

3. Etaler *(spread)* le
   mélange sur l'un des
   deux cercles. Mettre
   la fève sur le mélange.

4. Recouvrir *(cover)* et fermer
   avec l'autre cercle. Décorer
   la galette avec des
   morceaux de pâte.

5. Passer du blanc d'œuf
   sur la galette.

6. Mettre la galette dans un
   four chaud pendant vingt
   minutes.

(*en haut*) Un grand
boulevard parisien à la
saison des fêtes

(*à gauche*) Une pâtisserie
prête pour la Fête des Rois

LA CHANDELEUR

C'est la fête préférée de Fabrice parce que ce soir-là, le 2 février,
quarante jours après Noël, on fait des crêpes! Elles sont délicieuses
et Fabrice adore essayer de faire sauter[1] la crêpe dans la poêle![2]

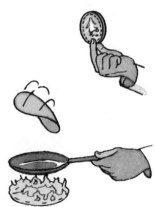

55 Faire des crêpes n'est pas difficile et vous pouvez en apporter en classe.
On les sert avec du sucre, de la confiture ou du chocolat. Essayez, vous
aussi, de les faire sauter. Il faut tenir[3] la poêle d'une main et avoir une
pièce d'un franc dans l'autre. Si votre crêpe retombe[4] bien dans la poêle
(et non pas par terre!), vous aurez[5] de la chance toute l'année.

---

[1]**faire sauter** *to flip*   [2]**la poêle** *frying pan*   [3]**tenir** *to hold*   [4]**retomber**
to fall back into   [5]**vous aurez** *you will have (future tense)*

CHAPITRE 8

PRÉLUDE CULTUREL | L'AFRIQUE FRANCOPHONE

Imagine that from the first grade on, you were taught in a foreign language—say, French. Only occasionally would English (your native language, or *langue maternelle)* be used to help you along. This is the situation most schoolchildren face in the *francophone,* or French-speaking, African countries. As infants they learn the language of their village or tribe, but in school they speak and learn in French. Only recently have these countries begun to teach their children in the *langue locale*.

This situation developed because France at one time had a large colonial empire in northern and central Africa. The French introduced into the colonies their language, system of government, and customs. All of these colonies have become independent nations, but in many cases, they retain strong economic and cultural ties to France.

French is usually the official language (or one of several *langues officielles)* in these countries. This is intended to ease communication and promote national unity, because within each country there may be many tribal groups, each with its own language. To simplify matters, French is used in newspapers, on radio and TV, and in most official business.

Economically, *l'Afrique francophone* stays close to France. The main unit of money is the *CFA (Communauté Financière Africaine) franc.* Because the French government guarantees the CFA franc to be convertible to the French franc, there is a great deal of trading between France and its former colonies.

There are also many exchanges of people between *l'Afrique francophone* and France. Many African students attend French universities, where they must adjust to a different climate and culture. French people also live in Africa, many of them serving as teachers or advisers in the national governments. And French university graduates may apply to serve two years as volunteers in Africa instead of doing military service.

Many Africans, especially those from North Africa (Algeria, Morocco, and Tunisia) find work in France and settle there with their families. So in areas with large concentrations of *travailleurs immigrés* (resident aliens), local municipal governments are trying to meet their needs. For example, schools offer courses where children learn to read, write, and speak their parents' native language. Many of the children who were born in France will choose to remain there. Like many French tourists, they will go to North Africa only on vacation.

MOTS NOUVEAUX I

A l'aéroport

CONTEXTE
VISUEL

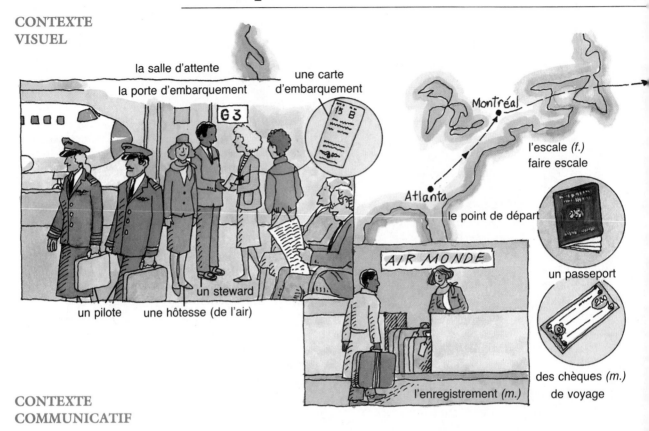

la salle d'attente

la porte d'embarquement

une carte d'embarquement

G3

15 B

Montréal

l'escale (f.)
faire escale

Atlanta

le point de départ

AIR MONDE

un passeport

un steward

un pilote   une hôtesse (de l'air)

l'enregistrement (m.)

des chèques (m.)
de voyage

CONTEXTE
COMMUNICATIF

1   Quand vous prenez l'avion pour l'étranger, il faut être à
l'aéroport de bonne heure. D'abord, à l'enregistrement, un
employé pèse les bagages **que** vous avez apportés. Puis,
devant la porte d'embarquement, vous donnez votre carte
d'embarquement à l'employé. Si vous perdez quelque chose,
allez vite au **service des objets trouvés.**

Variations:
■ quelque chose → vos chèques de voyage

que   *that, which*

le service des objets trouvés
lost and found

To arrange for plane travel

To travel by plane

To give advice

To change one's mind

To understand public announcements

To say that things are forbidden

To ask how long something has been going on

To make suggestions

To express disapproval or impatience

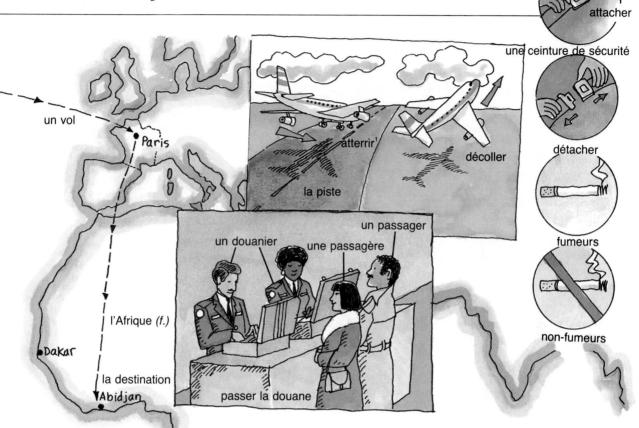

attacher

une ceinture de sécurité

détacher

fumeurs

non-fumeurs

un vol

Paris

atterrir¹

décoller

la piste

un douanier   une passagère   un passager

l'Afrique (f.)

Dakar

la destination

Abidjan

passer la douane

---

2 Monsieur Dufour est à l'agence de voyages.

M. DUFOUR   Bonjour, je voudrais deux billets aller et retour pour Abidjan, s'il vous plaît.

L'EMPLOYÉ   Abidjan est votre seule destination ou vous voulez faire escale à Dakar?

M. DUFOUR   Je préfère un vol **direct,** s'il vous plaît.

direct, -e   *direct*

■ un vol direct → un vol sans escale
■ Abidjan → Madrid
  faire escale à Dakar → vous arrêter à Toulouse

¹*Atterrir* is a verb like *finir: Les deux avions **atterrissent** à l'heure.*

Mots Nouveaux I   **275**

3 Madame Rousseau est à l'aéroport. Elle **fait enregistrer** ses bagages.

L'EMPLOYÉE	Mettez vos bagages là, s'il vous plaît. Je vais les peser. Vous avez une place en **classe touriste,** fumeurs.
MME ROUSSEAU	Ah non, j'**ai changé d'avis.** Je préfère non-fumeurs, si c'est possible.
L'EMPLOYÉE	Voyons … d'accord. Voici votre carte d'embarquement. Vous avez la place 35A, **qui** est près de la sortie. Bon voyage, madame!

■ en classe touriste → en **première classe**
la place 35A → la place 3C

faire enregistrer *to have one's luggage checked in*

la classe touriste *tourist class*

changer d'avis *to change one's mind*

qui *which*

la première classe *first class*

4 L'hôtesse annonce aux passagers du vol Paris–Montréal que l'avion va décoller.

L'HÔTESSE	Veuillez attacher vos ceintures, s'il vous plaît.

■ l'hôtesse → le pilote
attacher vos ceintures → ne pas **fumer**

fumer *to smoke*

5 Une passagère appelle le steward.

LA PASSAGÈRE	Excusez-moi, mais le monsieur **qui** est assis là fume! Nous sommes bien en non-fumeurs, n'est-ce pas?
LE STEWARD	Oui, madame. Je vais lui expliquer qu'**il est interdit de** fumer.
LA PASSAGÈRE	Merci.

qui *who*

il est interdit (de) + *inf.* *… is prohibited; no … ing!*

6 Le vol Paris–Abidjan vient d'atterrir. Monsieur Dufour parle avec un autre passager.

M. DUFOUR	Vous savez **si** on doit passer la douane?
LE PASSAGER	Oui, mais avant, vous devez montrer vos **papiers d'identité** à la police. Pour la douane, si vous n'avez rien à **déclarer,**[2] c'est rapide.

■ vos papiers d'identité → votre passeport

si (here) *whether*

les papiers d'identité (*m.pl.*) *identification papers*
déclarer *to declare*

[2]When you enter another country, you must pass through customs. You must "declare" (*déclarer*) the value of certain kinds of objects you bring in with you, and you may have to pay a tax on them. *Déclarer* also means "to declare," "to say," or "to announce": *L'employé **a déclaré** que le vol était en retard.*

7 Monsieur Senatou, un ami des Dufour, les attend à l'aéroport.

M. DUFOUR   Ah, bonjour, mais **depuis quand** est-ce que tu nous attends?

M. SENATOU   **Depuis** 5h. Votre avion était en retard.

M. DUFOUR   Oui, il y avait beaucoup d'autres vols **en même temps que** notre avion et nous avons attendu longtemps sur la piste!

■ depuis 5h → depuis 10h du matin

depuis quand ...? *since when? since what time? how long?*

depuis (here) *since*

en même temps (que) *at the same time (as)*

8 M. SENATOU   Bon, et **si on partait?** Vous devez être fatigués.

M. DUFOUR   Oui. Ce voyage **a duré** trop longtemps. Il faisait encore nuit quand nous avons quitté la maison.

MME DUFOUR   *(fatiguée, à M. Dufour)* Raoul, **si seulement** tu m'aidais avec cette valise!

si on partait? *how about leaving?*

durer *to last (time)*

si seulement + *imperfect   how about ...! (showing impatience)*

A l'aéroport de Marseille, les gens mangent avant le départ.

EXERCICES

A A l'aéroport. Qu'est-ce qui se passe à l'aéroport? Répondez d'après les images. Suivez le modèle.

De quoi est-ce que les passagers ont besoin?
Ils ont besoin d'un horaire.

1. Qu'est-ce qu'il faut acheter?

2. Où est-ce que les passagers attendent leur vol?

3. Que fait M. Rousseau?

4. Qu'est-ce que les passagers attachent?

5. Qui annonce que l'avion va décoller?

6. Qui sert le repas?

7. Qui demande si vous avez quelque chose à déclarer?

8. Qu'est-ce que les passagers montrent à l'hôtesse?

9. Où atterrit l'avion?

TARIFS «JEUNES» SUPER-LÉGERS T SUR VOLS BLEUS ☆ 1988 ☆ (aller simple en F)

AJACCIO/LYON	363	LILLE/PERPIGNAN	508	MONTPELLIER/PARIS	248
BASTIA/LYON	363	LILLE/STRASBOURG	313	MULHOUSE/BÂLE/PARIS	233
BIARRITZ/PARIS	278	LILLE/TOULON	508	NANTES/NICE	483
BORDEAUX/LYON	278	LIMOGES/PARIS	278	NANTES/PARIS	203
BORDEAUX/MARSEILLE	333	LORIENT/PARIS	283	NICE/PARIS*	368
BORDEAUX/NICE	393	LOURDES/TARBES/PARIS	298	NICE/STRASBOURG	398
BORDEAUX/PARIS	208	LYON/MARSEILLE	288	NICE/TOULOUSE	368
BREST/PARIS	268	LYON/NANTES	288	NÎMES/PARIS	248
CLERMONT-FERRAND/PARIS	238	LYON/NICE	298	PARIS/PAU	248
CORSE/PARIS*	468	LYON/PARIS	293	PARIS/PERPIGNAN	298
GRENOBLE/PARIS	203	LYON/STRASBOURG	188	PARIS/QUIMPER	308
LILLE/LYON	298	LYON/TOULOUSE	268	PARIS/RENNES	293
LILLE/MARSEILLE	468	MARSEILLE/NANTES	273	PARIS/SAINT-ÉTIENNE	278
LILLE/MONTPELLIER	448	MARSEILLE/PARIS	453	PARIS/STRASBOURG	208
LILLE/NICE	483	MARSEILLE/STRASBOURG	398	PARIS/TOULON	203
* valable aussi sur les vols d'AIR FRANCE				PARIS/TOULOUSE	308
					273

AIR INTER

CALENDRIER JEUNES
VOLS BLEUS

Jeune (– 25 ans)   **Étudiant(e) (– 27 ans)**

bénéficiez de **super-tarifs** sur vols bleus tout au long de l'année

Vous avez droit aux tarifs suivants selon la demi-journée choisie (de 6 h à 12 h ou de 12 h à 23 h).

☐ léger B

☐ super-léger T   vols blancs : tarif A toute l'année

☐ super-léger T si vous avez la CARTE JEUNES (sinon B)

Consultez notre Horaire de poche. Tarifs sous rése...

B **Un voyage à l'étranger.** Que font les passagers? Complétez les phrases avec une des expressions entre parenthèses.

1. Il faut avoir vos papiers d'identité—par exemple, votre *(passeport / piste / point de départ)*.

2. A la porte d'embarquement, vous donnez votre *(ceinture de sécurité / code postal / carte d'embarquement)* à l'employé.

3. Si vous perdez quelque chose, allez vite *(à la salle d'attente / au service des objets trouvés / à la porte d'embarquement)*.

4. Nous arrivons enfin à Montréal. L'avion va *(décoller / atterrir / attacher)*.

5. Quand on arrive dans un pays étranger, il faut *(poser / peser / passer)* la douane.

6. Elle ne veut plus faire escale à Abidjan. Elle a changé *(de robe / d'avis / d'hôtesse)*.

7. Le douanier demande, «Avez-vous quelque chose à *(durer / détacher / déclarer)?*»

8. Leur avion est en retard. Il y a trop d'avions sur *(la piste / le vol / l'escale)*.

9. J'ai passé six heures dans l'avion. Mon voyage à *(pesé / déclaré / duré)* longtemps.

On fait la queue à l'aéroport Charles de Gaulle à Roissy près de Paris.

C Le mot juste.

Trouvez un synonyme ou une expression synonyme.

1. Monsieur Renaud préfère un vol *sans escale*.
2. Le vol 325 *s'arrête* à Montréal.

Trouvez un antonyme ou une expression antonyme.

3. Notre *destination*, c'est Chicago.
4. L'avion *décolle* dans cinq minutes.
5. Il est *permis* de fumer ici.
6. Ils ont des places en classe touriste, *fumeurs*.
7. Nous devons *attacher* nos ceintures.

Complétez les phrases avec les mots suggérés par les images.

8. Je vais _____ mes bagages pour Dakar.
9. J'apporte mon magnétophone pour _____ mes notes de voyage.
10. Les gens qui skient descendent la _____.
11. Les pilotes n'aiment pas attendre longtemps sur la _____.

D Que dites-vous?

1. Vous êtes à l'aéroport et votre père dit qu'il a perdu son parapluie. Que lui proposez-vous?
2. A l'enregistrement, on vous demande en quelle classe vous voyagez. Que répondez-vous?
3. Un passager à côté de vous commence à fumer. Vous êtes en place non-fumeur. Que lui dites-vous?

E Parlons de toi.

1. Est-ce que tu aimes voyager? Comment est-ce que tu préfères voyager? En avion? En bateau? En voiture? En train?

2. Est-ce que tu as déjà fait un voyage en avion? Si oui, où est-ce que tu es allé(e)? Si non, est-ce que tu espères faire un voyage en avion bientôt? Où est-ce que tu espères aller?

3. Imagine que tu voyages de New York à Los Angeles en avion. Le vol n'est pas direct. Où est-ce que tu veux faire escale? Pourquoi?

4. D'habitude, quand tu voyages, est-ce que tu as besoin de papiers d'identité? Est-ce que tu as jamais passé la douane? Est-ce que tu as eu quelque chose à déclarer?

5. Est-ce que tu enregistres tes bagages quand tu voyages en avion? Ou est-ce que tu n'apportes que des bagages à main? Pourquoi?

6. Est-ce que tu attaches ta ceinture de sécurité quand tu es en voiture? Est-ce que c'est interdit dans ton état (state) d'être dans une voiture sans attacher ta ceinture de sécurité? Qu'est-ce que tu penses des ceintures de sécurité?

Une femme travaille sur un ordinateur au bureau d'Air Cameroun.

APPLICATIONS

Aujourd'hui, l'avion est à l'heure!

Monsieur Nathan et son fils Paul attendent Mme Nathan, qui revient d'un voyage en Afrique. Ils sont à l'aéroport.

PAUL	Papa, tu es sûr que maman arrive bien aujourd'hui?
M. NATHAN	Mais oui. Regarde son télégramme: «ARRIVE 27 AVRIL, 17 HEURES, VOL DAKAR*–PARIS».
PAUL	*(impatient)* Mais, papa, il est 9h.
M. NATHAN	Oh, son vol a du retard. C'est tout.
PAUL	Ecoute, je vais aller demander à l'employé d'Air Continent là-bas s'il sait quelque chose.

5

Paul revient quelques minutes plus tard.

PAUL	Papa! L'avion est bien arrivé à l'heure!
M. NATHAN	Où est ta mère alors?
PAUL	A Orly!† Tu t'es trompé d'aéroport. Ici nous sommes à Charles de Gaulle!

10

*Dakar: Situé sur la Côte Atlantique, à l'ouest de l'Afrique, Dakar est la capitale du Sénégal, une ancienne colonie française. Le français est la langue officielle, mais 80% des habitants parlent wolof, une langue locale.

†Orly, Charles de Gaulle: Il y a deux grands aéroports à Paris: Orly, au sud, et Charles de Gaulle-Roissy, au nord.

1 En cours de géographie au lycée.

LE PROF   Nous savons que la Côte-d'Ivoire est une **ancienne**[1]
           colonie française. Qui sait où se trouve ce pays?

LISETTE   En Afrique, sur la côte ouest.

SERGE   Il est **situé** à côté du Libéria, de la Guinée, du
           Mali, du Burkina-Faso et du Ghana.

Variations:

■ la Côte-d'Ivoire / française → la province de Québec /
  anglaise
  ce pays / cette province
  en Afrique / côte ouest → au Canada / côte est
  il est … Ghana → elle a une frontière avec les Etats-Unis

ancien, -ne *former*
la colonie *colony*

situé, -e *situated*

2 Cyrille lit son livre de géographie.
   Au Canada, les hivers sont froids et **secs,** surtout au nord.
   Sur la côte, **le climat** est plus **tempéré.**

   ■ au Canada → dans les pays **tropicaux**
     froids et secs → **doux** et **humides**
     au nord → au sud

sec, sèche *dry*
le climat *climate*
tempéré, -e *temperate, moderate*
tropical, -e; -aux, -ales *tropical*
doux, douce (here) *mild*
   (climate)
humide *humid*

3 Il y a un nouvel élève au lycée.

ESTELLE   D'où viens-tu?

SALIF   De Dabou. C'est une petite ville dans le sud de la
           Côte-d'Ivoire.

ESTELLE   **A ton avis,** qu'est-ce qui est plus beau, la France
           ou ton pays?

SALIF   Ah, ce sont deux pays très **différents.** Bien sûr, la
           France est un pays très riche. Mais mon pays est
           très beau, et notre **capitale,** Abidjan, est **un** grand
           port moderne.

à ton avis *in your opinion*

différent, -e *different*

la capitale *capital*
le port *port*
moderne *modern*

---

[1]When *ancien* precedes a noun, it means "former": *C'est mon **ancien** professeur.*

4 ESTELLE Que font tes parents dans **la vie?**

SALIF Ils sont médecins.

ESTELLE Ils sont nés à Dabou?

SALIF Ma mère, oui, mais mon père vient d'un petit village dans le nord du pays.

■ ils sont médecins → ils travaillent **la terre**

la vie *life* **(que font ... dans la vie?** *what do they do for a living?*)

la terre *soil, land, earth*

5 ESTELLE Est-ce qu'il y a de **l'industrie** dans ton pays?

SALIF Un peu, mais surtout beaucoup d'**agriculture.**

ESTELLE Au supermarché j'ai vu des ananas qui venaient de ton pays.

SALIF Oui, et il est **connu** aussi **pour** son café, qui est le meilleur du monde.

■ d'agriculture → de tourisme

l'industrie (f.) *industry*
l'agriculture (f.) *agriculture*

connu, -e (pour) *known, well-known (for)*

6 ESTELLE Tu parles bien français. **Depuis combien de temps** est-ce que tu l'apprends?

SALIF **Depuis** douze ans, je crois.

ESTELLE Tout le monde parle français dans ta ville?

SALIF A l'école, dans les bureaux, bien sûr, puisque la Côte-d'Ivoire est **francophone.** Mais à la maison, on utilise surtout la langue **africaine** de **la région.**

depuis combien de temps ...? *for how long ...?*
depuis (here) *for*

francophone *French-speaking*
africain, -e *African*
la région *region*

Beaucoup de gens à un marché à Abidjan

7 RÉMI   Je viens de lire un livre que j'ai beaucoup aimé
d'un écrivain africain.

FRANÇOISE   De quoi parle-t-il?

RÉMI   Il raconte la vie des gens là-bas. C'est un
continent très **varié.**

- des gens → **des habitants**

le continent   *continent*
varié, -e   *varied*
l'habitant (*m.*)   *inhabitant*

8 Roland fait un exposé sur le Québec en cours de géographie.

ROLAND   **Autrefois,** beaucoup de Québécois quittaient leur
pays pour aller chercher du travail. Maintenant **de
plus en plus de**[2] jeunes veulent rester chez eux,
parler leur langue et **mener**[3] la vie de leurs
ancêtres.

- de plus en plus de jeunes → **de moins en moins de**
jeunes
- veulent … ancêtres → veulent partir pour l'étranger

autrefois   *formerly*
de plus en plus (de)   *more and
more*

mener   *to lead*
l'ancêtre (*m.*)   *ancestor*

de moins en moins (de)   *fewer
and fewer (less and less)*

---

[2]*De plus en plus* and *de moins en moins* work like other expressions of quantity. They may act
as adjectives or adverbs. ***De plus en plus de** gens boivent du lait, moi, j'en bois **de moins en
moins.** Toi, tu en bois **de plus en plus.***

[3]*Mener* is a stem-changing verb like *emmener: Je mène une vie heureuse.* It may express
leading in a game (*Tu **menais** le match par 2 à 0*) and leading animals around (*Elle **menait** le
chien chez elle*). **Emmener** may be used with people and animals: *J'**emmène** mon chat en voiture.*

EXERCICES

A La leçon de géographie. Complétez les phrases avec une des
expressions entre parenthèses.

1. La Côte-d'Ivoire est une ancienne (*colonie / capitale / destination*)
française.
2. Il ne pleut pas beaucoup dans quelques régions du Mexique. Elles
ont un climat assez (*humide / sec / varié*).
3. A San Francisco, il ne fait pas chaud et il ne fait pas froid. C'est
un climat (*doux / tropical / triste*).
4. L'Afrique est (*un continent / un pays / une colonie*).
5. Les jeunes ne (*durent / mènent / passent*) pas la même vie que leurs
ancêtres.
6. Lyon est (*la capitale / une grande ville / une colonie*) de la France.
7. Il faut visiter la Bretagne pour goûter aux spécialités (*du paysage /
de la région / du climat*).

B Le mot juste.

Trouvez un synonyme ou une expression synonyme.

1. Le Québec *se trouve* au nord-est des Etats-Unis.
2. *D'après lui,* les vieux ports sont les plus beaux.

Trouvez un antonyme ou une expression antonyme.

3. Paul habite dans un immeuble qui est assez *vieux*.
4. Il est arrivé par *la même* route.
5. *De plus en plus* de jeunes quittent la campagne pour les grandes villes.

Trouvez un mot associé.

6. Ses ancêtres étaient *agriculteurs*. Mais, lui, il n'aime pas l'_____.
7. Combien de gens *habitent* à Paris? Il y a plus de 8 millions d'_____, si vous comptez les gens qui habitent en banlieue.
8. Nous allons bientôt *atterrir*, mais je ne vois pas la _____.
9. Il fait un temps *doux*. Le vent nous sèche _____ les cheveux.

C Parlons de toi.

1. D'où sont venus tes ancêtres? Qu'est-ce qu'ils ont fait dans la vie? Qu'est-ce que tu veux faire dans la vie?
2. Quel climat est-ce que tu préfères? Qu'est-ce qu'on peut faire pour s'amuser dans ce climat?
3. Décris ta région: le climat, la terre, les spécialités.

Un monsieur continue une tradition très ancienne.

Le sud-ouest du Sénégal, une région tropicale et chaude

ÉTUDE DE MOTS

Many compound French words follow the pattern noun + *de* + noun.
Such compounds are usually made plural by adding *-s* to the first noun.
Make the following compound words plural.

la porte d'embarquement	un arrêt d'autobus
la ceinture de sécurité	l'employé des postes
une hôtesse de l'air	un gant de toilette

You already know parts of the following words. Based on this
knowledge, can you tell what the compound noun means?

le repas de midi	une balle de tennis
le mal de mer	les vacances d'hiver
un bain de soleil	un homme de quarante ans
une pluie d'été	l'oiseau de passage
un chauffeur de taxi	une maison de vacances
le bonhomme de neige	le courrier d'aujourd'hui

How would you put these words and phrases into French?

a soccer team	the sunglasses	the car key
a thirty-year-old woman	a summer jacket	a spring snow
a hotel room	a work table	

Des jeunes gens
lisent sous un arbre à
Casablanca, Maroc.

Une mosquée à
Marrakech, Maroc

EXPLICATIONS I

Si et l'imparfait

◆ COMMUNICATIVE
OBJECTIVES

To make a suggestion

To express impatience or
annoyance

To express regret

1 To make suggestions or give invitations, you can use *si* + imperfect.

> **Si** on **partait** pour l'aéroport maintenant? — *How about leaving for the airport now?*
> **Si** nous **jouions** aux cartes pendant le vol? — *What about playing cards during the flight?*
> Et **si** tu **prenais** cette place? — *What if you took this seat?*

2 When you address a *si* suggestion directly to someone, you can use it to express disapproval or impatience. This is especially true if you place *seulement* after *si*.

> **Si** tu **faisais** moins de bruit! — *How about making less noise?*
> **Si seulement** vous nous **aidiez** un peu! — *How about helping us a little?*

3 *Si seulement* can also express regret, just as "if only" does in English.

> **Si seulement** il **était** là! — *If only he were here!*

EXERCICES

A Je m'ennuie!   Vous vous ennuyez aujourd'hui, alors vous voulez faire quelque chose. Invitez un(e) camarade à faire ces activités avec vous. Votre camarade peut répondre comme il / elle veut. Voici quelques expressions pour vous aider.

Allons-y!	Bonne idée!	Merci, je ne peux pas.
Je veux bien.	C'est sympa, ça.	Si tu veux.
Bon, d'accord.	Chouette!	Merci, je n'aime pas ça.

aller au cinéma voir un film d'espionnage
ÉLÈVE 1 *Si nous allions au cinéma voir un film d'espionnage?*
ÉLÈVE 2 *Bonne idée!*
OU: *Bon d'accord, à quelle heure?* etc.

1. aller au café prendre quelque chose
2. écouter des disques chez moi
3. louer des patins pour faire du patin
4. passer l'après-midi au parc
5. faire du vélo
6. faire des courses au grand magasin
7. étudier ensemble pour quelques heures
8. sortir avec nos copains pour aller au restaurant

Maintenant, pensez à deux autres activités que vous voulez faire, et invitez votre camarade à y participer.

B Oh, les parents!   Les parents d'un(e) de vos camarades sont fâchés avec lui (elle). Qu'est-ce qu'ils lui disent? Suivez le modèle.

rentrer plus tôt   *Si seulement tu rentrais plus tôt!*

1. étudier un peu plus
2. perdre moins de temps
3. faire attention en classe
4. vouloir nous aider
5. nous obéir quelquefois
6. avoir des meilleures notes
7. dépenser moins d'argent
8. nous présenter tes amis

C Oh, les enfants!   Vous gardez les enfants du voisin. Dites-leur de faire les choses suivantes.

parler plus bas   *Si vous parliez plus bas!*

1. faire moins de bruit
2. jouer dans votre chambre
3. m'embêter moins
4. être plus gentils
5. choisir une autre émission
6. lire vos bouquins
7. faire vos devoirs
8. aller à votre chambre

Les pronoms relatifs *qui* et *que*

◆ COMMUNICATIVE
OBJECTIVES
To identify people and things
To clarify and emphasize
To give additional information
To avoid misunderstanding

We use relative pronouns to combine two sentences or to give clarifying information. The relative pronouns *qui* and *que* mean "that," "which," "who," or "whom," and may refer to both persons and things.

1 Use *qui* to point out specific people or things by telling what they are or what they do. *Qui* is usually followed by a verb.

Daniel, c'est le garçon **qui va rester** chez nous cet été.	Daniel is the boy **who's going to stay** with us this summer.
Tu as pris la lettre **qui était** sur la table?	Did you take the letter **that was** on the table?
Le paquet, **qui est** très lourd, est venu d'Afrique.	The package, **which is** very heavy, came from Africa.
Il parlait avec l'employé, **qui s'est fâché.**	He was speaking with the clerk, **who got angry.**

2 Use *que* to specify people or things by telling what is done to them. *Que* is usually followed by a noun or a subject pronoun. Note that *que* becomes *qu'* before a vowel sound.

Tu as vu la lettre **que je** viens d'écrire?	Have you seen the letter **(that) I** just wrote?
C'est le garçon **qu'Annie** a invité à la boum.	That's the boy **(whom) Annie** invited to the party.
La statue **qu'on** voit là est très ancienne.	The statue **(that) you** see there is very ancient.

Even though we can omit "that" and "whom" in English, *que* cannot be left out in French.

Devant la porte d'un lycée
à Tanger, Maroc

3 When there is a past participle after *que*, the participle must agree with whatever *que* refers to.

Où sont **les lettres que j'ai écrites** hier soir?	*Where are **the letters I wrote** last night?*
C'est **la copine que Marc a invitée** à la boum.	*She's **the friend Marc invited** to the party.*

4 You can use *c'est* + a disjunctive pronoun + *qui* to emphasize who does something.

C'est moi qui ai tort.

C'est toi qui as raison.

C'est { **lui** / **elle** } **qui** va faire ça.

C'est nous qui sommes partis.

C'est vous qui fumiez.

Ce sont { **eux** / **elles** } **qui** jouaient mal.

Note that the verb after *qui* agrees with the person you're talking about. Note also that you use *c'est* with *nous* and *vous*, even though they're plural.

EXERCICES

A Souvenirs. Voici l'histoire du dernier voyage de Monsieur Dufour. Combinez chaque paire de phrases pour faire une seule phrase. Suivez le modèle.

> M. Dufour est arrivé en retard à l'aéroport. Cet aéroport est loin de chez lui.
>
> *M. Dufour est arrivé en retard à l'aéroport, qui est loin de chez lui.*

1. Il s'est fâché avec l'employée. Cette employée ne savait pas l'heure de départ.
2. M. Dufour n'aimait pas sa place. La place était en classe touriste.
3. Il regardait les passagers. Ces passagers attachaient déjà les ceintures de sécurité.
4. M. Dufour s'ennuyait dans l'avion. L'avion attendait sur la piste.
5. Il a parlé à son voisin. Son voisin fumait beaucoup.
6. Il a dormi pendant le vol. Le vol a duré quatre heures.
7. M. Dufour a passé la douane. La douane était près de la salle d'attente.

B **Je préfère ...** Vous avez beaucoup d'opinions, n'est-ce pas? Avec un(e) camarade, utilisez les adjectifs suggérés sur la liste, ou trouvez-en d'autres pour décrire les gens et les choses que vous préférez. Conversez selon le modèle.

> des amis
> ÉLÈVE 1 *Je préfère des amis qui sont sincères.*
> ÉLÈVE 2 *Moi, je préfère des amis qui sont amusants.*

amusant	élégant	sérieux
beau	intéressant	sincère
chic	moderne	sportif
drôle	passionnant	sympa

1. des professeurs
2. des films
3. des vêtements
4. une voiture
5. des parents
6. des livres
7. des copains
8. des boums

C **Dans la salle d'attente.** Vous êtes très observateur *(observant)*. Décrivez ce qui se passe *(what's happening)* à l'aéroport. Combinez les phrases en employant *que* ou *qu'*. Suivez le modèle.

> La carte d'embarquement est rouge. Ce monsieur met la carte d'embarquement dans sa poche.
> *La carte d'embarquement que ce monsieur met dans sa poche est rouge.*

1. L'hôtesse a une jupe bleue. Nous regardons cette hôtesse.
2. L'employé annonce l'arrivée du vol. Les passagers écoutent cet employé.
3. L'homme fume. Le douanier regarde cet homme.
4. La carte d'embarquement est dans sa poche. Elle cherche cette carte d'embarquement.
5. Le passeport est américain. Marie laisse ce passeport au service des objets trouvés.
6. La dame est assise dans la salle d'attente. Les enfants appellent cette dame.

D **Un reportage.** Vous ne voulez rien oublier, alors vous avez pris des notes sur tout ce que vous avez vu à l'aéroport. Ecrivez des phrases au passé pour décrire toutes les activités de l'Exercice C. Suivez le modèle. Attention à l'accord du participe passé!

> La carte d'embarquement est rouge. Ce monsieur met la carte d'embarquement dans sa poche.
> *La carte d'embarquement que le monsieur a mise dans sa poche était rouge.*

E **Une soirée au cinéma.** Hier soir vous êtes allé(e) au cinéma avec vos amis. Aujourd'hui vous parlez avec eux de ce que tout le monde y a fait. Suivez le modèle.

> je / acheter les billets
> *C'est moi qui ai acheté les billets.*

1. je / faire la queue
2. tu / parler pendant le film
3. Léon / acheter des bonbons
4. nous / nous amuser
5. vous / aimer le film
6. je / m'endormir pendant le film
7. Elodie et Luc / avoir soif
8. Noëlle et Simone / sortir avant la fin

Une étudiante au Zaïre travaille au labo de l'université.

F **Diapos de vacances.** Henri vient de rentrer d'un voyage au Sénégal. Il a pris beaucoup de diapos, et maintenant il les passe pour ses amis—avec un commentaire, bien sûr! Donnez son commentaire en combinant les deux phrases avec *qui* ou *que*.

Voici mes diapos. J'ai pris ces diapos avec mon nouvel appareil.
Voici mes diapos que j'ai prises avec mon nouvel appareil.

1. Nous sommes restés dans une région sur la côte. Cette région était assez moderne.
2. Voici Dakar. Dakar est la capitale du pays.
3. Nous avons visité un petit village. J'ai beaucoup aimé ce village.
4. Voici le parc national de Niokolo-Koba. Nous avons visité ce parc le troisième jour.
5. Voici une photo d'un fleuve. Ce fleuve traverse le parc.
6. Voici des gens. Nous avons rencontré ces gens le premier jour à Dakar.
7. Voici l'île de Gorée. C'est une petite île près de Dakar.

Vue aérienne de Dakar

Des bateaux sur la plage
à Soumbédioune, près de
Dakar

G Parlons de toi.

1. Est-ce que tu aimes les gens qui parlent beaucoup? Pourquoi? Pourquoi pas?
2. Quels sont les meilleurs films que tu as vus cette année? Quels sont les meilleurs livres que tu as lus?
3. Au lycée, quelles sont les matières qui t'intéressent le plus? Pourquoi? Quels sont les profs que tu aimes le mieux? Pourquoi?
4. Dans ta famille, qui est la personne la plus sérieuse? La plus drôle? La plus sportive? La plus élégante? Pourquoi?
5. Quel est l'animal que tu préfères? Pourquoi?

ACTIVITÉ

Devinettes *(Riddles).*   Avec un(e) camarade, écrivez la description de trois personnes ou objets. Par exemple, pour une personne: *C'est un homme qui est beau, qui a les yeux bleus et qui est acteur.* (Paul Newman) Pour une chose: *C'est une chose qui est petite, que tout le monde a dans la salle de bains, et qu'on met dans la bouche.* (Une brosse à dents) Lisez vos devinettes à la classe, qui va essayer de deviner la bonne réponse.

Ile de Gorée, vue aérienne du port

Une jolie petite rue sur l'île de Gorée

APPLICATIONS

Pourquoi le lièvre[1] n'a pas de queue[2]

AVANT DE LIRE

Avant de lire l'histoire, cherchez la réponse à ces questions.

1. Selon le titre, qu'est-ce que l'histoire essaie d'expliquer?
2. Quel est un autre mot pour *lièvre*?
3. Quels sont les deux animaux dans l'histoire?
4. D'où vient cette histoire?

Storytelling is an important part of African culture. Typical African tales deal with tribal history, ancient myths, nature, and morals, and are intended to teach as well as to amuse. Professional storytellers, or griots, are highly respected because they both keep history alive and provide entertainment. The following West African tale is typical because it attempts to explain how a natural phenomenon might have come to be.

Le lion a très faim ce jour-là. Il se promène et regarde autour de lui: rien à manger. Ah, mais si: là-bas, dans cet arbre, il y a une ruche.[3] Et, dans la ruche, il y a du miel.[4] Parfait. Il attend parce qu'il a peur des abeilles.[5] Enfin, elles partent toutes.

5 Le lion s'approche et, très vite, prend le miel et le met dans un sac. Le lièvre, qui lui aussi a très faim, a tout vu. Alors, il se couche sur la route où le lion va passer. Le lion arrive. Il entend:

—Oh là là, aidez-moi. Je ne peux plus marcher. Oh pitié, s'il vous plaît.

Le lion s'approche et trouve le lièvre qui pleure.[6]

10 —Qu'est-ce qu'il y a? demande le lion.

—Je suis presque mort. Peux-tu me porter et m'emmener chez moi?

—Bien sûr, répond le lion.

Le lièvre monte sur le dos du lion, ouvre doucement le sac et mange tout le miel. Le lion, lui, ne voit rien, ne sait rien. Quand il a tout mangé,

15 le lièvre saute et s'enfuit.[7] Le lion, alors, comprend qu'il a été bien bête et se fâche. Il court[8] après le lièvre.

Le lièvre, qui a trop mangé, ne peut pas aller très vite. Le lion s'approche de plus en plus. Le lièvre a peur et essaie de se dépêcher, mais trop tard! Le lion est là. Il saute pour prendre le voleur.[9] Mais le lièvre, terrorisé, est

20 plus rapide et le lion lui mord[10] juste la queue. Pouah![11] Elle n'est vraiment pas bonne! Mais où est le lièvre? Ça y est. Il est parti! Le lion rugit[12] en direction du voleur:

—Tu peux courir maintenant, méchant lièvre, mais sans ta queue, je vais te retrouver!

---

[1]**le lièvre** *hare*   [2]**la queue** *tail*   [3]**la ruche** *hive*   [4]**le miel** *honey*
[5]**l'abeille** *(f.)* *bee*   [6]**pleurer** *to cry*   [7]**s'enfuir** *to run away, to escape*
[8]**courir** *to run*   [9]**le voleur, la voleuse** *thief*   [10]**mordre** *to bite*
[11]**pouah!** *yuck!*   [12]**rugir** *to roar*

25 Le lièvre est déjà loin. Il va voir le roi[13] des lièvres et lui annonce:

—Il faut assembler tous les lièvres tout de suite. J'ai des nouvelles urgentes.

Le roi les appelle donc tous. Et devant l'assemblée des lièvres, le voleur déclare:

—Mes pauvres amis, c'est horrible. Nous allons tous mourir. Une épidémie
30 nous menace. Dans le pays, près de la montagne, où je suis allé, tous les lièvres sont morts.

Les lièvres ont peur:

—Qu'allons-nous faire?

Le petit voleur essaie de les consoler:
35 —Il y a bien un remède, mais il est terrible.

Les autres demandent:

—Et quel est ce remède?

Le lièvre répond:

—Il faut vous couper la queue!
40 —Tant pis! dit le roi. Si c'est la seule solution, il faut le faire! Et voilà que tous les lièvres obéissent.

Plus tard, le lion arrive chez le roi des lièvres et lui dit:

—Appelle tous les lièvres. Je dois leur parler.

Tous arrivent parce qu'ils respectent le lion. Il s'adresse à eux:
45 —Il y a ici un voleur qui s'est moqué de[14] moi. Je peux le reconnaître parce qu'il a la queue coupée! Tournez-vous et montrez-moi votre dos.

Le lion regarde. Il ne comprend pas. Tous les lièvres présents ont la queue coupée. Leur roi se fâche:

—Veux-tu dire que nous sommes tous des voleurs?
50 Et sans attendre la réponse du lion, tous les lièvres s'enfuient. Et aujourd'hui le lion ne sait toujours pas qui était le petit voleur si malin.[15]

---

[13]**le roi**   *king*   [14]**se moquer de**   *to make a fool of*   [15]**malin, maligne**   *sly*

Questionnaire

1. Qu'est-ce que le lion cherche? Qu'est-ce qu'il trouve?
2. Quand le lièvre voit le lion et le miel, qu'est-ce qu'il fait?
3. Pourquoi est-ce que le lion se fâche? Qu'est-ce qu'il promet au lièvre?
4. Qu'est-ce que le voleur dit à l'assemblée de lièvres?
5. Que font tous les lièvres?
6. Pourquoi est-ce que le lion va chez le roi des lièvres?
7. Comment est-ce que le lion peut reconnaître le voleur?
8. Pourquoi est-ce que le roi des lièvres se fâche?
9. Qu'est-ce qui arrive au lion?

EXPLICATIONS II

Depuis

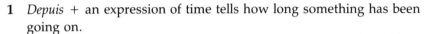

◆ COMMUNICATIVE
OBJECTIVE

To ask and to tell how
long something has been
going on

1 *Depuis* + an expression of time tells how long something has been going on.

Elle habite ici **depuis 1986.**	*She's lived here **since 1986.***
Je suis là **depuis le déjeuner.**	*I've been here **since lunch.***
Il dort **depuis une demi-heure.**	*He's been sleeping **(for) half an hour.***
Ils étudient le français **depuis deux ans.**	*They've been studying French **(for) two years.***

When *depuis* is followed by a specific point in time, it means "since." When it is followed by a length of time, it means "for." Note that French uses the present tense where English uses the past.

2 Use the question *depuis quand?* to find out when an action started or how long it has been going on.

Depuis quand est-ce que tu es là?	*Since when (what time) have you been here?*
Depuis midi.	*Since noon.*
Depuis quand est-ce que tu étudies le français?	*How long have you been studying French?*
Depuis deux ans.	*(For) two years.*

3 If you specifically want to know "for how long ...?", you can ask the question *depuis combien de temps?*

Depuis combien de temps est-ce que vous parlez au téléphone?	*How long have you been talking on the phone?*
Depuis cinq minutes, papa.	*(For) five minutes, Dad.*

4 Use *depuis* + the imperfect to tell how long something had been going on when something else occurred.

Il **habitait** ici **depuis un an** quand **tu es arrivé.**	*He **had been living** here **(for) a year** when **you arrived.***

EXERCICES

A A l'aéroport. Vous êtes employé(e) à la porte d'embarquement. Répondez aux questions d'un(e) autre employé(e) qui vient d'arriver pour travailler.

> Les Dulac attendent leur vol. (8h15)
> ÉLÈVE 1 *Depuis quand est-ce que les Dulac attendent leur vol?*
> ÉLÈVE 2 *Ils l'attendent depuis huit heures et quart.*

1. Gisèle est pilote. (les années 70)
2. Le monsieur a son billet pour Montréal. (la semaine dernière)
3. Les passagers allemands sont dans la salle d'attente. (midi)
4. Les Rousseau font la queue à l'enregistrement. (1h)
5. Serge travaille comme steward. (1981)
6. M. Dupont n'a plus ses papiers d'identité. (cet après-midi)
7. Les Girard cherchent leurs bagages. (hier)
8. L'avion fait escale à Dakar. (trois mois)

B A l'infirmerie. Vous n'allez pas bien, et vous parlez à l'infirmière. Conversez selon le modèle.

> avoir un rhume / une semaine
> ÉLÈVE 1 *Qu'est-ce que tu as?*
> ÉLÈVE 2 *J'ai un rhume.*
> ÉLÈVE 1 *Depuis quand?*
> ÉLÈVE 2 *Depuis une semaine.*

1. avoir mal à la tête / deux heures
2. aller mal / trois jours
3. avoir de la fièvre / ce matin
4. ne pas être en forme / la semaine dernière
5. être malade / hier
6. avoir mal au dos / hier matin
7. avoir mal à la gorge / vendredi
8. avoir mal au pied / une demi-heure

AIR LITTORAL
Réservations - Renseignements
MONTPELLIER - 67 65 49 49
Ouvert du lundi au vend̶i̶ de 9 h à 19 h
Samedi de 9 h à 12 h et de 14 h à ... ̶fériés de 9 h à 13 H
PARIS - (1) 4...
Ouvert du lundi au v...

EVASION
AIR INTER AIR FRANCE
E 279 0816266 P 01
Valable du 15/01...

C Les interruptions. Qu'est-ce qu'on faisait au moment de l'interruption? Répondez en une seule phrase. Suivez le modèle.

> Ils jouent aux cartes depuis 6h. Le téléphone sonne.
> *Ils jouaient aux cartes depuis 6h quand le téléphone a sonné.*

1. Nicole travaille depuis deux heures. Ses parents rentrent.
2. Benoît patine depuis une demi-heure. Il tombe.
3. Nous sommes en perm depuis 2h30. La cloche sonne.
4. Papa se rase depuis quelques minutes. Il se coupe la figure.
5. Le bébé s'amuse depuis midi. Il s'endort.
6. Je travaille depuis cinq minutes. Ma mère m'appelle.
7. Il fait du soleil depuis une semaine. Le temps change.
8. Je ne fais pas attention depuis dix minutes. Le prof me parle.

D Ça fait longtemps? Interviewez un(e) camarade pour savoir depuis quand ou depuis combien de temps il / elle fait ces choses. Conversez selon le modèle.

> étudier le français
> ÉLÈVE 1 *Depuis quand est-ce que tu étudies le français?*
> ÉLÈVE 2 *Depuis l'année dernière (1989, un an et demi, etc.).*
> OU: ÉLÈVE 1 *Depuis combien de temps est-ce que tu étudies le français?*
> ÉLÈVE 2 *Depuis un an et demi.*

1. habiter cette ville
2. savoir lire
3. aller à ce lycée
4. aller à l'école
5. être au lycée aujourd'hui
6. jouer à *(un sport)*
7. avoir les cheveux longs (courts)
8. connaître ton (ta) meilleur(e) ami(e)

E Parlons de toi.
1. Est-ce que tu as une voiture, une moto ou un vélo? Depuis quand?
2. Ta famille a été dans cette ville depuis longtemps? Depuis quand? Où habitiez-vous avant?
3. Depuis quand est-ce que ta famille habite ce pays? Où habitaient tes ancêtres?
4. Pensez à une chose que tu sais très bien faire—par exemple, jouer d'un instrument, jouer à un sport, dessiner, etc. Depuis quand est-ce que tu sais le faire?
5. Depuis quand est-ce que tu peux sortir seul(e) ou avec un(e) seul(e) ami(e)?

POÈME

Souffles[1]

> Ecoute plus souvent
> les choses que les êtres.[2]
> La voix du feu s'entend,[3]
> entends la voix de l'eau,
> 5 écoute dans le vent
> le buisson[4] en sanglots.[5]
> C'est le souffle des ancêtres …
> Ceux qui sont morts ne sont jamais partis,
> ils sont dans l'ombre[6] qui s'éclaire[7]
> 10 et dans l'ombre qui s'épaissit,[8]
> les morts ne sont pas sous la terre:
> ils sont dans l'arbre qui frémit,[9]
> ils sont dans le bois[10] qui gémit,[11]
> ils sont dans l'eau qui coule,[12]
> 15 ils sont dans l'eau qui dort,
> ils sont dans la cave, ils sont dans la foule:
> les morts ne sont pas morts.
>
> Ecoute plus souvent
> les choses que les êtres.
> 20 La voix du feu s'entend,
> entends la voix de l'eau,
> écoute dans le vent
> le buisson en sanglots.
> C'est le souffle des ancêtres,
> 25 le souffle des ancêtres morts,
> qui ne sont pas partis,
> qui ne sont pas sous terre,
> qui ne sont pas morts.

Extract from *Souffles* by Birago Diop
from *Anthologie de la nouvelle poésie nègre
et malgache de langue française.* Copyright
© 1948. Presses Universitaires de
France. Reprinted with their permission.

---

[1]**le souffle** *breath*   [2]**les êtres** = les gens
[3]**s'entendre** *to be heard*   [4]**le buisson** *bush*
[5]**en sanglots** *sobbing*   [6]**l'ombre** *(f.) shadow*
[7]**s'éclairer** *to grow bright*   [8]**s'épaissir** *to deepen*
[9]**frémir** *to rustle*   [10]**le bois** *wood*
[11]**gémir** *to groan*   [12]**couler** *to flow*

Ecoutez la voix de l'arbre …

APPLICATIONS

RÉVISION

Formez des phrases en français d'après les modèles.

1. *Ils habitent ce pays depuis quarante ans.*
   (The farmer has been working the land since the age of 20.)
   (I've been waiting for my suitcase since 3:30.)

2. *Le passeport qu'elle a sorti est sur le comptoir.*
   (The papers that they [m.] filled out are on the table.)
   (The capital that he visited is on the coast.)

3. *La passagère va y chercher les billets qu'elle a perdus.*
   (declare the perfume that she bought)
   (have the luggage that she brought weighed)

4. *Ils préfèrent les villes qui ont des bâtiments modernes.*
   (I live in a house that is situated next to a lake.)
   (The inhabitants love this region, which is known for agriculture.)

5. *Leur grand-mère, qui est médecin, leur a proposé de sortir.*
   (His mother, who is a nurse, asked him to help her.)
   (Our friend, who is very nice, invited us [f.] to have dinner.)

6. *Elle lit pour mieux comprendre la vie africaine. Si tu lisais plus!*
   (You [pl.] take trips in order to have fun. If only you traveled tourist class!)
   (We study in order to succeed. How about if you [fam.] studied more!)

Une femme travaille dans
les champs au Burkina-
Faso.

Trouvez les expressions françaises qui correspondent à l'anglais et rédigez un paragraphe.

1. Hamidou has wanted to become a doctor for ten years.

2. The hospital he has chosen is in Paris.

3. He's going to learn the things he's always loved.

4. He comes from a village that is situated to the north of the capital.

5. His parents, who are farmers, asked him to stay.

6. "I'm leaving in order to help people. If only Paris weren't so far away!"

RÉDACTION

Maintenant, choisissez un de ces sujets.

1. Imaginez le dialogue entre Hamidou et ses parents. Hamidou donne les raisons de son départ et ses parents expliquent pourquoi il faut rester au pays.

2. Hamidou arrive à Paris. Dans sa première lettre il décrit la ville et la contraste avec son village africain. Ecrivez sa lettre.

3. Pendant un long vol il faut trouver les moyens *(ways)* de s'amuser. Faites une liste des activités qu'on peut faire pendant un long voyage en avion.

CONTRÔLE DE RÉVISION   CHAPITRE 8

A   Voyage de retour.
Complétez le paragraphe.

Afrique	décolle	point de départ
ancien	de plus en plus	port
attacher	destination	varié
classe	industrie	
connu	mène	

Safir se prépare pour son voyage en __1__. Il achète un billet en __2__ touriste, vol Paris–Abidjan. Paris est son __3__ et Abidjan est sa __4__ L'avion __5__. L'hôtesse dit: «Veuillez __6__ vos ceintures.» La ville d'Abidjan est un grand __7__ sur la mer. Là-bas le temps change souvent. C'est un climat __8__. Le pays de Safir est __9__ pour son agriculture. Sans usine, il n'y a pas d' __10__. Safir espère visiter son __11__ village où il habitait autrefois. Il pense que la vie que l'on y __12__ devient __13__ agréable.

B   Dans la salle d'attente.
Vous venez d'apprendre que votre avion est très en retard. Comment passer le temps? Faites des suggestions avec *Si on ...?*

  regarder l'horaire   *Si on regardait l'horaire?*

1. boire quelque chose
2. apprendre un nouveau jeu
3. aller au buffet
4. dormir
5. lire un livre de poche

C   Avant de décoller.
Ecrivez une seule phrase avec *que, qu'* ou *qui.*

  Le vol est agréable. Il a pris ce vol.
  Le vol qu'il a pris est agréable.

1. Les papiers sont pour la douane. Le passager a rempli ces papiers.
2. Elle a cherché les toilettes. Ces toilettes sont près de la salle d'attente.

3. Le douanier a ouvert une valise. Cette valise est en cuir.
4. La ceinture de sécurité est cassée. J'ai attaché cette ceinture.
5. Les chèques de voyage sont au service des objets trouvés. Tu as perdu ces chèques de voyage.

D   Depuis quand?
Un passager pose des questions à une passagère. Qu'est-ce que la passagère répond?

1. Depuis quand est-ce que l'avion est à la porte d'embarquement? (2h)
2. Depuis combien de temps est-ce que vous attendez ce vol? (trois heures)
3. Depuis quand est-ce que vous habitez à Paris? (l'automne)
4. Depuis quand est-ce que vous êtes professeur? (1985)
5. Depuis combien de temps est-ce que vous étudiiez le français quand vous êtes venue en France pour la première fois? (six ans)

E   Les interruptions.
Ecrivez des phrases complètes d'après le modèle.

  elles / bavarder / depuis dix minutes / quand / le prof / les / remarquer /
  Elles bavardaient depuis dix minutes quand le prof les a remarquées.

1. nous / attendre / depuis longtemps / quand / l'avion / atterrir
2. il / pleuvoir / depuis plusieurs heures / quand / le temps / changer
3. vous / faire la queue / depuis 20 minutes / quand / les douaniers / arriver
4. l'hôtesse / servir le déjeuner / depuis cinq minutes / quand / il / falloir / attacher les ceintures
5. il / lire / depuis midi / quand / le téléphone / sonner

VOCABULAIRE DU CHAPITRE 8

Noms

Abidjan
l'Afrique *(f.)*
l'agriculture *(f.)*
l'ancêtre *(m.)*
l'avis *(m.)*
le Burkina-Faso
la capitale
la carte d'embarquement
la ceinture de sécurité
le chèque de voyage
le climat
la colonie
le continent
la Côte-d'Ivoire
la destination
la douane
le douanier
l'enregistrement *(m.)*
l'escale *(f.)*
fumeurs
le Ghana
la Guinée
l'habitant *(m.)*
l'hôtesse *(f.)* (de l'air)
l'industrie *(f.)*
le Libéria
le Mali
Montréal
non-fumeurs
les papiers *(m.pl.)* d'identité
le passager, la passagère
le passeport
le pilote
la piste
le point de départ
le port
la porte d'embarquement
la région
la salle d'attente
le service des objets trouvés

le steward
la terre
la vie
le vol

Verbes

attacher
atterrir
changer (de)
déclarer
décoller
détacher
durer
fumer
mener

Adjectifs

africain, -e
ancien, -ne *(former)*
connu, -e
différent, -e
direct, -e
doux, douce *(mild, [climate])*
francophone
humide
moderne
sec, sèche
situé, -e
tempéré, -e
tropical, -e; -aux, -ales
varié, -e

Pronoms

que *(relative)*
qui *(relative)*

Adverbes

autrefois
de moins en moins (de)
de plus en plus (de)

Préposition

depuis

Conjonction

si *(whether)*

Questions

depuis combien de temps?
depuis quand?
que faites-vous dans la vie?

Expressions

à ton avis
changer d'avis
depuis + *expression of time*
en classe touriste /
    en première classe
en même temps (que)
faire enregistrer (les bagages)
faire escale
il est interdit de
passer la douane
si (seulement) on …
    + *imperfect*

CHAPITRE 9

PRÉLUDE CULTUREL | LES AUTOS

Driving in France is not the same as in the United States. For one thing, you can't drive alone until age eighteen, and getting a driver's license *(le permis de conduire)* is practically as hard as passing the *bac!* First of all, you must take very expensive lessons at an *auto-école.* Only specially trained instructors are allowed to teach driving, and driver's education is not taught in French schools. After the lessons, you must pass a test *(l'épreuve théorique)* on the Code de la Route, consisting of forty slides with questions, and a behind-the-wheel test *(l'épreuve pratique).*

Once you have your *permis,* your troubles are far from over. Cars are quite expensive in France, and gasoline costs more than twice what it does here. Luckily, the small standard-shift models produced in France get extremely good gas mileage.

French teenagers don't have to wait until they are eighteen in order to have their own means of transportation. As soon as they turn fourteen, they beg their parents to let them have a *cyclomoteur.* This vehicle is little more than an improved bicycle with a very small engine. Since *cyclomoteurs* can't go very fast, you can ride them without a permit. But you must wear a helmet at all times.

When they turn sixteen, French teenagers may graduate to a better class of vehicle: *le vélomoteur* or *mobylette,* which has a more powerful engine than a *cyclomoteur.* Outside the *lycées,* you'll see crowds of young people sitting on their *vélomoteurs,* exchanging advice about their *deux-roues* (two-wheeled vehicles).

Cars are so expensive that many eighteen-year-olds choose to buy *une moto.* Just as in the U.S., they need a *permis* and must go through an *auto-école* to get one.

Once out on the highway, you will soon become familiar with the international traffic signs, which use symbols instead of words. The basic highway code is generally the same as in the U.S. though you can drive 110 kilometers per hour (approximately 75 m.p.h.) on expressways. When traveling by car in France, you may feel at times that driving conditions are disorganized. The three-lane roads where the middle lane is used as a passing lane by vehicles traveling in either direction may be a new and different experience. But just remember: *Soyez prudent* and respect the rules. Otherwise, you may have to pay for a traffic ticket *(une contravention),* just like in the States!

MOTS NOUVEAUX I

Une nouvelle voiture!

CONTEXTE VISUEL

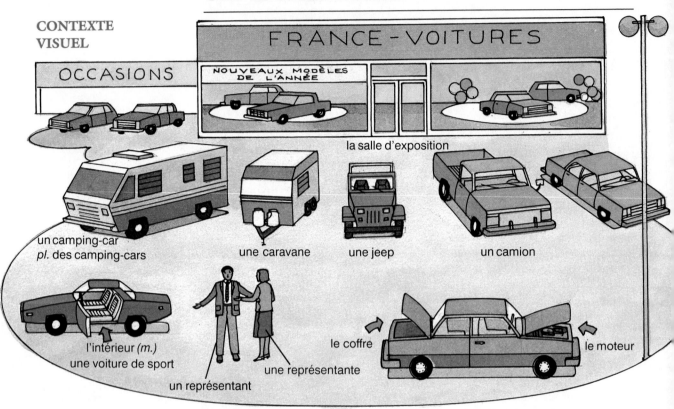

la salle d'exposition

un camping-car
pl. des camping-cars

une caravane

une jeep

un camion

l'intérieur (m.)
une voiture de sport

un représentant

une représentante

le coffre

le moteur

CONTEXTE COMMUNICATIF

1 RAPHAËL Regarde, la voiture de sport là. Elle est super! Un jour j'en **achèterai** une comme ça.

ALINE Non, moi, je préfère la jeep. Elle est plus **économique.**

achèterai *I will buy (future)*

économique *economical*

Variations:

■ la voiture de sport → le camping-car
  elle → il
  achèterai une → choisirai un
  la jeep → le camion
  elle est plus économique → il est plus **pratique**

pratique *practical*

◆ COMMUNICATIVE
OBJECTIVES

To discuss cars

To express intention

To express surprise

To ask for and give
directions

To give advice

2 FRANÇOIS Ma sœur vient d'acheter une voiture.
    LAURE **Sans blague!** Elle est comment, la voiture?
    FRANÇOIS C'est une Peugeot[1] neuve, très confortable.
    LAURE Tu vas la **conduire?**
    FRANÇOIS Non, je n'ai pas **le permis.**

- ■ elle est comment → elle est de quelle marque
- ■ neuve → récente
- ■ une Peugeot neuve → une voiture **japonaise**
  très confortable → très économique
- ■ neuve, très confortable → d'occasion, en bonne **condition**

sans blague! *no kidding!*

conduire *to drive*
le permis (de conduire)
  driver's license

japonais, -e *Japanese*

la condition *condition*

3 SABINE Qu'est-ce que tu **feras,** toi, pour **gagner ta vie?**
    PHILIPPE Après le lycée, je veux aller à **l'université.**
              Ensuite je voyagerai en camping-car avec mes amis.
    SABINE Moi, quand j'**aurai** mon bac, je **me mettrai à**
              travailler tout de suite pour gagner de l'argent.

- ■ je me mettrai à → je commencerai à
- ■ je veux aller à → je **serai étudiant** à
- ■ je me mettrai … de l'argent → je continuerai mes **études**

feras *you will do (future of
faire)*
gagner (sa vie) (here) *to earn
(a living)*
l'université (*f.*) *university*
aurai *I'll have (future of avoir)*
se mettre à + *inf.* *to begin, to
start (I'll start …)*
serai *I'll be (future of être)*
l'étudiant (*m.*), **l'étudiante** (*f.*)
  college student
l'étude (*f.*) *study*
allez! *come on!*
aura (*future of avoir*)
affreux, -euse *awful, terrible*
propre (here) *own*

4 Valérie aide son père à choisir une nouvelle voiture.
    VALÉRIE **Allez,** papa, prends la jeep. Elle est géniale!
    M. VIVIEN Non, je ne l'achèterai pas. En hiver, on **aura** froid.
    VALÉRIE La voiture que tu veux acheter est **affreuse!**
    M. VIVIEN Quand tu auras ta **propre** voiture, tu choisiras une
              jeep, si tu veux.

- ■ en hiver → pendant les vacances
  on aura froid → il n'y aura pas assez de place

[1]Proper names of automobiles are always feminine.

5 BERNARD	Quand **a lieu** le match de foot du lycée?	**avoir lieu** *to take place*
HENRI	Samedi prochain. Tu y vas?	
BERNARD	Non, je serai à la campagne avec mes parents **à ce moment-là.**	**à ce moment-là** *at that time*

■ je serai à la campagne → je partirai pour la campagne

6 Monsieur Dumas ne connaît pas la ville. Il cherche la salle d'exposition «France-Voitures».

M. DUMAS	Excusez-moi, où se trouve «France-Voitures», s'il vous plaît?	
UNE DAME	Allez tout droit. Quand vous arriverez au stade, vous **verrez** la poste à gauche. Eh bien, tournez à gauche et c'est là.	**verrez** *you'll see (future of* voir*)*

■ tournez à gauche → vous tournerez à gauche

7 Aurore vient d'avoir le permis. Pour la première fois, elle va conduire seule la voiture de ses parents.

MME AUTRAN	Tu ne **rouleras** pas trop vite, n'est-ce pas? A cette heure-ci, il y a de **la circulation.** C'est dangereux.	**rouler (en)** *to drive around (in); to run (vehicles)* **la circulation** *traffic*
AURORE	Non, maman, je **ferai** très attention.	**ferai** *(future of* faire*)*

8 Monsieur Dumas est à «France-Voitures». Un représentant **s'occupe de** lui.

LE REPRÉSENTANT	Je vous **conseille de** prendre cette voiture. Regardez, l'intérieur est très confortable.	**s'occuper de** *to take care of, to attend to* **conseiller (à … de)** *to advise (s.o. to do sth.)*
M. DUMAS	Elle **consomme** beaucoup?	**consommer** *to use, to consume (fuel)*
LE REPRÉSENTANT	Non, elle est très économique.	

■ l'intérieur / confortable → le coffre / grand

■ l'intérieur / confortable → **l'extérieur** / beau

l'extérieur *(m.)* *exterior, outside*

EXERCICES

A Bonne route! Qu'est-ce que chaque personne va acheter? Vous pouvez utiliser les mots suivants pour donner une raison. Conversez selon le modèle.

beau	confortable	élégant	grand	rapide
cher	économique	génial	pratique	super

Raoul

ÉLÈVE 1   *Est-ce que Raoul va acheter une moto?*
ÉLÈVE 2   *Oui, parce que c'est rapide.*
OU: *Non, parce que ce n'est pas pratique.*

1. M. Vivien   2. Mme Dumas   3. Aurore

4. Valérie   5. M. Autran   6. Thierry

7. Noël   8. Nadège   9. Et toi, qu'est-ce que tu vas acheter?

313

B Choisissez! Dans la salle d'exposition il y a beaucoup de choix. Choisissez le mot qui convient entre parenthèses.

1. *(Un camion / Une caravane / Une voiture de sport)* n'a pas de moteur.
2. Les voitures de sport consomment trop d'essence. Elles ne sont pas *(économiques / affreuses / confortables)*.
3. Dans ce modèle il y a de la place pour plusieurs valises dans le *(moteur / coffre / camion)*.
4. Si vous devez prendre beaucoup de choses, *(une voiture de sport / une moto / un camion)* est plus pratique.
5. Le représentant nous conseille d'acheter cette voiture parce que l'intérieur est *(affreux / confortable / japonais)*.
6. Jean veut acheter une voiture d'occasion, mais elle doit être *(affreuse / en bonne condition / neuve)*.
7. Luc n'aime pas les camping-cars. Il les trouve *(géniaux / sans blague / affreux)*.
8. Moi, j'aime bien les voitures françaises, mais je préfère les voitures *(d'occasion / neuves / japonaises)*.

C Le mot juste.

Trouvez un synonyme ou une expression synonyme.

1. Roland peut *commencer à* travailler lundi prochain.
2. Je vous *dis* de ne pas acheter cette voiture.
3. Tu n'as payé que 2 500 francs pour cette moto? *Tu plaisantes!*
4. Ce sont les heures de pointe. Il y a beaucoup de *voitures*.
5. Ces voitures de sport *vont* vite.

Trouvez un antonyme.

6. Regardez le bel *extérieur* de cette voiture.
7. Cette voiture est d'une couleur *agréable*.

Trouvez un mot associé.

8. Philippe aime *étudier*. Maintenant, il est _____ à l'Université de Montpellier où il fait des _____ de langues.
9. Papa, tu me *permets* de conduire la voiture? Bien sûr, quand tu auras ton _____.
10. Madame Delmas est *conductrice* d'autobus depuis dix ans. Elle a toujours aimé _____.

D Parlons de toi.

1. Est-ce que ta famille a une voiture? Elle est de quelle couleur? De quelle marque?
2. Est-ce que tu préfères les caravanes ou les camping-cars? Pourquoi?
3. Est-ce que tu as le permis de conduire? Si oui, quel âge est-ce que tu avais quand tu l'as eu? Si non, quand est-ce que tu espères l'avoir? Qu'est-ce qu'il faut faire pour avoir le permis?
4. Un jour, tu vas acheter ta propre voiture. Est-ce que ça va être une voiture neuve ou une voiture d'occasion? De quelle marque? Décris la voiture de tes rêves.
5. Il y a des salles d'exposition de voitures dans ta ville? Où se trouvent-elles? Combien coûtent les voitures neuves aujourd'hui?
6. Est-ce qu'il y a beaucoup de circulation dans ta ville? Sur quelles rues ou quelles routes, surtout? A quelles heures?

ACTIVITÉ

Qu'est-ce que tu conduis? La classe se divise en groupes de trois. Dans chaque groupe, l'un des joueurs donne une catégorie de voiture: *des voitures anglaises, françaises, de sport, confortables,* etc. Les deux autres font chacun une liste des marques dans cette catégorie. Ils reçoivent un point pour chaque marque. Les joueurs changent ensuite de rôle.

On vient voir des voitures super au Grand Palais, à Paris.

APPLICATIONS

Le permis, ce n'est pas pour demain!

Alban apprend à conduire avec un moniteur[1] d'une auto-école.

LE MONITEUR   Quand vous arriverez devant le parc, vous tournerez à gauche.

ALBAN   D'accord. Voilà, je vais à gauche alors?

5   LE MONITEUR   Oui … *(Alban commence à tourner à droite.)* NON! NON! Vous vous trompez, là, c'est la droite et c'est une rue à sens unique![2] Doucement, maintenant.

ALBAN   Mais je vais doucement. N'ayez[3] pas peur! Nous n'aurons[4] pas d'accident.

10   LE MONITEUR   J'espère! Attention, c'est dangereux ici.

ALBAN   Dangereux? Mais non!

LE MONITEUR   Mais si, regardez: il y a beaucoup de circulation.

ALBAN   Oh, zut. Je vais doubler.[5]

LE MONITEUR   Mais non, c'est interdit!

15   ALBAN   Trop tard! *(Il double toutes les voitures et reprend sa place derrière une grosse Citroën noire.)* Et voilà! Vous croyez que j'aurai le permis bientôt?

LE MONITEUR   Je vous conseille de prendre encore quelques leçons—mais pas avec moi!

---

[1] **le moniteur, la monitrice** *instructor*   [2] **à sens unique** *one-way*   [3] **aie! ayons! ayez!** *imperative of* avoir   [4] **aurons** *future of* avoir   [5] **doubler** *to pass*

Questionnaire

1. Le dialogue a lieu _____.
   a. chez Alban   b. dans un parc   c. dans une voiture
2. Le moniteur _____.
   a. apprend à conduire   b. donne des leçons
   c. essaie de conduire
3. Le moniteur dit à Alban de _____.
   a. doubler   b. tourner à droite   c. tourner à gauche

4. La route est dangereuse parce qu'il y a _____.

    a. des accidents   b. de la circulation

    c. des rues à sens unique

5. Le moniteur croit qu'Alban peut avoir le permis _____.

    a. aujourd'hui   b. bientôt   c. bien plus tard

6. Le moniteur lui conseille _____.

    a. d'aller au parc   b. de chercher un autre moniteur

    c. de rouler plus vite

7. Alban _____.

    a. a peur   b. est optimiste   c. se fâche

Maintenant, c'est à vous de poser des questions sur le dialogue et d'y répondre.

1. Où ...?   2. Qui ...?   3. Qu'est-ce que ...?   4. Comment ...?
5. Quand ...?

Situation

Avec un(e) partenaire, imaginez une promenade en voiture. D'abord, choisissez un point de départ et une destination. L'un(e) de vous va conduire; l'autre va conseiller comment conduire et comment arriver à votre destination. Préparez un dialogue de six ou huit phrases.

Une jeune apprend à conduire.

◆ COMMUNICATIVE
OBJECTIVES

To talk to a mechanic or
gas station attendant

To ask how long
something will take

To complain

To express impatience

To threaten

CONTEXTE
VISUEL

On est tombé en panne.

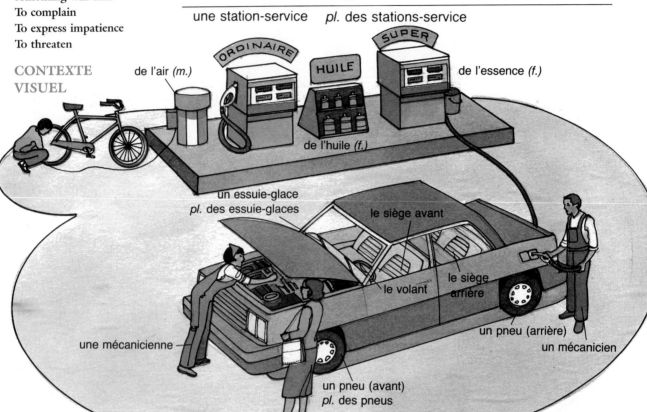

une station-service   *pl.* des stations-service

de l'air *(m.)*   de l'essence *(f.)*

de l'huile *(f.)*

un essuie-glace
pl. des essuie-glaces

le siège avant

le volant   le siège arrière

une mécanicienne   un pneu (arrière)

un mécanicien

un pneu (avant)
pl. des pneus

CONTEXTE
COMMUNICATIF

1   Monsieur Chéreau et son fils Antoine sont en voiture.

M. CHÉREAU	Zut! Il n'y a plus d'essence.
ANTOINE	Tiens, voilà une station-service. On peut **faire le plein.**
M. CHÉREAU	D'accord. Occupe-toi de l'essence. Moi, je vais **vérifier** l'huile.

faire le plein   *to fill up the gas tank*

vérifier   *to check*

Variations:

■ vérifier l'huile → **ajouter** de l'huile

ajouter   *to add*

2 A la station-service.

M. DELMAS	Ma voiture fait un bruit affreux quand je roule.
LE MÉCANICIEN	D'où vient le bruit que vous entendez?
M. DELMAS	Je crois qu'il vient du moteur. Vous pouvez vérifier, s'il vous plaît?
LE MÉCANICIEN	D'accord.

- du moteur → des pneus
- d'accord → votre pneu avant gauche est presque **à plat**

à plat *flat (tires)*

3

LE MÉCANICIEN	Je peux **réparer** ça, mais il faut laisser votre voiture.
M. DELMAS	Ça **prendra** combien de temps?
LE MÉCANICIEN	Elle **sera** prête demain.

réparer *to repair, to fix*

prendra *will take (future of prendre)*

sera *will be (future of* être*)*

4 C'est dimanche. Les Leroux se promènent en voiture.

M. LEROUX	Regarde! Cette voiture-là roule à 150![1]
MME LEROUX	C'est **le type** que nous avons vu à la station-service.
M. LEROUX	Il conduit comme **un fou**! ... Oh zut, alors, cette Peugeot devant moi va trop lentement. **Oh là là,** ça m'embête!
MME LEROUX	Arrête de **rouspéter,**[2] Claude! Qu'est-ce que tu es **nerveux** au volant!

- qu'est-ce que ...! → comme ...!

le type *guy*

fou, folle *crazy;* **le fou, la folle** *lunatic*

oh là là! *oh ...! oh dear!*

rouspéter *to grumble, to complain*

nerveux, -euse *nervous*

---

[1]M. Leroux is referring to 150 *kilomètres à l'heure (km / h),* or about 93 m.p.h.

[2]*Rouspéter* is a stem-changing verb like *répéter: Je rouspète contre tout le monde, tu rouspètes, il rouspète, nous rouspétons, vous rouspétez, elles rouspètent.*

5 Chez les Delmas.

BÉATRICE   Papa, tu peux me conduire chez Pierre, s'il te plaît?

M. DELMAS   Non, la voiture est chez le mécanicien **en ce moment.**

MME DELMAS   **De toute façon,** Béatrice, tu dois d'abord faire tes devoirs.

en ce moment   *right now*

de toute façon   *in any case, anyhow*

6 Les Perreau vont au supermarché en voiture avec leur petit fils Sébastien.

MME PEREAU   On **se met en route?**

M. PERREAU   Oui, allez, Sébastien, monte et sois **sage, sinon** tu restes à la maison.

se mettre en route   *to start off, to get going*

sage   *well-behaved*

sinon   *otherwise, if not*

7 Madame Vincent vient d'arrêter son camping-car devant la poste. Un agent de police s'avance vers elle.

L'AGENT   Allez, madame, **circulez!**

MME VINCENT   Je ne peux pas **stationner** ici?

L'AGENT   Non, c'est interdit.

MME VINCENT   Mais mon camping-car vient de **tomber en panne!**

■ tomber en panne → **tomber en panne d'essence**

circulez!   *move along!*

circuler   *to drive around, to go around, to get around*

stationner   *to park*

tomber en panne   *to break down*

tomber en panne d'essence   *to run out of gas*

On ne peut pas stationner ici, madame.

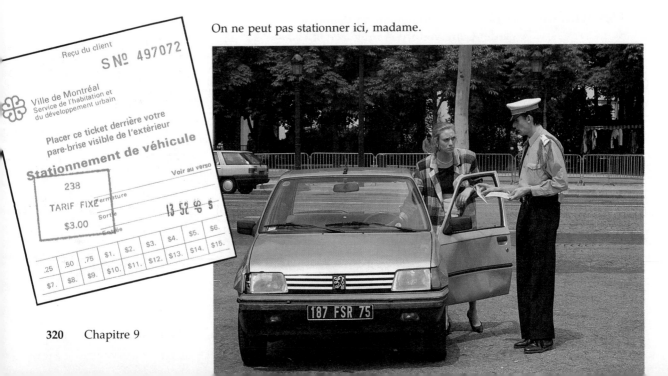

EXERCICES

A Réparons-le! Un groupe de théâtre a acheté une vieille voiture. Mais il y a des problèmes. Pour chaque problème sur la liste de gauche, choisissez une solution sur la liste de droite.

1. Il n'y a pas assez d'huile.
2. On va bientôt tomber en panne d'essence.
3. Le pneu avant est à plat.
4. Le moteur fait du bruit.
5. Oh là là, quelle pluie!
6. Il n'y a plus de place sur le siège avant.
7. La voiture est tombée en panne!

a. Changeons-le.
b. Mets les essuie-glaces en marche.
c. Il faut en ajouter un litre.
d. Faites le plein, alors.
e. On va la réparer.
f. Il faut appeler un mécanicien.
g. Mets-toi sur le siège arrière.

B Avant de se mettre en route ... Tout le groupe s'occupe de la voiture. Que fait chacun? Conversez selon le modèle.

> Alban
> ÉLÈVE 1 *De quoi s'occupe Alban?*
> ÉLÈVE 2 *Il s'occupe de l'huile.*

1. Paul
2. Lucie
3. Thomas

4. Marc
5. Nicole
6. Julie et Sophie

C **Le mécanicien.** Le groupe de théâtre décide d'aller à la station-service. Le mécanicien leur conseille de faire certaines choses. Complétez ses phrases avec les mots de cette liste.

mais   de toute façon   sinon

1. Avant de vous mettre en route, vérifiez bien l'huile, _____ vous allez avoir des problèmes.
2. Le pneu avant n'est pas à plat, _____ il a besoin d'un peu d'air.
3. Vous pouvez ajouter de l'air à la station-service. _____ vous avez besoin d'essence.
4. Faites le plein ici, _____ vous n'arriverez pas jusqu'à Lyon.
5. _____ il y a beaucoup de stations-service entre ici et Lyon.
6. Votre voiture est vieille, _____ elle a l'air d'être en bonne condition.
7. Occupez-vous-en bien, _____ elle va encore tomber en panne.
8. Et puis ajoutez souvent de l'huile, _____ le moteur va se mettre à faire du bruit.

Dans une station-service à Nantes …

D Que dites-vous?

1. Vous dites à vos parents que vous voulez passer votre vie à rouler, à voyager d'une ville à l'autre. Qu'est-ce que vos parents vous demandent?
2. Vous allez à la station-service. La mécanicienne vous dit qu'il faut réparer votre voiture.
3. Votre ami(e) vous raconte que sa voiture de sport roule à plus de 300 km / h. Que lui répondez-vous?

E Parlons de toi.

1. Est-ce que tu te promènes souvent en voiture avec tes amis? Vous êtes sages ou vous roulez comme des fous?
2. Est-ce que tu rouspètes quelquefois? Quand est-ce que tu rouspètes? Tu le fais pendant longtemps, ou est-ce que tu t'arrêtes vite?
3. Est-ce que tu es déjà tombé(e) en panne d'essence? Quand? Est-ce que tu as déjà eu un pneu à plat? Quand? Si tu as un pneu à plat, ça prend combien de temps pour le réparer?
4. Est-ce que tes parents sont nerveux dans la voiture? Ils roulent vite ou lentement? Et ton frère ou ta sœur? Est-ce que tu voyages souvent en voiture avec ta famille? Où est-ce que vous allez?

ÉTUDE DE MOTS

You know that in French, most descriptive adjectives follow the noun *(un garçon timide)*, but some short, common adjectives can come before *(un bon repas)*. Some adjectives, like *propre*, have a different meaning when they come before the noun: *Mon propre verre n'est pas propre.* Can you explain the meaning of these adjectives?

1. Mes *chers* grands-parents ont acheté une voiture *chère*.
2. Mon *ancien* prof habite une maison *ancienne*.
3. Cet homme *seul* est la *seule* personne dans la salle de cinéma.
4. La *dernière* semaine d'août était aussi chaude que la semaine *dernière*.
5. *Pauvre* Diane! Elle vient d'une famille *pauvre*.

Here are some other common adjectives that mean different things when they come before or after a noun. See if you can tell what the sentences mean.

une **certaine** date *(indefinite);* une date **certaine** *(definite)*
> Dans un *certain* temps, elle va pouvoir nous donner la date *certaine*.

le jour **même** *(very [emphasis]);* le **même** jour *(same)*
> Le *même* représentant nous a montré cette jeep *même*.

EXPLICATIONS I

Le futur simple

◆ COMMUNICATIVE
OBJECTIVES

To tell about uncertain
future events

To tell someone what to
do

To give directions

To describe future events that you aren't completely sure will happen, or that will happen in the more distant future, you use the simple future tense. Compare these sentences.

| On **va gagner!** | *We're **going to win!*** |
| On **gagnera** le prochain match. | *We'll **win** the next game.* |

In the first sentence, the future with *aller* implies that you are fairly certain that the event will happen, and that it will happen soon. In the second sentence, the simple future, *gagnera*, implies that the action probably will happen, but there is the possibility it might not. It is the equivalent of "will" or "shall."

1 To form the future tense of *-er* verbs and those like *dormir* and *finir*, simply add the future endings *-ai, -as, -a, -ons, -ez,* and *-ont* to the infinitive. As a model, here are the future forms of *gagner*.

INFINITIF **gagner**

	SINGULIER		PLURIEL
1	je gagner**ai**	nous	gagner**ons**
2	tu gagner**as**	vous	gagner**ez**
3	il ⎫ elle ⎬ gagner**a** on ⎭	ils ⎫ elles ⎬ gagner**ont**

Note that the future endings for the singular forms and the 3 plural form are just like the present-tense forms of *avoir*.

2 Verbs that end in the letters *-re* form their future stems by dropping the *-e* from the infinitive. For example: *prendre → prendr-; dire → dir-; croire → croir-; connaître → connaîtr-,* etc. The only exceptions are *être* and *faire.* You will learn their stems later in this chapter.

3 You can use the simple future if you are proposing something that may not happen.

> Si tu ouvres les bouteilles, je **mettrai** le couvert.

> *If you'll open the bottles, I'll set the table.*

4 You can also use the future tense to give commands and directions.

> Tu te **laveras** les mains avant le dîner!

> *You will wash your hands before dinner!*

> Vous **monterez** l'escalier, et vous **tournerez** à gauche.

> *You'll go up the stairway, and you'll turn left.*

EXERCICES

A Cet été. Vous êtes sûr(e) de vos projets d'été. Mais votre ami(e) ne sait pas encore quoi faire. Conversez selon le modèle.

> voyager
> ÉLÈVE 1 *Je vais voyager cet été, j'en suis sûr(e).*
> ÉLÈVE 2 *Eh bien, moi, je voyagerai peut-être.*

1. prendre des vacances
2. nager
3. profiter du soleil
4. dormir huit heures par jour
5. écrire des cartes postales
6. lire
7. jouer au tennis
8. sortir tous les soirs

B **Doucement, s'il te plaît!** Vos parents veulent absolument *(absolutely)* que vous fassiez *(that you do)* ces choses. Vous êtes un(e) enfant difficile, quelquefois, et vous dites «non» quand même. Conversez selon le modèle.

> Habille-toi vite!
> ÉLÈVE 1 *Tu t'habilleras vite!*
> ÉLÈVE 2 *Ah non, je ne m'habillerai pas!*

1. Range ta chambre!
2. Reste ici et révise tes leçons!
3. Ecris un petit mot à ta grand-mère!
4. Promets de rentrer avant 11h!
5. Endors-toi avant minuit!
6. Range ces magazines!
7. Mets le couvert!
8. Prends ces assiettes!

C **Les conséquences.** Refaites l'Exercice B, mais ajoutez une petite menace *(threat)* après chaque ordre, en employant *sinon*. Suivez le modèle.

> Habille-toi vite!
> *Tu t'habilleras vite, sinon (nous partirons sans toi)!*

D **Doucement, les enfants!** Maintenant, vos parents vous parlent et parlent à vos frères ou sœurs en même temps. Refaites les conversations de l'Exercice B au pluriel. Conversez selon le modèle.

> Habille-toi vite!
> ÉLÈVE 1 *Les enfants, vous vous habillerez vite!*
> ÉLÈVE 2 *Ah non, nous ne nous habillerons pas!*

"Un jour, je parlerai aux étoiles..."

E L'année prochaine! Qu'est-ce qui arrivera *(happen)* l'année prochaine? Faites vos prédictions pour toutes ces personnes. Employez les activités de la liste si vous voulez, ou trouvez-en d'autres.

> Un copain
> *Mon copain Jean réussira ses examens.*

apprendre une autre langue	étudier un peu plus
apprendre à conduire	étudier un peu moins
arriver en classe à l'heure	gagner mille dollars
arrêter de faire des sports	perdre quelque chose
correspondre avec quelqu'un	prendre des leçons de tennis
écrire des poèmes	préparer toutes les leçons
	réussir tous les examens
	voyager à l'étranger

1. votre meilleur ami
2. vos parents
3. vous et un ami
4. votre prof de français
5. votre meilleure amie
6. votre frère (votre sœur)
7. vous

On rentre du lycée en mobylette.

Le verbe *conduire*

◆ COMMUNICATIVE
OBJECTIVE

**To tell how someone
drives**

Here are the forms of *conduire* ("to drive").

INFINITIF   **conduire**

		SINGULIER		PLURIEL	
PRÉSENT	**1**	je	**conduis**	nous	**conduisons**
	2	tu	**conduis**	vous	**conduisez**
	3	il elle on	**conduit**	ils elles	**conduisent**

IMPÉRATIF   **conduis!   conduisons!   conduisez!**
PASSÉ COMPOSÉ   **j'ai conduit**
IMPARFAIT   je **conduisais**
FUTUR SIMPLE   je **conduirai**

EXERCICES

A Comment est-ce qu'on conduit? Chacun a sa façon *(way)* de
conduire. Décrivez comment ces gens conduisent. Utilisez les
adverbes de la liste ou trouvez-en d'autres.

bien	doucement	nerveusement
calmement	lentement	rapidement
dangereusement	mal	sérieusement

1. un(e) voisin(e)
2. vos grands-parents
3. votre oncle
4. votre tante
5. votre cousin
6. vous avec vos parents
7. vous et vos ami(e)s
8. vous tout(e) seul(e)

Une affiche pour
encourager la sécurité
routière

B Les voitures de M. Perrier. M. Perrier a toujours aimé conduire. Complétez les phrases de son histoire avec la forme correcte du verbe *conduire*. Faites attention au temps du verbe.

1. En ce moment M. Perrier _____ une Mercédès.
2. Quand il avait vingt ans, il _____ une vieille Citroën.
3. Pendant ses vacances l'été dernier, il _____ une Peugeot.
4. Puisque sa Mercédès est tombée en panne, il va louer une voiture. Demain il _____ une Volvo.
5. Si lui et sa famille font du camping l'année prochaine, il _____ un camping-car.
6. Un jour il espère _____ une Ferrari.
7. Sa femme lui dit toujours: «Ne _____ pas si vite!»
8. Il lui répond toujours: «Mais je _____ très doucement!»

C Parlons de toi.

1. Est-ce que tu sais conduire? Quelles sortes de voitures est-ce que tu as conduites? Est-ce que, d'habitude, tu conduis seul(e) ou avec une autre personne?
2. Qui te conduit au lycée? Qui te conduisait l'année dernière? Et l'année prochaine, qui te conduira?
3. Est-ce que tu continueras à étudier le français l'année prochaine? Qu'est-ce que tu étudieras d'autre?

DOCUMENT

L es gestes. Imaginez que vous conduisez en France. Un type double *(passes)* votre voiture et la voiture devant vous à toute vitesse *(at top speed)*. Le monsieur devant vous se fâche, vous êtes sûr(e) qu'il rouspète: «Ça va pas, non!» Il se tapote l'index contre la tempe. Qu'est-ce que le monsieur veut dire?

a. Le type est impoli.
b. Le type conduit comme un fou.
c. Le type est étranger.

APPLICATIONS

A la station-service

Qu'est-ce que chaque personne fait? Quels sont les problèmes de M. Tarnier? de Jean-Loup? de Pascal? de Lise?

Maintenant, imaginez une conversation 1) entre M. Tarnier et Jean-Loup et 2) entre Lise et Pascal. Vous pouvez utiliser ces mots si vous voulez.

me conseiller de … / pouvoir vous occuper de … / laisser / laver / ça prendra combien de temps / se mettre en route / acheter un(e) … neuf (neuve) / à ce moment-là / en ce moment / il y a 15 minutes / dans deux jours

DOCUMENT

L a publicité. Préparez une annonce publicitaire de radio ou de télévision pour le magasin «L'Approvisionnement Auto» à Saint-Germain-en-Laye. Indiquez quand le magasin ouvre, quand il ferme, donnez son adresse et son numéro de téléphone, dites ce que l'on y vend, quels services on y offre et n'oubliez pas de préciser *(specify)* comment on peut y arriver. Présentez ensuite votre publicité devant la classe.

l'approvisionnement *supply*
l'atelier de montage *mechanic shop*
la pièce technique d'origine *manufacturer's part*
la carrosserie *car body*
la K7 = cassette

EXPLICATIONS II

◆ COMMUNICATIVE
OBJECTIVES

To tell about uncertain
future events

To tell someone what to
do

To give directions

Le futur simple des verbes irréguliers

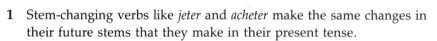

You have seen how to form the simple future tense by adding endings
to an infinitive stem. Some very common verbs, however, have irregular
stems, even though the future endings remain the same: *-ai, -as, -a, -ons,
-ez, -ont*.

INFINITIVE	STEM	
aller	**ir-**	J'irai à la plage.
avoir	**aur-**	Tu auras froid.
devoir	**devr-**	Nous devrons partir.
être	**ser-**	Elle sera contente.
faire	**fer-**	Il fera beau.
falloir	**faudr-**	Il faudra sortir.
pleuvoir	**pleuvr-**	Il ne pleuvra pas.
pouvoir	**pourr-**	Je pourrai rester.
recevoir[1]	**recevr-**	Tu recevras un télégramme.
savoir	**saur-**	Nous le saurons demain.
venir[2]	**viendr-**	Vous viendrez plus tard.
voir	**verr-**	On verra le château.
vouloir	**voudr-**	Ils voudront s'amuser.

1 Stem-changing verbs like *jeter* and *acheter* make the same changes in
their future stems that they make in their present tense.

jeter[3] *(je jette)*	**jetter-**	Je jetterai ce journal.
acheter[4] *(j'achète)*	**achèter-**	Tu achèteras un magazine.

Verbs like *répéter*[5] add the endings directly to the infinitive with no
changes.

répéter	**répéter-**	Je répéterai cette phrase.

---

[1]Like *recevoir: décevoir.*
[2]Like *venir: revenir, devenir.*
[3]Like *jeter: appeler.*
[4]Like *acheter: emmener, geler, (se) lever, mener, (se) promener, peser.*
[5]Like *répéter: espérer, préférer, rouspéter, (se) sécher.*

2 Verbs that end in *-yer* have an *i* in their stems instead of a *y*.

| essayer | **essaier-** | Nous essaierons de voyager. |
| s'ennuyer | **s'ennuier-** | Vous ne vous ennuierez pas. |

Envoyer is irregular.

| envoyer | **enverr-** | Elles enverront des souvenirs. |

A Une nouvelle carrière *(career).* Jean vient de trouver un nouveau travail comme employé de banque. Dites comment sa vie va changer. Suivez le modèle.

> Actuellement, il ne sait pas se servir d'un ordinateur.
> *Bientôt, il saura se servir d'un ordinateur.*

1. Actuellement, il ne fait rien d'intéressant.
2. Actuellement, il s'ennuie.
3. Actuellement, il a très peu d'amis.
4. Actuellement, il ne peut pas faire des économies.
5. Actuellement, il n'est pas content.
6. Actuellement, il fait la grasse matinée.
7. Actuellement, il ne va jamais au restaurant.

Nous aussi, quand nous serons g₁ nous serons Promotechniciennes.

PROMOTECH✲INTER

SECRÉTARIAT - BUREAUTIQUE - BANQUE

42.8(

Une publicité dans le métro

B **De mauvaise humeur** *(In a bad mood).* Aujourd'hui vous êtes de très mauvaise humeur. Répondez aux questions de vos ami(e)s en employant la forme négative du futur simple. Conversez selon le modèle.

> aller à la plage avec nous
> ÉLÈVE 1 *Tu vas à la plage avec nous?*
> ÉLÈVE 2 *Non, je n'irai pas à la plage avec vous.*

1. venir chez moi plus tard
2. nous voir ce soir
3. être triste tout(e) seul(e)
4. vouloir dîner avec nous
5. venir au cinéma demain
6. faire la tête
7. recevoir une visite tout à l'heure
8. avoir des devoirs

C **Après les cours.** Quand Sylvie rentrera du lycée aujourd'hui, sa mère ne sera pas là. Elle lui a déjà dit ce qu'il y aura à faire à la maison. Complétez ses instructions en mettant les verbes au futur.

Après le lycée, tu …

1. rentrer tout de suite à la maison
2. n'acheter rien au magasin
3. ne pas te promener avec tes amis

A la maison, tu …

4. sécher et ranger la vaisselle
5. jeter les vieux journaux
6. ne pas appeler tes amis
7. essayer d'étudier un peu
8. ne pas t'ennuyer
9. ne pas rouspéter

Maintenant, créez *(create)* une liste d'ordres que vos parents vous donnent pour demain ou pour le week-end.

D **L'an 2050.** Comment sera la vie au 21e siècle? Complétez les phrases avec vos propres idées. Suivez le modèle.

> Pour voyager, on …
> *Pour voyager, on aura des voitures qui marcheront sans essence.*

1. La télé …
2. Les journaux …
3. Les familles …
4. Les hommes …
5. Les ordinateurs …
6. Les femmes …
7. Pour s'habiller, on …
8. Moi, je …

E Parlons de toi.

1. Où est-ce que tu iras ce week-end? Qui verras-tu?
2. Qu'est-ce qu'il faudra faire pour bien commencer la semaine au lycée? Tu seras fatigué(e) ou pas lundi prochain? Pourquoi?
3. Qu'est-ce que tu feras pendant les vacances de printemps? A qui est-ce que tu feras une visite? Est-ce que tu passeras beaucoup de temps avec tes ami(e)s? Qu'est-ce que vous ferez ensemble?

ACTIVITÉ

Ma vie à trente ans.   Préparez cinq ou six questions sur la vie de vos camarades de classe quand ils auront trente ans. Par exemple:

Est-ce que tu habiteras encore ici?
Est-ce que tu auras des enfants? etc.

Posez ces questions à cinq personnes différentes dans la classe et écrivez leurs réponses. Formez ensuite des groupes de trois personnes. Parlez des réponses que vous avez reçues et écrivez un paragraphe pour résumer *(summarize)* ce que vous et vos camarades pensez de la vie à trente ans.

APPLICATIONS

RÉVISION

Formez des phrases en français d'après les modèles.

1. Après *leur départ, tu recevras un télégramme.*
      (a week, Mr. Leroux will open the showroom)
      (a few lessons, I will know how to swim)

2. *Vous avez conduit la voiture.*
   (You [form.] *were driving the farmer's truck.*)
   (You'll [form.] *drive a Ferrari!*)

3. *Les copains que tu as invités ne viendront pas.*
   (The camper trailer that we like will cost too much.)
   (The car that Dad will choose will not be practical!)

4. Nous finirons nos devoirs et *nous serons bien contents!*
                  (you [form.] *will go to Mark's house*)
                  (Miss Brunel will correct them)

5. De toute façon, *je n'achèterai pas ces chaussures aujourd'hui.*
         (you [fam.] *will not drive the motor home during the*
         vacation)
         (she will not dry her hair in the bathroom tomorrow)

6. Mais *cette année, nous conduisons un camion.*
      (right now, she gets around by moped)
      (now, we park in front of the house)

Des Renault neuves à la
salle d'exposition

THÈME

Trouvez les expressions françaises qui correspondent à l'anglais et rédigez un paragraphe.

1. After her studies, Danièle will earn a lot of money.

2. She'll then drive her own car.

3. The car that she'll buy will be fast.

4. She'll drive it every day, and everybody will say hello to her!

5. In any case, she'll lead an interesting life.

6. But right now, Danièle must finish her homework!

RÉDACTION

Maintenant, choisissez un de ces sujets.

1. Quel travail fera Danièle après ses études? Faites une liste de ce qui (*what*) est nécessaire pour bien faire ce travail.

2. Imaginez que vous êtes Danièle dans le dessin numéro 4. Vous arrêtez votre voiture près de vos amis. Vous faites des projets ensemble pour samedi prochain. Ecrivez un petit paragraphe pour dire où vous irez et comment vous vous amuserez.

3. Danièle écrit un petit mot à sa meilleure amie, Bernadette. Elles vont faire du camping, toutes les deux, ce week-end. Danièle empruntera la caravane d'un ami. Elle écrit ce qu'il faut faire avant de partir. Ecrivez ce petit mot.

CONTRÔLE DE RÉVISION   CHAPITRE 9

A   Dans la salle d'exposition.
Complétez les phrases selon l'image.

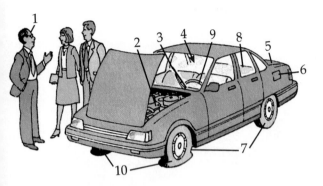

Le __1__ parle de la voiture aux Renaud.
Le __2__ marche presque en silence.
Mettez en marche les __3__ quand il pleut.
L' __4__ est très confortable.
Le __5__ est assez grand pour tous vos bagages.
Elle ne consomme pas beaucoup d'__6__.
Les __7__ sont de la meilleure qualité.
Remarquez les __8__ en cuir.
Vous aimez être au __9__, madame?
Ces pneus ont besoin d'un peu d'__10__, je crois.

B   Quel est l'imposteur?
Trouvez le mot qui ne fait pas partie du groupe.

1. *des endroits:* le type, la salle d'exposition, la station-service, l'université
2. *des véhicules:* le camion, le camping-car, la circulation, la voiture de sport
3. *des choses que l'on peut faire avec une voiture:* rouler, conseiller, stationner, conduire

C   Des refus.
Cet enfant n'est pas très sage. Il refuse d'obéir.
Ecrivez ses réponses au futur.

> Lave la voiture! *Non, je ne la laverai pas!*

1. Ouvre cette bouteille!
2. Parle moins fort.
3. Bois ton lait.
4. Lève-toi!
5. Mets tes lunettes!
6. Prends ces légumes!
7. Rends ces livres!
8. Dis la vérité!

D   Bientôt, Adèle aura le permis.
Mettez les verbes en italique au futur.

Adèle *a* son permis de conduire. Ses copains *viennent* chez elle, parce qu'ils *veulent* circuler en ville avec elle. Elle *conduit* la voiture de ses parents en ville où tout le monde la *voit*. Ils *s'arrêtent* au café où ils *achètent* quelque chose à boire ou à manger. Ils n'y *restent* pas longtemps. Au volant Adèle n'*est* pas nerveuse. Elle et ses copains *font* très attention. Après leur promenade, elle *met* de l'essence dans la voiture. Elle *doit* gagner un peu d'argent pour payer l'essence. Sinon, son père ne lui *permet* plus de prendre la voiture. Un jour, elle *achète* sa propre voiture.

Noms

l'air *(m.)*
le camion
le camping-car, *pl.* les
    camping-cars
la caravane
la circulation
le coffre
la condition
l'essence *(f.)*
l'essuie-glace, *pl.* les
    essuie-glaces
l'étude *(f.)*
l'étudiant *(m.)*, l'étudiante *(f.)*
l'extérieur *(m.)*
le fou, la folle
l'huile *(f.) (motor oil)*
l'intérieur *(m.)*
la jeep
le mécanicien, la mécanicienne
le moteur
le permis (de conduire)
le pneu (avant, arrière), *pl.* les
    pneus
le représentant, la représentante
la salle d'exposition
le siège (avant, arrière)
la station-service, *pl.* les
    stations-service
le type
l'université *(f.)*
la voiture de sport
le volant (au volant)

Adjectifs

affreux, affreuse
économique
fou, folle
japonais, -e
nerveux, -euse
pratique
propre *(own)*
sage

Verbes

ajouter
circuler
conduire
conseiller (à … de)
consommer
gagner *(to earn)*
se mettre à + *inf.*
s'occuper (de)
réparer
rouler (en)
rouspéter
stationner
vérifier

Conjonction

sinon

Expressions

à ce moment-là
allez!
à plat
avoir lieu
de toute façon
en ce moment
faire le plein
gagner (sa vie)
oh là là!
sans blague
se mettre en route
tomber en panne (d'essence)

PRÉLUDE CULTUREL | LE TÉLÉPHONE

Imagine that you have just arrived in Toulouse, a city in southwestern France. You search the train station, but the French friends who were supposed to meet you are nowhere to be found. Fortunately, it's no problem, because here, like anywhere in the U.S., you can use the phone to contact your friends right away. To make a call you can simply use one of the public phone booths *(une cabine téléphonique)* set up by *les P et T*, the government agency that operates French mail and phone services.

When you enter the booth, you may find that the phone does not accept payment in coins. Instead, you must insert *une télécarte*, a special credit card that can be bought at post offices and tobacco shops. It's good for a specific number of calls, depending on the price you've paid for it. Nevertheless, if you don't have *une télécarte*, don't worry. In many places, you'll still be able to find at least one coin-operated public phone. And no matter where you are in France, all *bureaux de poste* have public phone booths.

At home with your friends in Toulouse, you may notice that French teenagers do not spend much time on the phone. French parents usually frown on lengthy conversations.

Your French friends may introduce you to the wonders of Minitel. Le Minitel, a small keyboard and screen hooked up to the phone, is offered free of charge by the *P et T* to all phone subscribers. Originally started as a computerized telephone directory, Minitel enables you to find any phone number in France without calling information *(les renseignements)* or thumbing through the phone book *(l'annuaire)*. Minitel has become so popular that it now offers a wide range of services. For example, your friends might use their Minitel to check their bank balance, order merchandise, reserve train tickets, play games, exchange messages with Minitel subscribers throughout France, look up school exam results, or check local movie schedules.

Practically any information you might need is available on Minitel. French people are so sold on it that the *P et T* has installed public Minitel booths in larger cities. So don't be surprised if you see people typing away on Minitel keyboards in train stations, in public libraries, and even on the street! Before the end of your visit, you too may join in the Minitel craze. But don't forget that while the Minitel terminal is free, the services are not. The *P et T* charges them all to your phone bill, and they can mount up fast!

CONTEXTE
VISUEL

Maryse, téléphone pour toi!

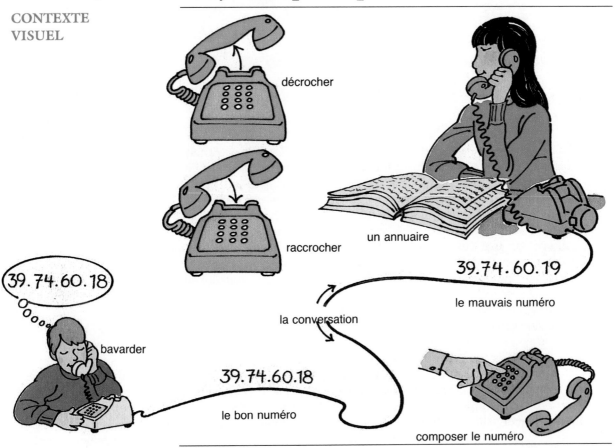

décrocher

raccrocher

un annuaire

39.74.60.19

le mauvais numéro

39.74.60.18

la conversation

bavarder

39.74.60.18

le bon numéro

composer le numéro

CONTEXTE
COMMUNICATIF

1 ALAIN Tu me **passes un coup de fil** demain?

FLORENCE Oui, mais je n'ai pas ton numéro. Tu es sur
l'annuaire?

ALAIN Non, c'est le trente-sept, quarante-huit,
cinquante-neuf, vingt-quatre.[1]

FLORENCE Merci, je t'appellerai demain midi alors.

passer un coup de fil *to give
someone a (phone) call*

[1] In France, phone numbers are written with periods or spaces separating two-digit
combinations. They are said aloud as two-digit numbers.

2 Le téléphone sonne chez Adam.

ADAM	**Allô?**
PASCALE	Allô, Adam, **ici** Pascale.
ADAM	Ah salut, Pascale. Ça va?

Variations:
- chez Adam → chez un monsieur

  ADAM → LE MONSIEUR

  ah salut … ça va? → Je suis désolé, mais vous avez le mauvais numéro. Quel numéro demandez-vous?

allô *hello* (on telephone)
ici … *this is …* (on telephone)

3 Vivienne bavarde au téléphone avec Elodie.

VIVIENNE	J'ai envie d'acheter une voiture comme **celle** de Marie et de Patrick. Où l'ont-ils achetée?
ELODIE	A «France-Voitures».

- une voiture / celle → un camping-car / celui

  l'ont-ils achetée? → l'ont-ils acheté?

celui (*m.*), **celle** (*f.*) *this one, that one, the one;* **ceux** (*m.pl.*), **celles** (*f. pl.*) *these, those, the ones*

4 Alban et Vincent bavardent au téléphone.

ALBAN	Tu as vu la nouvelle mob de Cédric?
VINCENT	Oui, elle est bien, mais je préfère celle de Luc.
ALBAN	Ah oui, sa mob est géniale. Où il l'a achetée?
VINCENT	Ses parents ont une station-service et un de leurs clients **ne voulait plus de** sa mob.

ne plus vouloir de *to no longer want; not to want anything more to do with*

5 Virginie téléphone à Benoît, mais c'est sa mère qui décroche.

VIRGINIE	Allô, bonjour, madame. Pourrais-je parler à Benoît, s'il vous plaît?
MME TURIN	Je suis désolée, mais Benoît n'est pas là. Vous voulez lui laisser **un message?**
VIRGINIE	Oui, pouvez-vous lui dire que Virginie a appelé? Merci, et au revoir, madame.

le message *message*

6 Eric téléphone à Adèle. D'abord **la ligne est occupée.** Il **rappelle.**[2]

ÉRIC	Allô. Pourrais-je parler à Adèle, s'il vous plaît?
M. JAMIN	**Qui est à l'appareil?**
ÉRIC	Eric Delplat, un ami d'Adèle.
M. JAMIN	Bon, **ne quittez pas, je vous la passe,** mais ne soyez pas trop **bavard.** Elle est en train de faire ses devoirs.
ÉRIC	D'accord, merci, monsieur.

la ligne est occupée *the line is busy*

rappeler *to call back*

qui est à l'appareil? *who's calling?*

ne quittez pas *hold the line*

je vous la passe *I'll put her on*

bavard, -e *talkative*

7 Le téléphone sonne chez Pierre. Il décroche.

PIERRE	Allô?
M. HUBERT	Oui, allô, bonjour. Pourrais-je parler à M. Dalpèche, s'il vous plaît?
PIERRE	Oui, ne quittez pas, s'il vous plaît, je vous le passe. *(à son père)* Papa, téléphone pour toi!

8

MME ROGET	Allez, Simon, viens m'aider à ranger ta chambre.
SIMON	Oh, maman, je t'ai déjà aidée à **essuyer**[3] la vaisselle.
MME ROGET	Si, viens. Je veux **passer l'aspirateur** dans ta chambre, mais d'abord tu dois ranger le placard **où** tu as jeté tes livres et tes papiers.

essuyer *to wipe*

passer l'aspirateur *to vacuum*

l'aspirateur *(m.)* *vacuum cleaner*

où *where (relative)*

---

[2]*Rappeler is a verb like* jeter.

[3]*Essuyer is a -yer verb that may also be reflexive:* Je m'essuie les pieds; tu t'essuies, il s'essuie, nous nous essuyons, vous vous essuyez, elles s'essuient.

On bavarde au téléphone.

EXERCICES

A Le mot juste.

Trouvez un synonyme ou une expression synonyme.

1. Alan *fait* le numéro 25.57.71.86.
2. Christophe et Maryse adorent *parler* au téléphone.
3. Qui est *au téléphone?*
4. Tu peux me *passer un coup de fil* ce soir?
5. Personne ne répond. Il faut les *appeler encore* plus tard.
6. Tu voudrais laisser un *mot?*
7. Alain? *Attendez!* Je vous le passe.

Trouvez un antonyme ou une expression antonyme.

8. Elle vient de *décrocher.*
9. La ligne est *libre.*
10. Hélène a le *bon numéro.*

Trouvez un mot associé.

11. Christophe et Maryse *bavardent* souvent, mais Christophe est plus ____ que Maryse.

B Un coup de fil.
On parle au téléphone. Mettez les phrases dans un ordre logique.

1. a. On compose le numéro.
   b. On raccroche.
   c. Ça sonne.
   d. On bavarde.
   e. On décroche.
2. a. Merci bien.
   b. Qui est à l'appareil?
   c. Allô?
   d. Ici Simon, un ami de Pierre.
   e. Pierre, téléphone pour toi!
   f. Ne quittez pas, je vous le passe.
   g. Pourrais-je parler à Pierre, s'il vous plaît?

Mots Nouveaux I   **345**

On se sert du Minitel pour
tous les renseignements.

C Allô? Vous téléphonez chez votre copain Patrick, qui n'est pas très
heureux aujourd'hui. Imaginez l'autre partie *(part)* de la conversation
et répondez comme vous voulez.

1. Allô?

   _____.

2. Qui est à l'appareil?

   _____.

3. Ah, bonjour, ça va?

   _____.

4. Non, moi, ça va mal. Sophie ne veut plus de moi.

   _____.

5. Oui, on a eu une conversation hier.

   _____.

6. Vendredi soir? Rien, qu'est-ce que tu veux faire?

   _____.

7. D'accord, tu passes par ici?

   _____.

8. Alors, à vendredi à 9h.

   _____.

D Que dites-vous?

1. Le téléphone sonne. Vous décrochez. Que dites-vous?
2. Vous téléphonez chez un ami, mais vous ne reconnaissez pas la voix de la personne qui décroche. Que dites-vous?
3. Vous décrochez et quelqu'un demande une personne que vous ne connaissez pas. Que dites-vous?
4. Vous décrochez. Quelqu'un demande votre père. Il est dehors. Que dites-vous?
5. Vous passez un coup de fil à un(e) ami(e). Sa mère répond. Que dites-vous?

E Parlons de toi.

1. Est-ce que tu parles beaucoup au téléphone? Combien de temps par jour est-ce que tu passes au téléphone? A qui est-ce que tu téléphones?
2. Est-ce que tu passes un coup de fil à ton (ta) meilleur(e) ami(e) chaque jour? Combien de fois par semaine est-ce que vous bavardez au téléphone, vous deux?
3. Est-ce que tes parents te permettent de parler longtemps au téléphone? Qu'est-ce qu'ils disent si tu es trop bavard(e)?
4. Qui dans ta famille parle le plus au téléphone? Et qui parle le moins? Pourquoi?
5. Qu'est-ce qui t'embête plus—faire un mauvais numéro ou expliquer à quelqu'un qu'il (elle) a fait un mauvais numéro? Pourquoi?

Père et fille au même téléphone

Un mauvais numéro

Virginie compose le numéro, elle attend la tonalité[1] et puis elle entend la voix d'une dame.

Deux jeunes au téléphone en Suisse

LA DAME   Allô, *iss djzzgtte.*

VIRGINIE   Bonjour, madame. Je voudrais prendre rendez-vous,
5   s'il vous plaît.

LA DAME   Bien sûr, quand pouvez-vous venir?

VIRGINIE   Un soir, la semaine prochaine, après dix-sept heures.

LA DAME   Attendez … Lundi, à dix-sept heures trente, ça vous va?[2]

10 VIRGINIE   Oui, c'est parfait.

LA DAME   Vous me donnez votre nom, s'il vous plaît.

VIRGINIE   Virginie Parrot, avec un P comme Paul, A, deux R, O, T comme Thomas.

LA DAME   D'accord, c'est noté.[3] Et vous venez pour une coupe?

15 VIRGINIE   **Pardon?**

LA DAME   Vous prenez rendez-vous pour quoi exactement?

VIRGINIE   *(confuse)* Mais … pour voir le docteur Lachaux.

LA DAME   Comment!?[4] Mais ici, c'est le salon de coiffure «Chez Huguette»!

20 VIRGINIE   Ah, excusez-moi, madame. J'ai dû faire un mauvais numéro!

LA DAME   Ce n'est pas grave.[5] Au revoir, mademoiselle.

---

[1]**la tonalité** *dial tone*   [2]**aller à quelqu'un** *to be OK with someone*
[3]**noté,-e** *noted*   [4]**comment!?** *what!?*   [5]**ce n'est pas grave** *it doesn't matter*

Questionnaire

1. Qu'est-ce que Virginie est en train de faire?   2. Pour quand est-ce qu'elle veut prendre rendez-vous?   3. Selon la dame, pour quoi est-ce que Virginie prend rendez-vous?   4. Pour quoi est-ce que Virginie veut vraiment prendre rendez-vous?   5. Où est-ce qu'elle a téléphoné? 6. De quoi Virginie s'est-elle trompée?

Situation

Avec un(e) camarade de classe, préparez un dialogue où l'un(e) de vous essaie de prendre rendez-vous et l'autre est réceptionniste. C'est à vous de décider si c'est chez le coiffeur, le dentiste, le médecin, l'opticienne ou une personne chez qui vous cherchez du travail.

Elle adore parler au téléphone.

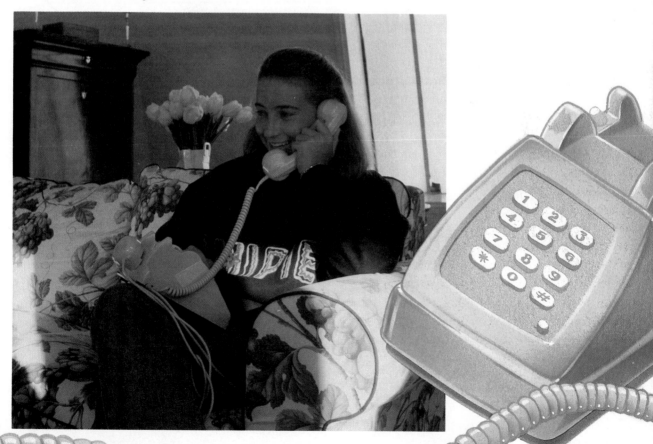

MOTS NOUVEAUX II

On déménage!

CONTEXTE VISUEL

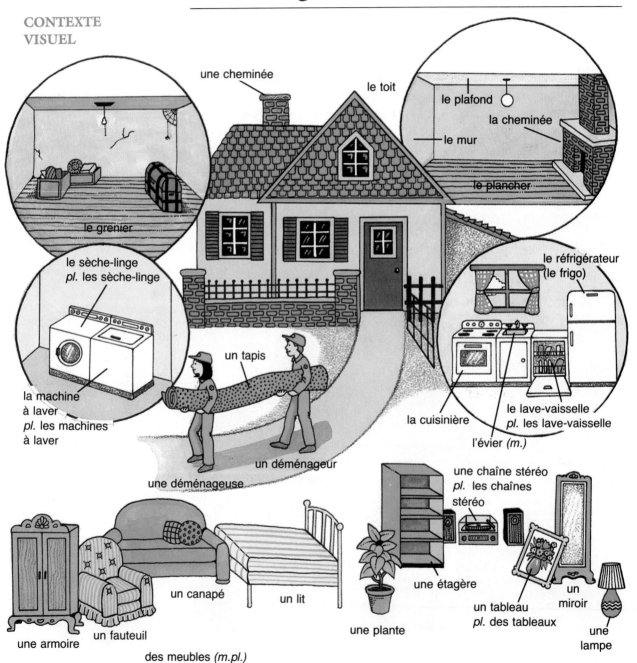

une cheminée

le toit

le plafond

la cheminée

le mur

le plancher

le grenier

le sèche-linge
pl. les sèche-linge

le réfrigérateur
(le frigo)

la machine
à laver
pl. les machines
à laver

un tapis

le lave-vaisselle
pl. les lave-vaisselle

la cuisinière

l'évier *(m.)*

un déménageur

une déménageuse

une chaîne stéréo
pl. les chaînes
stéréo

un canapé

un lit

une étagère

un tableau
pl. des tableaux

un
miroir

une
lampe

une armoire

un fauteuil

des meubles *(m.pl.)*

une plante

To describe a house
To describe furniture/
appliances
To ask and tell where
something belongs

To tell what something
is made of
To make a suggestion
To offer a conflicting
opinion

To express location
To ask for and offer help
To request specific
information

CONTEXTE
COMMUNICATIF

1   MARYSE   Mes parents viennent d'acheter une nouvelle
                  maison.

     FABRICE   Tu es contente de **déménager?**

     MARYSE   Oui, la maison est très belle. Il y a de **la
                moquette** dans les chambres, une cheminée
                dans le salon et un grand jardin.

déménager *to move (to another
  residence)*

la moquette *wall-to-wall
  carpeting*

2   Les Moreau déménagent. Madame Moreau dit au
     déménageur où il faut mettre les meubles.

     LE DÉMÉNAGEUR   Où faut-il mettre le canapé?

     MME MOREAU   Dans le salon, s'il vous plaît.

Variations:

   ■ le canapé → la cuisinière
      le salon → la cuisine

3   Dans un grand magasin.

     MONIQUE   Je voudrais voir une étagère, s'il vous plaît.

     LE VENDEUR   Oui, j'en ai une très belle **en bois.**

     MONIQUE   Hmm … Elle est plus chère que celle en
                plastique.

     LE VENDEUR   Prenez **plutôt** celle en bois. Elle est plus
                jolie.

le bois *wood*

le plastique *plastic*

plutôt *rather*

   ■ une étagère → un tourne-disque
      une très belle en bois → un de très bonne qualité
      elle est plus chère que celle en plastique → il est plus cher
      que celui-là
      celle en bois → celui-ci
      elle est plus jolie → il est en solde aujourd'hui

4 Frédéric aide sa sœur Maryse à **installer** ses meubles dans sa nouvelle chambre.

FRÉDÉRIC	Et le miroir, je le mets où?
MARYSE	**Au milieu du** mur, **au-dessus de** mon lit.
FRÉDÉRIC	Comme ça?
MARYSE	Non, plus **haut.**[1] Voilà, c'est parfait.

- haut → **bas**
- le miroir → le tapis
  au milieu du mur → au milieu du plancher
  au-dessus de → **au-dessous de**
  plus haut → plus à droite

installer   *to install, to put in place*

au milieu de   *in the middle of*
au-dessus de   *above*
haut *(adv.)*   *high*

bas *(adv.)*   *low*

au-dessous de   *under*

5 Annette et Jacques font le ménage.

ANNETTE	Tu me **donnes un coup de main,** s'il te plaît?
JACQUES	Oui, pour quoi faire?
ANNETTE	Je vais **nettoyer les rideaux.**
JACQUES	Bon, attends. Je vais les **décrocher.**

donner un coup de main   *to give a helping hand*

nettoyer   *to clean*
le rideau, *pl.* **les rideaux**   *curtain; draperies*
décrocher   *to unhook, to take down*

6 Les Moreau finissent de déménager.

FRÉDÉRIC	A qui sont ces disques?
MARYSE	**Lesquels?** Ceux qui sont là?
FRÉDÉRIC	Oui. Je les mets dans **le tiroir?**
MARYSE	Non, non, laisse-les là.

- à qui sont ces disques → à qui est cette boîte
  lesquels? ceux qui sont là → laquelle? celle qui est là
  je les mets dans le tiroir? → je la mets dans le placard?
  laisse-les → laisse-la

lequel? *(m.),* **laquelle?** *(f.) which one?;* **lesquels, lesquelles?** *which ones?*

le tiroir   *drawer*

7 Les Prévot cherchent une nouvelle maison.

MME RENARD	Et voici la maison **dont** je vous ai parlé.
MME PRÉVOT	On peut aller **dedans?**
MME RENARD	Oui, bien sûr. L'intérieur est très beau. Tout est en très bonne condition, les plafonds …

- on peut aller dedans? → on va rester **dehors?**
  oui, bien sûr → mais non, entrez

dont   *of (about) which*
dedans   *inside, in it*

dehors   *outside*

---

[1]*Haut* starts with an aspirate *h*, so there is no liaison or elision before it.

8 Gabriel et Denise sont en train de **s'installer** dans leur nouvelle maison.

> GABRIEL   Où je mets cette radio? **En haut de** l'étagère?
> DENISE   Non, mets-la **en bas.** Ça ira mieux.

> ■ cette radio / en haut de → la télé / **en bas de**
>   mets-la en bas → mets-la **en haut**

s'installer   *to settle in*

en haut de   *at the top of*
en bas   *on the bottom, down below*
en bas de   *at the bottom of*
en haut   *at the top, on the top, up above*

EXERCICES

A   **Ça déménage.**   Les déménageurs sortent les meubles du camion. Décidez où il faut les mettre.

> ÉLÈVE 1   *Où est-ce que je mets l'armoire?*
> ÉLÈVE 2   *Mettez-la dans la chambre, s'il vous plaît.*

1.

2.

3.

4.

5.

6.

7.

8.

9.

Un camion de déménagement

B Choisissez. Les Dupuis ont déménagé hier. Aujourd'hui, ils s'installent dans leur nouvelle maison. Choisissez le mot qui convient.

1. Monsieur Dupuis vient de faire la lessive. Il mettra maintenant les vêtements dans *(la machine à laver / le sèche-linge / le salon)*.
2. M. Dupuis met *(le miroir / la moquette / l'évier)* au mur.
3. Mettez ce tableau *(au-dessous de / au-dessus de / derrière)* la télé.
4. Ne cachez pas ce livre. Mettez-le *(sur l'étagère / dans le tiroir / dans l'armoire)*.
5. Yves *(installe / s'installe / déménage)* ses meubles dans la chambre.
6. Ils vont mettre les boîtes vides dans *(le toit / le tiroir / le grenier)*.
7. Anne installe la lampe au *(plancher / plafond / lit)*.

C Le mot juste.

Trouvez un synonyme ou une expression synonyme.

1. Ces plantes doivent être *à l'extérieur de la maison*.
2. Mettez ces chaises *à l'intérieur de la maison*.

Trouvez un mot associé.

3. Les Renaud viennent d'acheter *un immeuble*. Maintenant, ils doivent acheter des nouveaux _____.
4. Mettez la _____ dans *la cuisine*. Plus tard nous allons préparer de la _____ italienne.
5. Les Davy *déménagent*. Les _____ apportent leurs meubles.

Complétez les phrases avec les mots suggerés par les images.

6. De la Tour Eiffel j'ai vu les toits et les _____ de Paris.
7. A Noël on met les chaussures devant la _____.
8. Le prof nous dit les noms de quelques _____ de Degas.
9. Puis il les écrit sur le _____.

D Parlons de toi.

1. Est-ce que tu as jamais déménagé? Si oui, d'où à où? Est-ce que ta famille a employé des déménageurs ou est-ce vous avez déménagé tout seuls? Est-ce que tu as donné un coup de main?

2. Décris la maison idéale du toit au sous-sol. Combien de pièces y a-t-il? Quels meubles s'y trouvent? Comment est-ce qu'ils sont rangés? De quelles couleurs sont-ils?

3. Est-ce que tu as des planchers en bois chez toi, ou est-ce que tu as de la moquette ou des tapis? Est-ce qu'il y a des choses sur les murs? Quoi?

4. Est-ce que tu as une chaîne stéréo? Combien de fois par semaine (ou par jour) est-ce que tu l'écoutes? Quelle sorte de musique est-ce que tu écoutes? Est-ce que tu préfères les disques ou les cassettes? Pourquoi?

5. Est-ce que tu as un lave-vaisselle chez toi? Une machine à laver? Un sèche-linge? A ton avis, quelle machine est la plus importante? Pourquoi? Qui est-ce qui utilise ces machines le plus souvent chez toi?

ACTIVITÉ

Jeu des meubles.   Formez des groupes de quatre ou cinq personnes. Dans chaque groupe, tous les joueurs ont un dessin représentant le plan d'une maison. L'un des joueurs, «le client», a des meubles. Il donne alors des instructions pour placer les meubles. Les autres joueurs, «les déménageurs», essaient de placer les meubles d'après les instructions. Ils reçoivent un point pour chaque meuble mis au bon endroit.

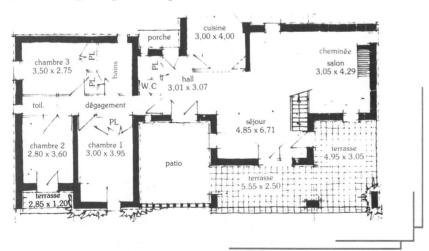

ÉTUDE DE MOTS

You have already learned how to form past participles.

> Il **a préféré** les tableaux de Monet.
> Il **a allumé** la télé.

Many past participles may also be used as adjectives. When they are used as adjectives, they agree in gender and number with the noun they describe.

> Son tableau **préféré** est *La Joconde.*
> Il a laissé la télé **allumée.**

Il cherche une maison à louer.

Find the adjectives in the following sentences. Which verbs do they come from?

> Les examens corrigés sont dans le tiroir.
> L'argent emprunté, c'est l'argent perdu.
> Il y a tant d'arbres morts dans cette forêt!
> C'est une petite fille née le vingt-neuf février.

Make adjectives from the following verbs and past participles.

> Hier ils ont *installé* la moquette. Maintenant la moquette est _____.
> C'est moi qui ai *fait* ce pull. En voici d'autres _____ à la main.
> J'ai *cassé* les verres. Regarde tous ces verres _____!
> Eric *range* les provisions. Les provisions sont _____ dans le placard.
> Nous allons *vendre* notre maison. Quand elle sera _____, nous nous installerons dans un appartement.
> Je *nettoie* le tapis du salon maintenant. Alors, tous les tapis seront _____.

From now on you should be able to recognize the meaning of a past participle used as an adjective if you have learned the basic verb.

EXPLICATIONS I

Quel et *lequel*

You know how to use *quel* ("which") to ask someone to identify specific people or things from a set. Remember that the form of *quel* agrees with the gender and number of the noun you're referring to.

Quel tapis voulez-vous? **Quels modèles** voulez-vous voir?
Quelle étagère préférez-vous? **Quelles lampes** préférez-vous?

◆ COMMUNICATIVE
OBJECTIVE

To ask for specific
information

1 The pronoun *lequel* means "which one?" It is a combination of *le, la,* or *les* + a form of *quel*. Here is how you would say the questions above if you did not want to repeat the noun in each.

	SINGULIER	PLURIEL
M.	**Lequel** voulez-vous?	**Lesquels** voulez-vous voir?
F.	**Laquelle** préférez-vous?	**Lesquelles** préférez-vous?

2 *Lequel* can be used alone as a question.

MME FORT Je crois que je vais acheter cette robe.
JULIE **Laquelle?**
MME FORT La bleue, là, à gauche dans la vitrine.

3 When *quel* + noun or *lequel* are in front of a past participle and are the direct objects of the verb, you must make the past participle agree with them.

Quelles robes est-ce que tu as chois**ies**?
Lesquelles est-ce que tu as achet**ées**?

4 You can use *lequel* with prepositions.

Il parle avec quelques profs. **Avec lesquels?**
J'ai mis l'argent dans un tiroir. **Dans lequel?**

Dans une cabine
téléphonique

5 *Lequel* contracts with the prepositions *à* and *de*.

Je téléphone **à un ami.**	**Auquel?**
... **à une amie.**	**A laquelle?**
... **à des amis?**	**Auxquels?**
... **à des amies.**	**Auxquelles?**
Je parlais **de ce monsieur.**	**Duquel?**
... **de cette dame.**	**De laquelle?**
... **de ces messieurs.**	**Desquels?**
... **de ces dames.**	**Desquelles?**

EXERCICES

A **L'interview.** Vous allez écrire un article sur la nouvelle élève française pour le journal de votre lycée. Vous préparez les questions que vous allez lui poser. Complétez les questions avec la forme de *quel* qui convient.

1. _____ matières est-ce que tu préfères?
2. _____ profs est-ce que tu as?
3. _____ films américains est-ce que tu as vus?
4. Et _____ pièces de théâtre?
5. Dans _____ autres pays est-ce que tu as voyagé?
6. _____ chose en particulier est-ce que tu aimes en Amérique?

B **Au restaurant.** Vous êtes au restaurant avec les autres membres du Club français de votre lycée. Tout le monde commande, mais sans être assez précis. Le serveur (la serveuse) vous demande de préciser *(specify)*. Avec un(e) camarade, jouez les deux rôles. Conversez selon le modèle.

DENISE: une salade
ÉLÈVE 1 *Je crois que je vais prendre une salade.*
ÉLÈVE 2 *Laquelle voulez-vous?*
ÉLÈVE 1 *Oh, la salade verte.*
OU: *Oh, la salade niçoise.*

1. LAURE: une boisson froide
2. GEORGES: une omelette
3. ALBAN: des côtelettes
4. SYLVIE: un sandwich
5. SIMON: des fruits
6. ANNETTE: une boisson chaude
7. JACQUES: la tarte
8. LE PROF: du vin

C Le pauvre Claude. Votre copain Claude n'a pas pu vous accompagner au restaurant parce qu'il avait un rhume. Vous lui téléphonez le lendemain *(the next day)*, et il vous pose beaucoup de questions pour savoir ce que tout le monde a commandé. Conversez selon le modèle, en regardant l'Exercice B.

> DENISE: une salade
> ÉLÈVE 1 *Denise a pris une salade.*
> ÉLÈVE 2 *Ah bon? Laquelle est-ce qu'elle a prise?*
> ÉLÈVE 1 *La salade verte.*

D Mais où, monsieur? Le déménageur veut savoir précisément *(exactly)* où mettre les meubles. Avec un(e) camarade, jouez les rôles du client et du déménageur. Conversez selon le modèle.

> la lampe / derrière le fauteuil / deux
> ÉLÈVE 1 *Mettez la lampe derrière le fauteuil, s'il vous plaît.*
> ÉLÈVE 2 *Mais derrière lequel, monsieur (mademoiselle)? Il y en a deux.*

1. les manteaux / dans le placard / cinq
2. le miroir / à côté de la porte / trois
3. le canapé / entre les fenêtres / six
4. le grand lit / dans la chambre / quatre
5. les boîtes / sous le lit / trois
6. le piano / contre le mur / quatre
7. la plante / sur l'étagère / deux
8. le tapis / devant la cheminée / deux

E J'aime, je n'aime pas. Avec un(e) camarade, parlez de vos goûts *(tastes)* et habitudes. Conversez selon le modèle.

> sports / jouer à / le plus souvent
>
> ÉLÈVE 1 *De tous les sports, auquel est-ce que tu joues le plus souvent?*
> ÉLÈVE 2 *Je joue le plus souvent (au basket).*

1. restaurants / aller à / le plus souvent
2. professeurs / faire attention à / le moins souvent
3. instruments de musique / jouer de / le mieux
4. tes amis / parler à / le plus souvent
5. tes cousins / écrire à / le plus souvent
6. tes amis / dire bonjour à / le plus souvent
7. cinémas / aller à / le plus souvent
8. livres / se servir de / le moins souvent

F Il est génial! Mireille a rencontré un garçon qu'elle trouve très sympathique. Il s'appelle Marc. Elle en parle avec sa meilleure amie. Conversez selon le modèle.

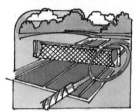

Tu sais, Marc a assisté a un match samedi.

ÉLÈVE 1 *Tu sais, Marc a assisté à un match samedi.*
ÉLÈVE 2 *Vraiment? Auquel?*
ÉLÈVE 1 *Il a assisté au match de tennis.*

1.

Tu sais, Marc joue à plusieurs sports.

2.

Tu sais, Marc joue de deux instruments.

3.

Tu sais, Marc a déjà voyagé dans plusieurs pays.

4.

Tu sais, Marc va acheter une voiture.

5.

Tu sais, Marc sort souvent avec trois amis.

6.

Tu sais, ils vont toujours au même café.

ACTIVITÉ

Différences d'opinion. Formez des groupes de quatre ou cinq personnes. Chaque membre du groupe doit écrire sur une feuille de papier une question qui demande au lecteur *(reader)* de faire un choix. Par exemple, *Entre la musique rock et la musique classique, laquelle est-ce que vous préférez?* Les membres du groupe mettent toutes les feuilles dans un sac pour leur groupe. Ensuite, les sacs sont échangés entre les groupes.

Dans chaque groupe, à tour de rôle *(in turn)*, un membre tire *(draws)* une feuille du sac, et lit la question à haute voix. Chaque joueur écrit sa réponse à la question. Comparez vos réponses. Pour quelle question est-ce qu'il y a eu le plus grand nombre de réponses similaires?

Les pronoms démonstratifs

Demonstrative pronouns are used to point out specific people or things without repeating the noun. They mean "the one" or "the ones." Their form must agree with the noun they are replacing.

◆ COMMUNICATIVE OBJECTIVES

To point out specific people or things

To tell to whom something belongs

1 Here are the forms of the demonstrative pronouns. Imagine that you are helping your sister decide what to wear on a date.

	SINGULIER	PLURIEL
M.	Quel pantalon? **Celui** en coton.	Quels tennis? **Ceux** en cuir.
F.	Quelle veste? **Celle** en laine.	Quelles bagues? **Celles** en or.

2 To point out "this one" or "these," add -ci to the demonstrative pronoun. To point out "that one" or "those," add -là.

LE VENDEUR   Nous avons deux modèles. Lequel préférez-vous, **celui-ci** ou **celui-là?**

CHANTAL   Euh … **celui-ci,** je crois.

3 To show possession, use a form of de after the demonstrative pronoun.

A qui est ce camion?   C'est **celui des** déménageurs.
C'est ta chaîne stéréo?   Non, c'est **celle d'**Henri.

4 Demonstrative pronouns can be followed by qui clauses or que clauses. When the que clause has a past participle, it must agree with the demonstrative pronoun.

Au club théâtre.
RÉMI   Qui est Luc Davy? C'est **le garçon qui** joue le rôle du fils?
ROSE   Non, c'est **celui qui** joue le rôle du père.
RÉMI   **Cette pièce** est amusante, mais **celle que** nous avons **montée** le mois dernier était meilleure.

Quelle pièce est-ce qu'on va voir ce soir, celle-ci?

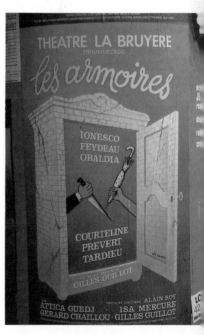

Explications I   361

EXERCICES

A Je préfère. C'est aujourd'hui samedi, vous faites des courses.
Conversez avec les vendeurs (vendeuses) selon le modèle.

ÉLÈVE 1 *Quelle chaîne stéreo est-ce que vous
préférez, monsieur (mademoiselle)?*
ÉLÈVE 2 *Eh bien, je crois que je préfère celle-ci.*
OU: *Eh bien, je crois que je préfère celle-là.*

1.

2.

3.

4.

5.

6.

7.

8.

B Pour le week-end. Vous organisez un week-end à la plage avec
vos amis et vous voulez emprunter quelques choses. Lisez les
descriptions et choisissez les choses que vous préférez.

disques: Robert a cinq ou six disques des années soixante. Luc a
une grande collection de disques récents.
Je préfère emprunter ceux de Luc.

1. *voiture:* Marie a une petite voiture sans siège arrière. François a
une grande jeep géniale.
2. *chaîne stéréo:* Lucien a une nouvelle chaîne stéréo avec
tourne-disque et magnétophone à cassettes. Roger a une vieille
chaîne stéréo qui marche mal.

3. *assiettes:* Sylvie a des belles assiettes en verre. Marc a dix paquets d'assiettes en papier.
4. *skis nautiques:* Bernard, Luc et Martin ont des skis neufs. Didier, Claude et Vivianne ont des très vieux skis.
5. *ballon:* Pierre a un ballon de basket un peu à plat. Hélène a un beau ballon de foot.
6. *vélos:* Vincent a un très grand vélo. Alban a deux vélos neufs.
7. *serviettes:* Aurélie a des belles serviettes de bain qui sont à sa mère. René a des grandes serviettes de plage qu'il a achetées il y a deux ans.

C   Qui sont-ils?   Vous faites une liste d'invités pour votre boum. Votre grand-mère lit la liste et vous demande plus de renseignements. Répondez en employant *celui qui, celle qui, ceux qui* ou *celles qui.* Conversez selon le modèle.

> Alice et Charles / habitent dans la maison bleue
> ÉLÈVE 1   *Qui sont Alice et Charles?*
> ÉLÈVE 2   *Ce sont ceux qui habitent dans la maison bleue.*

1. Henri / a une moto rouge
2. Marie / m'apprend à jouer de la guitare
3. Jean / m'a prêté ses disques
4. Claire et Patricia / rouspètent toujours
5. Peter et Paul / sont venus d'Amérique pour étudier le français
6. Hélène / a eu 20 en maths la semaine dernière
7. Marc / m'aide avec mes devoirs de chimie
8. Benoît et Elisabeth / vont tourner un film de la boum

D   Parlons de toi.
1. Combien d'équipes de sport y a-t-il à ton lycée? Laquelle a gagné le plus de matchs cette année? Laquelle en a gagné le moins? Compare ces équipes à celles des autres lycées de ta région.
2. Identifie quelques camarades de classe ou des profs par une de leurs qualités. Nomme celui (celle) qui est le (la) plus bavard(e), sincère, fort(e), sympa, généreux(-euse), charmant(e), etc.
3. Qu'est-ce qu'il y a comme groupes ou clubs à ton lycée? Quels sont ceux que tu aimes? Pourquoi? Quels sont ceux qui ont le plus de membres? Le moins? Pourquoi?
4. Nomme les différents groupes de personnes à ton lycée; par exemple, ceux qui font du sport, ceux qui aiment les ordinateurs, etc.

APPLICATIONS

«Chez moi» avec Louis XIV

Avant de lire la *Lecture*, cherchez les réponses à ces questions.
1. De quel château est-ce qu'on parle dans cette *Lecture*?
2. Où se trouve le village de Versailles?
3. Cherchez les dates de la construction du château.

You don't believe in ghosts, but as you enter the palace of Versailles, a phantom in seventeenth-century clothing and a curled wig appears at your side. The ghost starts to speak … to you!

Bonjour, je suis heureux de vous recevoir aujourd'hui chez moi. D'abord, permettez-moi de me présenter. Je suis Louis XIV. On m'appelle aussi Louis le Grand ou le Roi[1] Soleil. Eh oui, c'est moi, le plus célèbre et le plus puissant[2] roi de France. Vous savez peut-être que grâce à[3] moi, la France
5 est devenue le plus grand pays d'Europe au dix-septième siècle. Enfin, maintenant il reste[4] de ces années un souvenir glorieux. C'est ma maison, le château de Versailles.

Mon père, Louis XIII, avait un petit pavillon de chasse[5] ici dans le village de Versailles. Je suis né près de Paris en 1638, mais je n'ai jamais aimé la
10 ville et donc en 1661, j'ai décidé de m'installer ici, à la campagne. Bon, si nous commencions par une visite du parc.

Arrêtons-nous là, en haut de l'escalier sur la terrasse et regardez les jardins! Magnifique, n'est-ce pas? J'aimais l'harmonie et l'ordre. J'ai demandé à mon jardinier[6] Le Nôtre* de dessiner cette perspective: les
15 bassins,[7] le Grand Canal et le tapis vert—c'est la longue pelouse que vous voyez—forment une ligne[8] droite parfaite. Et les fontaines—elles sont splendides, n'est-ce pas? Au dix-septième siècle, je donnais là des grandes réceptions. Imaginez la foule de seigneurs[9] et de dames qui dansaient ici.

Que pensez-vous des statues qui décorent mon parc? Laquelle
20 préférez-vous? Moi, c'est celle qui me représente à cheval, là-bas. J'aimais beaucoup la sculpture et tous les beaux-arts: la peinture,[10] la musique, l'architecture.

Des fontaines à Versailles

---

*André Le Nôtre (1613–1700) was Louis XIV's landscape architect. He is credited with creating the very formal *jardin à la française* with its artistically trimmed hedges and long, symmetrical walkways.

[1] **le roi** *king*   [2] **puissant, -e** *powerful*   [3] **grâce à** *thanks to*   [4] **il reste** *there remains*   [5] **le pavillon de chasse** *hunting lodge*   [6] **le jardinier, la jardinière** *gardener*   [7] **le bassin** *pool*   [8] **la ligne** *line (row)*   [9] **le seigneur** *lord, noble*   [10] **la peinture** *painting*

Rentrons chez moi maintenant. C'est Mansart,* mon architecte, qui a fait les plans du château. Sa construction a duré vingt ans, de 1661 à 1681. J'ai voulu une maison qui me ressemblait: grande, belle et unique.

Maintenant, montons au premier étage. Nous n'aurons pas le temps de tout visiter, mais je vais vous montrer les parties les plus exceptionnelles du château. Nous allons traverser plusieurs salons. Ici Racine et Molière[†] ont monté des pièces pour mon plaisir. Admirez aussi ces tableaux des plus grands peintres de mon époque.[11] J'aimais la littérature. Il y avait dans ma bibliothèque 70 000 livres.

---

*Jules Hardouin-Mansart (1646–1708) added two long, enormous wings around Louis XIV's central apartments, greatly enlarging the palace. They housed the king's immediate family and numerous relatives, members of the nobility, and government officials.

†Jean Racine (1639–1699) and Jean-Baptiste Molière (1622–1673) are two of the greatest French playwrights. Racine wrote primarily dramas and tragedies with classical themes. Molière is famous for his comedies.

[11]l'époque (f.)   time, era

Le château et les célèbres jardins

La Galerie des Glaces à Versailles

Accompagnez-moi dans la plus belle pièce de mon château, la Galerie des Glaces.* Vous n'avez jamais vu un décor aussi beau, n'est-ce pas? Le Brun† l'a fait pour moi: à gauche, dix-sept grandes fenêtres; à droite,
35 dix-sept miroirs hauts qui reflètent la lumière;[12] et au plafond, des peintures exécutées par Le Brun sous ma direction. Je passais dans cette galerie tous les jours et mes seigneurs et mes dames m'y attendaient.

Je vais vous accompagner dans mes appartements. Vous voyez aujourd'hui des copies d'objets et de meubles précieux qui sont
40 maintenant dans des musées.

Allons dans ma propre chambre. Le lit que vous voyez là avec ses brocarts[13] d'or est une copie, mais il est assez joli. Je me suis endormi pour la dernière fois ici en 1715, entouré d'une foule de nobles.

Ah, Versailles est magique, vous ne trouvez pas? Même[14] aujourd'hui,
45 presque 300 ans après ma mort, on l'admire encore. Je vais vous dire au revoir maintenant, c'est l'heure de partir. J'espère que vous avez aimé cette petite visite chez moi et que vous en garderez un bon souvenir.

---

*La Galérie des Glaces, or Hall of Mirrors, takes its name from the 400 mirrors forming seventeen huge panels that cover the wall opposite the windows.

†Not only was Charles Le Brun (1619–1690) the chief painter for Louis XIV, but he also directed an army of sculptors, painters, and weavers who decorated the interior of the château.

[12]**la lumière** *light*   [13]**le brocart** *brocade (fabric)*   [14]**même** (here) *even*

Questionnaire

1. D'après le roi, pourquoi s'est-il installé à Versailles?
2. Quand est-ce que le roi est né? Quand est-ce qu'il est mort?
3. Quand est-ce qu'on a commencé la construction du château?
4. Pourquoi est-ce que Louis XIV dit qu'il était le plus célèbre et le plus puissant roi de France?
5. Comment étaient les jardins de Versailles?
6. Qui étaient (a) Le Nôtre, (b) Mansart, (c) Racine, (d) Molière, et (e) Le Brun?
7. Selon le roi, quelle salle du château est la plus élégante? Pourquoi?
8. Le roi voulait une maison qui lui ressemblait. Qu'est-ce que Versailles vous montre au sujet de *(about)* Louis XIV, ses plaisirs et ses goûts?

EXPLICATIONS II

L'adverbe relatif *où*

You know that *où* is a question word that asks "where?" *Où* can also be used to tell more about a place or a time.

◆ COMMUNICATIVE
  OBJECTIVES
  To give specific
  information about a
  place
  To tell where or when
  something happens

1 In describing a place, *où* is much like the English word "where." It can also represent other ideas, such as "in which" and "on which."

Je connais **un café où** les
serveurs sont super!

*I know of **a café where** the
waiters are great!*

Elle vient de jeter **la boîte où**
j'ai laissé mes clefs.

*She just threw away **the box in
which** I left my keys.*

2 In describing a time, *où* means "when."

C'était **la saison où** tout le
monde prenait des vacances.

*It was **the season when**
everyone took a vacation.*

C'est **l'heure où** il faut éviter
de conduire.

*It's **the time of day when** you
should avoid driving.*

1980, c'est **l'année où** mon
frère est né.

*1980 is **the year (when)** my
brother was born.*

EXERCICES

A Une visite de la ville. Il y a un nouvel élève à votre lycée et vous lui montrez votre ville. Dites ce qu'on fait dans tous ces endroits. Suivez le modèle.

le lac
Voici le lac où on (nage en été, fait du ski nautique, etc.).

1. le parc
2. le cinéma
3. le café
4. la bibliothèque
5. le stade
6. la gare
7. le magasin
8. la place

B   Ma vie, mes idées.   Complétez ces phrases comme vous voulez.

1. Je préfère habiter une ville (un village, une ferme) où …
2. L'automne est la saison où …
3. Je préfère le moment du jour où …
4. Je préfère aller à un lycée (une université) où …
5. Seize heures est le moment du jour où …
6. Je connais un endroit où …
7. Au cinéma, j'adore les films où …

Maintenant, comparez vos réponses avec celles d'un(e) camarade.

C   A «France-Voitures».   Voici l'histoire de M. Brel. Complétez le paragraphe avec *qui, que (qu')* ou *où*.

Monsieur Brel vient d'arriver à son travail. Il vend des voitures à «France-Voitures» __1__ il est le meilleur représentant. Tout à coup il entend un bruit affreux __2__ vient de dehors. C'est une vieille voiture __3__ vient de s'arrêter. Deux jeunes en sortent et se dirigent
5 vers la salle d'exposition __4__ M. Brel les reçoit. Il a plusieurs voitures __5__ le jeune couple peut examiner. La première voiture __6__ il leur montre est trop chère. La deuxième, __7__ le jeune homme admire beaucoup, est trop chère aussi. Tous les modèles coûtent trop cher pour les deux jeunes __8__ sont de plus en plus
10 déçus. Enfin M. Brel propose une voiture d'occasion __9__ se trouve dehors. Les jeunes regardent la voiture __10__ il leur montre. C'est une petite voiture rouge __11__ est en excellente condition. Voilà la voiture __12__ ils cherchaient. Ils n'oublieront jamais le jour __13__ ils ont trouvé leur jolie petite voiture.

Le pronom relatif *dont*

You have learned how to tell more about a noun by adding extra information introduced by the relative pronouns *qui* and *que* or by the relative adverb *où*. However, when the information you wish to add contains a verb followed by *de* + a noun, you need a different relative pronoun to put the sentences together.

The sentences on the left give the main information. The sentences on the right give extra information. The sentences in the middle show how that information can be combined, using *dont*.

Voici les rideaux.   Maman a besoin **de ces rideaux.**
            Voici les rideaux **dont** maman a besoin.
            Here are the curtains (that) Mom needs.

Les vendeurs sont sympa.   Il parlait **de ces vendeurs.**
            Les vendeurs **dont** il parlait sont sympa.
            *The clerks **about whom** he was talking are nice.*

L'ordinateur est chouette.   Je me sers **de cet ordinateur.**
            L'ordinateur **dont** je me sers est chouette.
            The computer (that) I use is great.

Dont doesn't have a single English equivalent. You might think of it as meaning "of whom," "of which," "about whom," and "about which."

EXERCICES

A Tout le monde en parle.   Donnez votre avis sur ces choses dont tout le monde parle. Suivez le modèle.

> un film
> (La boum), *un film dont tout le monde parle, est super (affreux, débile, drôle).*

1. un livre
2. une voiture
3. une équipe
4. une vedette
5. une émission
6. un chanteur / une chanteuse
7. un disque
8. un groupe de rock

B Parlons de toi.

1. Quel est le film dont tu as entendu parler le plus (*most talked about*) cette année? Quelle est la chanson? Et la vedette?
2. De tous les livres que tu as lus, lequel est-ce que tu préfères? Pourquoi?
3. Quel est le cours où tu es le plus sûr(e) de toi? Quel est celui où tu es le moins sûr(e) de toi? Pourquoi?
4. Quelles sont les matières dont tu te serviras le plus après le lycée à ton avis? Pourquoi?
5. Quelles sont trois choses dont on a toujours besoin dans la vie?

APPLICATIONS

RÉVISION

Formez des phrases en français d'après les modèles.

1. Je vais *me mettre en route après 3h.*
   (dry myself with a towel after my bath)
   (settle myself in front of the TV after a long day)

2. *Lesquels des tableaux est-ce qu'ils achèteront?*
   (Which of the plants will she buy?)
   (Which of the dishwashers will you [pl.] buy?)

3. Il va *nettoyer le tableau de Monet et celui de Renoir.*
   (try on Paul's jacket and the one belonging to Robert)
   (read my messages and those from Annie)

4. *Nous avons déjà reçu plusieurs cadeaux, celui de Rose et ceux de votre famille.*
   (He's already unplugged all the TV sets, those in the bedrooms and the one in the living room.)
   (I've already returned seven chairs, those belonging to the Duponts and those of the Huberts.)

5. Mais *la cheminée* est trop *petite* pour y mettre *tout ce bois.*
   (the washing machine) (small)   *(all those curtains)*
   (the fridge)   *(small)*   *(all these provisions)*

6. C'est *nous qui devons nous occuper de celle dont tu ne veux plus.*
   (you [fam.] who has to throw out the ones [m.] that I don't want anymore)
   (you [pl.] who have to take the ones [f.] that Mom doesn't want anymore)

Un déménageur au travail

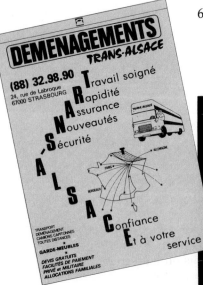

370   Chapitre 10

THÈME

Trouvez les expressions françaises qui correspondent à l'anglais et rédigez un paragraphe.

1. My sister Nadine is going to settle into her new apartment near the university.

2. Which of the bookcases in the attic will she choose?

3. She's going to take the wooden one and the plastic one.

4. She's also taking along the two armchairs, the one belonging to her grandmother and the one from her room.

5. But her new apartment is too small to put all her furniture there.

6. And it's Dad and I who have to bring down the ones that she doesn't want anymore.

RÉDACTION

Maintenant, choisissez un de ces sujets.

1. Nadine écrit à ses parents après une semaine à Paris. Elle raconte comment elle s'est installée dans son appartement et où elle a mis toutes ses affaires *(things)*. Ecrivez la lettre.

2. Ecrivez le dialogue entre Nadine et sa mère dans le grenier. Sa mère lui offre seulement une étagère, mais Nadine a d'autres idées.

3. Faites une liste des objets chez vous que vous voudrez emmener avec vous quand vous aurez votre propre appartement ou quand vous irez à l'université. Si ces objets sont à vos parents ou à un frère (une sœur), comment est-ce que vous pouvez les avoir?

CONTRÔLE DE RÉVISION CHAPITRE 10

A **La chambre d'Alain.**
Identifiez les meubles d'après les numéros.
Complétez la description en utilisant les
expressions de la liste.

| au-dessous | au milieu | dedans |
| au-dessus | en haut | dehors |

Le __1__ ancien d'Alain est _____ de son bureau.
Ce bureau a quatre __2__, avec beaucoup de
papiers _____. Sur ce bureau il y a une __3__
qu'il écoute quelquefois le soir. Chaque matin
Alain ouvre les __4__ et fait son __5__ qui se
trouve _____ de la chambre, juste _____ de la
fenêtre. Pendant la journée, son chat aime
dormir _____ du lit. Alain allume sa __6__ le soir
pour lire. Devant son __7__ il y a un petit __8__
sur le __9__.

B **Au téléphone.**
Choisissez l'expression de la liste qui complète
chaque phrase.

    a. Qui est à l'appareil   d. Eh bien, au revoir
    b. Je vous la passe   e. Ne quittez pas
    c. Allô   f. Il faut rappeler

1. La ligne est occupée. _____.
2. Le coup de téléphone est pour votre sœur qui
est près de vous. Vous dites: «_____.»
3. Monsieur Jamin ne sait pas qui lui téléphone.
Il demande: «_____?»
4. La personne au téléphone demande votre
père, mais vous ne savez pas s'il est là. Vous
dites: «_____.»

5. Le téléphone sonne. Vous décrochez: «_____?»
6. La conversation est finie. Vous dites: «_____.»

C **Lequel?**
Ecrivez des questions en employant une forme
de *lequel* et un pronom démonstratif.

    Ce lit-ci est plus confortable que ce lit-là.
    Lequel est plus confortable, celui-ci ou celui-là?

1. Cette armoire-ci est plus grande que cette
armoire-là.
2. Ces tableaux-ci sont plus beaux que ces
tableaux-là.
3. Cette chaîne stéréo-ci coûte plus cher que cette
chaîne stéréo-là.
4. Ces déménageurs-ci travaillent moins vite que
ces déménageurs-là.
5. Ces plantes-ci sont plus jolies que ces
plantes-là.
6. Cet aspirateur-ci marche mieux que cet
aspirateur-là.

D **Précisez** (*more information*)**, s'il vous plaît.**
Posez des questions. Employez *à* ou *de* + *lequel*.

    Roger expliquera le problème à la cliente.
    A laquelle?

1. Après le dîner je vais passer un coup de fil à
mes amies.
2. Je me souviens bien de mon ancien voisin.
3. Tu peux demander des renseignements au
contrôleur.
4. Mireille nous parle souvent de sa cousine.

E **A compléter.**
Complétez les phrases avec le mot qui convient.

1. Voilà l'adresse (*auxquels, dont, où*) je vais
envoyer le paquet.
2. Ce sont les grands chiens (*dont, qui, que*) j'ai
peur.
3. Est-ce que tu as parlé au médecin (*lequel, qui,
que*) était à l'hôpital?
4. Est-ce que ce sont les pièces (*à qui, auxquels,
auxquelles*) il a assisté?

VOCABULAIRE DU CHAPITRE 10

Noms

l'annuaire *(m.)*
l'armoire *(f.)*
l'aspirateur *(m.)*
le bois (en bois)
le canapé
la chaîne stéréo, *pl.* les chaînes
    stéréo
la cheminée *(fireplace; chimney)*
la conversation
le coup de fil
la cuisinière
le déménageur, la déménageuse
l'étagère *(f.)*
l'évier *(m.)*
le fauteuil
le grenier
la lampe
le lave-vaisselle, *pl.* les
    lave-vaisselle
le lit
la machine à laver, *pl.* les
    machines à laver
le message
les meubles
le miroir
la moquette
le mur
le plafond
le plancher
la plante
le plastique
le réfrigérateur (le frigo)
le rideau, *pl.* les rideaux
le sèche-linge, *pl.* les sèche-linge
le tableau, *pl.* les tableaux
    (painting)
le tapis
le tiroir
le toit

Adjectif

bavard, -e

Pronoms

celui, celle, ceux, celles
    (-ci, -là)
dont
lequel, laquelle, lesquels,
    lesquelles

Verbes

bavarder
décrocher
déménager
s'essuyer / essuyer
s'installer / installer
nettoyer
raccrocher (l'appareil)
rappeler

Adverbes

bas (en bas de; en bas)
dedans
dehors
haut (en haut de; en haut)
où *(relative)*
plutôt

Prépositions

au-dessous de
au-dessus de
au milieu de

Question

qui est à l'appareil *(m.)*?

Expressions

allô *(on telephone)*
le bon (mauvais) numéro
composer le numéro
donner un coup de main
ici … *(on telephone)*
je vous le (la) passe
la ligne est occupée
ne plus vouloir de
ne quittez pas
passer l'aspirateur
passer un coup de fil

CHAPITRE 11

PRÉLUDE CULTUREL | L'HÔTELLERIE

When French people travel, they do not pull over at a roadside motel for the night. Instead, they usually choose stops in advance, using the *Guide Michelin*, a guidebook that lists and evaluates most hotels and restaurants in France.

French hotels can range from incredibly luxurious to basic and bare. To help tourists, the French government has devised a "star system" to classify hotels. A one-star hotel will provide you with a clean room with hot and cold running water, but bath and toilet facilities will be down the hall. Using the shower may even cost you extra. In a two-star hotel, your room will cost a little more, but it will be more comfortable and perhaps have its own bathroom. One- and two-star hotels are usually small, with no more than a dozen rooms. The owner often operates a café on the premises, where you will get a real taste of French life. A three-star hotel room must have a private bath. Four-star hotels cater to wealthier tourists and offer all the comforts that anyone could possibly want. The star system is very reliable, and hotels are checked annually by state inspectors. Hotels usually have signs outside to tell how many stars they have.

Actually, the French do not choose a hotel merely for the comfort of the rooms. Out-of-the-way country inns *(les auberges)* may attract customers because of the reputation of their chefs. People will travel miles to spend a weekend tasting the secret recipes of a famous hotel chef.

Tourists who love history may reserve a room at one of the small *châteaux* turned into hotels by enterprising French aristocrats. The lucky guest dines by candlelight, strolls through beautiful grounds, and may spend the night in an ornate canopy bed.

For the hardy tourist, there are plenty of *campings*. Like hotels, campgrounds are supervised by the French government and charge according to the services they provide. Young people traveling on a shoestring often stay at youth hostels *(les auberges de jeunesse)*. In fact, that's the best way to meet young people from all over the world.

If you don't have a *Guide Michelin*, you can always contact the *syndicat d'initiative* (tourist information office) in the town you want to visit. They can give you a list of hotels and restaurants in the area, and will even help you make reservations. No matter what your budget, you can find a place to stay in France.

MOTS NOUVEAUX I

Je voudrais réserver une chambre.

CONTEXTE VISUEL

une chambre à deux lits

une chambre à un lit

un traversin

un oreiller

une couverture

un drap

la femme de chambre

le cuisinier

la cuisinière

le balcon

une auberge

le jardinier   la jardinière

une note

375F

la réception

le réceptionniste
la réceptionniste

◆ COMMUNICATIVE
OBJECTIVES

To make hotel
reservations

To register at a hotel

To find out what's
happening

To make requests

To tell how something
looks

CONTEXTE COMMUNICATIF

1 Si vous voulez passer des bonnes vacances, venez à l'Hôtel de la Plage. **Réservez au moins une quinzaine de jours** avant votre séjour. Veuillez **verser des arrhes** quand vous réservez.

Variations:

■ une quinzaine → **une huitaine**

réserver	*to reserve*
au moins	*at least*
une quinzaine (de jours)	*two weeks*
verser des arrhes *(f.pl.)*	*to pay a deposit (in a hotel)*
une huitaine (de jours)	*one week*
il faut que vous vous présentiez *(subjunctive)*	*you must go*
se présenter (à)	*to go (to), to present oneself (to)*
le prénom	*first name*

2 Quand vous arrivez à l'hôtel, **il faut que vous vous présentiez** à la réception. Là, le réceptionniste vous demandera de remplir une fiche avec votre nom, votre **prénom** et votre adresse, et il vous donnera les clefs de votre chambre.

3 Anne et Jocelyne arrivent dans un hôtel.

ANNE	Bonjour, monsieur, avez-vous une chambre à deux lits, s'il vous plaît?
LE RÉCEPTIONNISTE	Pour combien de temps?
JOCELYNE	Juste pour deux nuits.
LE RÉCEPTIONNISTE	Oui, bien sûr. Vous voulez la voir?

■ oui … la voir → Non, je suis désolé, l'hôtel est complet.

4 Elles visitent la chambre.

LE RÉCEPTIONNISTE	Voici. C'est une chambre à deux lits, **climatisée.** Il y a un balcon qui **donne sur** le jardin.
ANNE	C'est parfait. Nous la prenons.
JOCELYNE	On peut dîner ici?
LE RÉCEPTIONNISTE	Oui, on sert le dîner entre 19 et 23 heures.
JOCELYNE	C'est bien, nous prenons **la pension complète,** alors.

■ la pension complète → **la demi-pension**

climatisé, -e	*air-conditioned*
donner sur	*to have a view of*
la pension complète	*room with three meals a day*
la demi-pension	*room with two meals a day*

Mots Nouveaux I   377

5 Un client appelle la femme de chambre.

LA DAME	Vous avez sonné, monsieur?
LE CLIENT	Oui, pourriez-vous me donner une autre couverture, s'il vous plaît? J'ai eu froid **cette nuit**.
LA DAME	Oui, je vous l'apporte tout de suite. Vous voulez autre chose?
LE CLIENT	Non, merci, j'ai tout **ce qu'il me faut**.

■ une autre couverture → un autre oreiller
j'ai eu froid cette nuit → celui-ci est trop petit

cette nuit   *last night*

ce que   *what*
il me (te, *etc.***) faut**   *I (you, etc.)*
need

6 Anne **s'en va** demain matin. Il faut qu'elle se réveille de bonne heure. Elle décroche le téléphone.

ANNE	Allô, ici la chambre 23. Pouvez-vous me réveiller à sept heures demain, s'il vous plaît?
L'EMPLOYÉE	Bien sûr, mademoiselle.
ANNE	Merci.

s'en aller   *to go away, to leave*

7 Antoine et Emilie Gatin sont dans le jardin.

ANTOINE	Hier j'ai **fait la connaissance d'**un garçon sympa.
ÉMILIE	Tu me présenteras ce garçon?
ANTOINE	Oui. Tiens, le voilà. Salut, Thomas. Viens, je veux te présenter ma sœur Emilie.
THOMAS	Bonjour, Emilie. Si on **faisait une partie de** cartes?
ÉMILIE	Oh oui, génial!

■ une partie de cartes → une partie de dames

faire la connaissance de   *to meet (someone)*

faire une partie de   *to play a game of*

8

M. GATIN	**Ce qui me plaît** le plus ici, c'est la cuisine.
MME GATIN	Oui, il y a un très bon cuisinier.
ÉMILIE	Tu sais ce que m'a dit le jardinier **tout à l'heure?**
M. GATIN	Non, raconte.
ÉMILIE	Tous les légumes et les fruits que nous mangeons viennent du jardin de l'auberge.
ANTOINE	Sans blague!

ce qui (*pron.*)   *what*
ça (il, elle) me plaît; ils (elles) me plaisent   *I like it (him, her); I like them*
tout à l'heure   *a while ago*

9 SYLVIE Tu n'**as** pas **l'air** contente,[1] qu'est-ce qui **se passe?**

MARIE Je voulais aller au cinéma **tout à l'heure**[2] mais nos parents ne **sont** pas **d'accord.**

avoir l'air + *adj.* *to look +*
adj.

se passer *to happen*

tout à l'heure *in a little while*

être d'accord *to agree*

[1]The adjective used with *avoir l'air* usually agrees with the subject.

[2]*Tout à l'heure* can refer to the past or the future. The context will tell you which one is meant.

EXERCICES

A A l'Hôtel de la Plage. Qu'est-ce que les clients demandent?
Suivez le modèle.

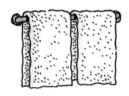

Mlle Gramont
Mademoiselle Gramont demande des serviettes.

1. M. et Mme Barre   2. Anne

3. Jocelyne

4. Antoine   5. Emilie   6. Thomas

7. Jacques   8. M. et Mme Barre   9. Laure

B Cher Monsieur. La famille Gratin passe toujours ses vacances à l'Hôtel de la Plage. Aujourd'hui, M. Gratin écrit une lettre à l'hôtel. Complétez les phrases avec la forme correcte des mots de la liste.

au moins femme de chambre pension
balcon huitaine réserver
chambre lit verse des arrhes
cuisinier

Cher Monsieur,

    Je vous écris pour _____ deux _____ à deux _____ en _____ complète. J'arriverai avec ma femme et mes deux enfants le premier août, comme l'année dernière. Nous pensons rester une _____ de

5 jours, _____. J'espère que vous avez encore votre excellent _____ à la cuisine et la _____ sympathique qui faisait les lits.

    Nous espérons avoir des chambres avec _____. Je vous _____ de 500 francs pour les chambres.

    Merci,

         Henri Gratin

hotel*M*ercure

C Le mot juste.

Trouvez un synonyme ou une expression synonyme.

1. Je veux réserver une chambre pour *une semaine.*
2. Non, disons plutôt *deux semaines.*
3. Emilie voudrait *passer un coup de fil à* Jean-Pierre.
4. Qu'est-ce que tu faisais *il y a un moment?*
5. Annick *est partie.*

Trouvez un mot associé.

6. Il faut aller à la *réception* trouver le _____.
7. Celui qui s'occupe du *jardin* s'appelle le _____.
8. Monsieur Bonpain, le _____, fait de la *cuisine* provençale.

D Que dites-vous?

1. Vous voulez une chambre pour deux personnes dans une petite auberge. Que dites-vous? Vous voulez rester une semaine, peut-être plus. Que dites-vous? Vous voulez trois repas par jour. Qu'est-ce que vous demandez?
2. Vous voulez une chambre avec un balcon parce que vous voulez regarder le beau jardin. Que demandez-vous?
3. On vous montre une chambre; vous la trouvez très bien. Que dites-vous?

4. Vous avez froid la première nuit. Qu'est-ce que vous demandez?
5. Votre frère (sœur) vous demande si vous voulez jouer aux cartes mais vous voulez d'abord prendre une douche. Qu'est-ce que vous lui dites?

E Parlons de toi.

1. Quand tu es en vacances avec ta famille, où est-ce que vous passez la nuit? Dans un hôtel? Chez des amis? Dans un camping? Pendant combien de temps est-ce que vous y restez d'habitude?
2. Où est-ce que tu vas pour faire la connaissance d'autres jeunes gens quand tu es en vacances?
3. Préfères-tu prendre des vacances avec ta famille ou avec des amis? Quelles sont tes vacances préférées jusqu'à présent (*up to now*)? Pourquoi?

DOCUMENT

Imaginez que votre famille veut passer les vacances de Noël dans les Alpes. Avec un(e) camarade, jouez les rôles de la personne qui réserve par téléphone et du (de la) réceptionniste.

GRENOBLE
Corenc

Hôtel ★★★
Les 3 Roses

demande de réservation

nom : mme, mlle, m. (1)
prénom (2)
adresse (3)
pays   code postal
                                              tél.

Hôtel des 4 Saisons réservation du
                        au   à 14 h
                                                              à 12 h
nombre de personnes   adultes   enfants de − 2 ans
                                        enfants de 2 à 5 ans
                                        enfants de 2 à 10 ans

type de chambre   ☐ chambre 1 personne
                   ☐ chambre 2 lits d'une personne   ☐ chambre 3 personnes
                   ☐ chambre à 1 lit double   ☐ chambre 4 personnes

Animaux domestiques : la réservation préalable est obligatoire
1 chèque de 100 F vous sera demandé à l'arrivée.
Présence d'un chien ou d'un chat ☐ oui   ☐ non
total à régler

acompte à la réservation 25 % du montant total
chèque joint de   F (4)
à l'ordre de SATR, solde à l'arrivée.
date   signature

TARIFS HIVER	12.12 au 26.12
HÔTEL DES **4** SAISONS - 1/2 pension et forfait remontées 6 jours la semaine par pers	1770 F

Tarifs remontées mécaniques
Forfaits journaliers **62 F**
Abonnement 7 jours **372 F**

APPLICATIONS

Une mauvaise surprise!

«VENEZ PASSER UN WEEK-END AU CALME[1] ET A LA CAMPAGNE A L'HÔTEL DES PRÉS[2] VERTS»

Monsieur et Mme Balmel ont vu cette publicité et ils ont décidé d'aller à l'Hôtel des Prés Verts pour le week-end. Ils viennent d'arriver devant l'hôtel.

	MME BALMEL	*(inquiète)* Tu es sûr que c'est ici? On n'est pas à la
5		campagne!
	M. BALMEL	Attends, on va aller demander. On s'est trompé, sans doute.[3]

Ils entrent dans l'hôtel et se dirigent vers la réceptionniste.

	LA DAME	Bonjour, monsieur. Vous avez réservé?
10	M. BALMEL	Euh … Mais nous cherchons l'Hôtel des Prés Verts.
	LA DAME	Vous y êtes! Bienvenue,[4] vous êtes Monsieur et Madame …?
	M. BALMEL	Balmel. Nous avons réservé, mais votre publicité a dit «calme» et «à la campagne».
15	MME BALMEL	Vous êtes en face de la gare! Et où sont les «prés verts»?
	LA DAME	Oh, mais c'est calme ici. Entre onze heures du soir et quatre heures du matin, il n'y a pas de train! Et du balcon de votre chambre vous apercevrez[5] les
20		prés derrière l'usine de chaussures.
	MME BALMEL	*(résignée)* Bon, tant pis, il est trop tard pour repartir, donnez-nous la clef de la chambre.
	LA DAME	Voilà, vous avez le numéro treize. Vous y serez très bien, vous verrez.

[1]**le calme** *peace and quiet* [2]**le pré** *meadow* [3]**sans doute** *probably*
[4]**la bienvenue** *welcome* [5]**apercevoir** *to catch a glimpse of*

Questionnaire

Vrai ou faux? Corrigez les phrases fausses.

1. Les Balmel veulent passer un week-end calme.
2. Leurs amis leur ont recommandé l'Hôtel des Prés Verts.
3. Monsieur Balmel est sûr qu'ils sont arrivés au bon hôtel.
4. L'hôtel se trouve à la campagne.
5. Le numéro de leur chambre est le 23.
6. L'Hôtel des Prés Verts leur plaît.

Maintenant c'est à vous de poser des questions et d'y répondre.
1. Où ...? 2. Qu'est-ce que ...? 3. Quel(le) ...? 4. Pourquoi ...?

Situation

Vous voyagez en province avec des amis. Vous trouvez un hôtel qui donne sur une petite place où il y a une église avec une grosse horloge. Jouez les rôles du client et du réceptionniste. Demandez des renseignements sur le prix de la chambre, son confort, etc.

Une auberge typique à la campagne

MOTS NOUVEAUX II

On a toujours besoin d'argent.

CRÉDIT MODERNE

le bureau de change

une bijouterie

une banquière

un banquier

une comptable

un comptable

un dollar américain

un dollar canadien

un voleur

une voleuse

une photographe

CARTE BLEUE

une carte de crédit

un chèque

le juge[1]

un photographe

un journaliste

une journaliste

un avocat

une avocate

[1]Like *le pilote*, *le juge* can refer to a man or a woman.

◆ COMMUNICATIVE OBJECTIVES

To discuss professions
To cash a check

To locate a bank or currency exchange
To describe a series of events
To accept an apology

CONTEXTE COMMUNICATIF

1 PATRICK   Que fait votre mère dans la vie?

NICOLE   Elle est comptable. C'est **un métier** qui lui plaît.

Variations:
■ elle est comptable → elle est avocate

le métier   *job, occupation*

2 Il y a eu **un vol** à la bijouterie. L'employée raconte aux journalistes ce qui s'est passé.

LA JOURNALISTE   Pouvez-vous nous dire ce que vous savez?

L'EMPLOYÉE   Bien, quelqu'un est entré et **a volé** plusieurs bijoux et de l'argent.

LA JOURNALISTE   Personne n'**a crié** «**Au voleur!**»?

L'EMPLOYÉE   Si, mais il était trop tard.

■ plusieurs bijoux → des colliers …

le vol   *robbery, theft*

voler   *to steal*

crier   *to shout*
au voleur!   *stop, thief!*

3 La semaine **suivante.**

UN JOURNALISTE   Tu te souviens du vol à la bijouterie? La police vient d'**arrêter** un homme et une femme.

UNE PHOTOGRAPHE   Ils sont **coupables?**

UN JOURNALISTE   A mon avis, ils ne sont pas **innocents.**

UNE PHOTOGRAPHE   Alors, ils auront besoin d'un bon avocat pour les **défendre.**

suivant, -e   *following*

arrêter   (here) *to arrest*

coupable   *guilty*
innocent, -e   *innocent*

défendre   *to defend*

4 DAMIEN   Où tu vas?

EVELYNE   Je vais à la banque **verser** de l'argent **sur** mon **compte.**

■ verser de l'argent sur mon compte → **toucher** un chèque

verser   (here) *to deposit*
sur (le) compte   *in (an) account*

toucher   *to cash*

5   A l'aéroport, au bureau de renseignements. Patrick vient
d'arriver des Etats-Unis. Il a besoin de francs français.

PATRICK	Bonjour, madame. Pouvez-vous m'indiquer où je peux changer de l'argent, s'il vous plaît?
L'EMPLOYÉE	Il y a un bureau de change ici à l'aéroport, sinon il y en a partout en ville.

■ des Etats-Unis → de Belgique
   ses dollars → ses francs belges

6   Dans un magasin. Une cliente est à la caisse.

LA CLIENTE	Bon, ça fait combien?	
LE VENDEUR	Sept cents francs. Vous payez comment?	**par chèque** *by check*
LA CLIENTE	**Par chèque,** si c'est possible.	
LE VENDEUR	Bien sûr, madame.	

■ par chèque, si c'est possible → **en liquide**   **en liquide**   *in cash*

7   A l'auberge. Les Léon s'en vont tout à l'heure. Monsieur
Léon paie sa note **avant de** partir.

avant de + *inf.*   *before (doing sth.)*

M. LÉON	Je vous fais un chèque. Voilà.	
LA RÉCEPTIONNISTE	Merci— *(Elle regarde le chèque.)* Ah, vous avez oublié de **signer**.	**signer** *to sign*
M. LÉON	Excusez-moi, je suis **distrait**.	**distrait, -e** *distracted, absent-minded*
LA RÉCEPTIONNISTE	**Ça ne fait rien.** Merci, monsieur. **Faites bonne route!**	**ça ne fait rien** *it doesn't matter* **faites bonne route!** *have a good trip!*

8   Brigitte est fauchée. Il faut **qu'elle choisisse** un cadeau pour
sa meilleure amie. Elle parle à son frère.

qu'elle choisisse   *(subjunctive) that she choose*

BRIGITTE	Dis donc, tu peux me prêter vingt francs?	
STÉPHANE	Ah non! Tu dépenses toujours tout ton argent de poche. Moi, je **fais des économies pour** m'acheter une mob.	**faire des économies (pour)** *to save money (for)*
BRIGITTE	Allez, sois sympa. Je te rendrai l'argent la semaine prochaine. C'est promis.	

EXERCICES

A On paie la note. Comment est-ce qu'on paie? Suivez le modèle.

Sylvain / en
Sylvain paie en francs français.

1. Patrick / en   2. Louise / par   3. Daniel / avec

4. Eve / en   5. Brigitte / par   6. Et toi?

B Des projets. Vous parlez avec vos camarades de vos projets pour le futur. Vous pouvez utiliser les idées de la liste à droite ou vous pouvez donner d'autres réponses. Conversez selon le modèle.

avocat
ÉLÈVE 1 *Est-ce que tu veux être avocat(e)?*
ÉLÈVE 2 *Oui, parce que je veux défendre les innocents.*
  OU: *Non, parce que je ne veux pas défendre les coupables.*

1. comptable
2. cuisinier(-ère)
3. jardinier(-ère)
4. journaliste
5. juge
6. photographe
7. réceptionniste

décider si les gens sont innocents
  ou coupables
défendre les innocents
écrire des articles
faire des comptes
prendre des photos
préparer des bons plats
recevoir les gens
m'occuper des plantes

C Le mot juste.

Trouvez un synonyme.

1. Il faut *écrire votre nom* si vous voulez toucher un chèque.
2. L'employé s'est trompé. Je dis: «*Ce n'est pas important.*»
3. Le client *ne fait pas attention.*

Trouvez un mot associé.

4. Je vais *changer* de l'argent au bureau de _____ avant de dîner.
5. Monsieur Léon est *comptable;* il fait les _____ de ses clients.

Faites la distinction.

6. A l'hôtel, papa a payé la _____ par chèque; au restaurant il a payé l'_____ en liquide.

Trouvez des mots à plusieurs sens. Complétez les phrases avec les mots suggérés par les images.

7. Après le _____ , les coupables sont partis.
8. Ils ont pris le _____ Paris-Dakar.
9. _____ de parler de ce vol! Tu m'embêtes.
10. Tu sais qu'on a _____ les coupables.

D Parlons de toi.

1. Tu fais des économies? Pourquoi? Quand est-ce que tu espères dépenser ton argent? Où est-ce que tu le mets, dans un compte en banque ou dans un tiroir chez toi? Si tu as un compte en banque, est-ce que tu y verses de l'argent régulièrement? Est-ce que tu as des chèques avec ton nom et prénom?
2. Tu penses que c'est mieux de payer en liquide, par chèque ou par carte de crédit? Pourquoi?
3. Qu'est-ce qu'il faut faire si on voit un vol? Est-ce que tu crois qu'il faut crier ou appeler la police?

ÉTUDE DE MOTS

You have often seen the word *tout*. Can you make a list of the different English meanings of *tout* in the following examples?

1   *Tout* can act as an adjective and agree with a noun to tell quantity or frequency.

>   Il parle **tout** le temps.   Je les prends **tous** les quatre.
>   **Toute** la famille est venue.   Il y va **tous** les dimanches.

2   *Tout* as a descriptive adjective may sometimes be placed directly before a noun.

>   On apprend à **tout** âge.

3   To refer to a group, use the pronouns *tous* (pronounce the *s*) or *toutes*.

>   Il parle à nous **tous.**
>   Regardez, **tous!**
>   Elles sont **toutes** parties.

4   *Tout* can appear as a masculine noun, referring to a sum total.

>   Je ne veux plus de mes livres.
>   J'ai donné **le tout** à ma sœur.
>   Donne-moi **tout** ce qu'il me faut!
>   J'aime **tout** ce qui est beau.
>   Un pull, deux shorts et un tee-shirt. C'est **tout?**
>   **Tout** est bien qui finit bien.

5   You might see the adverb *tout* (= *complètement*) used for emphasis.

>   Sa figure est **toute** rouge.   Elle a parlé **tout** bas.
>   Allez **tout** droit!   Allez **tout** doucement!

6   *Tout* is part of many familiar expressions: *tout de suite, tout à coup, tout à l'heure, pas du tout, tout à fait, de toute façon.*

EXPLICATIONS I

Le subjonctif: la nécessité

**To talk about what must
be done**

**To tell someone what to
do**

The present tense you have been using up to now is called the present indicative. There is another kind of present called the present subjunctive that is used in some special cases. You will learn one of those cases in this chapter, and others as you go along.

1 Look at the subjunctive forms of the verb *monter*.

INFINITIF **monter**

		SINGULIER		PLURIEL	
SUBJ. PRÉS.	1	que je	monte	que nous	mont**ions**
	2	que tu	montes	que vous	mont**iez**
	3	qu'il qu'elle } monte qu'on		qu'ils qu'elles } mont**ent**	

Notice that the singular forms and the 3 plural form are exactly like the present indicative forms you're used to. The *nous* and the *vous* forms are exactly like those for the imperfect. Every verb that ends in the letters *-er*, except *aller*, follows this pattern. This includes all verbs in *-cer*, *-ger*, *-ier*, *-yer*, and stem-changing verbs.[1]

2 The subjunctive can be used to tell what people must or must not do. You know that *il faut* + an infinitive tells what needs to be done. But to say precisely *who* must do something, you need *il faut que* + the subjunctive.

> Jean-Luc, **il faut que** tu **ranges** ta chambre!
> **Il faut que** nous **rentrions** avant 7h.
> **Il faut que** vous **achetiez** un billet, monsieur.

[1]*que je commence, que nous commencions; que tu manges, que vous mangiez; que je skie, que nous skiions; que tu paies, que vous payiez; que je répète, que nous répétions; que tu jettes, que vous jetiez; que j'achète, que nous achetions*

A **Il y a des choses à faire.** Vous et vos amis voulez vous amuser. Malheureusement, vous avez d'autres choses à faire. Conversez selon le modèle.

> Yves / aller au match / garder son frère
> ÉLÈVE 1 *Yves peut aller au match?*
> ÉLÈVE 2 *Non, il faut qu'il garde son frère.*

1. tu / venir au cinéma / ranger ma chambre
2. Louis et Diane / sortir après l'école / rentrer à la maison
3. je / venir avec vous / rester ici
4. nous / regarder la télé / commencer vos devoirs
5. Elisabeth / acheter des disques / acheter des provisions
6. François / passer à 19h / dîner chez sa tante
7. vous / visiter les Martin / aider notre mère
8. Anne / jouer aux cartes / habiller sa petite sœur

B **Mon travail.** Vous travaillez cet été dans un hôtel. Vous donnez des ordres aux autres employés. Ils sont un peu paresseux, alors vous vous répétez. Suivez le modèle.

> ranger la vaisselle
> *Rangez la vaisselle! Il faut que vous la rangiez tout de suite (vite, maintenant, etc.)!*

1. apporter le traversin
2. nettoyer le jardin
3. commencer le dîner
4. préparer les chambres
5. annoncer le dîner
6. changer les lits
7. chercher les couvertures
8. laver les draps

On fait souvent la queue au bureau de change de la gare de Lyon.

C   **Il faut que nous …**   Vous préparez vos vacances de famille. Vous
avez écrit une liste de tout ce qu'il faut faire avant votre départ.
Qu'est-ce qu'il faut que vous fassiez *(that you do)*? Suivez le modèle.

réserver les chambres à l'hôtel
Il faut que nous réservions les chambres à l'hôtel.

1. appeler l'hôtel
2. demander deux chambres avec balcon
3. envoyer un chèque pour les arrhes
4. acheter un short
5. regarder une carte routière
6. louer une voiture
7. payer pour la demi-pension
8. trouver quelqu'un pour garder les animaux

Maintenant, écrivez une liste de cinq choses que vous devez faire
aujourd'hui. N'employez que des verbes qui se terminent en *-er*.

Le subjonctif d'autres verbes

◆ COMMUNICATIVE
  OBJECTIVES

To talk about what must
be done

To tell someone what to
do

In general, you form the subjunctive of verbs other than *-er* verbs by
taking the 3 plural form of the present, dropping the *-ent* ending to find
the stem, then adding the subjunctive endings *-e, -es, -e, -ions, -iez*, and
-ent. Here are some examples.

3 PL. INDIC.	ils choisiss~~ent~~		ils part~~ent~~		ils attend~~ent~~
que je	choisisse	que je	parte	que j'	attende
que tu	choisisses	que tu	partes	que tu	attendes
qu'il	choisisse	qu'elle	parte	qu'on	attende
que nous	choisissions	que nous	partions	que nous	attendions
que vous	choisissiez	que vous	partiez	que vous	attendiez
qu'ils	choisissent	qu'elles	partent	qu'ils	attendent

Note that in all the cases above, the *nous* and *vous* forms of the
subjunctive are identical to the corresponding forms in the imperfect and
the 3 plural form is identical to the present.

1 *Prendre*-type verbs, verbs like *venir,* and those with infinitives ending in *-oir* or *-oire* have two stems: one stem for the *nous* and *vous* forms, and the normal subjunctive stem for all the rest. But if you follow the rule that the *nous* and *vous* forms are like the imperfect, you won't have any trouble. Here are the forms of *prendre* as an example.

3 PL. INDIC.   ils prenn~~ent~~

que je prenne	que nous **prenions**
que tu prennes	que vous **preniez**
qu'il, elle, on prenne	qu'ils, elles prenn**ent**

2 The only verbs that don't fit these rules are *aller, avoir, être, faire, pouvoir, savoir,* and *vouloir.* You will learn their forms later.

EXERCICES

A **En avion.** Vous partez avec votre famille en avion. Voici quelques renseignements avant votre départ. Suivez le modèle.

> Je dois bien dormir la nuit avant le vol.
> *Il faut que je dorme bien la nuit avant le vol.*

1. Jacques doit choisir un siège à côté de la fenêtre.
2. L'avion doit atterrir lentement.
3. Maman doit finir son jus d'orange avant de monter dans l'avion.
4. Les passagers doivent remplir correctement les fiches.
5. Nous devons sortir nos billets à la porte d'embarquement.
6. Vous devez obéir aux hôtesses quand elles vous disent d'attacher votre ceinture.
7. Les stewards doivent servir les repas.
8. Les passagers ne doivent pas mentir au douanier.

Il faut que je choisisse une montre pour maman.

B **Après les cours.** Vous et vos amis voulez sortir après les cours mais il y a des choses qu'il faudra faire avant. Quelles choses? Suivez le modèle.

> tu / jouer au foot / rendre les livres à la bibliothèque
> *Tu as envie de jouer au foot, mais il faudra que tu rendes les livres à la bibliothèque avant.*

1. Alice / aller au café / répondre aux questions de cet exercice
2. les lycéens / sortir dans la cour / attendre jusqu'à 4h30
3. tu / regarder ton nouveau livre / descendre à la salle de permanence
4. le club / aller au parc / vendre des tickets pour le concert
5. vous / aller chez vos amis / prendre quelque chose à manger
6. nous / aller au cinéma / apprendre la leçon
7. Louise / bavarder / attendre la fin des cours

C **Voyage en voiture.** Les voyages en voiture sont souvent difficiles. Qu'est-ce qu'il faut faire et qu'est-ce qu'il ne faut pas faire pour réussir un voyage?

> conduire trop vite
> *Il ne faut pas qu'on conduise trop vite.*

1. boire avant de conduire
2. prendre beaucoup de valises
3. mettre des provisions dans le coffre
4. devenir très fatigué
5. dormir de temps en temps pendant un long voyage
6. se mettre en route tard le matin
7. choisir la route avant de partir
8. lire des guides pour choisir des hôtels

D **Soyons en forme!** Donnez votre avis à un(e) camarade. Est-il (elle) d'accord avec vous? Conversez selon le modèle.

> se coucher
> ÉLÈVE 1 *Pour rester en forme, il faut que tu te couches de bonne heure le soir.*
> ÉLÈVE 2 *Je suis d'accord.*
> OU: *Je ne suis pas d'accord.*

1. manger
2. dormir
3. apprendre
4. boire
5. marcher
6. se lever

E   Parlons de toi.

1. Tu ne veux pas t'ennuyer ce week-end. Qu'est-ce que tu proposes à tes amis?
2. Quand tu ne peux pas accompagner tes copains, qu'est-ce que tu leur dis d'habitude pour t'excuser?
3. Tu ne veux pas venir en classe demain. Qu'est-ce que tu dis à ton prof pour t'excuser?
4. Quelles sont cinq choses que tu dois faire chez toi tous les jours? Quelles sont trois choses que ton frère ou ta sœur doit faire?

ACTIVITÉ

L'école idéale.   Vous imaginez un lycée idéal. Avec un(e) camarade, trouvez un nom pour votre lycée, et préparez une liste de règles *(rules)* pour les élèves et les professeurs d'après le modèle.

LES ÉLÈVES

1. *Il ne faut pas que nous étudiions tard le soir.*

LES PROFS

1. *Il faut que vous répondiez à toutes nos questions.*

Si vous voulez, vous pouvez en faire une affiche ou un «manuel *(handbook)* des élèves».

Pour avoir du liquide, il faut qu'elle utilise sa carte.

APPLICATIONS

A la banque

Tout le monde est occupé à la banque Crédit Moderne. Identifiez les clients et les employés. Que font-ils? Imaginez que vous êtes un(e) journaliste qui étudie la sécurité dans les banques. Prenez des notes de ce qui se passe dans la banque.

Imaginez la conversation entre Mlle Poirier et Patrick. Voici quelques mots que vous pouvez employer.

Je voudrais changer … / pour des … / remplir la fiche / signer les chèques / vérifier le nom / montrer des papiers d'identité / un passeport / compter l'argent

EXPLICATIONS II

Les pronoms relatifs *ce qui* et *ce que*

You know how to use the relative pronouns *qui* and *que* to give more information about a noun that has just been mentioned. When you want to refer to something that has not been identified, you use the relative pronouns *ce qui* and *ce que*. The English equivalent for both of them is "what."

◆ COMMUNICATIVE
OBJECTIVE

To refer to something
not yet identified

Je sais **ce que** tu vas dire.	*I know **what** you're going to say.*
Tu as vu **ce qui** est arrivé?	*Did you see **what** happened?*
Ce qu'elle dit est vrai.	***What** she says is true.*
Ce qui est sur la table est à toi.	***What's** on the table is yours.*

Ce qui is always followed by a verb form—it is the subject of that verb. *Ce que* is always followed by a noun or pronoun + a verb—it is the object of that verb.

1 *Ce qui* and *ce que* can never refer to a person. To refer to people, simply use *qui*.

Tu sais **qui** viendra?	*Do you know **who** will come?*
Je ne vais pas vous dire **qui** nous avons vu!	*I'm not going to tell you **whom** we saw!*

2 When you are going to identify what the *ce qui* or *ce que* clause refers to, you can put that clause at the beginning of the sentence. Then follow it with *c'est* or *ce sont*.

Ce que je déteste, **c'est** la circulation.	***What** I hate **is** traffic.*
Ce qu'elle a écrit, **ce sont** des cartes postales.	***What** she wrote **is** some postcards.*
Ce qui est arrivé, **c'est qu'**il a oublié ses devoirs.	***What** happened **is that** he forgot his homework.*
Ce qu'il adore, **c'est de** parler avec ses amis.	***What** he loves **is to** talk with his friends.*

En dessous de la Tour Eiffel.
Ce qu'il aime, c'est
de prendre des photos.

Des lycéens à Paris

3 The expression *de quoi* also means "what." It is used when the verb in the second clause is normally followed by *de*. When you read, you will see *ce dont* used the same way.

Je ne sais pas **de quoi** tu as besoin.	*I don't know **what** you need.*
Vous ne savez pas **ce dont** vous parlerez.	*You do not know **what** you will be speaking **about**.*

EXERCICES

A Qu'est-ce qui te plaît? Posez des questions à un(e) camarade pour savoir ce qui l'amuse, ce qui lui plaît, etc. Conversez selon le modèle.

> amuser
> ÉLÈVE 1 *Qu'est-ce qui t'amuse?*
> ÉLÈVE 2 *Ce qui m'amuse, ce sont les films. Et toi, qu'est-ce qui t'amuse?*
> ÉLÈVE 1 *Ce qui m'amuse, moi, c'est de parler avec mes amis.*

1. plaire
2. ennuyer
3. faire peur
4. décevoir
5. embêter
6. fâcher

B Qu'est-ce que tu vas faire? Interviewez un(e) camarade de classe. Conversez selon le modèle.

> commander pour le déjeuner
> ÉLÈVE 1 *Qu'est-ce que tu vas commander pour le déjeuner?*
> ÉLÈVE 2 *Ce que je vais commander, c'est un hot-dog.*
> OU: *Je ne sais pas ce que je vais commander.*

1. porter à la prochaine boum
2. offrir comme cadeaux de Noël
3. apporter à la prochaine boum
4. dire à tes amis
5. devenir dans la vie
6. faire après tes études
7. regarder à la télé ce soir
8. acheter comme nouveau disque

C Parlons de toi.

1. Est-ce que tu peux dire ce qui te plaît le plus dans la vie? Et ce qui te plaît le moins? De quoi est-ce que tu as besoin pour être heureux (-euse)?
2. Qu'est-ce que tu aimes le plus à l'école? Qu'est-ce qui t'ennuie le plus?
3. De quoi est-ce que vous parlez le plus souvent, toi et tes amis? Est-ce que tu sais déjà ce que vous allez faire ce week-end?
4. Est-ce que tes parents te laissent faire ce que tu veux ou est-ce qu'ils veulent décider ce que tu dois faire? Toujours? Souvent?

ACTIVITÉ

Sondage: Une vie réussie.   Quelles sont les choses les plus importantes dans la vie? Regardez cette liste et classez *(classify)* les choses de 1 à 10, par ordre de préférence, avec le numéro 1 représentant le plus important et *10* le moins important.

l'argent
la beauté *(beauty)*
le bonheur *(happiness)*
la famille
une profession / un métier

les amis
une belle maison et une belle
   voiture
les beaux vêtements
l'amour
les connaissances *(knowledge)*

Ecrivez deux phrases pour dire ce qui est le plus important pour vous et ce qui est le moins important: *A mon avis, ce qui est le plus important dans la vie, c'est (ce sont) ... Ce qui est le moins important, c'est (ce sont) ... .*

Groupez tous les résultats du sondage et essayez de trouver quelles sont les choses les plus importantes dans la vie, selon votre classe.

APPLICATIONS

Formez des phrases en français d'après les modèles.

1. Savez-vous *ce qui sera difficile à faire dans la vie?*
   (what is interesting to see in this city?)
   (what was good to eat in that inn?)

2. C'est tout ce que *la femme de chambre a à nettoyer.*
   (the banker has to do)
   (the journalist [f.] has to read)

3. Il faut que *nous sortions la nappe et que nous mettions le couvert.*
   (they [m.] defend the innocent [pl.] and help the guilty [pl.])
   (you [form.] prepare the dinner and serve it)

4. Il faut que *tu m'attendes patiemment et que tu paies la note avant de partir.*
   (we see a lawyer [m.] and look at the papers before signing)
   (you [pl.] choose a pleasant inn and ask for information before reserving a room)

5. Devinez *ce que nous avons dit: «Faites bonne route!»*
   (what she shouted: "Stop, thief!")
   (what I answered: "It doesn't matter.")

6. C'est *si difficile pour un jardinier si distrait.*
   (so expensive for such a small room)
   (so dangerous for such a young child)

Ce dont j'ai besoin pour étudier, c'est du silence.

Trouvez les expressions françaises qui correspondent à l'anglais et
rédigez un paragraphe.

1. "Do you know what's difficult to accept for a young actor?"

2. "It's everything that my parents and my accountant have to say to me."

3. "I have to meet lots of people and sign pictures."

4. "I have to dress well and say hello to everyone before leaving the club."

5. "Guess what I always say to my accountant: 'With pleasure! Of course! Thank you!'"

6. "That's so little for such a perfect life!"

RÉDACTION

Maintenant, choisissez un de ces sujets.

1. Ecrivez une lettre de l'acteur à un(e) ami(e) où il raconte ce qu'il fait
   pour s'amuser.

2. Imaginez tous les conseils (*advice*) que les parents de l'acteur lui
   donnent quand ils sont dans un hôtel élégant. Composez un dialogue
   écrit entre lui et ses parents.

3. Comment est-ce qu'une famille peut voyager ensemble et sans
   problème pour une quinzaine de jours? Faites une liste de conseils
   pour les enfants et leurs parents.

CONTRÔLE DE RÉVISION CHAPITRE 11

A A votre service.

Qui est-ce qu'il faut appeler pour ces services?

Il me faut des photos de ma famille.
Alors, il faut appeler un photographe.

1. Il me faut des draps et un traversin.
2. Il me faut des chèques de voyage.
3. Il me faut quelqu'un pour me défendre.
4. Il me faut quelqu'un pour écrire un article.
5. Il me faut un repas superbe pour ce soir.
6. Il me faut savoir combien d'argent j'ai.

B Pour réussir à l'école.

Ecrivez des conseils pour les élèves—ce qu'il faut faire et ce qu'il ne faut pas faire—d'après le modèle.

nous / rester après les cours
Il faut que nous restions après les cours.
OU: *Il ne faut pas que nous restions après les cours.*

1. Elise / répondre en français
2. Léon / rendre les devoirs en retard
3. les élèves / écouter bien
4. vous / écrire les devoirs en classe
5. Annick / choisir des B.D. à lire
6. tout le monde / apprendre les mots nouveaux
7. nous / comprendre ce que le prof dit
8. tu / venir au tableau quand le prof t'appelle
9. vous / payer le prof

C Curiosité.

Ton petit cousin Thierry veut tout savoir. Complétez les phrases avec *ce qui* ou *ce que (ce qu')*.

Thierry veut savoir:
1. _____ tu es en train de boire.
2. _____ s'est passé cette nuit.
3. _____ il y avait dans le sac.
4. _____ les jeunes filles ont dit tout à l'heure.
5. _____ il y a dans cette enveloppe.
6. _____ t'embête.
7. _____ fait du bruit au balcon.
8. _____ Julien fait depuis ce matin.

D Les questions directes.

Vous savez tout. Ecrivez les questions que Thierry doit vous poser pour satisfaire sa curiosité dans l'Exercice C.

Thierry veut savoir:
1. _____ tu es en train de boire.
Qu'est-ce que tu es en train de boire?

E L'innocent.

Maintenant vous ne savez rien. Ecrivez vos réponses aux questions.

Qui as-tu vu? *Je ne sais pas qui j'ai vu.*

1. Qui est-ce qui a pris mon oreiller?
2. Qui vient de sortir?
3. Qui est-ce qui a vu le voleur?
4. Qui est-ce que l'agent a arrêté tout à l'heure?
5. Qui allez-vous accompagner en vacances?
6. Qui a réservé cette table?

VOCABULAIRE DU CHAPITRE 11

Noms
les arrhes *(f.pl.)*
l'auberge *(f.)*
l'avocat *(m.)*, l'avocate *(f.)*
le balcon
le banquier, la banquière
la bijouterie
le bureau de change
la carte de crédit
le chèque
le comptable, la comptable
le compte
la couverture
le cuisinier, la cuisinière
la demi-pension
le dollar
le drap
la femme de chambre
le jardinier, la jardinière
le journaliste, la journaliste
le juge
le métier
la note *(bill)*
l'oreiller *(m.)*
la partie *(game)*
la pension complète
le photographe, la
    photographe
le prénom
la réception
le réceptionniste, la
    réceptionniste
le traversin
le vol *(theft)*
le voleur, la voleuse

Adjectifs
climatisé, -e
coupable
distrait, -e
innocent, -e
suivant, -e

Pronoms
ce qui, ce que, de quoi (ce dont)

Verbes
arrêter *(to arrest)*
crier
défendre
se passer
se présenter à
réserver
signer
toucher (un chèque)
verser
voler

Adverbes
au moins
tout à l'heure

Préposition
avant de + *inf.*

Expressions
au voleur!
avoir l'air + *adj.*
ça me (te, *etc.*) plaît; ils me
    (te, *etc.*) plaisent
ça ne fait rien
cette nuit
donner sur
en liquide
s'en aller
être d'accord (avec)
faire des économies
faites bonne route!
faire la connaissance de
faire une partie de
il faut que + *subj.*
il me (te, *etc.*) faut qqch.
par chèque
sur (le) compte
une chambre à un (deux)
    lit(s)
une huitaine (quinzaine) de
    jours (huit jours; quinze
    jours)
verser des arrhes

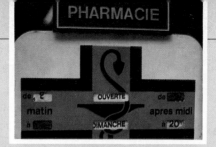

PRÉLUDE CULTUREL | LA MÉDECINE

Health services in France are well organized and efficient. State hospitals, local health-care centers, and private doctors and clinics are available throughout the country. Medical care is considered a right, so the government makes sure that adequate treatment is available to all who need it.

All workers must undergo an annual medical checkup, which is free. In the same way, all students in *collèges, lycées*, and universities have a checkup every year at school. A doctor, assisted by a nurse, measures and weighs students, and makes sure that all required vaccinations are in order and that students are in good health.

A visit to the doctor in France is very much as it is here, though many doctors have their offices *(le cabinet)* in their homes.

The national social security system *(la sécurité sociale)* will reimburse patients for 75 percent of the cost of a visit to the doctor and other related expenses (X rays, prescriptions, etc.). Patients pay the doctor out of their own pockets and receive a social security form certifying payment. They are reimbursed after submitting the form.

Medical school, like all university programs, is practically free. Tuition is low, and scholarships are available for needy students. Yet becoming a doctor is difficult. Competition is fierce, and many give up before completing the seven-year minimum training required of a general practitioner.

Practicing medicine in France isn't easy either. Most doctors must make house calls and take their turn for night and weekend duty. In case of an emergency, the local police station gives out the number of the doctor on duty *(le médecin de garde)*, who must treat patients regardless of the hour.

Natural medicine is becoming popular as more people turn to acupuncture, herbal medicine, and other alternative treatments. Many of these treatment methods are highly regarded in France and are taught in medical schools as alternatives to traditional Western medicine. French drugstores offer a range of herbal remedies in addition to the items familiar to Americans: prescription drugs, over-the-counter medicines, and beauty products, such as cosmetics. However, when you visit Paris, and your Parisian friends ask you to meet them *au Drugstore des Champs-Elysées*, don't fall into the *franglais* trap and look around for *une pharmacie*. They'll be hanging out at their favorite *Drugstore*—one of a Parisian chain of small shopping centers!

MOTS NOUVEAUX I

◆ COMMUNICATIVE OBJECTIVES

To discuss health

To talk to a doctor or nurse

To make a doctor's appointment

To describe symptoms

To ask what happened

To tell people what they ought to do

To ask for and give advice

CONTEXTE VISUEL

Tu as eu un accident?

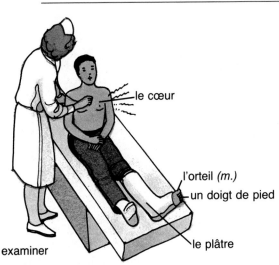

le cœur

l'orteil (m.)

un doigt de pied

le plâtre

examiner

se casser

Il s'est cassé la jambe.

Il a la jambe dans le plâtre.

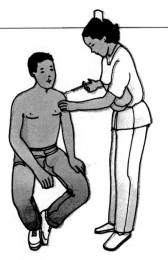

faire une piqûre (à)

Elle fait une piqûre à Paul.

Elle lui fait une piqûre.

atchoum!

un mouchoir

éternuer

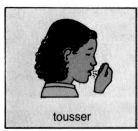

tousser

le pouce

un doigt

un pansement

se couper

Elle s'est coupée au doigt.

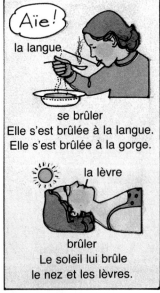

Aïe!

la langue

se brûler

Elle s'est brûlée à la langue.

Elle s'est brûlée à la gorge.

la lèvre

brûler

Le soleil lui brûle le nez et les lèvres.

le cou

l'épaule (f.)

Il a mal au cou et à l'épaule.

se faire mal (à)

Il s'est fait mal au pied.

faire mal (à)

Ses chaussures lui font mal.

CONTEXTE COMMUNICATIF

1 Madame Beaupré téléphone à son médecin.

LA RÉCEPTION	Allô, ici **le cabinet du docteur**[1] Guyau.
MME BEAUPRÉ	Oui, bonjour, madame. Je voudrais prendre rendez-vous avec le docteur Guyau pour mon fils, Antoine, s'il vous plaît.
LA RÉCEPTION	Oui. Pouvez-vous venir mercredi à 15 heures?
MME BEAUPRÉ	Oui, c'est parfait.

le cabinet *office (medical, dental)*

le docteur (*m. & f.*) *doctor (title, form of address)*

2 Chez le médecin.

LE MÉDECIN	Alors, qu'est-ce qui ne va pas?
SAMUEL	J'ai mal **au ventre**.

le ventre *belly*

Variations:

- j'ai mal au ventre → j'**ai mal au cœur**
- j'ai mal au ventre → je ne suis pas en forme
- j'ai mal au ventre → je ne **me sens**[2] pas bien

avoir mal au cœur *to feel nauseated*

se sentir *to feel*

3 Le docteur Guyau est en train d'examiner Antoine.

LE MÉDECIN	Bon, montre-moi ta langue. Dis «Ah».
ANTOINE	Ahhhhhhh …
LE MÉDECIN	Tu tousses beaucoup?
ANTOINE	Oui, et ça me fait mal à **la poitrine**.
LE MÉDECIN	A mon avis, ce n'est pas **grave**.

la poitrine *chest*
grave *serious*

- tu tousses → tu tousses et tu éternues

---

[1]*Le docteur* is used to refer to both men and women. It is used primarily as a title or a form of address. In other cases, use *le médecin*.

[2]*Se sentir* is a verb like *dormir*.

Mots Nouveaux I   **407**

4 Roger fait une visite à son copain Jacques qui s'est cassé la
jambe et qui est à l'hôpital.

ROGER   Comment tu te sens?

JACQUES   Mieux, merci, mais j'**en ai marre de** prendre
des **médicaments.**

- comment tu te sens? → comment vas-tu?
  de prendre des médicaments → des piqûres
- qui s'est cassé la jambe → qui a eu **un accident**

en avoir marre (de) + *inf.* *to
be fed up (with)*
le médicament *medicine*

l'accident *(m.)* *accident*

5 Aurore arrive à l'infirmerie du lycée.

L'INFIRMIÈRE   Qu'est-ce qui **t'est arrivé?**

AURORE   Je me suis coupée au doigt en cours de biologie.

L'INFIRMIÈRE   Fais voir … Bon, je vais te nettoyer le doigt et
mettre un pansement.

- et mettre un pansement → parce qu'il y a un peu de **sang**
- je me suis coupée au doigt → je me suis fait mal à la main
  en cours de biologie → en cours d'E.P.S.
- je me suis coupée au doigt → je me suis brûlée à la main
  en cours de biologie → en cours de chimie

arriver (à quelqu'un) (here) *to
happen (to someone)*

le sang *blood*

6 Pauline passe le bac à la fin du mois. Elle travaille beaucoup.

MME DUPUIS   Tu **devrais** te reposer, sinon tu vas **tomber
malade.**

PAULINE   Mais, maman, j'ai **tellement de**³ travail, si tu
savais!

- j'ai tellement de travail → il faut que je travaille **même** le
  dimanche

devrais *should, ought to
(conditional of* devoir*)*
tomber malade   *to get sick*
tellement (de)   *so much*

même   (here) *even*

---

³*Tellement (de)* works like other expressions of frequency or quantity: *Tu joues tellement bien;
tu bavardes tellement; tu gagnes tellement de matchs.*

(*à gauche*) Plaque d'un
médecin à Paris
(*à droite*) Cette affiche se
trouve dans l'infirmerie
d'un lycée.

7 Pauline est malade et elle doit rester au lit.

JOCELYNE   Si tu n'étais pas malade, on **pourrait** sortir.

PAULINE   Oui, je sais. Je m'ennuie tellement!

- ■ Pauline est malade → Pauline a **la grippe**
- ■ Pauline est malade → Pauline **a attrapé** un bon rhume

8 Coralie vient d'arriver au lycée, mais elle ne se sent pas bien.

CORALIE   Qu'est-ce que tu ferais **à ma place?**

JULIEN   Je le **dirais** au prof.

- ■ je le dirais → je n'hésiterais pas à le dire

9 Coralie va à l'infirmerie.

L'INFIRMIÈRE   Je peux t'aider?

CORALIE   Bonjour, madame. Excusez-moi de vous **déranger,** mais j'ai de la fièvre, et j'ai un peu mal au cœur.

L'INFIRMIÈRE   Bon, je vais téléphoner à tes parents.

---

pourrait *would be able to (conditional of* pouvoir)

la grippe *flu*
attraper *to catch*

à ma place (**à ta place, à sa place,** *etc.*) *if you were me (if I were you, if I were him/her, etc.)*

dirais *I would tell (conditional of* dire)

déranger *to disturb, to bother*

EXERCICES

A   **A l'infirmerie.**   Vous êtes tombé(e) en cours d'E.P. S. Alors, vous êtes allé(e) à l'infirmerie. Avec un(e) camarade, jouez le rôle de l'infirmier (infirmière) et de l'élève. Conversez selon le modèle.

    ÉLÈVE 1   *Qu'est-ce qui ne va pas?* (1)
    ÉLÈVE 2   *Je me suis fait mal au bras.*

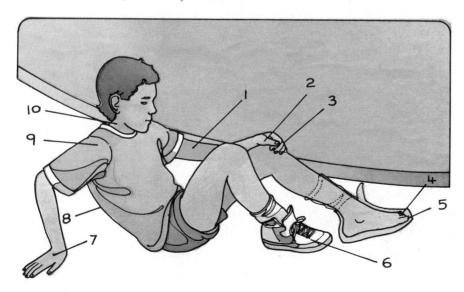

B **Maladies.** Tous vos amis vont mal aujourd'hui. Parlez-en avec un(e) camarade. Conversez selon le modèle.

> Claire / se casser le doigt
> ÉLÈVE 1 *Qu'est-ce qui est arrivé à Claire?*
> ÉLÈVE 2 *Elle s'est cassé le doigt.*

1. Renée / se brûler à la main
2. Grégoire / se couper à l'orteil
3. Josette / attraper un rhume
4. Serge / se casser le nez
5. Rémi / se faire mal au cou
6. toi / ?

C **Le mot juste.**

Trouvez un synonyme ou une expression synonyme.

1. Luc est malade, mais ce n'est pas *sérieux*.
2. Repose-toi, sinon tu vas *être* malade.
3. *Je n'en veux plus de* ce plâtre!
4. Hier, nous nous sentions *si* bien!
5. Vous savez ce qui *s'est passé?*

Trouvez des mots à ne pas confondre. Faites la distinction.

6. J'ai pris rendez-vous chez le _____. Il s'appelle le _____ Vidal.
7. Ma mère, qui est dentiste, travaille dans son _____ tous les jours. Mon père, qui est comptable, travaille dans un _____.

D **Chez le médecin.** Parce que vous êtes malade, vous allez chez le médecin. Elle vous pose des questions. Complétez les phrases avec une des expressions entre parenthèses.

1. Bonjour, docteur. Je ne me sens pas bien. Je crois que j'ai (*le cœur* / *la grippe* / *le mouchoir*).
2. Je vais vous examiner. Ouvrez (*la langue* / *la bouche* / *le ventre*), s'il vous plaît.
3. Est-ce que vous (*éternuez* / *brûlez* / *restez*) souvent?
4. Oui, très souvent. Et j'ai toujours (*les lèvres* / *les épaules* / *les escales*) toutes sèches.
5. Ce n'est pas grave. Je vous conseille de faire un examen de (*poitrine* / *doigt* / *cou*) au laboratoire.
6. Vous allez aussi prendre ce (*médicament* / *pansement* / *plâtre*).
7. Docteur, quand je tousse, j'ai mal à (*la poitrine* / *l'orteil* / *la langue*).
8. Il faut faire très attention. Ça peut être plus grave qu'(*une grippe* / *un ventre* / *un accident*).

E Parlons de toi.

1. Est-ce que tu as déjà eu un accident grave? Est-ce que quelqu'un de ta famille en a eu un? Qu'est-ce qui s'est passé?
2. Est-ce que tu t'es déjà cassé le bras ou la jambe ou est-ce que tu connais quelqu'un qui s'est cassé le bras ou la jambe? Comment est-ce que c'est arrivé? Est-ce que tu es (il / elle est) allé(e) à l'hôpital? Est-ce que tu as (il / elle a) eu un plâtre?
3. Beaucoup de gens détestent les piqûres. Et toi? Est-ce que tu en as un peu peur? Quand est-ce que le médecin t'a fait des piqûres?
4. Est-ce que tu as déjà rendu visite à quelqu'un à l'hôpital? A qui? Pourquoi? Qu'est-ce que tu lui as apporté?
5. Est-ce que tu as eu la grippe ou un rhume cette année? Décris tes symptômes. Ça a duré combien de temps? Est-ce que tu es resté(e) au lit ou est-ce que tu es allé(e) à l'école?

Beaucoup de gens détestent les piqûres, et toi?

DOCUMENT

Nous sommes le 22 septembre. Vous ne pouvez pas attendre jusqu'à demain. Téléphonez au cabinet du médecin et demandez un rendez-vous pour cet après-midi à la réceptionniste. Dites-lui ce qui ne va pas et essayez de la persuader qu'il faut que vous voyiez le médecin aujourd'hui.

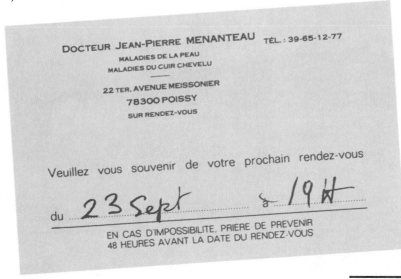

DOCTEUR JEAN-PIERRE MENANTEAU   TÉL.: 39-65-12-77

MALADIES DE LA PEAU
MALADIES DU CUIR CHEVELU

22 TER. AVENUE MEISSONIER
78300 POISSY
SUR RENDEZ-VOUS

Veuillez vous souvenir de votre prochain rendez-vous

du 23 Sept   à 19 H

EN CAS D'IMPOSSIBILITE, PRIERE DE PREVENIR
48 HEURES AVANT LA DATE DU RENDEZ-VOUS

APPLICATIONS

Pas de sang après le petit déjeuner!

Il est huit heures du matin, dans la cour du lycée.

VÉRONIQUE   Tu as vu le film de vampire hier soir à la télé?

ARNAUD   Oh oui, génial. Qu'est-ce que j'ai ri![1]

VÉRONIQUE   Moi aussi, surtout quand le vampire avait le hoquet[2]

5   parce qu'il avait bu[3] trop de sang!

ARNAUD   Et quand sa dent s'est coincée[4] dans le cou de sa victime!

VÉRONIQUE   Ou quand il s'est servi d'une paille[5] pour boire le sang plus vite!

10   RÉGINE   Bon, ça suffit! Je vous écoute depuis tout à l'heure, mais trop, c'est trop! Vos histoires me donnent mal au cœur, alors arrêtez-vous!

VÉRONIQUE   *(en riant)*[6] Attention, Régine, il faut être gentille avec nous. Tu n'as jamais remarqué qu'Arnaud et moi,

15   nous avons les dents très longues …

---

[1]**rire** *to laugh*   [2]**avoir le hoquet** *to have the hiccups*   [3]**il avait bu** *he had drunk*   [4]**se coincer** *to get stuck*   [5]**la paille** *straw*   [6]**en riant** *laughing*

Questionnaire

1. Quelle sorte de film est-ce que les jeunes gens ont vu? 2. Est-ce que Véronique et Arnaud ont eu peur? 3. Dites au moins trois choses que le vampire a faites. 4. Qu'est-ce que Régine pense des histoires de ses copains? 5. A votre avis, lequel des jeunes gens a le sens de l'humour? Pourquoi le croyez-vous?

Situation

Avec un(e) camarade de classe, parlez d'un film d'aventures récent que vous avez vu tous (toutes) les deux. Quels sont les événements *(events)* qui vous ont fait peur? Êtes-vous tous (toutes) les deux d'accord sur les mêmes événements? Montrez vos réactions à ce que dit votre camarade *(ah oui! évidemment! bien sûr! je suis d'accord! je pense (crois) que oui!, etc.; mais non! c'est plutôt …! sûrement pas! tu plaisantes! au contraire, moi, je dirais …).*

◆ COMMUNICATIVE
OBJECTIVES

To buy medicine

To shop at a pharmacy/
florist

To give advice

To express anger or
annoyance

CONTEXTE
VISUEL

Tu m'accompagnes à la pharmacie?

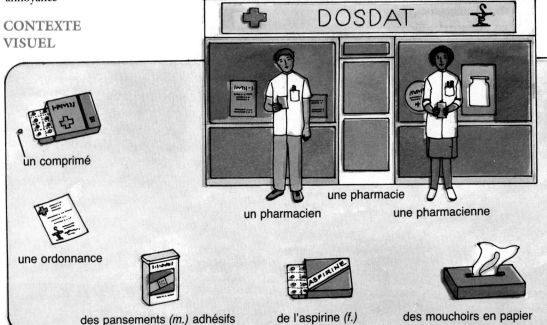

un comprimé

une ordonnance

une pharmacie

un pharmacien   une pharmacienne

des pansements (m.) adhésifs   de l'aspirine (f.)   des mouchoirs en papier

CONTEXTE
COMMUNICATIF

1 A la pharmacie.

LE CLIENT   Bonjour, madame. Je voudrais des
                 mouchoirs en papier, s'il vous plaît.
LA PHARMACIENNE Voilà, monsieur. Et avec ça?

Variations:

■ des mouchoirs en papier → de l'aspirine
  et avec ça? → c'est tout?

2 Daniel a été malade. Il n'a pas pu **suivre** les cours pendant   **suivre** (here) to attend
   une semaine. Il revient au lycée.

CHARLOTTE   Tu vas mieux?
DANIEL   Oui, sinon, je **ne serais pas** ici.   **ne serais pas** wouldn't be
                                                          (conditional of être)

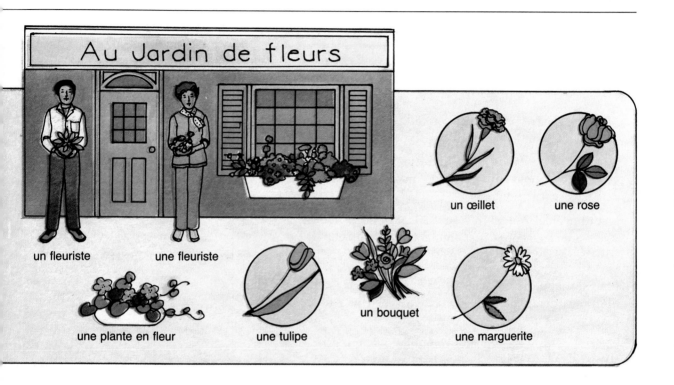

Au Jardin de fleurs

un fleuriste

une fleuriste

un œillet

une rose

une plante en fleur

une tulipe

un bouquet

une marguerite

3 Chez la fleuriste, un client choisit des fleurs pour un ami malade.

LE CLIENT Qu'est-ce qui dure le plus longtemps?
LA FLEURISTE Les marguerites.
LE CLIENT J'en prends une douzaine, alors.

- dure le plus longtemps → **sent**[1] le meilleur
  les marguerites → les roses
- j'en prends une douzaine, alors → hmm, je prends plutôt
  une plante verte

sentir *to smell*

[1]Note that *sentir* and *se sentir* have very different meanings: *Les roses sentent bon* ("Roses smell good"), but *Je ne me sens pas bien aujourd'hui* ("I don't feel well today").

4 A la pharmacie, une cliente a donné son ordonnance au pharmacien.

LE PHARMACIEN	Et voilà vos médicaments, madame. **Suivez** bien **les conseils** du médecin.
LA CLIENTE	Oui, d'accord, merci. J'ai aussi très mal à la gorge. Qu'est-ce que vous me conseillez?
LE PHARMACIEN	A votre place, je **prendrais** ces comprimés.

■ très mal à la gorge → un peu de fièvre
ces comprimés → ces aspirines

suivre *to follow*
le conseil *piece of advice; (pl.) advice*

prendrais *would take (conditional of prendre)*

5 Marie ne se sent pas bien ce soir. Elle demande à son frère de l'aider à faire la vaisselle.

MARIE	*(fâchée)* Et si tu m'aidais? Ça **irait** plus vite!
JEAN	Je t'**aiderais** bien, mais je dois faire mes devoirs.

■ si tu m'aidais? → si tu essuyais la vaisselle?
je t'aiderais bien → j'**essuierais** bien la vaisselle

irait *would go (conditional of aller)*
aiderais *would help (conditional of aider)*

essuierais *would wipe (conditional of essuyer)*

6 Maryse a apporté un magazine à Sophie, qui est malade. Elles regardent des photos de vedettes de cinéma dans le magazine.

MARYSE	Regarde sur cette photo là, qui est-ce?
SOPHIE	L'actrice qui a **la peau mate?**
MARYSE	Oui, qu'est-ce qu'elle est belle!
SOPHIE	C'est Djamila Mézi.

■ la peau mate → la peau **claire**
Djamila Mézi → Ingride Svenson
■ qui a la peau mate → qui est très **bronzée**
■ qui a la peau mate → qui est en robe bleu clair[2]
■ qui a la peau mate → qui est en robe bleu **foncé**
■ qui a la peau mate → qui est en robe de couleurs **vives**

la peau *skin*
mat, -e *dark (skin)*

clair, -e *light (colors; skin)*

bronzé, -e *tanned*

foncé, -e *dark (colors)*
vif, vive *bright (colors)*

[2]When shades of colors are described by adding *clair* or *foncé*, both the adjective and the intensifier are invariable: *J'ai deux pulls vert foncé.*

7

SOPHIE   Qui est ce type-là?

MARYSE   Ça, c'est Charles Lefour.

SOPHIE   Il **ressemble** beaucoup **à** Jean Departin, je trouve. Il a les mêmes yeux que lui.

ressembler à   *to resemble*

■ les mêmes yeux → la même bouche

8   Un article dans le magazine donne des conseils.
Pour **vivre** mieux et être en bonne **santé**, il faut bien **se soigner** et suivre un bon **régime**.

vivre   *to live*

la santé   *health*

se soigner / **soigner**   *to take care of oneself / to take care (of someone)*

le régime   *diet*

■ être en bonne santé → être en forme
suivre un bon régime → faire un peu de gym tous les jours

9

JÉRÔME   Si tu étais riche, qu'est-ce que tu **ferais**?

SANDRINE   Je **partirais** en voyage, et toi?

JÉRÔME   Je m'**achèterais** une voiture de sport!

SANDRINE   Oh, tu **rêves**!

ferais   *would do (conditional of* faire*)*

partirais   *would leave (conditional of* partir*)*

achèterais   *would buy (conditional of* acheter*)*

rêver (de)   *to dream (of)*

■ si tu étais riche → si tu avais vingt ans

La pharmacienne parle d'un médicament avec un client.

EXERCICES

A Un après-midi bien rempli. Vous faites des courses à la pharmacie et chez le fleuriste. Regardez les images pour chaque magasin. Puis conversez selon le modèle.

ÉLÈVE 1 *Vous désirez, monsieur (madame)?*
ÉLÈVE 2 *Je voudrais du shampooing.*
ÉLÈVE 1 *Voilà. Ça fait vingt-six francs cinquante.*

A la pharmacie

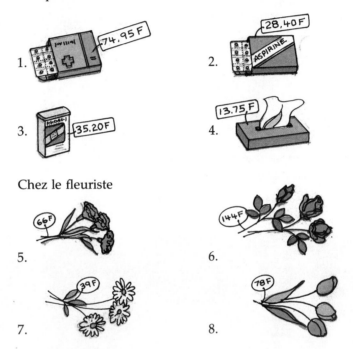

Chez le fleuriste

B Un peu de logique. Complétez les phrases en choisissant les mots les plus logiques.

1. *(Aïe / Allô / Même)!* Cette piqûre m'a fait mal.
2. Voici *(une ordonnance / un plâtre / un pansement)*. Il faut aller à la pharmacie.
3. Pour bien *(se soigner / suivre / tousser)*, il faut bien manger.
4. Quel beau bouquet! Et il *(sent / se sent / ressemble)* si bon.
5. Pour ne plus tousser, prenez *(ce comprimé / ce mouchoir / ce pansement)*.
6. Si vous voulez être en forme, suivez *(une ordonnance / un régime / un pharmacien)*.

7. Vous avez les mêmes yeux que votre mère. Vous lui *(ressemblez / suivez / rêvez)*.
8. Ma couleur préférée est le bleu *(mat / foncé / grave)*.
9. Moi, je préfère le rouge *(vif / bronzé / grave)*.
10. On peut acheter de l'aspirine chez le *(pharmacien / fleuriste / médecin)*.

C Parlons de toi.

1. Quand est-ce que tu offres des fleurs? Pour les anniversaires? Les fêtes? Quelle est ta fleur préférée? Quelle couleur de fleur est-ce que tu préfères?
2. Quand tu ne te sens pas bien, qu'est-ce que tu fais? Qui te soigne? Qu'est-ce que tu bois? Qu'est-ce que tu manges? Est-ce que tes camarades te font une visite? Est-ce qu'ils (elles) t'apportent des cadeaux? Qu'est-ce que tu aimes recevoir comme cadeau quand tu es malade?
3. Quand un(e) ami(e) ou un membre de ta famille est malade, est-ce que tu lui fais une visite? Qu'est-ce que tu fais pour le (la) soigner? Qu'est-ce que tu lui apportes comme cadeau?
4. Est-ce que tu rêves d'être médecin ou pharmacien(ne)? Pourquoi ou pourquoi pas? Et fleuriste, rêves-tu de l'être? Pourquoi ou pourquoi pas?

Chez le fleuriste

ÉTUDE DE MOTS

When you hear someone say that a new car "costs an arm and a leg," you don't worry that someone lost a limb. The expression is an idiom, a phrase that cannot be understood just by knowing each of the words. Just as in English, many French idioms refer to parts of the body. Among those you have learned are *coûter les yeux de la tête, avoir mal au cœur*, and *un coup de main*.

You know the individual words in these sentences, but what might the italicized idioms mean? Can you think of equivalent expressions in English?

1. Marc est généreux! *Il a un cœur d'or. Il a le cœur sur la main.*
2. Aujourd'hui je ne me sens pas en forme. *J'ai les jambes en coton.*
3. Nous avions tous peur, mais Daniel est resté calme. *Il a gardé la tête sur les épaules. Il a gardé son sang-froid.*
4. Papa adore faire du jardinage. *Il a la main verte.*
5. Pauvre Annick! Elle parle toujours de ses problèmes. *Elle ne voit pas plus loin que le bout* (end) *de son nez.*
6. Patrick n'a pas mangé tout son dîner. *Il a les yeux plus grands que le ventre.*

These idioms are more difficult. Can you match the equivalent French and English pairs?

1. une grosse tête	a. a daredevil
2. mettre les pieds dans le plat	b. to be a big wheel, to have influence
3. avoir le bras long	
4. se casser la tête	c. to split hairs, to nitpick
5. un casse-cou	d. to eat on the run
6. manger sur le pouce	e. to be swell-headed
7. avoir la grosse tête	f. a whiz kid, a brain
8. mettre la main à la pâte	g. to put your foot in your mouth
9. couper les cheveux en quatre	h. to rack one's brain
	i. to roll up one's sleeves, to get down to work

Two more common expressions with body parts are *Pouce!* ("Time out!" in a game) and *Je donne ma langue au chat!* ("I give up!" for a riddle).

EXPLICATIONS I

Le conditionnel

We use the conditional to express what *would* happen if certain conditions existed, or to tell what we *might* do. The conditional uses the same stem as the simple future, then adds the imperfect endings: *-ais, -ais, -ait, -ions, -iez, -aient*.

◆ COMMUNICATIVE OBJECTIVES

To talk about hypothetical situations
To give advice
To make polite suggestions

1 For *-er* verbs and verbs like *finir* and *dormir*, the future / conditional stem is the infinitive. Here is how to express "would like (to)."

INFINITIF **aimer**

	SINGULIER		PLURIEL
1	j' aimer**ais**	nous	aimer**ions**
2	tu aimer**ais**	vous	aimer**iez**
3	il elle on } aimer**ait**	ils elles }	aimer**aient**

2 Verbs that end in the letters *-re* form their future / conditional stems by dropping the *-e* from the infinitive. The only exceptions are *être* and *faire*.

Je lui **vendrais** le bouquet.
Tu **prendrais** l'aspirine.
Il **lirait** l'ordonnance.
Je **boirais** un verre d'eau.
Nous **mettrions** des pansements.

Vous **connaîtriez** un bon médecin.
Elles **croiraient** l'infirmier.
Nous te **conduirions** à la pharmacie.

3 Use the conditional to make polite suggestions. You can add *à ta place* (*à votre place*).

A ta place, je **mettrais** un manteau.
A votre place, je **téléphonerais** au médecin.

If I were you, I would put on a coat.
If I were you, I would call the doctor.

ALLÔ DOCTEUR

EXERCICES

A **Des conseils.** Vous aimez beaucoup donner votre avis. Choisissez un bon conseil pour essayer de trouver une solution à chaque problème.

Je ne veux pas grossir.
A ta place, je mangerais moins.

se dépêcher   prendre des aspirines
descendre au prochain arrêt   toucher un chèque
manger moins   travailler mieux
marchander un peu   vérifier l'essence et l'huile
mettre un pull

1. J'ai mal à la tête.
2. Nous ne voulons pas décevoir nos parents.
3. Je ne veux pas attraper un rhume.
4. Je dois prendre une correspondance.
5. Notre voiture marche mal.
6. Je n'ai pas d'argent.
7. Je veux acheter un vélo au marché aux puces.
8. Je ne veux pas être en retard.

B **Une journée parfaite.** Qu'est-ce que ces gens feraient pour passer une journée parfaite? Qu'est-ce qu'ils ne feraient pas? Vous pouvez utiliser les expressions de la liste pour répondre, ou vous pouvez en trouver d'autres. Suivez le modèle.

mon cousin
Pour passer une journée parfaite, mon cousin sortirait
avec des copains. Il ne jouerait pas aux cartes.

aider les parents à …   lire …
conduire la voiture   parler au téléphone
danser avec …   promettre de rentrer tôt
dormir   ranger la chambre
écouter la musique de …   rendre des livres à la bibliothèque
jouer à …   sortir avec des copains
laver la voiture   visiter …

1. mon frère / ma sœur   5. mon prof de maths
2. mes copains   6. mes voisins
3. mon chien / mon chat   7. mon (ma) meilleur(e) ami(e)
4. mes parents   8. moi

Le conditionnel des verbes irréguliers

When you ask for things with *je voudrais, voudriez-vous*, and *pourriez-vous*, you are using conditional forms of those verbs. Remember that some verbs have irregular future stems. These stems are also used to form the conditional.

◆ COMMUNICATIVE OBJECTIVES

To talk about hypothetical situations

To make polite requests

To soften commands and suggestions

INFINITIVE	STEM	
aller	ir-	Je m'en irais.
avoir	aur-	Tu aurais un rhume.
devoir	devr-[1]	Il devrait y aller.
être	ser-	Elle serait plus sympa.
faire	fer-	Il ferait ta connaissance.
falloir	faudr-	Il faudrait partir.
pleuvoir	pleuvr-	Il pleuvrait quand même.
pouvoir	pourr-	Nous pourrions sortir.
recevoir	recevr-	Vous le recevriez chez vous.
savoir	saur-	Elles sauraient la vérité.
venir	viendr-	Je viendrais sans lui.
voir	verr-	On verrait la tour Eiffel.
vouloir	voudr-	Il voudrait te parler.

1 Remember that stem-changing verbs like *jeter* and *acheter* have a future / conditional stem based on the spelling change in their present tense. Verbs like *répéter* simply use the infinitive.

jeter *(je jette)*	**jetter-**	Je jetterais ces médicaments.
acheter *(j'achète)*	**achèter-**	Tu en achèterais un autre.
répéter	**répéter-**	Il répéterait ses conseils.

2 Verbs that end in *-yer* have an *i* in their stems instead of a *y*. *Envoyer* is irregular.

essayer	**essaier-**	Ils essaieraient de le voir.
envoyer	**enverr-**	Vous lui enverriez des roses.

[1]In the conditional, *devoir* means "should, ought to."

EXERCICES

A   A la boutique.   Que voudraient les clients? Pour répondre, suivez le modèle.

Sabine / bleu clair
Sabine voudrait une jupe bleu clair.

1. Etienne / bleu foncé

2. les sœurs Deveau / de couleur vive

3. Albert et toi / marron foncé

4. nous / vert clair

5. Mme Lacoste / noir

6. toi / vert foncé

7. Etienne et Albert / jaune

8. Carine / rouge

9. moi

B   Critique.   Aujourd'hui vous observez tout le monde, et vous n'aimez pas ce que vous voyez. Vous avez des suggestions pour changer le comportement *(behavior)* des gens. Suivez le modèle.

Aude et Marc parlent trop en classe.
Aude et Marc pourraient parler moins en classe.

1. Luc conduit mal.
2. Eric et Paul se fâchent trop.
3. Tes sœurs se maquillent mal.
4. Ton frère dépense trop.

5. Nous bavardons trop.
6. Je m'habille mal.
7. Vous dansez mal.
8. Je rouspète trop.

C   Moi? Je ...   Un ami demande ce que vous feriez dans les situations suivantes. Conversez selon le modèle.

> Tu as de la fièvre. (qu'est-ce que / faire)
> ÉLÈVE 1   *Qu'est-ce que tu ferais?*
> ÉLÈVE 2   *Moi? Je prendrais de l'aspirine.*

1. Un oncle riche te donne un billet d'avion gratuit. (où / aller)
2. C'est l'anniversaire de ta grand-mère. (qu'est-ce que / envoyer)
3. Tu reçois une photo de ton actrice préférée. (où / mettre)
4. Un ami qui habite en France t'invite chez lui. (quand / aller)
5. Tu déménages et tu dois jeter beaucoup de choses.
   (qu'est-ce que / jeter)
6. Tu dois faire un exposé oral, mais tu ne l'a pas préparé.
   (qu'est-ce que / faire)
7. Tu es malade. (qui / appeler)
8. L'agent de police croit que tu conduis trop vite. (qu'est-ce que /
   devoir dire)

D   Parlons de toi.

1. Qu'est-ce que tu voudrais visiter en France? Dans quels endroits est-ce que tu irais? Est-ce que tu enverrais des cartes postales? A qui? Pour qui est-ce que tu achèterais des souvenirs? Qu'est-ce que tu achèterais?
2. Où est-ce que tu emmènerais quelqu'un qui visite ta ville? A ton avis, qu'est-ce qu'il (elle) voudrait voir? Est-ce que tu verrais ces choses avec lui (elle), ou est-ce que tu l'enverrais là-bas tout(e) seul(e)?
3. Parle de trois choses que tu devrais faire aujourd'hui. Parle de trois choses que tes parents devraient faire, à ton avis.

ACTIVITÉ

A vous la parole! Le président des Etats-Unis va visiter votre lycée. Vous et vos camarades pourrez lui conseiller certaines actions. Par groupes de trois, donnez-lui des conseils en utilisant *devoir* au conditionnel. *Monsieur (Madame) le Président, à notre avis, vous devriez ... (vous ne devriez pas ...)*

Ensuite faites la même chose en préparation d'une visite dans votre classe du proviseur ou de la directrice du lycée.

APPLICATIONS

Lucie, médecin sans frontières

AVANT DE LIRE

Avant de lire la *Lecture*, cherchez la réponse à ces questions.
1. Quelle est la profession de Lucie Bernard?
2. Quel est le nom de l'organisation avec laquelle elle travaille?
3. Dans quelle sorte de pays est-ce qu'elle travaille?

Lucie Bernard a fait ses études de médecine à Grenoble.* Elle a toujours rêvé de devenir médecin pour pouvoir aider les autres. Quand elle a eu son diplôme, elle a donc décidé de partir avec Médecins sans frontières (MSF)† dans le tiers monde[1] pour réaliser son rêve. Aujourd'hui, elle est
5 là, avec un autre médecin et une infirmière, envoyés eux aussi par MSF, dans un petit village où il n'y a pas d'électricité et pas de téléphone. La vie y est très difficile, mais Lucie est quand même heureuse d'y vivre.

Il n'est pas facile d'être médecin ici. On ne peut pas faire de radios[2] ou d'analyses.[3] Devant une personne gravement malade, il faut souvent
10 prendre une décision sans beaucoup d'information. Dans les hôpitaux en France, les médecins sont très spécialisés. Ici, ils doivent tout faire. MSF envoie assez régulièrement des médicaments, mais ils n'arrivent pas toujours. Il faut continuer à travailler quand même.

A son arrivée, Lucie a dû s'adapter à une nouvelle vie. Il y a d'abord
15 eu la chaleur.[4] Il faut travailler sous une chaleur extrême, et c'est fatigant. Les premiers jours Lucie rêvait tous les soirs de prendre une douche, de téléphoner à des amis ou d'aller au cinéma. Ici pour oublier un peu son travail, elle a seulement quelques livres et des cassettes de musique qu'elle écoute sur un petit magnétophone à piles qu'elle a apporté de France. Les
20 gens du village l'invitent aussi, surtout quand il y a des fêtes,[5] et ce sont les meilleurs moments de sa nouvelle existence.

Elle a dû s'adapter aussi à des nouvelles idées—au moins, nouvelles pour elle. Par exemple, les gens du village font toujours confiance aux[6] guérisseurs.[7] Lucie a appris que les guérisseurs ont quelquefois des
25 traitements traditionnels qui sont très efficaces.[8] Et même quand les traitements traditionnels ne marchent pas, les guérisseurs offrent une aide spirituelle et psychologique qui manque quelquefois à la médecine occidentale.[9]

MÉDECINS SANS FRONTIÈRES

OBJECTIF UN MILLION DE DONATEURS

*Grenoble, la dixième ville française en population, se trouve au sud-est de la France dans les Alpes. Cette ville universitaire est connue pour la recherche *(research)* scientifique, les activités bancaires *(bank-related)* et les sports d'hiver.

†Médecins sans frontières est une organisation de volontaires qui offre de l'aide médicale dans les régions où il y a des guerres ou des désastres comme des tremblements de terre *(earthquakes)* ou de la sécheresse *(drought)*.

[1]**le tiers monde** *third world*   [2]**la radio** *X ray*   [3]**l'analyse** *(f.) test*   [4]**la chaleur** *heat*   [5]**la fête** *celebration*   [6]**faire confiance à** *to trust*   [7]**le guérisseur, la guérisseuse** *traditional healer*   [8]**efficace** *helpful*   [9]**occidental, -e** *Western*

Lucie a maintenant beaucoup d'amis ici, et dans toute la région on sait
qu'il y a au village des médecins sans frontières. Les gens viennent de très
loin pour les consulter. Hier matin, par exemple, Lucie a reçu à la
consultation une femme qui a marché pendant trois jours pour amener[10]
son petit garçon malade.

Très peu d'enfants sont vaccinés, et même les épidémies les moins
graves font beaucoup de petites victimes. Dans d'autres régions les
Médecins sans frontières, aidés par des organisations internationales,
voyagent de village en village pour vacciner la population. Ici, Lucie fait
ce qu'elle peut, mais elle sait que cela ne suffit pas.[11] Elle a dû accepter
que son rêve a des limites. Les malades refusent quelquefois les
traitements qui pourraient les guérir.[12] Souvent ils ne peuvent pas aller à
l'hôpital en ville où on pourrait les sauver.[13]

Mais Lucie n'est pas découragée. Elle pense souvent à la France, à ses
parents, à ses amis qui sont tellement loin, mais sans regret. Ici, elle n'a
pas seulement l'impression de faire un métier formidable, elle vit une
grande aventure. Elle aime beaucoup ce pays qu'elle est en train de découvrir[14] et de comprendre. La plupart des médecins en France suivent
une routine. Pour Lucie, chaque jour est différent. Elle se demande ce
qu'elle ferait dans un cabinet en France, avec des malades qui viennent
voir le docteur pour un simple rhume ou une petite blessure.[15] Est-ce
qu'elle s'ennuierait? Sans doute ....

_____

[10]**amener**   _to bring (people)_   [11]**cela ne suffit pas**   _it's not enough_   [12]**guérir**   _to cure_
[13]**sauver**   _to save_   [14]**découvrir**   _to discover_   [15]**la blessure**   _wound_

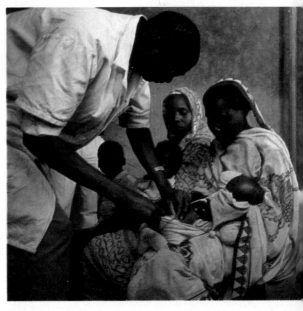

Centre de vaccination au
Chad, en Afrique

Questionnaire
1. Les Médecins sans frontières, c'est quoi?
2. Où est-ce que Lucie a fait ses études de
   médecine? Pourquoi est-elle devenue médecin?
3. Comparez et contrastez sa vie au village avec
   sa vie en France. Donnez au moins trois exemples.
4. Qui sont les guérisseurs? Pourquoi sont-ils
   importants?
5. Pourquoi est-ce que beaucoup d'enfants sont morts?
6. Pourquoi est-ce que Lucie aime sa vie au village?
   Pensez-vous qu'elle s'ennuierait maintenant en
   France? Pourquoi?

EXPLICATIONS II

Les phrases avec *si*

◆ COMMUNICATIVE
OBJECTIVES

To talk about
hypothetical situations

To say what you would
do if ...

To tell what you would
like to do

You have used *si* meaning "if" for a long time:

Si tu as faim, mange!
Je t'accompagne **si** tu veux.

S'il n'a rien à faire, il viendra.
Appelle le médecin **si** tu es
malade.

The *si* clause in each of these sentences gives a condition. The main clause of the sentence tells what happens if the condition is met.

1   The condition in a *si* clause is often expressed in the present tense. In such cases, to tell what usually happens, put the result in the present tense. You might use the imperative in this kind of sentence, too. To tell what happens in a specific case, put the result in the future tense.

S'il pleut, { **elles** ne **sortent** pas.
prends mon parapluie!
nous irons au musée.

2   To express what *would* happen if the condition *were* met, put the result in the conditional and the *si* clause in the imperfect.

Si j'avais vingt ans, **j'ouvrirais** un magasin d'informatique.
Nous irions en ville **s'il faisait** beau.

EXERCICES

A   **S'il pleut ...**   Qu'est-ce qu'on fait? C'est peut-être le temps qui va décider. Complétez les phrases en employant les expressions de la liste ou trouvez-en d'autres. Suivez le modèle.

> S'il pleut, je ...
> *S'il pleut, je dois rester à l'intérieur.*

aller au marché aux puces   aller au cinéma
devoir rester à l'intérieur   vouloir faire du ski
être content   pouvoir faire de la voile

1. S'il fait mauvais, Arnaud ...
2. S'il fait du soleil, vous ...
3. S'il pleut, Monique et moi ...
4. S'il neige, les enfants ...
5. S'il fait beau, je ...
6. S'il fait du vent, tu ...

B Qu'est-ce qu'on fera?   Refaites l'Exercice A en employant le futur. Suivez le modèle.

> Si'l pleut, je …
> *S'il pleut, je devrai rester à l'intérieur.*

C Interview.   Il est toujours bon de rêver un peu. Demandez à un(e) camarade ce qu'il (elle) ferait dans les situations suivantes. Conversez selon le modèle.

> devenir célèbre
> ÉLÈVE 1   *Et si tu devenais célèbre?*
> ÉLÈVE 2   *Je serais à la télé toutes les semaines.*

1. avoir 20 ans
2. être très riche
3. être vedette de cinéma
4. ne pas avoir de cours aujourd'hui
5. acheter ta propre maison
6. être président des Etats-Unis
7. chanter dans un groupe de rock
8. pouvoir acheter une voiture très chère

ACTIVITÉ

Qu'est-ce que tu ferais?   Répondez à ces questions sur une feuille de papier.

1. Si tu trouvais dix dollars dans le couloir, est-ce que tu:
   a. garderais l'argent?   b. donnerais l'argent au prof?

2. Si tes parents te demandaient de rester à la maison pendant leur absence, est-ce que tu:
   a. y resterais?   b. sortirais?

3. Si le petit ami d'une copine (la petite amie d'un copain) te proposait de sortir, est-ce que tu:
   a. accepterais?   b. refuserais?

4. Si tu ne savais pas une réponse pendant un examen, est-ce que tu:
   a. regarderais la copie   b. devinerais?
   d'un(e) autre élève?

5. Si tu gagnais trente mille dollars à la loterie, est-ce que tu:
   a. garderais l'argent pour toi?   b. en donnerais aux pauvres?

Déterminez par vote à main levée le nombre de réponses pour chaque option. Est-ce qu'il y a des situations où tout le monde est d'accord? Quelle situation pose le plus grand problème à la classe?

Les verbes *suivre* et *vivre*

The verbs *suivre* ("to follow") and *vivre* ("to live") have very similar forms, except for the unusual past participle of *vivre: vécu.*

INFINITIFS		suivre			vivre	
		SINGULIER	PLURIEL		SINGULIER	PLURIEL
PRÉSENT	1	je **suis**	nous **suivons**		je **vis**	nous **vivons**
	2	tu **suis**	vous **suivez**		tu **vis**	vous **vivez**
	3	il elle on } **suit**	ils elles } **suivent**		il elle on } **vit**	ils elles } **vivent**

◆ **COMMUNICATIVE OBJECTIVES**

To tell what courses you are taking

To tell where you live

To describe climate

IMPÉRATIF	**suis!** **suivons!** **suivez!**		**vis!** **vivons!** **vivez!**	
PASSÉ COMPOSÉ	j'**ai suivi**	j'**ai vécu**		
IMPARFAIT	je **suivais**	je **vivais**		
FUTUR SIMPLE	je **suivrai**	je **vivrai**		
SUBJONCTIF	que je **suive**	que je **vive**		
CONDITIONNEL	je **suivrais**	je **vivrais**		

Use *suivre* to talk about taking courses in school.

Je **suis** six cours cette année.   *I'm taking six courses this year.*

EXERCICES

A Quels cours suivez-vous? Chacun suit des cours sur les sujets qui l'intéressent. Faites des phrases en utilisant la forme correcte du verbe *suivre*. Suivez le modèle.

> Moi, j'adore chanter.
> *Je suis un cours de musique.*

1. Elodie trouve les ordinateurs intéressants.
2. Daniel et moi, nous adorons voir des tableaux au musée.
3. Marthe et Jean aiment lire et écrire.
4. Vous aimez les sciences naturelles.
5. Roland trouve le sport passionnant.
6. J'aime jouer de la guitare.
7. Patrick veut aller en Italie l'année prochaine.
8. Et toi? Quels cours est-ce que tu suis?

B On obéit toujours. Il faut toujours suivre des conseils! Complétez les phrases avec la forme correcte du verbe *suivre.* Attention aux temps du verbe.

1. D'habitude vous _____ les conseils de votre médecin.
2. Quand vous étiez très jeune, vous _____ les conseils de vos frères et de vos sœurs.
3. Hier vous _____ les conseils de l'agent de police quand il vous a dit de ne pas stationner la voiture devant le parc.
4. Si quelqu'un vous disait « _____ -moi,» est-ce que vous le _____?
5. A ta place, je _____ un régime.
6. Quand il ira en France, il _____ un cours de français.
7. Il faut que tu _____ les informations à la télé plus régulièrement.

C La vie des Tellier. Les membres de la famille Tellier vivent dans des régions très variées. Décrivez le climat où ils habitent. Suivez le modèle.

> je / sec
> *Je vis dans un climat sec.*

1. ma cousine Colette / doux
2. mon oncle et ma tante / humide
3. mes grands-parents / tropical
4. mes parents et moi / agréable
5. vous / tempéré
6. mon cousin Olivier / chaud
7. tu / froid
8. Et toi?

D Parlons de toi.

1. Est-ce que tu suis un bon régime? Quand tu suis un bon régime, qu'est-ce que tu fais? Qu'est-ce que tu ne fais pas?
2. Où est-ce que tes ancêtres ont vécu? Où est-ce que tu vis? Comment est le climat où tu vis?
3. Si tu pouvais passer trois ans dans un pays francophone, dans quel pays est-ce que tu aimerais vivre? Pourquoi? Est-ce que tu vivrais en ville ou à la campagne? Est-ce que ton mode de vie *(way of living)* changerait beaucoup? Comment est-ce que tu crois qu'il changerait?

APPLICATIONS

Formez des phrases en français d'après les modèles.

1. *J'en avais marre de me sentir mal.*
   (The nurses [m.] were supposed to give them shots.)
   (You [fam.] hesitated to bother Jean-Claude.)

2. Mais d'abord il faut que *le médecin me mette le bras dans le plâtre.*
   (the pharmacist [f.] give me the prescription)
   (the florist [m.] sell me some tulips)

3. *Vous lui dites de prendre des médicaments et de se reposer l'après-midi.*
   (We tell her to take care of herself and to stay in the country.)
   (She advises them to follow us and to walk near the wall.)

4. *S'il se cassait le doigt de pied, il n'aurait pas besoin de plâtre.*
   (If she hurt her shoulder, she would make an appointment at the doctor's.)
   (If you [fam.] burned your finger, the nurse [f.] would put a bandage on it.)

5. *Si j'éternuais, tu me donnerais un mouchoir en papier.*
   (If he took two aspirins, he would feel better.)
   (If they [f.] took those courses, they would pass the exam.)

6. *Nous aimerions tellement éviter un accident!*
   (You [fam.] would like very much to throw out the daisies!)
   (You [pl.] would like so much to send a bouquet!)

L'infirmière du lycée
soigne un élève.

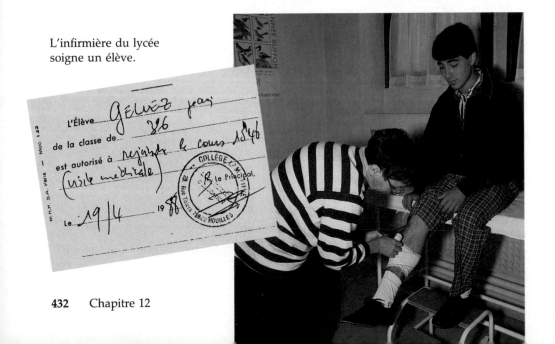

Trouvez les expressions françaises qui correspondent à l'anglais et rédigez un paragraphe.

1. Last week the Rolland brothers were dreaming of going mountain climbing.

2. But first the doctor must examine them.

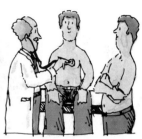

3. Dr. Vidal advises them to follow a good diet and to exercise.

4. If you ate fruits and vegetables, you would be in better health.

5. If you went mountain climbing now, you would become ill.

6. The boys would like so much to follow his advice.

Maintenant, choisissez un de ces sujets.

1. Imaginez que vous organisez le régime des frères Rolland. Faites une liste des aliments (foods) qu'ils devraient consommer par jour et en quelle quantité.

2. Vous êtes secrétaire du Club Alpin. Jacques et Etienne Rolland vous écrivent pour savoir comment apprendre à faire de l'alpinisme. Ecrivez-leur une réponse en leur disant comment se mettre en condition avant de faire partie du club et ce que le club peut leur offrir.

3. Un(e) de vos ami(e)s ne suit pas un bon régime. Quels conseils aimeriez-vous lui donner? (A ta place, je …)

CONTRÔLE DE RÉVISION   CHAPITRE 12

A   A l'infirmerie.
Identifiez les élèves d'après l'image, puis décrivez ce qu'ils ont.

Qui est le garçon en marron foncé?
C'est Robert. Il a mal au pied.

1. Qui est le garçon en chemise à fleurs?
2. Qui est la jeune fille en vert clair?
3. Qui est le garçon en bleu foncé?
4. Qui est la jeune fille en pull rouge?
5. Qui est la jeune fille en vert foncé?
6. Qui est la jeune fille à la peau mate?

B   Tu rêves!
Racontez par écrit ce que les élèves feraient s'ils gagnaient à la loterie.

le prof / quitter le lycée pour toujours
Le prof quitterait le lycée pour toujours.

1. Marc / vendre la maison de ses parents
2. tu / conduire une Porsche
3. ils / partir en vacances pendant un an
4. vous / vous mettre à dépenser tout votre argent
5. je / déménager à Tahiti

C   Une solution pour chaque problème.
Utilisez les mots suivants pour donner des conseils.

en acheter	le rappeler	le jeter
le nettoyer	le répéter	me lever plus tôt

Il n'entend pas mon nom.
A ta place, je le répéterais.

1. Ce vieux tourne-disque ne marche plus.
2. Léon ne répond pas au téléphone.
3. Il me faut des œufs.
4. Qu'est-ce que le plancher est sale!
5. J'arrive en retard pour mon premier cours.

D   Qu'est-ce qui se passerait?
Complétez les phrases logiquement au conditionnel.

savoir parler français	s'en aller
voir beaucoup d'églises	venir le voir
recevoir beaucoup de cadeaux	être content(e)
ne plus avoir mal à la tête	faire une piqûre

S'il vivait à Paris, il …
S'il vivait à Paris, il saurait parler français.

1. Si tu te fâchais avec moi, je …
2. Si c'était l'anniversaire de Sara, elle …
3. S'il prenait ces aspirines, il …
4. Si les Dulac visitaient Rome, ils …
5. Si Luc nous invitait, nous …
6. Si nous décidions d'aller à la plage, il …
7. Si tu étais vraiment malade, le médecin te …

E   Complétez!
Choisissez la forme correcte des verbes *suivre* ou *vivre*.

1. Charles _____ des cours de français depuis trois ans. Maintenant il _____ à Paris. Il faut qu'il y _____ pour faire ses études.
2. L'année dernière il _____ un cours de danse. A ce moment-là il _____ en Suisse.
3. Quand il était plus jeune, il _____ des cours de dessin. C'est quand il _____ chez sa tante.

VOCABULAIRE DU CHAPITRE 12

Noms
l'accident (m.)
l'aspirine (f.)
le bouquet
le cabinet
le cœur
le comprimé
le conseil
le cou
le docteur
le doigt (de pied)
l'épaule (f.)
le fleuriste, la fleuriste
la grippe
la langue (tongue)
la lèvre
la marguerite
le médicament
le mouchoir (en papier)
l'œillet (m.)
l'ordonnance (f.)
l'orteil (m.)
le pansement (adhésif)
la peau
la pharmacie
le pharmacien, la pharmacienne
la plante en fleur
le plâtre
la poitrine
le pouce
le régime
la rose
le sang
la santé
la tulipe
le ventre

Adjectifs
bronzé, -e
clair, -e
foncé, -e
grave
mat, -e
vif, vive

Verbes
arriver (à quelqu'un)
attraper (un rhume)
se brûler / brûler
se casser
se couper
déranger
éternuer
examiner
ressembler à
rêver (de)
se sentir / sentir
se soigner / soigner
suivre (to follow; to take [a course])
tousser
vivre

Adverbes
même (even)
tellement (de)

Expressions
aïe!
à ma place (à ta place, à sa place, etc.)
avoir mal au cœur
en avoir marre de + inf.
se faire mal à / faire mal à
faire une piqûre (à)
tomber malade

CHAPITRE 13

PRÉLUDE CULTUREL | LES FÊTES FAMILIALES

Today we're joining the crowd of wedding guests waiting for Chantal and Alain to come out of the town hall *(la mairie)*. They have just signed the official register, with his brother and her sister acting as witnesses, and have received their copy of the document *(le livret de famille)* certifying that they are now husband and wife. With the mayor's short speech reminding them of their obligations to each other still ringing in their ears, Chantal and Alain page through *le livret*, where the names of their future children will be recorded someday.

In France a civil ceremony is all that is required, but like most French couples, our friends have chosen to have a religious wedding as well. So we're all on our way to church, where the priest will perform a second ceremony. What steps have led up to this happy day? First, they had to get their birth certificates *(l'extrait de naissance)*. Then, a month before the wedding, they went to the town hall to officially apply for their marriage license so that the formal announcement *(les bans)* could be posted there for all to see. Invitations were sent out, and here we are!

In church, flashbulbs pop as Chantal and Alain exchange rings in front of the altar. They emerge to a shower of rice and cries of «*Vivent les mariés!*» as they head for the car, which is decorated with flowers and bits of lace. First, a stop at a nearby park, where a professional photographer takes pictures of the happy couple, and then it's off to the restaurant.

At the restaurant, where a buffet luncheon will be served, distant relatives swap the latest family gossip. They may see each other only on special occasions, such as christenings and weddings *(le mariage)*, or under sadder circumstances like a funeral or *la Toussaint* (November 1), when people go to cemeteries to leave the traditional bunch of chrysanthemums on graves of family members.

But this is a happy occasion. Chantal and Alain arrive, and the champagne starts flowing. The food is delicious, and there is so much of it! Someone puts on a record, and Alain's father asks his new daughter-in-law to dance. Soon everyone joins in. When the wedding cake is brought out, conversation stops. Chantal serves portions from the towering pyramid of caramel-covered cream puffs topped by a miniature bride and groom.

All too soon, the party is over as the young couple leave for their honeymoon *(la lune de miel)* and a brand-new life. *Tous nos vœux de bonheur* (happiness), *Alain et Chantal!*

MOTS NOUVEAUX I

Vous êtes invités au mariage!

CONTEXTE
VISUEL

le beau-père
d'Alain   la belle-mère   un témoin
                 d'Alain   la belle-sœur   la mariée   le marié   un témoin[1]
                                  d'Alain   le beau-frère   les beaux-parents
                                              le couple   de Chantal   (m.pl.) de Chantal

se marier (avec)

un faire-part
pl. des faire-part

l'amour (m.)

la joue   s'embrasser

embrasser

se ressembler

[1]The only adult attendants of a French bridal couple are the *témoins* ("witnesses"), who must be over 18 years old in order to sign the official register. Often the bride is also accompanied by children who are close relatives of the couple and who hold the traditional long veil that trails behind her.

To describe or plan a wedding	To describe family relationships	To congratulate/express good wishes	To tell what's preferable/important/necessary
	To ask and tell how long something has been going on	To express regret	To agree
		To give additional information	To put someone at ease

CONTEXTE COMMUNICATIF

1 Chantal et Alain sont **fiancés** depuis un an. Maintenant ils pensent à se marier.

CHANTAL	Avant d'en parler à nos parents, il faut qu'on décide quand on va se marier.
ALAIN	Et si on se mariait cet été, **au lieu d'**attendre?
CHANTAL	Bonne idée, il fera plus beau en été.

fiancé, -e *engaged*

au lieu de + *inf. instead of*

2 Chantal parle à Marie de son fiancé.

MARIE	**Il y a longtemps que**[2] vous êtes fiancés?
CHANTAL	Un an, mais **nous nous connaissons** depuis trois ans.

Variations:

■ il y a longtemps que → **ça fait longtemps que**

il y a longtemps que +
présent have ... for a long time

se connaître *to know each other*

ça fait longtemps que +
présent have ... for a long time

3 Alain parle de sa fiancée à un copain.

PIERRE	Chantal est vraiment **mignonne.**
ALAIN	Oui, mais elle est surtout très gentille et **sensible.**

mignon, -ne *cute*
sensible *sensitive*

4

PIERRE	Tu as de la chance! Je te **félicite** et **te souhaite d'**être très heureux.
ALAIN	Et toi, tu vas rester **célibataire** toute ta vie?
PIERRE	**Je crains que oui. En tout cas, pour le moment.**

■ en tout cas, pour le moment → **d'ailleurs,** je n'ai pas encore trouvé la femme de mes rêves

féliciter *to congratulate*
souhaiter (à quelqu'un de ...)
to wish (someone something)
célibataire *single*
je crains que oui (non) *I'm afraid so (not)*
en tout cas *in any case*
pour le moment *for now*
d'ailleurs *besides, moreover*

[2]The full answer to *il y a longtemps que ...?* is: *Il y a un an que nous sommes fiancés.* Like *depuis,* *il y a* and *ça fait* call for the present tense where English would use the present progressive or the past tense. Compare:
Depuis quand est-ce que tu la connais? Je la connais *depuis* un mois.
Ça fait longtemps *que* tu la connais? *Ça fait* un mois *que* je la connais.

5 Chantal prépare son **mariage** avec sa mère.

MME DUPIN **Il vaut mieux** envoyer les faire-part maintenant.

CHANTAL Oui, **il est important que** les invités connaissent la date du mariage tout de suite.

■ il vaut mieux envoyer → **il est nécessaire d'**envoyer
■ il vaut mieux envoyer → **il est important d'**envoyer
■ il est important que → **il est nécessaire que**

le mariage	*wedding*
il vaut mieux + *inf.*	*it's better (preferable) to*
il est important que + *subj.*	*it's important that*
il est nécessaire de + *inf.*	*it's necessary to*
il est important de + *inf.*	*it's important to*
il est nécessaire que + *subj.*	*it's necessary that*

6 Chantal et Alain ont loué un appartement il y a une semaine.

CHANTAL On ne pourra pas s'installer là, après notre **voyage de noces, car** on n'a pas de meubles!

ALAIN Oh, tu sais, **au début,** on n'en aura pas besoin de beaucoup. Nous pourrons en acheter **d'autres**³ plus tard.

le voyage de noces	*honeymoon trip*
car	*for, because*
au début	*at first, at the beginning*
d'autres	*others, more*

7 Le témoin d'Alain lève son verre et dit aux jeunes mariés:

RAPHAËL Je vous souhaite une longue vie **pleine** d'amour et de **bonheur!**

Les mariés s'embrassent, tout le monde applaudit.

■ je vous souhaite … bonheur → **Meilleurs vœux!**

plein, -e	*full*
le bonheur	*happiness*
meilleurs vœux!	*best wishes!*

8 Virginie a invité son **petit ami** pour la première fois chez ses parents. Jérôme est un peu **mal à l'aise.**⁴

JÉRÔME Je suis heureux de faire votre connaissance.

MME JOLY **Moi de même. Asseyez-vous** ici …

JÉRÔME Merci, madame.

■ est un peu mal à l'aise → **n'est pas très à l'aise**

le petit ami, la petite amie	*boyfriend, girlfriend*
mal à l'aise	*uncomfortable*
moi de même	*me too; likewise*
asseyez-vous, assieds-toi	*sit down*
à l'aise	*comfortable*

³When used as an indefinite quantity, *des* + *autres* contracts to *d'autres*: *Montrez-moi un autre jean et d'autres pulls.* When the possessive is meant, there is no contraction: *J'ai emprunté la voiture des autres.*

⁴*A l'aise* and *mal à l'aise* mean "comfortable" and "uncomfortable" when describing the way people feel. *Confortable* and *peu confortable* are used to describe things.

A   En voyage de noces.   Sabine écrit à sa tante Cécile qui n'a pas pu assister à son mariage. Complétez les phrases avec la forme correcte des mots de la liste.

au lieu de	belle-sœur	fiancé	témoin
beau-père	embrasse	mariage	voyage de noces
belle-mère	faire-part		

Chère Tante Cécile,

Quel bonheur! Laurent Dufour et moi, nous sommes mariés! Comme vous le savez, nous étions _____ depuis un an. Notre _____ a eu lieu il y a quinze jours. Une cinquantaine d'invités ont répondu

5   aux _____. Je portais la robe de ma mère qui était magnifique. Ma mère portait une robe bleu clair et Mme Dufour, ma _____, était en rose. Mon père et mon _____, M. Dufour, étaient tous les deux très élégants. Coralie, la sœur de Laurent, a été mon _____. Elle était déjà ma meilleure amie, elle est maintenant ma _____.

10   Je vous remercie de votre généreux cadeau de mariage. Cela nous a permis de partir en _____ en Italie _____ rester en France.

Venez nous voir, quand vous le pourrez, dans notre appartement.

Je vous _____,

Sabine

B   Il faut être poli.   Imaginez que vous rencontrez les personnes suivantes. Qu'est-ce que vous faites pour être poli(e)? Vous pouvez choisir une réponse dans la liste, ou vous pouvez en trouver d'autres. Suivez le modèle.

votre professeur de français au supermarché
Je lui dis «bonjour».

embrasser	présenter ses meilleurs vœux
dire «bonjour»	remercier de tout son cœur
dire «excuse-moi»	souhaiter du bonheur
féliciter	souhaiter bon anniversaire

1. des amis que tu n'as pas vus depuis longtemps
2. le marié et la mariée qui partent en voyage de noces
3. ta mère le jour de son anniversaire
4. une tante qui t'a envoyé un cadeau
5. ta sœur qui a reçu son permis de conduire
6. quelqu'un qui t'attend depuis une heure à un rendez-vous
7. un couple qui va se marier

C Le mot juste.

Trouvez un synonyme ou une expression synonyme.

1. *Au commencement* de leur vie ensemble, le couple habitait un appartement.
2. Il est nécessaire de chercher un taxi *parce qu'*il pleut.
3. *Ça fait longtemps qu'*il est marié? Cinq ans seulement.
4. *De toute façon*, même s'il pleut, nous irons à la plage.
5. *Prenez une chaise!* Ne restez pas debout.
6. Tes invités se sentent à l'aise. *Moi aussi.*

Trouvez un antonyme.

7. Les valises du jeune couple sont *vides*.
8. Les filles de la voisine sont *mariées*.
9. Leur nouvel appartement est *moche*.
10. Au début, Patricia était *à l'aise*.

Trouvez un mot à plusieurs sens.

11. Ce tableau _____ combien? Sept mille francs!
12. Il _____ mieux que tu lises ce bouquin!

Ils choisissent la robe de mariée.

D Le mariage.
Avec un(e) ami(e), vous rêvez du mariage parfait. Choisissez les mots que vous voulez. Conversez selon le modèle.

Je voudrais me marier avec quelqu'un de *(riche, beau / belle, célèbre)*.
ÉLÈVE 1 *Je voudrais me marier avec quelqu'un de célèbre.*
ÉLÈVE 2 *Moi de même.*
    OU: *Non, moi je voudrais me marier avec quelqu'un de riche.*

1. Je voudrais me marier *(par amour, pour l'argent, pour plaire à mes parents)*.
2. Le mariage se passerait *(à la campagne, dans un restaurant, dans un hôtel)*.
3. Il est important que mon (ma) fiancé(e) soit *(sensible, mignon(ne), intelligent(e))*.
4. *(Ma sœur, mon cousin, un(e) ami(e))* serait le témoin.
5. Je partirais en voyage de noces *(en Floride, en France, à Venise)*.
6. Au début, je voudrais vivre *(près de chez mes parents, chez mes beaux-parents, à Paris)*.
7. Je voudrais avoir *(un ou deux enfants, beaucoup d'enfants, un chien ou un chat)*.

E Parlons de toi.

1. Est-ce que tu aimerais te marier ou rester célibataire? Pendant toute ta vie ou pendant quelque temps? Pourquoi?

2. Pour toi, est-ce que c'est important d'avoir des enfants? Combien? Est-ce que tu préférerais avoir des garçons, des filles ou les deux? Pourquoi? Quels prénoms est-ce que tu leur donnerais?

3. Il y a longtemps depuis que tu es allé(e) à un mariage? Qui s'est marié? Est-ce que tu t'es bien amusé(e)? Qu'est-ce que tu as apporté comme cadeau?

4. Est-ce que tu penses que, à ton âge, il vaut mieux avoir plusieurs petit(e)s ami(e)s ou seulement un(e)? Pourquoi?

5. Si un jour tu te mariais, où est-ce que tu aimerais aller en voyage de noces? Où habiteriez-vous ensuite? Voudriez-vous vivre près des deux familles?

DOCUMENT

Vous êtes invités à un mariage. Qui sont le marié et la mariée? Qui sont les parents de la mariée? Et du marié? Où est-ce que la cérémonie civile aura lieu? Et la cérémonie religieuse? A quelle heure est la première cérémonie? Et la deuxième? Après le mariage il y aura un repas. Où est-ce que le repas aura lieu? Quand est-ce qu'il commencera? Maintenant, avec un(e) camarade, écrivez un faire-part pour un mariage imaginaire.

Daniel et Rose

*sont heureux de vous convier au Repas
et à la Fête qui suivra et qui auront lieu
à partir de 19 heures le Samedi 19 Septembre 1987
au Restaurant La Pergola,
23, Avenue du Général Leclerc à Taverny.*

Monsieur et Madame Priam Omer

Madame Jardin Roger

ont la joie de vous faire part du mariage de leurs enfants

Rose   et   Daniel

*La cérémonie aura lieu à la Mairie de l'Étang la Ville, 78 Yvelines, à 14 h,
et en l'Église d'Argenteuil, 17, Rue des Ouches, à 16 h,
le Samedi 19 Septembre 1987.*

APPLICATIONS

Un mariage qu'on n'oubliera pas!

La sœur de Roland s'est mariée samedi dernier.

BÉATRICE   Tu t'es bien amusé au mariage de ta sœur?

ROLAND   Bof, non, pas vraiment.

BÉATRICE   *(surprise)* Ah bon, pourquoi?

5   ROLAND   D'abord, son fiancé s'est trompé d'heure. Il est arrivé à la mairie[1] avec une heure de retard.

BÉATRICE   Ta sœur devait être furieuse!

ROLAND   Oui, mais attends, ce n'est pas tout. A la sortie de l'église, il pleuvait des cordes.[2] Ma sœur portait des
10   chaussures à talons très hauts,[3] elle a glissé et elle s'est cassé la jambe!

BÉATRICE   C'est pas vrai! La pauvre!

ROLAND   Eh si. Au lieu de partir en voyage de noces, elle va passer une semaine à l'hôpital!

15   BÉATRICE   En tout cas, c'est un mariage qu'on n'oubliera jamais!

---

[1]**la mairie** *town hall*   [2]**pleuvoir des cordes** *to pour down rain (literally, "to rain ropes")*   [3]**les talons hauts** *high heels*

Questionnaire

Dites *vrai* ou *faux* si ces malheurs *(misfortunes)* sont arrivés au mariage samedi. Corrigez les phrases fausses.

1. Béatrice ne s'est pas amusée.
2. Le marié s'est trompé d'endroit.
3. Le marié est arrivé en retard.
4. Il ne faisait pas beau.
5. Roland n'a pas pu trouver la mairie.
6. L'église était fermée à clef.
7. La mariée a cassé le talon de sa chaussure.
8. Il gelait.
9. Béatrice s'est cassé la jambe.
10. Le beau-frère de Roland était furieux.

Maintenant c'est à vous de poser des questions et d'y répondre.
1. Où ...? 2. Quel temps ...? 3. Qu'est-ce qui ...? 4. Quand ...?
5. Comment ...?

Situation

Avec un(e) camarade, préparez une conversation au sujet d'un accident ou d'un malheur. C'est à la première personne de décrire l'incident. La deuxième personne pose des questions pour prolonger la conversation. L'histoire doit illustrer un de ces deux proverbes:

Les malheurs n'arrivent jamais seuls.
Le malheur des uns fait le bonheur des autres.

Toute la famille est présente à leur mariage.

To discuss parties

To describe people's
behavior

To offer food and drink

To describe
simultaneous actions

To express quantity

MOTS NOUVEAUX II

Papi et Mamie fêtent leurs noces d'or![1]

CONTEXTE
VISUEL

la réception

un glaçon

un petit four
pl. des petits fours

verser

du champagne

un canapé

gronder

pleurer

se disputer
Il se dispute avec elle.
Elle se dispute avec lui.
Ils se disputent.

s'entendre[2] (bien / mal)
Il s'entend avec elle.
Elle s'entend avec lui.
Ils s'entendent bien.

[1]*Papi* and *Mamie* are children's names for "grandpa" and "grandma." *Les noces d'or* refers
to the fiftieth, or "golden," anniversary. These words are not part of the chapter
vocabulary.

[2]You already know the verb *entendre*. The reflexive form *s'entendre (bien / mal)* means "to
get along (well / badly) with."

1   Monsieur et Mme Gibert **fêtent** leur **anniversaire de mariage.** Ils préparent la réception.

M. GIBERT	Qu'est-ce qu'on va servir?
MME GIBERT	D'abord des canapés, puis comme hors-d'œuvre, une quiche ou des crudités. Ensuite on pourrait faire un rôti.
M. GIBERT	Et comme dessert?
MME GIBERT	Des petits fours, avec le champagne.

Variations:

■ des crudités → des huîtres et des crevettes

fêter   *to celebrate*
l'anniversaire *(m.)* **de mariage**
  wedding anniversary

2   Monsieur et Mme Larose fêtent leur quarantième anniversaire de mariage avec leurs enfants et leurs **petits-enfants.** Jeanne, leur **petite-fille,** leur pose des questions.

JEANNE	Comment avez-vous fait pour vivre si longtemps ensemble?
MME LAROSE	On s'aime beaucoup, on s'entend bien et on se dispute rarement!

■ Jeanne → David
  petite-fille → **petit-fils**

les petits-enfants *(m.pl.)*
  grandchildren
la petite-fille   *granddaughter*

le petit-fils   *grandson*

3   A la réception. M. Gibert sert les invités.

M. GIBERT	Qu'est-ce que je vous sers à boire?
UN INVITÉ	Un jus de fruits, s'il vous plaît.
M. GIBERT	Avec des glaçons?
UN INVITÉ	Oui, merci.

■ à la réception → c'est **la fête**[3] aujourd'hui chez les Joly
  M. Gibert → M. Joly
  sert les invités → verse les boissons

la fête   *celebration, party*

[3]*Une réception* is any large party where food is served. *Une fête* is less formal. You'll often see the word in expressions: *une petite fête entre amis* (a small, informal party); *faire la fête* (to party); or *Pour ma fête* (referring to a saint's day), *j'ai reçu plusieurs cadeaux.*

4 Madame Gibert sort la quiche du **four,** et elle l'apporte.

MME GIBERT   Et voilà, **servez-vous!**

UNE INVITÉE   Merci. Mmm … c'est **exquis!**

■ du four → du **micro-ondes**

le four	*oven*
servez-vous! sers-toi!	*help yourself!*
exquis, -e	*exquisite, marvelous*
le micro-ondes	*microwave oven*

5 Evelyne, la petite sœur de Cédric, pleure. Son frère lui parle **en essuyant** ses joues.

CÉDRIC   Qu'est-ce qu'il y a?

ÉVELYNE   Maman m'a grondée!

CÉDRIC   Bon, ce n'est pas grave, arrête de pleurer.

■ maman m'a grondée → maman s'est fâchée avec moi

en essuyant	*while wiping*

6 DIDIER   J'ai mal au ventre, maman!

MME RÉMU   Bien sûr! Pourquoi as-tu mangé **tant de** petits fours sans avoir dîné?

DIDIER   Parce qu'ils étaient délicieux!

■ tant de → trop de

■ tant de petits fours → **la moitié de** la quiche
qu'ils étaient délicieux → qu'elle était délicieuse

tant (de)	*so much, so many*
la moitié (de)	*half (of)*

7 Les invités sont partis.

M. GIBERT   Sois gentil, **éteins les lumières,** veux-tu?

MME GIBERT   D'accord, je le ferai.

éteins (éteignez) …!	*turn off …!*
la lumière	*light*

Une réception pour
l'anniversaire de mariage
de Mamie et Papi

A La fête. Les petits-enfants préparent une réception pour l'anniversaire de mariage de leurs grands-parents. Choisissez un verbe correct pour chaque image. Il y a plusieurs choix possibles. Conversez selon le modèle.

apporter	mettre	servir
couper	ouvrir	sortir
éteindre	réchauffer	verser

ÉLÈVE 1 *Est-ce que je sers le jus d'orange?*
ÉLÈVE 2 *Oui, sers-le.*

1.

2.

3.

4.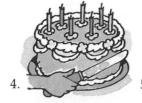

5.

6.

7.

8.

9.

QUE LA FÊTE COMMENCE!

B   Le mot juste.

Trouvez un synonyme ou une expression synonyme.

1. Il y a *tellement* de hors-d'œuvre!
2. Ces petits fours sont *délicieux*.

Trouvez un antonyme.

3. *Allume* le four, veux-tu?
4. André et son père *s'entendent bien*.

Trouvez un mot associé.

5. C'est une petite *fête* entre amis pour _____ Noël.

Trouvez des mots à ne pas confondre.

6. Guy a mal aux oreilles et n'entend pas bien; il faut _____ quand tu lui parles, mais pas si fort que le bébé se réveille et commence à _____.
7. J'ai acheté un kilo et _____ de bonbons. Maintenant il n'en reste que la _____.

On va enfin goûter au gâteau.

C Que dites-vous?

1. C'est la fête chez vous. Tous les plats sont sur la table. Que dites-vous pour inviter tout le monde à venir manger et boire?
2. Vous êtes à une réception. On vous demande ce qu'on pourrait vous servir à boire. Que répondez-vous?
3. Un invité arrive chez vous. Vous entrez tous les deux dans le salon et vous lui montrez une chaise. Que lui dites-vous?
4. On vous sert des petits fours qui sont superbes. Que dites-vous?

D Parlons de toi.

1. Est-ce que tu pleurais souvent quand tu étais enfant? Pour quelles raisons? Quand est-ce que tu pleures maintenant? Par exemple, est-ce que tu pleures quand tu regardes un film triste, ou quand tu écoutes une chanson?
2. Quelle est la dernière fois que tes parents t'ont grondé(e)? Ils te grondent souvent? Pour quelles raisons?
3. Est-ce que tu te disputes souvent avec tes amis, ou seulement de temps en temps? Et avec tes frères et sœurs? Qui est-ce qui commence, d'habitude? Tu oublies vite les disputes, ou pas?
4. Est-ce qu'il y a des réunions de famille chez toi? A quelles occasions? Qui est-ce qu'on voit? De quoi est-ce qu'on parle? Qu'est-ce qu'on sert? Est-ce qu'il y a des membres de la famille qui se disputent, ou est-ce que tout le monde s'entend bien avec les autres?

ÉTUDE DE MOTS

You have learned that reflexive verbs reflect the action of the verb back to the subject: *Je me lave; nous nous habillons; ils se lèvent.*

Many ordinary verbs can be made reflexive by adding the reflexive pronoun. Can you tell what these sentences mean?

Vous vous regardiez dans le miroir.

Luc se parlait quelquefois.

Marc s'est écrit un mot.

Tu es égoïste; tu t'applaudis.

Nous nous préparons à partir.

Je me suis promis de ne pas le dire.

Can you put these sentences into French? (Remember that the passé composé of reflexive verbs is formed with *être*.)

Look at yourself!

She weighed herself.

We served ourselves.

Don't talk to yourself!

He will get lost in the crowd.

We hid (ourselves) in the kitchen.

I asked myself that question.

He doesn't organize himself well.

EXPLICATIONS I

Le participe présent

To express two actions or events that are taking place at the same time, you can use the present participle. It is an equivalent of verb + -ing in English.

To form the present participle, drop the -ons of the nous form of the present tense, then add -ant.

réserver	→	nous **réserv**ons	→	réserv**ant**
finir	→	nous **finiss**ons	→	finiss**ant**
sortir	→	nous **sort**ons	→	sort**ant**

Only three verbs have irregular present participles: *avoir* → **ayant**; *être* → **étant**; *savoir* → **sachant**.

1   Use the preposition *en* + a present participle to tell about an action that is taking place at the same time as another action. The English equivalent of *en* is "while."

> Elle boit son café **en lisant** le journal.
> Nous chantions **en faisant** la vaisselle.

> *She drinks her coffee **while reading** the paper.*
> *We were singing **while doing** the dishes.*

Note that you can use the present participle only when both verbs in the sentence have the same subject.

2   You can also use *en* + present participle to tell how something is accomplished. The English equivalent of *en* in this case is "by."

> On réussit les examens **en étudiant** beaucoup.
> Il a endormi le bébé **en lui chantant** une chanson.

> *One passes tests **by studying** a lot.*
> *He got the baby to sleep **by singing** a song to it.*

En vous abonnant à

l'auto-journal

vous économisez

l'achat de 5 numéros

320 F pour 1 an au lieu de 41...

EXERCICES

A Quels bavards! Ils ne s'arrêtent jamais de parler, les élèves! Qu'est-ce que les élèves faisaient pendant qu'ils bavardaient? Répondez en employant un participe présent.

> se promener *Ils bavardaient en se promenant.*

1. boire quelque chose
2. faire des devoirs
3. attendre le prof
4. déjeuner à la cantine
5. ranger la salle de classe
6. choisir un livre à la bibliothèque
7. écrire les réponses à l'exercice
8. Et toi et tes amis?

B A l'infirmerie. L'infirmière veut savoir comment ces accidents sont arrivés. Conversez selon le modèle.

> se casser la jambe / faire du ski
> ÉLÈVE 1 *Comment est-ce que tu t'es cassé la jambe?*
> ÉLÈVE 2 *Je me suis cassé la jambe en faisant du ski.*

1. se brûler à la main / faire la cuisine
2. se couper au doigt / couper du pain
3. attraper un rhume / aller à la piscine
4. se faire mal / tomber dans la rue
5. casser ses lunettes / se disputer avec son frère
6. se casser le bras / jouer au football

C Le secret de mon succès. Un ami vous demande comment vous réussissez à faire toutes les choses de la liste de gauche. Choisissez une bonne raison sur la liste de droite. Conversez selon le modèle.

> apprendre tant de choses
> ÉLÈVE 1 *Comment est-ce que tu apprends tant de choses?*
> ÉLÈVE 2 *J'apprends tant de choses en regardant les informations.*

1. faire la vaisselle
2. préparer ses cours
3. ne pas se disputer avec sa sœur
4. se lever très tôt
5. ne jamais rater le bus
6. être invité(e) à tant de fêtes
7. écrire toutes ces rédactions

se coucher de bonne heure
utiliser de l'eau chaude
s'entendre bien avec elle
travailler sérieusement
faire attention à l'heure
avoir beaucoup d'amis
se servir d'un ordinateur
regarder les informations

8. Et toi, quel est le secret de ton succès? Dis une chose que tu fais bien, et dis comment tu arrives à le faire.

Les actions réciproques

You know that pronominal verbs can express actions that people do to or for themselves: *Je me lave les mains.* You can also use reflexive pronouns in front of a verb to express that two or more people are performing the same action for one another. These are called reciprocal actions.

1 When the people you are talking about are performing the same action for one another, or share the same feelings about one another, use the reflexive pronouns *nous, vous,* or *se* in front of the verb to express that. This is the equivalent of "each other" or "one another" in English.

Nous nous embrassons quand **nous nous rencontrons.**	*We embrace one another* when *we meet.*
Vous vous écrivez toujours?	*Do you* still *write each other?*
On s'aime beaucoup.	*We like each other* a lot.
Elles se voient souvent.	*They see one another* often.

Almost any verb that can be followed by an object can be used reciprocally.

2 When you use reciprocal verbs in the passé composé, make the usual agreement.

En sortant de l'église, les mariés se sont **embrassés.**

Ils s'embrassent.

EXERCICES

A **Les jeunes couples.** Décrivez un couple que vous connaissez, dans votre famille, parmi *(among)* vos amis, ou vous et votre petit(e) ami(e). Utilisez les mots *tous les jours, souvent, quelquefois, jamais* ou *rarement*. Suivez le modèle.

> se disputer
> *Mon frère et sa fiancée se disputent rarement.*

1. s'embrasser
2. s'écrire
3. s'acheter des petits cadeaux
4. se parler
5. se poser des questions
6. se voir
7. se téléphoner
8. se mentir

B **En bref *(In brief).*** Estelle dit toujours beaucoup quand elle pourrait dire peu. Aidez-la à faire des phrases plus courtes. Employez les mots de la liste. Suivez le modèle.

s'aider	se détester	se parler
se comprendre	s'entendre	se rencontrer
se connaître	se marier	se ressembler

> Joëlle a fait la connaissance de Luc il y a un an.
> *Ils se connaissent depuis un an.*

1. Denis et Lionel sont tous les deux grands et blonds.
2. Clarice dit quelque chose à Patrick et Patrick lui répond.
3. Mon père et ma mère ont les mêmes idées sur presque tout.
4. Je ne t'aime pas; tu penses que je suis bête.
5. Pierre et toi arriverez au même endroit en même temps.
6. Les Martin envoyaient des vêtements aux Dupont; les Dupont offraient des provisions aux Martin.
7. Georges et Marie ont décidé de passer leur vie ensemble.
8. Fabrice parle anglais et français. Annie parle les mêmes langues.

C **Parlons de toi.**
1. Quand tes copains se rencontrent, qu'est-ce qu'ils se disent?
2. Est-ce que tu te disputes quelquefois avec un copain (une copine)? Qu'est-ce qu'il faut faire pour s'entendre?
3. Que faut-il faire pour vivre heureux avec quelqu'un longtemps? A ton avis, pendant combien de temps est-ce qu'un couple devrait se connaître et être fiancé avant de se marier?

APPLICATIONS

On se marie.

Vous observez les gens à la réception. Il y en a plusieurs qui sont en train de faire deux choses en même temps. Décrivez ce qu'ils font.

Choisissez deux personnes qui se parlent. Avec un(e) camarade, imaginez ce qu'ils se disent.

EXPLICATIONS II

Le subjonctif: *aller, avoir, être, faire*

The verbs *aller, avoir, être,* and *faire* have irregular subjunctive forms.

	ALLER		AVOIR
que j'	**aille**	que j'	**aie**
que tu	**ailles**	que tu	**aies**
qu'il	**aille**	qu'il	**ait**
que nous	**allions**	que nous	**ayons**
que vous	**alliez**	que vous	**ayez**
qu'ils	**aillent**	qu'ils	**aient**

	ÊTRE		FAIRE
que je	**sois**	que je	**fasse**
que tu	**sois**	que tu	**fasses**
qu'il	**soit**	qu'il	**fasse**
que nous	**soyons**	que nous	**fassions**
que vous	**soyez**	que vous	**fassiez**
qu'ils	**soient**	qu'ils	**fassent**

♦ COMMUNICATIVE OBJECTIVES

To discuss errands

To tell people what they should do/how they should behave

You know that *il faut que* + subjunctive is used to express necessity. Use the subjunctive with these expressions of necessity, as well.

il vaut mieux que   **il est important que**
il est nécessaire que   **il ne faut pas que**

Note that *il ne faut pas que* usually means "must not."

A Préparatifs *(Preparations).*   Vos amis Béatrice et Bastien se marient. Béatrice a fait une liste de tout ce qu'il y a à faire. Dites ce que tout le monde doit faire, selon la liste. Suivez le modèle.

> moi / aller chez le fleuriste
> *Il faut que j'aille chez le fleuriste.*

1. maman / aller chez le pâtissier
2. Bastien et moi / aller chez le bijoutier
3. Bastien / avoir les clefs de la voiture
4. nous / faire les petits fours pour la réception
5. Luc et Simone / avoir beaucoup de pellicule pour les photos
6. papa / être à l'église de bonne heure
7. Mme Zadig / faire la robe de mariée
8. les témoins / être là pour signer
9. Claire et toi / faire des canapés
10. les enfants / être sages
11. moi / avoir mon appareil de photo
12. tout le monde / être à l'heure

B On prépare un mariage.   Vous aidez à préparer le mariage d'un cousin. Dites ce qui est très important (avec *il est nécessaire que* ou *il est important que*) ou ce qui est préférable (avec *il vaut mieux que*) pour avoir un beau mariage. Suivez le modèle.

> le couple / décider ensemble de la date
> *Il est nécessaire que le couple décide ensemble de la date.*

1. le couple / être d'accord sur combien on va dépenser
2. la robe / être élégante
3. le couple / avoir les bagues avant le jour du mariage
4. les mariés / faire une liste des invités
5. les beaux-parents / ne pas être en retard à la cérémonie
6. le couple / aller très loin en voyage de noces
7. le mariage / avoir lieu avec des témoins
8. les mariés / être à l'aise avec les beaux-parents

C Parlons de toi.

1. A ton avis, est-ce qu'il est nécessaire qu'on se marie pour être heureux? Quelles sont les qualités que le mari et la femme idéaux doivent avoir?

2. Qu'est-ce qu'il faut que tu fasses ce week-end? Où est-ce qu'il faut que tu ailles? Est-ce qu'il faut que tu y sois à l'heure, ou est-ce que tu peux arriver quand tu veux?

3. Qu'est-ce qu'il faut pour réussir dans la vie, à ton avis? Est-ce qu'il vaut mieux qu'on ait beaucoup d'argent, par exemple, ou beaucoup d'amis?

ACTIVITÉ

Courrier du cœur. Avec un(e) partenaire, imaginez un problème sentimental—par exemple, avec un(e) petit(e) ami(e). Ecrivez ensemble une lettre au courrier du cœur du journal pour demander des conseils: *Chère Julie, mon petit ami et moi, nous nous disputons tout le temps, nous ne nous parlons plus*, etc.

CHÈRE *Julie*

Mettez les lettres dans un sac. Chaque paire d'élèves tire *(draws)* une lettre du sac. Ecrivez une réponse au problème en donnant vos conseils. Employez des phrases comme *Il vaut mieux que ...* et *Il est nécessaire que ...*

Ensuite, quelqu'un peut jouer le rôle de «Chère Julie» pour lire les lettres à la classe.

RÉVISION

Formez des phrases en français d'après les modèles.

1. Hier *Jocelyne a bien grondé le chien en criant.*
   (I quickly straightened my room by throwing out the old magazines)
   (we immediately congratulated Eric by raising our glasses)

2. *Il faut que nous allions à la gare à midi!*
   (It's necessary that she have this letter before 3:30!)
   (It's best that you [pl.] do your homework after 6:30!)

3. *En dansant avec la mariée, il s'est fait mal aux pieds.*
   (While pouring the champagne, she burned the hors-d'œuvres.)
   (In sending the invitations, they forgot to put stamps on the envelopes.)

4. *Meilleurs vœux! Il est important que vous soyez heureux!*
   (Help yourself! You mustn't be shy!)
   (Sit down! [fam.] It's better that you not stay standing!)

5. *Tes copains et toi, vous ne vous disputez jamais, n'est-ce pas?*
   (Chantal and her in-laws write to each other often, don't they?)
   (Your grandparents and you love each other a lot, don't you?)

La mariée est en train
d'ouvrir les cadeaux.

THÈME

Trouvez les expressions françaises qui correspondent à l'anglais et rédigez un paragraphe.

1. Yesterday, Aurélien suddenly remembered Delphine's birthday while looking at the calendar.

2. "I have to be at her house at 8:00!"

3. While kissing her pals, Delphine thanked them for the gifts.

4. "How nice you all are! I mustn't start to cry!"

5. Delphine and Aurélien get along well, don't they?

RÉDACTION

Maintenant, choisissez un de ces sujets.

1. Ecrivez l'invitation qu'Aurélien a reçue pour la fête de Delphine.

2. Imaginez que vous êtes Delphine. Ecrivez une liste de toutes les choses qu'il faut que vous fassiez avant la fête. Employez *il faut que* et *il est nécessaire que*.

3. Ecrivez une petite description de la scène de l'image 4. Qu'est-ce que chaque copain a offert à Delphine? Qu'est-ce qu'ils lui ont dit? Qu'est-ce qu'elle leur a dit?

4. Pensez à vos propres copains. Qu'est-ce qu'il faut faire pour bien s'entendre entre amis? Ecrivez un paragraphe en donnant vos conseils.

CONTRÔLE DE RÉVISION   CHAPITRE 13

A   Toujours l'amour.
Complétez les phrases.

1. Ceux qui se marient sont des _____.
2. Les Davy sont mariés depuis 45 ans. Ils fêtent leur 45ième _____.
3. La boisson traditionnelle de fête est le _____.
4. Un homme et une femme mariés sont maintenant un _____.
5. Pour le mari, les parents de sa femme sont ses _____.
6. Au mariage, les personnes qui sont à côté du couple sont leurs _____.
7. On lève les verres pour souhaiter le _____ aux jeunes mariés.
8. Pour se dire bonjour, les Français s'embrassent sur les deux _____.
9. C'est l'heure de partir, éteins les _____!

B   A la réception.
Faites des observations.

1. tes cousins
Tes cousins s'entendent mal.

2. Paul et Virginie

3. vous

4. elles

5. nous

6. ils

C   L'appartement.
Comment Chantal et Alain peuvent-ils avoir des meubles? Donnez-leur des conseils en écrivant cinq phrases d'après le modèle.

> faire des économies
> emprunter de l'argent
> aller au Marché aux Puces
> ne pas dépenser trop d'argent
> choisir les meubles bon marché
> n'acheter que ce qui est nécessaire
> lire les petites annonces du journal
> accepter les vieux meubles des grands-parents

Vous pouvez en avoir en faisant des économies.

D   Un petit mot des parents.
Qu'est-ce que les parents de Chantal et d'Alain leur conseillent? Complétez leurs conseils en choisissant vos réponses dans l'Exercice C.

> Il faut que …
> *Il faut que vous fassiez des économies.*

1. Il est important que vous …
2. Il est nécessaire que vous …
3. Il ne faut pas que vous …
4. Il vaut mieux que vous …

E   Obligations.
Qu'est-ce que tout le monde est obligé de faire pour que le mariage de Chantal et Alain réussisse? Ecrivez des phrases.

> Chantal / aller chez la coiffeuse
> *Il faut que Chantal aille chez la coiffeuse.*

1. sa mère / avoir un chèque pour payer au restaurant
2. nous / faire des fleurs en papier
3. vous / être à l'église à 3h
4. tes sœurs / aller à la pâtisserie
5. leurs parents / faire des économies

VOCABULAIRE DU CHAPITRE 13

Noms

l'amour *(m.)*
l'anniversaire *(m.)* de mariage
le beau-frère
le beau-père
les beaux-parents *(m.pl.)*
la belle-mère
la belle-sœur
le bonheur
le canapé
le champagne
le couple
le faire-part, *pl.* les faire-part
la fête
le fiancé, la fiancée
le four
le glaçon
la joue
la lumière
le mariage
le marié, la mariée
le micro-ondes
la moitié (de)
le petit ami, la petite amie
le petit-fils, la petite-fille, *pl.*
    les petits-enfants
le petit four, *pl.* les petits fours
la réception *(party)*
le témoin
le voyage de noces

Pronom

d'autres

Adjectifs

célibataire
exquis, -e
fiancé, -e
marié, -e
mignon, -ne
plein, -e
sensible

Verbes

se connaître
se disputer (avec)
embrasser / s'embrasser
féliciter
fêter
gronder
se marier (avec)
pleurer
se ressembler
souhaiter (à ... de + *inf.*)
verser *(to pour)*

Adverbes

d'ailleurs
en tout cas
tant (de)

Préposition

au lieu de

Conjonction

car

Expressions

à l'aise / mal à l'aise
asseyez-vous! assieds-toi!
au début
ça fait longtemps que + *prés.*
s'entendre (bien / mal) (avec)
éteins (éteignez) les lumières!
il est important de + *inf.*
il est important que + *subj.*
il est nécessaire de + *inf.*
il est nécessaire que + *subj.*
il vaut mieux + *inf.*
il vaut mieux que + *subj.*
il y a longtemps que + *prés.*
je crains que oui / non
meilleurs vœux!
moi de même
pour le moment
sers-toi! servez-vous!

CHAPITRE 14

PRÉLUDE CULTUREL | QUÉBEC

When Jacques Cartier reached North America in 1534, he claimed all the land he explored around the St. Lawrence River for France. Sailing up the river, he saw an island with a large hill, which he named *Mont Réal*, or "Royal Mountain." But when Cartier failed to bring back gold or riches from his voyage, the king of France, François Ier, lost interest in Canada for a while. The fur trade brought the French back to the New World, and in 1608, Samuel de Champlain founded the city of Québec.

But the English were in Canada too. They had already colonized New England and were pushing north. The fur trade was highly profitable, and both the French and the English wanted to control it. In the middle of the eighteenth century, conflicts between France and England spilled over into North America with the Seven Years War. When Louis Joseph Montcalm, commander of all the French troops, was defeated at Québec in 1759, Canada became an English colony.

Though greatly outnumbered, French-speaking Canadians managed to preserve their language and customs. (Above the main door of the National Assembly in Québec are carved the words that have become the motto of Québec: *Je me souviens*.) Today speakers of French make up 80 percent of the population in the province of Québec, and Montréal is the largest French-speaking city in the world after Paris. In 1969, the Official Languages Act was passed, making French the second official language in Canada.

So today Québec remains a Canadian province, but with a distinctly French atmosphere and culture. The heart of Montréal *(le vieux Montréal)*, with its old houses, streets covered with paving stones, and outdoor cafés, has a charm all its own. *La Catherine (rue Sainte-Catherine)* has shops, theaters, and bookstores that resemble those on the *grands boulevards* of Paris.

Québec city lies to the northeast of Montréal. It has changed, of course, since Samuel de Champlain first governed here, but the narrow, winding streets, old churches, stone houses with steep roofs and wooden shutters, and buildings such as the Château Frontenac will quickly take you back in history.

So, to get a taste of France and to speak French, just cross the Canadian border and take a stroll through the streets of Montréal and Québec. *Et bon voyage!*

MOTS NOUVEAUX I

◆ COMMUNICATIVE
OBJECTIVES

To discuss sports and
physical fitness

To express regret

To ask for and give an
opinion

To express surprise

To encourage

To express disbelief or
indignation

CONTEXTE
VISUEL

Tu fais du sport?

un survêtement

faire du jogging

jouer au golf

la course à pied
faire de l'athlétisme (m.)

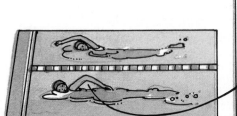
faire de la natation

le poignet

le genou
pl. les genoux

le coude

la cheville

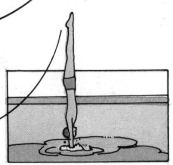
faire de la plongée

faire du judo

faire de la musculation

faire de l'aérobic (f.)

CONTEXTE COMMUNICATIF

1 Pour être en forme toute sa vie, il faut rester **actif** et faire du sport régulièrement.

    HENRI   Qu'est-ce que tu fais pour rester en forme?

    YANN   Je fais de la musculation.

Variations:
- pour rester en forme → pour **te détendre**
  de la musculation → de la natation

actif, -ive *active*

se détendre *to relax*

2 SOPHIE   **Parmi** tous les sports d'équipe, celui que je préfère, moi, c'est le foot, et toi?

    ARNAUD   Moi, c'est le hockey. D'ailleurs, je joue dans une équipe.

- sports d'équipe → sports **individuels**
  le foot / le hockey → le golf / l'athlétisme
- sports d'équipe → sports d'hiver
  le foot → le ski

parmi *among*

individuel, -le *individual*

3 Au stade. Le match va commencer mais Pierre, le meilleur joueur, n'est pas sur le terrain. Il s'est fait mal à la cheville hier.

    NATHALIE   **C'est dommage que** Pierre ne soit pas là.

    JÉRÔME   Oui, sans lui, j'ai peur que notre équipe perde.

- à la cheville → au poignet
- c'est dommage que → je **regrette** que

c'est dommage que + *subj.*
it's too bad that …

regretter *to be sorry*

4 NATHALIE   Ils vont marquer un but, tu crois?

JÉRÔME   Ça, ce serait formidable, **cependant** ils ont peu de chance d'y **arriver.**

NATHALIE   Oh, ne dis pas ça! Je serais triste que notre équipe ne gagne pas.

JÉRÔME   Moi aussi, mais regarde: nos joueurs **se fatiguent** vite.

ARNAUD   **Moi,** à mon avis, ils vont perdre.

- se fatiguent vite → ne sont pas **forts**
- que notre équipe ne gagne pas → que notre équipe ne soit pas la meilleure

> **cependant**   *however*
> **arriver (à)** (here) *to succeed (in doing something)*
>
> **se fatiguer**   *to get tired*
>
> **moi** (here) *well, ... (used to take one's turn to speak)*
> **fort, -e** (here) *strong*

5 ANNIE   Tu vas au club de gym cette semaine?

VIRGINIE   J'ai bien peur qu'il n'y ait pas de cours. La prof est malade.

6   Au cours de gym.

VIRGINIE   Je suis **étonnée** que Coralie soit si active aujourd'hui. Elle vient d'être malade.

ANNIE   Oh, Coralie, elle est toujours **en pleine forme.**

- je suis étonnée → je suis **surprise**
- oh ... forme → oui, elle était assez **faible** hier

> **étonné, -e**   *astonished, amazed*
>
> **en pleine forme**   *in tip-top shape*
> **surpris, -e**   *surprised*
> **faible**   *weak*

7   Pendant un match de foot, Jacques est tombé.

JACQUES   Oh là là, je me suis fait mal. Je m'en vais.

ISABELLE   Ah non, tu ne t'es rien fait. Allez, fais **un effort.** Ce serait dommage que tu ne **termines** pas le match. On va gagner!

- ce serait dommage → je serais **furieuse**
  on va gagner → on perdrait sans toi

> **l'effort** (m.)   *effort*
> **terminer**   *to finish, to complete*
>
> **furieux, -euse**   *furious*

8   Marie et son frère, Antoine, jouent aux cartes.

MARIE   **Tu triches!**

ANTOINE   **Tu exagères!** Tu dis ça parce que tu perds!

MME NADAUD   Ecoutez, les enfants. Je serais contente que vous arrêtiez de vous disputer!

> **tricher**   *to cheat*
> **tu exagères!**   *you're too much! you've got a lot of nerve!*

EXERCICES

A **Pour rester en forme.** Que faites-vous pour rester en forme? Avec un(e) camarade, posez des questions et répondez d'après les images.

Marc
ÉLÈVE 1 *Qu'est-ce que Marc fait pour rester en forme?*
ÉLÈVE 2 *Il joue au tennis.*

1. Jacqueline et Paul

2. Vincent

3. Odile et Sylvie

4. Sylvain et Pierre

5. Thomas et toi

6. Corinne

7. Louis

8. Anne et moi

9. Et toi?

On fait de la musculation pour rester en forme.

Mots Nouveaux I   **469**

B **Quel désastre!** Vous êtes allé faire du camping à la montagne avec des copains, mais ça ne s'est pas très bien passé! D'après les images, dites ce qui est arrivé à tout le monde. Conversez selon le modèle.

Paul / se casser
ÉLÈVE 1 *Qu'est-ce qui est arrivé à Paul?*
ÉLÈVE 2 *Il s'est cassé le pouce.*

  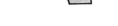

1. Marc / se casser   2. Julien / se brûler à   3. Josette / se couper à

4. Claire et Luc /   5. Liliane / se brûler à   6. Marie-France /
   se faire mal à   se faire mal à

7. Valérie / se casser   8. Guy / se casser   9. Et toi?

On vient de faire du
camping à la montagne.

On fait de la course sur un des quais de Paris.

C Le reportage sportif. Vous lisez la page des sports du journal du lycée. Dites ce que vous pensez de ces nouvelles en employant une des expressions de la liste. Suivez le modèle.

> Marie a gagné la course à pied.
> *Sensationnel!*

Ça, c'est de la chance!	Formidable!	Quoi!
Ça suffit!	Génial!	Sans blague!
Ça y est!	Pas terrible!	Sensationnel!
C'est dommage!	Quel effort!	Tant mieux / pis!
C'est pas vrai!	Quelle horreur!	Tu plaisantes!

1. Patrick a terminé la course à pied, mais il était le dernier.
2. Notre équipe de foot est en deuxième place.
3. Michel s'est cassé la cheville.
4. Marie-Laure fait un gros effort au judo. Elle vient de gagner sa ceinture marron.
5. Bertrand fait cinq kilomètres par jour de jogging.
6. Notre équipe de natation a été la meilleure.
7. David a marqué trois buts au match de hockey.
8. Isabelle est tombée juste avant de terminer la course à pied.

D Le mot juste.

Trouvez un synonyme ou une expression synonyme.

1. Je suis *surpris* que ton équipe soit si fatiguée!
2. Ce que je veux, c'est d'être en *excellente forme.*
3. Après une journée de travail, mes parents voudraient *se reposer.*
4. M. Charles est *très fâché* que nous soyons en retard.
5. Je suis *nul* en chimie.
6. Range ton nouveau livre *au milieu de* tes vieux.

Trouvez un antonyme ou une expression antonyme.

7. Mon cousin est assez *fort* en maths.
8. Je *suis très contente* que ton équipe gagne.
9. Au lieu de *travailler,* M. Dupont sort.

Trouvez un mot associé.

10. Denis est déjà *fatigué.* Il se _____ vite.
11. Elise adore *nager.* Elle fait de la _____ au club.
12. On voit les *muscles* d'Antoine quand il fait de la _____.
13. Arnaud a peur de *plonger.* C'est pour ça qu'il ne fait pas de la

    _____.

E Parlons de toi.

1. Tu fais régulièrement du sport? Duquel ou desquels? Est-ce que tu en fais pour rester en forme, pour te détendre ou pour t'amuser?
2. A ton avis, est-ce qu'on doit être actif ou est-ce que ça suffit d'être spectateur? Pourquoi?
3. Tu t'es déjà fait mal en faisant du sport? Qu'est-ce qui t'est arrivé?
4. Parmi tes camarades, lesquel(le)s préfèrent les sports d'équipe? Lesquel(le)s préfèrent les sports individuels? Entre les deux sortes de sport, laquelle est-ce que tu préfères, toi? A ton avis, qu'est-ce qu'il vaut mieux faire pour rester en forme, des sports d'équipe ou des sports individuels? Pourquoi?

5ème GRANDE FÊTE DE LA FORME

DOCUMENT

Les randonnées *(Outings.)*   Vous vous intéressez à participer à la
Fête de la Forme. Vous téléphonez à un(e) camarade pour lui
proposer de vous accompagner. Voici les questions qu'il (elle) vous pose:

1. Combien de circuits *(courses)* y a-t-il?
2. Ils sont de quelles sortes?
3. Quelle est la longueur *(length)* de chacun?
4. Lequel veux-tu faire?
5. Où est-ce qu'on va
   commencer?
6. A quelle heure?

Avec un(e) camarade,
créez un dialogue.
Décidez comment
vous allez
participer
à cette fête.

LE CIRCUIT
à pied, à vélo,
à cheval ou en patin?

A partir de la Tour Eiffel, 3 circuits.
– 27 km à pied, départ 8 h 30 - pour les bons marcheurs
entraînés.
– 17 km à pied, départ 9 h 30 pour les marcheurs moyen-
nement entraînés. Même départ pour les cavaliers et
les patineurs.
– 33 km à vélo, départ 10 h 30 pour les cyclotouristes.
A partir de Viroflay Rive-Gauche, 1 circuit.
7 km à pied, départ devant la mairie, 13 h 00 – promenade accessible à tous.

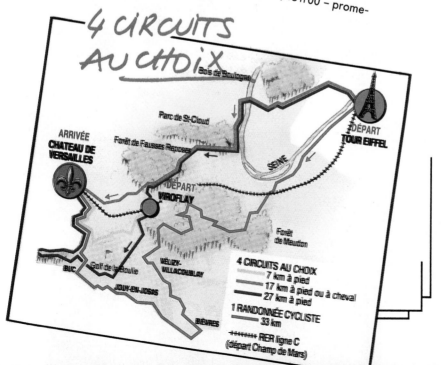

4 CIRCUITS
AU CHOIX

4 CIRCUITS AU CHOIX
— 7 km à pied
— 17 km à pied ou à cheval
— 27 km à pied

1 RANDONNÉE CYCLISTE
— 33 km

++++++++ RER ligne C
(départ Champ de Mars)

APPLICATIONS

La première leçon de judo

Cédric vient au cours de judo pour la première fois. Hélène est ceinture noire.

HÉLÈNE Bon, on va commencer par des exercices simples.

CÉDRIC Bof. On ne peut pas faire quelque chose de plus difficile? Le judo pour moi, ça va être facile.

5

HÉLÈNE Tu en as déjà fait, alors?

CÉDRIC Non, mais je fais de la musculation. Je suis très fort, tu sais.

HÉLÈNE Bon, on va voir. Viens là.

10 Elle exécute un mouvement et Cédric se retrouve sur le tapis.

CÉDRIC Aïe, aïe. J'ai mal.

HÉLÈNE Allez, lève-toi! Première leçon: ce n'est pas tout d'avoir des muscles. Il faut savoir les utiliser!

Une classe de judo à Paris

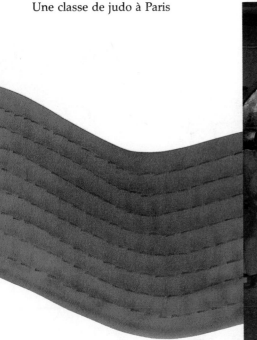

Questionnaire

1. De qui parle-t-on: de Cédric, d'Hélène ou de tous les deux? 2. Qui porte une ceinture noire? 3. Qui n'a pas encore fait de judo? 4. Qui est prof? 5. Qui a des muscles? 6. Qui tombe par terre? 7. Qui est en pleine forme? 8. Qui pense que les muscles sont très importants? 9. Qui pense que la force ne suffit pas?

Maintenant, c'est à vous de poser des questions.

1. Lequel …?
2. Qu'est-ce que …?
3. Comment …?
4. Pourquoi …?

Situation

Avec un(e) camarade, préparez une conversation où l'un(e) de vous explique comment faire un sport individuel (ou quelque chose d'autre) et l'autre pose des questions pour mieux comprendre. Si vous voulez, apportez des accessoires (props) en classe.

(en bas) On n'a pas besoin d'être fort pour faire du judo.

To discuss music and art
To discuss pastimes
To offer/decline an
invitation
To express disinterest
To make comparisons

MOTS NOUVEAUX II

Tu t'intéresses aux arts?

CONTEXTE
VISUEL

la danse folk(lorique)

une chorale

un danseur   une danseuse
la danse jazz

la danse classique

un orchestre

CONTEXTE
COMMUNICATIF

1 PATRICK   Qu'est-ce que tu fais pendant **ton temps libre?**
　　　 THÉRÈSE   Je fais de la danse jazz.

　　　 Variations:
　　　 ■ de la danse jazz → de la dance classique
　　　 ■ pendant ton temps libre → pendant **tes loisirs**[1]

le temps libre *spare time*	
les loisirs *(m.pl.)* *leisure time*	

[1]*Les loisirs* may refer to either leisure time or leisure-time activities: *Quels sont tes loisirs préférés?*

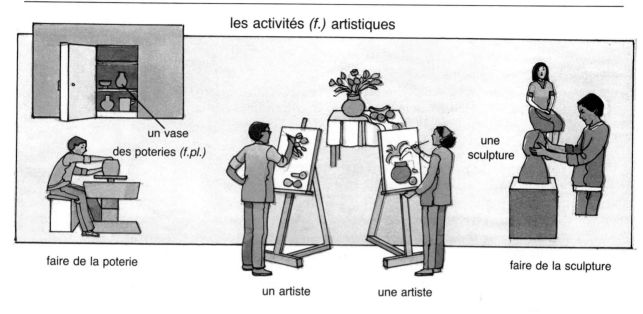

les activités (f.) artistiques

un vase

des poteries (f.pl.)

une sculpture

faire de la poterie

un artiste   une artiste

faire de la sculpture

faire de la peinture

---

2 VÉRONIQUE   Depuis quand est-ce que tu fais de la poterie?

OLIVIER   Depuis un an.

VÉRONIQUE   Tu suis des cours de poterie, n'est-ce pas?

OLIVIER   Oui, j'adore ça.

■ de la poterie → de la sculpture
cours de poterie → cours de sculpture

3 THÉRÈSE   Il y a **une exposition** de tableaux samedi. **Ça te dirait d**'y aller?

PATRICK   Non, **ça ne me dit rien.** La peinture, tu sais, moi, ça ne m'**intéresse** pas vraiment.

■ la peinture ... vraiment → je ne **m'intéresse** pas beaucoup **à l'art**

■ non ... vraiment → je regrette de ne pas pouvoir y aller, mais j'ai un cours de musique

l'exposition (f.)   *exhibit*

ça te dirait de + *inf.   would it interest you to ...?*

ça ne me dit rien   *it doesn't grab me*

intéresser   *to interest*

s'intéresser à   *to be interested in, to take an interest in*

l'art (m.)   *art*

4 Nadège visite la maison de Daniel.

NADÈGE — Ce tableau est joli.

DANIEL — Ça, c'est moi qui l'ai fait. Je suis des cours de peinture.

NADÈGE — Eh bien, dis donc, tu es **doué,** toi.

doué, -e *gifted*

■ ce tableau → ce vase
des cours de peinture → des cours de poterie

5 A l'exposition de sculpture.

DANIEL — Regarde cette sculpture. Elle est magnifique!

THÉRÈSE — Tu trouves? Moi, je ne l'aime pas. **On dirait** un homme sans tête.

on dirait *it looks like*

■ exposition de sculpture → exposition de tableaux
cette sculpture / magnifique → ce tableau / intéressant
Tu trouves? Moi, je ne l'aime pas → je l'aime beaucoup
un homme sans tête → de l'art africain

6 Au cours de peinture.

DANIEL — Oh zut! Je n'arrive pas à terminer ce tableau.

LE PROF — **Aie** de **la patience,** prends ton temps et essaie **de nouveau.**

aie, ayons, ayez *have …!*
  (*imperative of* avoir)
la patience *patience*
de nouveau *again*
plonger *to dive*
le courage *courage*

■ cours de peinture → cours de natation
terminer ce tableau → sauter avant de **plonger** dans l'eau
aie de la patience → aie **du courage**

7 Xavier parle de son **avenir** avec ses parents.

l'avenir (*m.*) *future*

XAVIER — Mon prof de peinture dit que je suis très doué. J'aimerais bien être artiste plus tard.

M. LACOMBE — J'aurais peur que tu ne puisses pas gagner ta vie.

Au cours de peinture à
Paris

EXERCICES

A **Qu'est-ce qui vous intéresse?** Vous voulez savoir si les élèves s'intéressent à la musique, à l'art ou à la danse. Posez des questions. Votre camarade de classe répondra d'après les images. Conversez selon le modèle.

Lucie
ÉLÈVE 1 *A quoi s'intéresse Lucie?*
ÉLÈVE 2 *Elle s'intéresse surtout à la musique classique.*

1. Yann

2. Aurore

3. Bastien

4. Hervé et toi

5. notre prof

6. Chantal et Marie

7. Nicole et Yves

8. Serge

9. les élèves

B **Les activités artistiques.** Dans votre lycée tout le monde s'intéresse beaucoup aux arts. Complétez les phrases avec un des choix entre parenthèses.

1. Mireille a beaucoup de *(temps libre / peinture / travail)*. Elle apprend donc à jouer du piano.
2. Anne et Clémence font de la poterie. Elles ont même vendu des *(vases / tableaux / orchestres)*.
3. Pascal a rencontré cet artiste dans *(les loisirs / la sculpture / une exposition)*.
4. Virginie est très *(fatiguée / douée / artistique)* pour la musique.
5. Je n'arrive pas à jouer de la guitare. Je le *(termine / regrette / triche)* beaucoup.
6. Richard s'est cassé la cheville il y a trois mois. Mais aujourd'hui, il a commencé à danser *(une fois / de nouveau / toujours)*.
7. Patrick chante très bien. Il fait partie de *(la chorale / l'équipe / l'orchestre)*.
8. Yolande, tu as tout peint en bleu, même les fenêtres! Tu *(exagères / triches / plonges)*.

C Le mot juste.

Trouvez un synonyme ou une expression synonyme.

1. La prof dit que Nadège est très *forte* en musique.
2. Je *ne réussirai* jamais à vous comprendre.
3. Vas-y! *Il faut avoir* du courage.
4. Qu'est-ce que c'est que ce bruit? *Ça ressemble à* un bébé qui pleure.

Trouvez un mot associé.

5. Nadine adore *l'art*. Elle s'intéresse à toutes les activités _____ et un jour elle espère devenir _____.
6. Quand on parle du temps à *venir*, c'est de _____ que l'on parle.
7. Je trouve la danse classique très *intéressante*. Je _____ beaucoup à cet art.
8. Romain est très *patient*. Il a beaucoup de _____.

D Parlons de toi.

1. Est-ce que tu t'intéresses aux arts? Lequel t'intéresse le plus—la peinture, la sculpture ou la danse? Lequel ne te dit rien? Et pour les sports, lesquels ne te disent rien?
2. Est-ce que tu as déjà visité une exposition de peinture ou de sculpture? Comment est-ce que tu l'as trouvée? A quelle sorte d'art est-ce que tu t'intéresses, à l'art moderne ou à l'art classique?
3. Est-ce que tu es doué(e) pour les activités artistiques? Lesquelles? Ça te dirait de suivre des cours de peinture ou de sculpture? Pourquoi?
4. Est-ce que tu fais de la musique? Si oui, est-ce que tu joues d'un instrument ou est-ce que tu chantes? Sinon, est-ce que tu aimerais faire de la musique? Est-ce que tu fais partie de la chorale ou de l'orchestre de ton lycée? Quelle sorte de musique est-ce que tu préfères?

Publicité pour un festival de danse

ACTIVITÉ

Critique. Chaque élève apporte en classe un objet (beau ou affreux!) pour une exposition «d'objets d'art». Le professeur distribue ces objets parmi des équipes de deux élèves. Chaque équipe fait une critique de son objet par écrit.

nous le trouvons …	comme …!	exquis, chouette, génial …
nous aimons / détestons	quelle horreur!	moche, bête, mauvais …
ça ne nous dit rien	on dirait …	drôle, amusant, démodé …
qu'est-ce qu'il est …!	ça nous plaît!	(pas) bien fait(e)

Ensuite, vous pouvez organiser une exposition pour les objets. Les «juges» peuvent lire les critiques de chaque objet, et accorder des prix (*give awards*) pour les objets les plus beaux, les plus affreux, etc.

ÉTUDE DE MOTS

Nouns often belong to word families that are related to verbs. For example, you can often describe the person who performs a verb's action by using the masculine ending *-eur* or the feminine ending *-euse: un joueur de piano, une joueuse de golf.*

Make masculine and feminine nouns out of the following verbs. (Some of them you already know.)

acheter	fumer	nager	tricher	servir
travailler	mentir	vendre	voyager	visiter

Define each noun, using the verb it comes from.

C'est un buveur. *Un buveur, c'est quelqu'un qui boit.*

C'est une chanteuse.	C'est un déménageur.	C'est un voleur.
C'est un rêveur.	C'est une danseuse.	C'est un plongeur.

Can you guess what these people do?

Anne est habilleuse de théâtre.
Gérard est l'accompagnateur de la chorale du lycée.

But be careful! Not all feminine nouns are formed in the same way. What are the feminine forms of these nouns?

l'acteur	le facteur	le directeur
le décorateur	l'agriculteur	le réalisateur

Festival d'art à Paris

EXPLICATIONS I

C'est et *il est*

◆ COMMUNICATIVE
OBJECTIVES

To point out or identify
people and things

To describe people and
things

To express possession

To tell people's
occupations

You have been using *c'est* and *il / elle est* to identify and describe people and things. Here are some general rules for choosing which one to use.

1 To identify people or things, use *c'est* or *ce sont:*

—before a proper noun.

C'est Claudine qui l'a dit. **Ce sont les Durand.**

—before a disjunctive pronoun.

C'est moi, Jean-Pierre. **C'est nous** sur la photo.

—before any noun with an article.

C'est une Française. Ce sont les clefs de ma moto.

—before a noun with a possessive adjective.

C'est ta sculpture? Ce sont leurs poteries.

2 To describe people or things:

—use *c'est* or *ce sont* before a noun with an adjective.

C'est un bon artiste. Ce sont des sculptures modernes.

—use *il / elle est (ils / elles sont)* in front of an adjective that is not attached to a noun.

Jean-Luc? **Il est sympa. Ils sont faciles,** ces examens!
Elle est française. Ces filles? **Elles sont calées.**

—use *il / elle est (ils / elles sont)* before an adverb.

Le musée? **Il est près d'**ici. Les sorties? **Elles sont à gauche.**

—use *il / elle est (ils / elles sont)* before *à* + disjunctive pronoun to describe possession.

Ce vase? **Il est à eux. Elles sont à moi,** ces clefs.

—use *il / elle est (ils / elles sont)* to tell people's occupations. (Remember that in French you do not usually put an indefinite article before a noun describing a profession.)

Il est sculpteur. Elles sont danseuses à l'Opéra.

Un artiste à Montmartre

EXERCICES

A A l'exposition. Vous et votre ami(e), vous assistez à une exposition d'art. Regardez les images, puis conversez selon le modèle. Attention à l'accord des adjectifs!

moderne
ÉLÈVE 1   *Regarde ces sculptures. Elles sont modernes, n'est-ce pas?*
ÉLÈVE 2   *Oui, ce sont des sculptures modernes.*

1. japonais

2. exquis

3. ancien

4. espagnol

5. élégant

6. magnifique

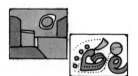

7. en laine

8. récent

9. en bois

B La fin du cours. A la fin de l'année, le professeur d'art rend aux élèves ce qui est à eux. Conversez selon le modèle.

les images de Christine
ÉLÈVE 1   *Ce sont les images de Christine?*
ÉLÈVE 2   *Oui, elles sont à elle.*

1. ton tableau
2. le vase de Valérie
3. mes dessins
4. nos affiches

5. les poteries de Jacques
6. les crayons de Martine
7. l'appareil de photo de Serge
8. la sculpture de Marc et de Pierre

C Photos de vacances. Léon a passé ses vacances dans le sud de la France. Il montre ses photos aux copains. Complétez la conversation avec *c'est* ou *il / elle est*.

PAULE   Montre-moi tes photos. Sur celle-là, _____ qui?
LÉON   _____ Giovanni, mais _____ n'_____ pas français. _____ un Italien que j'ai rencontré à Nice.
DAVID   _____ étudiant?
5 LÉON Non, _____ artiste. Et _____ un artiste très doué. Il aime le sud de la France parce qu'il y trouve la lumière parfaite.
PAULE   Et le type avec ces lunettes de soleil à côté de lui, _____ qui?
LÉON   Celui-là? Tu exagères! Ça, _____ moi!

D Préférences. Demandez à un(e) camarade ses préférences. Il (elle) répondra aux questions et vous expliquera ses choix.

acteur   ÉLÈVE 1 *Qui est ton acteur préféré?*
         ÉLÈVE 2 *Mon acteur préféré, c'est … parce qu'il est si drôle et intelligent.*

1. actrice   4. chanteur   7. chanteuse
2. sport d'équipe   5. activité artistique   8. loisirs
3. sport individuel   6. professeur   9. cours

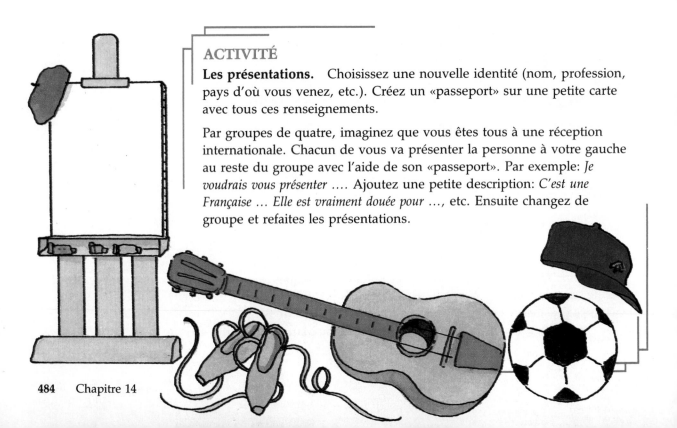

ACTIVITÉ

Les présentations. Choisissez une nouvelle identité (nom, profession, pays d'où vous venez, etc.). Créez un «passeport» sur une petite carte avec tous ces renseignements.

Par groupes de quatre, imaginez que vous êtes tous à une réception internationale. Chacun de vous va présenter la personne à votre gauche au reste du groupe avec l'aide de son «passeport». Par exemple: *Je voudrais vous présenter ….* Ajoutez une petite description: *C'est une Française … Elle est vraiment douée pour …,* etc. Ensuite changez de groupe et refaites les présentations.

L'emphase et les pronoms

In English, we can emphasize individual words or ideas in sentences by stressing those words with our voices. In French, you cannot do this. Instead, you repeat the idea—usually with a pronoun—in order to emphasize it.

◆ COMMUNICATIVE
  OBJECTIVE
To emphasize

1 To emphasize whom or what you are talking about, use the noun as well as a matching pronoun. The noun can go either at the beginning or at the end of the sentence.

> **Mon frère, il** m'embête toujours!
> Je ne l'ai pas cassé, **ton vase!**
> **La sculpture,** je l'adore!
> **De la danse folk,** je n'**en** ai jamais fait!

2 If you are using a subject pronoun to refer to someone, you can use a disjunctive pronoun to add emphasis.

> Mais qu'est-ce que **tu** fais, **toi**!?
> Tu sais, **lui, il** ne sait pas faire de la plongée.
> **Moi, je** n'aime pas beaucoup la musique classique.

3 To stress that what you are about to say is about you, is related to you in some way, or is your opinion, you can add *moi* at the beginning of the sentence. This is one means of taking your turn in a conversation.

> LAURE   Mon père se détend en faisant du jogging.
> LUC   **Moi,** mon père préfère travailler au jardin. Et toi, Jean, comment il se détend, ton père?
> JEAN   Bof, mon père, lui, il ne se détend jamais!

MUSIQUE CLASSIQUE ET OPERA

1er ARRDT.
TMP, 1 place du Châtelet, 42.33.44.44. Concerts. **Solisti Veneti,** sous la direction de Claudio Scimone, le 13 et 14/6 à 20h30 : *Albinoni* . **Orchestre National de France,** sous la direction de Barshai, avec Cho Chiang Li (violon) : *Beethoven* . **Orchestre du Mai musical de Florence,** sous la direction de Zubin Mehta, avec Jeanne Loriod (ondes Martenot), Yvonne Loriod (piano), le 25/6 à 20h30 : *Messian.* Opéras. **Le Chapeau de paille d'Italie,** de Ernesto et Nino Rota d'après la comédie de Labiche et Michel, sous la direction musicale de Bruno Companella, de Pier-Luigi Pizzi,

quatre chanteurs, quatre instruments . **Alexandre Ouzounoff,** le 20/6 à 20h30 : *Gilles Racot* .

DANSE

CENTRE POMPIDOU, grande salle, piazza Beaubourg, 75004, 42.77.12.33. **Drôles de danse,** danse contemporaine sous le signe de l'humour, répertoire des jeunes compagnies avec notamment deux créations de Douglas Dunn et Lila Greene dansées par le couple Guizerix/Piollet , du 1 au 20/6.

THEATRE DE LA VILLE, 2 place du Châtelet, 75004, 42.74.22.77. **Pina Bausch,** Ahnen qui signifie ancêtre ou deviner est une pièce marquée par la scénographie de Peter Pabst , le 1/6 à 20h30. **Jorma Uotinen** cet ex-danseur de la

THEATRE ROMAIN ROLLAND, 18 rue Eugéne Varlin, 94 Villejuif, 47.26.15.02. **Anne Dreyfus,** « Gazon » : création danse pour jeunes et tous publics dans le cadre du Val Musique , le 20/6 à 20h30 et le 21/6 à 15h.

EXPOSITIONS

1er ARRDT.
MUSEE DES ARTS TIFS, 109 rue 42.60.32.14. **Nils D**
lisme, cubisme et ar
inspirations mélan
à créer des ima
Jusqu'au 14/8

t de Paris,
Locomotives, trains, bateaux, avions, voitures fabriquées entre le début du siècle et 1969 par la « Société industrielle de ferblanterie ». Jusqu'au 18/8.

▼ Explications I   485

EXERCICES

A **Au restaurant.** Vous êtes au restaurant avec un(e) camarade. Dites avec quelle régularité vous mangez de ces choses. Puis demandez à votre camarade s'il (si elle) mange de ces choses avec la même fréquence. Utilisez les expressions *régulièrement, souvent, de temps en temps, rarement* ou *jamais.* Conversez selon le modèle.

ÉLÈVE 1   *Moi, je mange (souvent) des escargots. Et toi, tu en manges (souvent)?*

ÉLÈVE 2   *Moi, des escargots, (je n'en mange jamais).*

1.   2.   3.

4.   5.   6.

7.   8.   9.

B **Ressemblances et différences.** Dites comment vous ressemblez ou vous ne ressemblez pas à ces personnes. Suivez le modèle.

> ton père / s'intéresser à
> *Mon père, lui, il s'intéresse au football américain, mais moi, je m'intéresse à la gymnastique.*
> OU: *Mon père, lui, il s'intéresse au football américain, et moi aussi, je m'y intéresse.*

1. ta mère / ressembler à
2. ta sœur / être douée pour
3. tes professeurs / ne pas avoir l'air content quand
4. ton meilleur copain, ta meilleure copine / s'ennuyer quand
5. ton petit ami, ta petite amie / se détendre en
6. ton frère / se fâcher quand
7. tes cousin(e)s / s'amuser de
8. ton oncle / s'intéresser à

C Parlons de toi.

1. Quels sont tes loisirs préférés? A quoi est-ce que tu t'intéresses?
   Et les gens de ta famille? Pourquoi?

2. Qui sont tes artistes préféré(e)s? Tes acteurs (actrices) préféré(e)s?
   Tes danseurs (danseuses) préféré(e)s? Et tes copains (copines),
   ils (elles) sont d'accord avec toi?

3. Et ton chanteur ou ta chanteuse préféré(e), c'est qui? Est-ce qu'il
   (elle) est américain(e)? Est-ce qu'il (elle) est célèbre? Et tes parents,
   ils l'aiment aussi, eux?

Et ton groupe préféré, c'est lequel?

APPLICATIONS

Au Québec

AVANT DE LIRE

Avant de lire la *Lecture*,
répondez à ces questions.
1. Corinne est de quelle
   nationalité? Où est-elle
   allée en vacances?
2. A qui est-ce qu'elle écrit?
3. Si vous voyagiez à
   l'étranger, à qui écririez-
   vous? Quelles sont des
   phrases typiques qu'on
   écrit sur une carte
   postale?

Corinne, une jeune Française, est en vacances au Québec chez les Larue,
des amis canadiens de ses parents. Elle ne reste qu'une quinzaine de jours
pour les vacances de Pâques[1] et elle est très occupée. Elle est ici pour la
première fois et elle veut tout voir. Cependant, elle a promis d'écrire
5 à tous ses copains et copines du lycée, à son professeur de géographie et
surtout à ses parents.

11 avril
Chers maman et papa,
Arrivée à Montréal sans problèmes
J'adore cette ville! Ce matin, j'ai
visité les vieux quartiers[2], avec
les petits cafés, les boutiques, les
marchands de fleurs. Je n'ai pas
l'impression d'avoir quitté la
France. Demain : lèche-vitrines
(attention aux dollars!!!) dans les
magasins de la rue Ste Catherine
et les galeries marchandes[3] sou-
terraines[4] de la place Ville-Marie.
   Bon, je vous fais un petit bec
(un bisou[5] en québécois!),
Corinne

M. et Mme Durieu
6, avenue Leclerc
69003 Lyon
FRANCE

Place Jacques Cartier,
Montréal

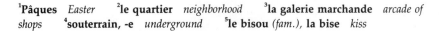

¹**Pâques** *Easter*   ²**le quartier** *neighborhood*   ³**la galerie marchande** *arcade of
shops*   ⁴**souterrain, -e** *underground*   ⁵**le bisou** (*fam.*), **la bise** *kiss*

17 avril

Salut, ma vieille!

Je passe des vacances géniales! Aujourd'hui, je suis à Québec. On dirait une vieille ville de province avec ses rues étroites, bordées[6] de maisons de pierre[7] à hautes façades. De plus, c'est une vraie leçon d'histoire: Château-Frontenac, statue de Champlain. Et, heureusement, tout le monde parle français, mais avec un accent que je trouve un peu difficile et des mots que je ne comprends pas.

Les Québécois sont adorables et j'ai déjà des copains.

À bientôt (hélas[8], je resterais bien ici!)

Corinne

Mlle Nathalie Grimbert
17, rue Verlaine
69007 Lyon
FRANCE

Le Château Frontenac

[6]bordé, -e *bordered*   [7]la pierre *stone*   [8]hélas *alas*

19 avril

Cher Éric,

Comme promis, je t'envoie une carte de ce merveilleux[9] pays. J'ai pensé à toi hier soir: j'étais à un match de baseball avec des copains québécois au Stade Olympique de Montréal. Il y avait une ambiance[10] formidable! On aime le sport ici. Aujourd'hui: repos. Je vais regarder la télé - il y a beaucoup de chaînes[11]: j'ai le choix!

Salut et à bientôt,

Corinne

M. Éric Haumont
3, rue St Vincent de Paul
69008 Lyon
FRANCE

[9]merveilleux, -euse *marvelous*   [10]l'ambiance (f.) *atmosphere, mood*   [11]la chaîne *channel*

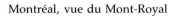

Montréal, vue du Mont-Royal

20 avril

Cher Monsieur,

Recevez mon meilleur souvenir du Mont-Royal où je suis venue me promener aujourd'hui. D'ici on a une vue magnifique et j'ai pris des photos pour le cours de géo: le St-Laurent et les petites îles en face du port (Ste-Hélène et Notre Dame où a eu lieu une partie des Jeux Olympiques de 1976). Je vais faire un tour [12] à l'Université de Montréal, qui n'est pas loin.

A bientôt, au lycée,

Corinne

M. Lefèvre
Lycée Victor Hugo
5, cours du Rhône
69007 Lyon
FRANCE

[12]**faire un tour** *to take a walk around*

Questionnaire

Vrai ou faux? D'après Corinne, comment sont la province de Québec et ses villes? Corrigez les phrases fausses.

1. Montréal ressemble à une grande ville américaine.
2. On peut y faire des courses dans les boutiques au sous-sol.
3. Au Canada, on paie en francs canadiens.
4. La ville de Québec ressemble beaucoup à Montréal.
5. Corinne trouve le français des Québécois un peu différent de son français à elle.
6. Elle regrette de n'avoir fait la connaissance de personne.
7. Elle est étonnée de ne trouver que deux chaînes à la télé.
8. Elle est heureuse d'avoir assisté à un match de hockey.
9. Elle envoie des photos des rues étroites de la vieille ville à son prof de géo.

EXPLICATIONS II

Le subjonctif: les expressions d'émotion

You already know that the subjunctive is used after expressions of necessity such as *il faut que* and *il est important que*. You also use the subjunctive after expressions of feelings and emotions. Here are some expressions that take the subjunctive.

◆ COMMUNICATIVE
OBJECTIVE

To express anger, happiness, regret, disappointment, surprise, or fear

Happiness:	**être content**	Je suis content que tu réussisses.
	être heureux	Tu es heureux qu'il te connaisse.
Anger:	**être fâché**	Il est fâché que nous gagnions.
	être furieux	Elle est furieuse qu'il ne vienne pas.
Regret:	**être désolé**	Je suis désolé que vous soyez malade.
	être triste	Elle est triste que nous partions.
	c'est dommage	C'est dommage que tu aies la grippe.
	regretter	Elle regrette que tu ne le fasses pas.
Surprise:	**être étonné**	Je suis étonnée qu'il aille si vite.
	être surpris	Il est surpris que vous le disiez.
Disappointment:	**être déçu**	Je suis déçu qu'il pleuve.
Fear:	**avoir peur**	Il a peur qu'elle n'en prenne pas.
	être inquiet	Je suis inquiet qu'elle ne soit pas là.

1   Use the subjunctive only when the subjects of the two verbs in a sentence are different. When they are the same, use *de* + an infinitive. Compare:

Je suis content **que tu** le **fasses.**   *I'm glad **you're doing** it.*
Je suis content **de** le **faire.**   *I'm glad **to do** it.*

EXERCICES

A **Touristes à Paris.** Vous vous trouvez à côté d'un(e) autre touriste qui fait la queue. Il (elle) vous demande ce que vous pensez de votre séjour. Vous pouvez utiliser les expressions de la liste. Conversez selon le modèle.

avoir peur	être désolé(e)	être heureux(-euse)
c'est dommage	être étonné(e)	être surpris(e)
être content(e)	être inquiet(-ète)	être triste

conducteurs d'autobus / conduire comme des fous
ÉLÈVE 1 *Que pensez-vous des conducteurs d'autobus?*
ÉLÈVE 2 *Je suis surpris(e) qu'ils conduisent comme des fous.*

1. les Parisiens / avoir quelquefois l'air distrait
2. les voyageurs dans le métro / ne pas faire la queue
3. les Français / boire du café très fort
4. le Louvre / ne pas être ouvert le mardi
5. les voitures françaises / stationner sur le trottoir
6. les touristes en France / devoir remplir tant de fiches
7. les mobylettes / aller si vite en ville
8. le temps / (il) pleuvoir pendant tout mon séjour

B **Qu'en pensez-vous?** Si ces événements *(events)* arrivaient dans votre lycée, quelle serait votre réaction? Utilisez les phrases de la liste, ou les autres que vous connaissez, pour dire ce que vous en pensez. Suivez le modèle.

Les cours se terminent à 17h30.
Moi, je serais furieux(-euse) que les cours se terminent à 17h30.

être content(e)	être étonné(e)
être d'accord	être furieux(-euse)
être déçu(e)	être inquiet(-ète)
être désolé(e)	être surpris(e)

1. On ne sert plus de pizza à la cantine.
2. Le proviseur devient assez sévère.
3. Les profs nous donnent quatre heures de devoirs par jour.
4. Le lycée n'a plus d'orchestre.
5. Le prof de maths ne donne plus d'interros.
6. La directrice ne se souvient plus de mon nom.
7. La bibliothèque est fermée pour deux mois.
8. L'année finit au mois d'avril.

C **Le départ en vacances.** Vous attendez le départ de l'avion avec votre famille. Vous parlez de votre départ. Conversez selon le modèle.

> je / être content(e) / faire ce voyage
> je / être content(e) / mon frère / venir avec nous
> ÉLÈVE 1 *Je suis content(e) de faire ce voyage.*
> ÉLÈVE 2 *Moi, je suis content(e) que mon frère vienne avec nous.*

1. Alexandre / être désolé / ne pas venir avec nous
   je / être désolé(e) / il / rester à la maison
2. Virginie / être furieuse / porter tous ces bagages
   je / être furieux(-euse) / les bagages / être très lourds
3. je / être fâché(e) / attendre pendant deux heures
   je / être fâché(e) / on / ne pas dire ce qui se passe
4. je / être content(e) / emmener le chien
   je / être content(e) / le chien / dormir
5. je / être surpris(e) / voir tant de monde dans la salle d'attente
   je / être surpris(e) / la ville / ne pas faire un effort pour ouvrir un autre aéroport
6. Claude / avoir peur / prendre l'avion
   Claude / avoir peur / l'avion / avoir un problème
7. nos cousins / être étonnés / voir les avions tout près
   nos cousins / être étonnés / les avions être si grands

Rue St-Denis à Montréal

Le subjonctif: *pouvoir, savoir, vouloir*

◆ COMMUNICATIVE
   OBJECTIVE
**To tell how you feel
about certain things**

The verbs *pouvoir, savoir,* and *vouloir* have irregular subjunctive forms.

POUVOIR		SAVOIR		VOULOIR	
que je	**puisse**	que je	**sache**	que je	**veuille**
que tu	**puisses**	que tu	**saches**	que tu	**veuilles**
qu'il	**puisse**	qu'il	**sache**	qu'il	**veuille**
que nous	**puissions**	que nous	**sachions**	que nous	**voulions**
que vous	**puissiez**	que vous	**sachiez**	que vous	**vouliez**
qu'ils	**puissent**	qu'ils	**sachent**	qu'ils	**veuillent**

De la danse folk au parc
du Mont-Royal, Montréal

EXERCICES

A Que pensent les gens? Dites ce que pensent les gens en
complétant les phrases avec un choix de la liste. Suivez le modèle.

> Je suis fâché(e) que le professeur …
> *Je suis fâché(e) que le professeur veuille lire ce bouquin.*

ne pas savoir danser
ne pas vouloir faire de la plongée avec nous
pouvoir faire de la natation
ne pas pouvoir nous accompagner à l'exposition
savoir faire de la musculation
ne pas savoir toutes les réponses
vouloir lire ce bouquin
vouloir partir

1. Je suis content(e) que mon meilleur ami …
2. Tu es inquiet(-ète) que ton copain …
3. Marie est triste que vous …
4. Hervé et Luc sont étonnés que le professeur …
5. Le professeur est déçu que nous …
6. Vous avez peur que votre camarade …
7. Mes amis sont désolés que mon frère …
8. Nous sommes furieux que les autres élèves …

B Au téléphone. Jérôme, qui est déjà très en retard, téléphone à
Sophie pour lui expliquer pourquoi il ne peut pas venir à la boum ce
soir. Voici la réponse de Sophie. Complétez les phrases avec un des
choix entre parenthèses.

Mais tout le monde est désolé que tu ne sois pas là. Nous serions
contents que tu *(peux / puisses)* venir même à cette heure-ci … Oui,
oui, tu me dis que tu ne *(sais / saches)* pas réparer ta voiture qui est
en panne. C'est le moteur? En effet, j'ai peur que tu ne *(sais / saches)*
5 pas le faire tout seul … Tu dis que tu *(veux / veuilles)* faire un effort,
mais nous serions furieux si tu ne *(voulais / veuilles)* pas vraiment
nous voir. Tu ne *(pourrais / puisses)* pas téléphoner à ton oncle
Claude, le mécanicien? Je suis sûre qu'il *(saurait / sache)* ce qu'il faut
faire … Bon, en tout cas, c'est vraiment dommage que tu ne *(peux /*
10 *puisses)* pas la réparer. Enfin, à demain, Jérôme, je sais que tu
(voudras / veuilles) savoir ce qui est arrivé ce soir. Allez, à demain!

C Parlons de toi.
Complétez les phrases.

1. Quand je pense aux sports, je suis déçu(e) que …
2. Quand je pense à ma famille, je suis content(e) que …
3. Quand je pense à mes amis, je suis surpris(e) que …
4. Quand je pense aux arts, je regrette que …
5. Quand je sors avec des copains, je suis fâché(e) que …
6. Quand je regarde les informations, je pense que c'est dommage
   que …

On se détend près
d'une sculpture.

RÉVISION

Formez des phrases en français d'après les modèles.

1. *Nous jouons au golf pendant nos loisirs.*
   (You [fam.] do aerobics every morning.)
   (They [m.] are showing their paintings at the exhibition.)

2. *Cette dame-là en survêtement bleu, vous la connaissez?*
   (That player [m.] on the left, do you [fam.] know him?)
   (Those dancers [f.] on the stage, does he know them?)

3. *Eux? Ce sont des artistes allemands. Ils sont intéressants, n'est-ce pas?*
   (Her? She's a snobbish [college] student. She's strong, isn't she?)
   (Him? He's a soccer player. He's cute, isn't he?)

4. *Nous sommes contents d'aller au musée. Nous aimons la peinture, mais la sculpture moderne, ça ne nous dit rien.*
   (He regrets attending the matches. He likes individual sports, but team sports bore him.)
   (I'm [m.] happy to try. I like jogging, but footraces tire me out too quickly.)

5. *Moi, je m'en vais.* C'est dommage que *vous n'arriviez pas à terminer le travail.*
   ***(He** learns slowly.)*   *(you [fam.] don't have patience)*
   ***(You** [pl.] look tired.)*   *(you [pl.] can't relax on weekends)*

6. Le prof est content que *Léon sache faire cet exercice.*
   (you [pl.] can go to the exhibition)
   (they [f.] don't want to cheat on the exam)

Une leçon de plongée

THÈME

Trouvez les expressions françaises qui correspondent à l'anglais et rédigez un paragraphe.

1. Eric is looking at the other young people at the pool.

2. "Tell me, Paul, that girl there in the green bathing suit, do you know her?"

3. "Her? That's Sylvie. She's a good friend of my brother's. She's very gifted, isn't she?"

4. "I'm pleased to meet you. I love swimming, but diving frightens me!"

5. "I love diving. It's too bad that you don't know how to (do it)."

6. "I'm glad (that) you want to take lessons!"

RÉDACTION

Maintenant, choisissez un de ces sujets.

1. Si vous étiez Sylvie, quels conseils donneriez-vous à Eric pendant la leçon de plongée? Faites-en une liste.

2. Imaginez que le dialogue des images 2 à 6 est en bulles *(talk balloons)*. Ecrivez une narration pour chaque image. Pouvez-vous ajouter quelques autres phrases sous la première image, aussi?

3. Dans une lettre à un(e) correspondant(e), Eric raconte son après-midi à la piscine. Ecrivez cette lettre.

CONTRÔLE DE RÉVISION CHAPITRE 14

A Mots associés.
Pour chaque mot de la colonne A, trouvez un
mot associé dans la colonne B.

A	B
1. le jogging	a. les voix
2. le coude	b. le survêtement
3. la plongée	c. la jambe
4. la peinture	d. les loisirs
5. l'aérobic	e. la balle
6. la cheville	f. les instruments
7. la chorale	g. le tableau
8. le temps libre	h. l'eau
9. l'orchestre	i. le pied
10. le genou	j. la salle de gym
11. le golf	k. le bras

B Qu'est-ce qui les intéresse?
Ecrivez des phrases d'après les images. Suivez le
modèle.

Marc
*Marc aime le tennis, mais
le cinéma l'intéresse aussi.*

1. Benoît   2. Jeanne et Eric

3. Anne et Odile   4. Richard

5. Estelle

C Album de famille.
Rémi montre ses photos à Eve. Complétez les
réponses de Rémi à la question «Qui est-ce?»
Utilisez *ce* ou *il / elle + être*.

1. _____ moi à l'âge de 8 ans.
2. _____ Papi. _____ avocat. _____ un homme
   sympa.
3. _____ Henriette. _____ la femme de mon oncle
   Jules. _____ anglaise. _____ assez gentille.
4. _____ une amie de maman. _____ vraiment
   folle. _____ la mère de Gilbert.
5. _____ mes cousins de Montréal. _____
   québécois, tu sais. _____ très grands et
   sportifs.
6. _____ ma sœur Adèle. _____ artiste. _____ très
   douée.

D L'emphase.
Ecrivez deux phrases différentes en insistant
d'abord sur le premier mot en italique, et ensuite
sur la deuxième expression en italique.

> *Tu as pris mes survêtements?*
> *Toi, tu as pris mes survêtements?*
> *Mes survêtements, tu les as pris?*

1. *J'*adore *la sculpture classique.*
2. *Vous* trichez toujours *aux cartes.*
3. *Daniel* ne veut pas parler *de son avenir.*

E Réactions.
Combinez chaque paire de phrases pour en faire
une seule phrase. Suivez les modèles.

> Je suis heureuse. J'arrive la première.
> *Je suis heureuse d'arriver la première.*
> Je suis surprise. Tu le connais.
> *Je suis surprise que tu le connaisses.*

1. Elle est furieuse. Nous nous détendons.
2. Nous sommes contents. Nous sommes ici.
3. Notre prof est surpris. Tu sais la réponse.
4. Tu es inquiet. Tu apprends ces nouvelles.
5. Odile est désolée. Pierre veut partir demain.
6. Luc est triste. Je ne peux pas venir à sa boum.

VOCABULAIRE DU CHAPITRE 14

Noms

l'activité (f.)
l'aérobic (f.)
l'art (m.)
l'artiste (m. & f.)
l'athlétisme (m.)
l'avenir (m.)
la cheville
la chorale
le coude
le courage
la course (à pied)
la danse (jazz, folk, classique)
le danseur, la danseuse
l'effort (m.)
l'exposition (f.)
le genou, pl. les genoux
le golf
le jogging
le judo
les loisirs (m.pl.)
la musculation
la natation
l'orchestre (m.)
la patience
la peinture
la plongée
le poignet
la poterie
la sculpture
le survêtement
le temps libre
le vase

Adjectifs

actif, -ive
artistique
doué, -e
étonné, -e
faible
fort, -e
furieux, -euse
individuel, -le
surpris, -e

Verbes

arriver (à) (to succeed)
se détendre
se fatiguer
s'intéresser à / intéresser
  (quelqu'un)
plonger
regretter
terminer
tricher (à)

Adverbe

de nouveau

Préposition

parmi

Conjonction

cependant

Question

ça te dirait de + inf. ...?

Expressions

ça ne me dit rien
c'est dommage que + subj.
en pleine forme
faire de l'aérobic (f.), de
  l'athlétisme (m.), de la course
  (à pied), du jogging, du
  judo, de la musculation, de
  la natation, de la peinture,
  de la plongée, de la poterie,
  de la sculpture
moi (interruption)
on dirait (que)
tu exagères!

CHAPITRE 15

PRÉLUDE CULTUREL | AUX ANTILLES

Suppose you are visiting the islands of Martinique and Guadeloupe in the West Indies *(les Antilles)*. You hear one person say to another "*Annou palé kréyòl!*" You think you hear the French word *parler*, but you're not sure about the rest. That's because the sentence is in *créole*, a language that is a blend of French and of certain West African languages. It means "Let's speak *créole*," and that's exactly what most of the 650,000 people on these islands do every day.

When you visit Martinique and Guadeloupe, you soon realize that not only the language, but much of what you see and hear results from the meeting of different cultures. Though these two islands are officially overseas departments *(des départements d'outre-mer)* of France, and thus are in one sense as much a part of France as any other French region, in another sense they are uniquely different.

The majority of *Martiniquais* and *Guadeloupéens* are the descendants of African slaves brought to these islands and to the island of Hispaniola to work French coffee, sugar, banana, and tobacco plantations. Most of the original inhabitants had been driven away or killed by the colonizers. The crops produced in the Antilles were so valuable that the French at the end of the French and Indian Wars in 1763 preferred to give up all of Canada to England in order to keep the islands.

After the French Revolution, the slaves in Hispaniola revolted and established the Republic of Haïti, the first black republic in the world. Martinique and Guadeloupe remained French possessions, and their inhabitants eventually became French citizens.

Today, French is the official language of government and education, and French books, newspapers, and television are imported from mainland France. Many of the residents follow French customs in their daily lives.

But alongside French customs and influence there exists a separate cultural heritage rising from African roots and from the cultures native to the Antilles. Music has different rhythms and is played on instruments different from those usually heard in France. The food tends to be spicier. And there is a strong literary culture in *créole* and in French that gives voice to the experiences of life in the Antilles.

Perhaps during your visit you will be asked to a party on the beach. (The *créole* word for "to have a party" is *zouké*.) This would be a great chance to learn more about the Antilles while you swim, dance (*swingué*, in *créole*), and eat. And maybe you could learn some more *créole*!

MOTS NOUVEAUX I

On part faire du camping.

CONTEXTE
VISUEL

CONTEXTE
COMMUNICATIF

1 Les Destain vont faire du camping pendant les vacances.

M. DESTAIN	Tu as écrit au terrain de camping pour réserver?
MME DESTAIN	Oui, et je **me charge de** tout préparer: la tente, les sacs à dos et nos **affaires**.

se charger de   *to be responsible for*
les affaires *(f.pl.)*   *belongings, things*

Variations:

■ la tente → les casseroles

2

JÉRÔME	Tu aimes faire du camping, toi?
VALÉRIE	Oh oui, j'adore vivre **en plein air**.
JÉRÔME	Moi, ce qui me plaît le plus, c'est de **dormir à la belle étoile**.

en plein air   *outdoors*
dormir à la belle étoile   *to sleep outdoors*

■ vivre en plein air → faire des randonnées
ce qui me plaît le plus → ce que j'aime le plus
dormir à la belle étoile → me promener dans **la nature**

la nature   *nature, outdoors*

une allumette

la tente

une casserole

le sac de couchage

le réchaud

un ouvre-boîte
pl. des ouvre-boîtes

une poêle

3 Madame Valon prépare un pique-nique.

THOMAS   Ça sert à quoi, ça, maman?

MME VALON   Ça? C'est un ouvre-boîte. C'est pour ouvrir les boîtes. Mets-le dans le panier.

■ un ouvre-boîte → une poêle
  ouvrir les boîtes → **faire cuire** la viande
  mets-le → mets-la

faire cuire *to cook*

4 Les Neyrac viennent d'arriver au terrain de camping.

M. NEYRAC   Qu'est-ce tu veux qu'on fasse maintenant?

MME NEYRAC   Tiens, j'aimerais bien que tu sortes le réchaud du coffre de la voiture.

■ le réchaud → la tente

Mots Nouveaux I   **503**

5 Les Neyrac vont installer leur tente. **Ainsi,** ils dormiront bien, même s'il pleut.

MME NEYRAC   Où veux-tu que nous mettions la tente?
M. NEYRAC   Je préférerais qu'elle soit **au bord du** fleuve, là-bas. Ce sera plus agréable.

■ au bord du fleuve → près du sentier

ainsi   *in that way, thus*

au bord de   *on the bank (side) of*

6 Il fait mauvais depuis l'arrivée des Bisson au terrain de camping.

M. BISSON   Tu as vu? Il pleut encore! Je souhaitais tellement qu'il fasse beau pendant nos vacances.
MME BISSON   C'est ce que tu dis tous les matins! Arrête de rouspéter!

■ il fait mauvais → **il pleut des cordes**

il pleut des cordes   *it's raining cats and dogs ("it's raining ropes")*

7 La voiture des Boudet est en panne.
M. BOUDET   Il faut trouver un garage pour **faire réparer** la voiture.
MME BOUDET   Tu ne peux pas la réparer **toi-même?**[1]
M. BOUDET   Eh non. J'espère qu'on trouvera un garage ouvert. C'est dimanche aujourd'hui.

■ la voiture → le camping-car
    la réparer → le réparer

faire + *inf.*   *to have something done*

(toi)-même   *(your)self*

8 Au garage.
LE MÉCANICIEN   Voilà, j'ai tout vérifié. Elle marche maintenant.
M. BOUDET   C'est gentil de travailler un dimanche. Je vous remercie.
LE MÉCANICIEN   **Il n'y a pas de quoi.**

il n'y a pas de quoi   *don't mention it*

[1]To emphasize that people do things themselves, add *-même* or *-mêmes* to a disjunctive pronoun: *Je l'ai fait moi-même! Fais-le toi-même! Il a réparé son vélo lui-même. Nous allumons le feu nous-mêmes. Installez la tente vous-même! Ils l'ont dit eux-mêmes. Elles me remerciaient elles-mêmes.*

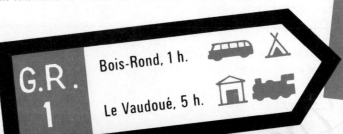

EXERCICES

A Au terrain de camping. Vos amis vous demandent où sont vos affaires.

ÉLÈVE 1 *Où sont les serviettes de bain?*
ÉLÈVE 2 *Elles sont là, sur le sable.*

1. 2. 3. 4.

5. 6. 7. 8.

B Le mot juste.

Trouvez un synonyme ou une expression synonyme.

1. Merci beaucoup! *De rien.*
2. Nous serons à l'aéroport deux heures avant le vol. *Comme ça* nous ne pourrons pas rater l'avion.
3. J'adore dormir *en plein air.*
4. Pour la fête, *je m'occupe de* tout.
5. Oh là là, regarde dehors, *il pleut beaucoup.*
6. Les *gens qui font une promenade* sont très fatigués.

Complétez les phrases avec les mots suggérés par les images.

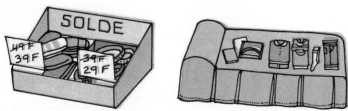

7. En janvier, on fait des bonnes _____ dans les magasins.
8. Chouette! Il y a assez de place dans ma valise pour toutes mes _____ .

C J'ai besoin de ... Vos amis parlent de ce qu'ils vont faire pendant leurs vacances. Choisissez dans la liste ce qu'il leur faut pour les activités suivantes.

> Luc / faire cuire la soupe
> ÉLÈVE 1 *Luc va faire cuire la soupe.*
> ÉLÈVE 2 *Alors, il faut qu'il trouve des allumettes, une casserole, un ouvre-boîte et le réchaud.*

allumette	maillot de bain	sable
appareil de photo	ouvre-boîte	sac de couchage
casserole	panier	sentier
colline	poêle	tente
herbe	réchaud	terrain de camping

1. Adèle et Agnès / faire du camping
2. Gérard et Eve / faire une randonnée
3. Louis et Martin / nager dans un lac
4. Rémi / dormir à la belle étoile
5. nous / faire un pique-nique
6. Michel / se charger du dîner
7. Elodie / faire un château de sable

Un terrain de camping à Chamonix

D Parlons de toi.

1. Tu as déjà fait du camping? Où est-ce que tu es allé(e)? C'était dans un terrain de camping? dans une forêt? sur une plage? Est-ce que tu as dormi sous une tente, dans un camping-car, ou à la belle étoile? Qu'est-ce que tu préfères? Pourquoi?
2. Tu aimes faire des randonnées? Où? Est-ce qu'on peut faire des randonnées là où tu habites, ou est-ce qu'il faut aller loin pour en faire? Tu aimes faire des randonnées en groupe, ou tout(e) seul(e)? Pourquoi? En général, tu aimes les activités en plein air?
3. Où est-ce que tu aimes aller faire un pique-nique? Quelles provisions est-ce que tu y apportes, d'habitude? Tu préfères manger sur l'herbe, sur le sable, ou à une table de pique-nique?

ACTIVITÉ

Le terrain de camping.   Vous venez d'hériter *(to inherit)* d'un terrain de camping en France. Vous voulez faire de la publicité pour avoir des clients. Alors, avec un(e) camarade, vous créez un dépliant publicitaire *(advertising brochure)* pour votre terrain. Regardez une carte de France pour choisir un endroit pour le terrain. Choisissez un nom. Dans votre dépliant, il faut dire:

—où se trouve le terrain
—ce que les clients y trouveront
—les activités auxquelles on peut participer là-bas
—les prix pour y rester dans une tente, une caravane ou un camping-car. Donnez les prix pour un jour, une semaine et un mois.

Vous pouvez dessiner un petit plan du terrain et aussi une petite carte pour donner des directions pour y arriver. N'oubliez pas de donner un numéro de téléphone pour demander des renseignements.

KOA
KAMPING

Montréal — Sud
Le KOA le plus près du centre-ville de Montréal — 20 minutes
Québec
10 minutes à l'ouest de Québec

Tours guidés d'autobus, départ du camping

APPLICATIONS

On aimerait aussi se reposer!

La famille Trudaine est en vacances dans un terrain de camping depuis une semaine. Nous sommes lundi. Il est sept heures du matin.

	MME TRUDAINE	Allez, levez-vous! Il fait beau! C'est le moment
5		d'aller à la pêche.[1]
	M. TRUDAINE	(grommelant)[2] Oh, Simone. Laisse-nous dormir.
	MME TRUDAINE	Mais non, en vacances il faut s'occuper.[3]
	CHARLES	Oh, pitié,[4] maman! Hier tu nous as réveillés pour aller faire une randonnée.
10	NICOLE	Et samedi, tu as voulu qu'on parte à la plage à sept heures pour y être avant tout le monde.
	MME TRUDAINE	Mais … mais alors, qu'est-ce que vous aimeriez faire pendant vos vacances?
15	M. TRUDAINE CHARLES NICOLE	(tous ensemble) Nous reposer!!

[1]**aller à la pêche** *to go fishing*   [2]**grommeler** *to grumble, to mutter*   [3]**s'occuper** *(here) to keep busy*
[4]**pitié!** *(f.) have mercy*

Questionnaire

1. Où les Trudaine ont-ils décidé de passer leurs vacances?   2. Depuis combien de temps sont-ils là?   3. Qu'est-ce que M. Trudaine est en train de faire ce matin?   4. Donnez des exemples de ce que la famille a fait pour passer le temps.   5. Est-ce qu'ils s'amusent tous? Expliquez votre réponse.   6. A quel parent est-ce que Charles et Nicole ressemblent le plus?   7. Qui est la personne la plus énergique de la famille?   8. Est-ce qu'il y a quelqu'un dans votre famille qui ressemble à Mme Trudaine? Qui?

Situation

Votre famille prend des vacances. Avec un(e) camarade, discutez de l'endroit où vous voulez aller. Puis, préparez un dialogue où un parent et un enfant discutent de comment ils vont passer le temps.

Allons faire une randonée!

To discuss sports
To describe weather
To express concern
To express fatigue/
hunger

MOTS NOUVEAUX II

Etre dehors, c'est agréable!

CONTEXTE
VISUEL

une bicyclette

une cycliste

un cycliste

faire du cyclisme

un casque

faire de la plongée sous-marine

faire de la planche
à roulettes

aller à la chasse

faire de la planche à voile

aller à la pêche

Il fait un temps humide.

Il y a du brouillard.

un éclair
Il y a des éclairs.

le tonnerre
Il y a du tonnerre.

Il y a un orage.

CONTEXTE COMMUNICATIF

1 Quand on va à la chasse, il faut partir tôt, au **lever du soleil.** Fabrice se lève. Son père est à la fenêtre.

M. RENAUD	**Ça m'inquiète qu'**il y ait tellement de nuages. J'ai bien peur que nous ne puissions pas aller à la chasse. Il va y avoir de l'orage.
FABRICE	Oh zut! J'en ai marre de ce temps!

Variations:
- à la chasse → à la pêche
  tôt, au lever du soleil → avant **le coucher du soleil**
  se lève → prend ses affaires
- aller à la chasse → aller à la pêche

le lever du soleil   *sunrise*

ça m'inquiète que + *subj.*   *it worries me that*

le coucher du soleil   *sunset*

2 Mireille a une nouvelle bicyclette.

ANNIE Dis donc, elle est chouette, ta bicyclette! Elle a combien de **vitesses?**[1]

MIREILLE Dix.

■ elle a combien de vitesses? → elle est de quelle marque?
dix → c'est une Peugeot

la vitesse *speed*

3 ANTOINE Maman, je pars à la plage faire de la planche à voile.

MME DAVY Je préférerais que tu n'y ailles pas aujourd'hui. J'aimerais que tu m'aides à la maison.

■ que tu m'aides à la maison → que tu viennes avec moi faire des courses

4 Solange et Raymond font du cyclisme.

SOLANGE On continue?

RAYMOND Je préférerais qu'on s'arrête ici. Je suis **épuisé.**

■ je suis épuisé → j'**ai une faim de loup**

épuisé, -e *exhausted*

avoir une faim de loup *to be starving ("to be hungry as a wolf")*

5 **Le lendemain.** Les deux amis font une autre randonnée en bicyclette.

SOLANGE Je crois que mes **freins** ne marchent plus.

RAYMOND Ça, je pourrais le réparer moi-même, si tu veux.

le lendemain (de) *the next day, the day after*

le frein *brake*

6 Adrien et Henriette travaillent comme **moniteurs** dans une colonie de vacances. Ils partent faire du cyclisme avec les enfants.

ADRIEN En entrant dans un village, il faut **ralentir**[2] et faire très attention.

HENRIETTE Portez toujours votre casque et suivez-nous bien.

■ ralentir → **freiner**

le moniteur, la monitrice *(camp) counselor*

ralentir *to slow down*

freiner *to brake*

---

[1]*La vitesse* is used for the gears, or "speeds," on a bicycle or car. It also is used for the more common meaning of "speed"—that is, "quickness."

[2]*Ralentir* is a verb like *finir*.

EXERCICES

A Des cadeaux. On ne reçoit pas toujours ce qu'on veut pour son anniversaire. Dites à un(e) camarade ce que ces gens voulaient, et ce qu'ils ont reçu. Votre camarade va dire ce qu'ils peuvent faire avec ce qu'ils ont reçu. Conversez selon le modèle.

Marc / planche à voile

ÉLÈVE 1 *Marc veut faire de la planche à voile. Mais il a reçu une planche à roulettes pour son anniversaire!*

ÉLÈVE 2 *Il peut faire de la planche à roulettes, alors.*

1. Madeleine / cyclisme

2. Lydie et Lucie / camping

3. Paul / pêche

4. Claire / plongée sous-marine

5. Martin / chasse

6. le moniteur / ski nautique

C'est chouette la planche à roulettes!

B   Quel mauvais temps!   Vous proposez à un(e) camarade de faire ces activités avec vous, mais il ne fait pas très beau aujourd'hui. Votre camarade va refuser en disant quel temps il fait. Conversez selon le modèle.

cyclisme
ÉLÈVE 1   *Si on faisait du cyclisme?*
ÉLÈVE 2   *Tu es fou (folle)? Regarde, il pleut des cordes!*

1. randonnée

2. planche à roulettes

3. plongée sous-marine

4. planche à voile

5. athlétisme

6. pique-nique

C   Le mot juste.

Trouvez un antonyme ou une expression antonyme.

1. Après la randonnée, je suis *en pleine forme.*
2. Ce soir, *je n'ai pas faim.*
3. Paule adore regarder *le lever du soleil.*
4. *Le jour avant le* départ, j'ai retrouvé mon billet.

Trouvez un mot associé.

5. J'adore *faire du cyclisme.* Je suis une bonne _____.
6. Ma bicyclette *freine* mal. Je dois faire réparer les _____.
7. J'aime rouler très *vite.* Je n'ai pas peur de la _____.
8. Ma petite sœur roule *lentement.* Je _____ quand je roule avec elle.

Complétez les phrases avec les mots suggérés par les images.

9. Il y a une pomme, une poire et une _____ sur la table.
10. Mes cousins vont à la _____ dimanche prochain.

D Parlons de toi.

1. Est-ce que tu as déjà fait de la planche à voile ou de la plongée sous-marine? Sinon, tu as envie d'en faire? Pourquoi? Si oui, tu as aimé ça? Où est-ce que tu en as fait? Ça t'a fait un peu peur, la première fois? A ton avis, est-ce que c'est facile ou difficile?

2. Est-ce que tu aimes faire du cyclisme? Est-ce que tu as une bicyclette? A combien de vitesses? Tu la prends pour aller au lycée? Qu'est-ce que tu portes quand tu fais du cyclisme? Est-ce qu'il y a des routes cyclistes ou des sentiers de cyclisme près de chez toi? Est-ce qu'il est difficile pour les cyclistes de rouler dans la circulation dans ta ville?

3. Tu es déjà allé(e) à la chasse ou à la pêche? Où? Quand? Qu'est-ce que tu penses de ces activités? A ton avis, est-ce qu'il y a une différence entre la chasse et la pêche? Quelle est la différence?

4. Quand est-ce que tu as une faim de loup?

Du cyclisme en montagne

ÉTUDE DE MOTS

You have learned a few ways in which compound nouns are formed in French:

> noun + noun: *la voiture-restaurant*
> noun + phrase: *la salle à manger, la salle de bains*
> adjective + noun: *les grands-parents*

Another category includes words that are formed by using a 3 singular verb form + a noun.

> un essuie-glace   un ouvre-boîte
> un lave-vaisselle   un sèche-linge

Here are some additional compound nouns in the verb + noun category. You know the meaning of the separate parts. Can you guess the meanings of these compound nouns in context?

1. Roland adore le danger. C'est un *casse-cou.*
2. Mme Pau voudrait ouvrir son courrier, mais elle ne trouve pas son *coupe-papier.*
3. Mettez des *essuie-mains* propres dans la salle de bains.
4. Le *garde-feu* est devant la cheminée.
5. Les Valon ont acheté une *garde-robe* ancienne.
6. Le *lave-glace* de ma voiture ne marche pas.
7. Quel est votre *passe-temps* préféré?
8. Où as-tu mis l'*ouvre-bouteille?*
9. Pour sa chambre, Laure a acheté des draps et un *couvre-lit.*

EXPLICATIONS I

Le verbe *faire* comme causatif

You already know how to use the verb *faire* + a noun in many
expressions.

> Patrick ne **fait** jamais **son lit** le matin.
> Sabine et son frère **font la vaisselle** chaque soir.
> **Faisons un pique-nique** au bord du lac!

1 You can also use *faire* + an infinitive to mean "to have something
done" or "to make someone (or something) do something." This
construction is called "causative *faire*." Compare the pairs of
sentences below.

> Jean **monte** l'escalier.   *Jean **is going** upstairs.*
> Il **fait monter** ses affaires.   *He's **having** his belongings*
>   ***brought up.***
>
> Vous ne **ralentissez** jamais!   *You never **slow down**!*
> Comment est-ce que vous   *How do you **make** the bicycle*
> **faites ralentir** la bicyclette?   ***slow down**?*
>
> J'ai **réparé** les freins.   *I **fixed** the brakes.*
> J'ai **fait réparer** les freins.   *I **had** the brakes **fixed**.*

In the last sentence, note that the verb after the form of *faire* is still in
the infinitive, even though the sentence is in the passé composé.

2 When you use a direct object pronoun with causative *faire*, put it in
front of the form of *faire*. In the passé composé the past participle
does not agree with the preceding direct object pronoun.

> Elle fait nettoyer son sac de   Elle **le fait** nettoyer.
> couchage.
> Nous avons fait réparer les   Nous **les avons fait** réparer.
> freins.

3 Some verbs such as *cuire* cannot take a person as subject. You must
use causative *faire* to show that a person is doing the action. In
English we can say, "He's cooking the chicken." In French you must
say, *Il fait cuire le poulet.*

> Les légumes **cuisent** dans la   Nous **faisons cuire** les
> casserole.   légumes dans la casserole.

EXERCICES

A **En route!** Avant de partir à la campagne, les Thibeault passent par la station-service. Ils ont fait une liste pour le mécanicien. Qu'est-ce qu'ils vont y faire faire? Suivez le modèle.

Ils vont faire vérifier l'huile.

> vérifiez l'huile
>
> 1. changez les pneus avant
> 2. mettez de l'air dans les autres pneus
> 3. faites le plein d'essence
> 4. passez l'aspirateur sur le tapis
> 5. lavez la voiture
> 6. vérifiez le moteur
> 7. changez les essuie-glaces
> 8. installez une radio

B **La maison neuve.** Vous rentrez d'un été comme moniteur dans une colonie de vacances. Vous remarquez que tout a changé chez vous. Vous parlez des transformations avec vos parents. Conversez selon le modèle.

installer une cuisinière électrique / la semaine dernière
ÉLÈVE 1 *Vous avez fait installer une cuisinière électrique!*
ÉLÈVE 2 *Oui, on l'a fait installer la semaine dernière.*

1. réparer l'escalier / en juillet
2. mettre des nouveaux rideaux dans la salle à manger / hier
3. réparer mon tourne-disque / au début du mois
4. installer une piscine / il y a deux semaines
5. couper les arbres au jardin / la semaine dernière
6. laver les fenêtres du deuxième étage / hier matin
7. mettre de la moquette au salon / il y a dix jours
8. nettoyer le sous-sol / après le grand orage

FAITES VENIR VOS PARENTS, VOS AMIS, EN AFRIQUE.

C Moi-même. Qu'est-ce que vous faites faire, et qu'est-ce que vous faites vous-même? Conversez selon le modèle.

> taper tes rédactions
> ÉLÈVE 1 *Est-ce que tu fais taper tes rédactions?*
> ÉLÈVE 2 *Oui, je les fais taper.*
>   OU: *Non, je les tape moi-même.*

1. réparer ta chaîne stéréo
2. faire le plein d'essence
3. payer la note de téléphone
4. laver tes vêtements
5. nettoyer ta chambre
6. préparer ton petit déjeuner
7. acheter tes vêtements

L'emphase avec *c'est*

◆ COMMUNICATIVE OBJECTIVE

To emphasize or clarify

You have learned to add emphasis to sentences by using pronouns and repetition.

> **Moi,** j'ai une faim de loup.
> **Cette cycliste, elle** est vraiment douée!
> Je ne l'ai pas vue, **ta casserole!**

1 You can use *c'est* to add emphasis when you are describing things in a general way, even if what you are describing is plural.

> **Le cyclisme, c'est** bon pour la santé.
> **C'est** fatigant **les randonnées en bicyclette.**
> **Dormir à la belle étoile, c'est** super!

The adjective that follows *c'est* is always in the masculine singular form. There is no agreement in gender or number.

2 To describe specific objects or people, remember that you must use *il / elle est* or *ils / elles sont*. In this case, the adjective must agree in gender and number.

> **Elle** est **belle,** ta bicyclette!
> **Ils** sont **bêtes,** ces randonneurs!

3 To specify which people are involved in an action, you can use *c'est* + a disjunctive pronoun + a *qui* or *que* clause.

> **Maryse, c'est elle qui** a mis le réchaud dans le panier.
> **Les moniteurs, c'est eux que** j'ai vus sur le sentier.
> **C'est moi qui** ai les sacs de couchage.

EXERCICES

A   C'est chouette!   Vous parlez avec un(e) ami(e) des choses que vous aimez et des choses que vous détestez. Employez les adjectifs de la liste ou choisissez-en d'autres. Conversez selon le modèle.

agréable	désagréable	mauvais
beau	difficile	moche
bon	ennuyeux	sympa
chouette	facile	super

le jogging
ÉLÈVE 1   *Le jogging, c'est agréable.*
ÉLÈVE 2   *Oh non, c'est ennuyeux.*
OU: *Oui! C'est agréable.*

1. les devoirs
2. les vacances
3. les pique-niques
4. le jardinage
5. la musique rock
6. la planche à roulettes
7. le tonnerre
8. les films de science-fiction
9. la planche à voile
10. le français

La planche à voile, c'est super!

B   La fête.   Vous parlez souvent à vos parents de vos amis, mais ils ne les ont jamais rencontrés. Il y a une fête chez vous, et vous présentez vos amis à vos parents en leur donnant une petite description de chaque personne. Suivez le modèle.

Marie / a fait du cyclisme en Espagne
Voici Marie, c'est elle qui a fait du cyclisme en Espagne.

1. Michel / adore aller à la pêche
2. Huguette / j'ai rencontrée au terrain de camping
3. Daniel et Claire / font de la plongée sous-marine
4. Diane / fait beaucoup de randonnées
5. Nicolas / je suis allé(e) chercher à l'aéroport hier
6. Rémi et Gilles / sont moniteurs de colonie de vacances
7. Liliane / fait de la planche à roulettes
8. Jeanne / nous avons vue au cinéma

Explications I   **519**

C Parlons de toi.

1. D'habitude, est-ce que tu préfères faire faire beaucoup de choses ou tout faire toi-même? Lesquelles est-ce que tu fais faire? Lesquelles est-ce que tu fais toi-même? Pourquoi?

2. Tu viens de rencontrer un vieil ami que tu connaissais quand tu avais douze ans, mais il ne te reconnaît plus. Rappelle-lui qui tu es en quatre phrases qui commencent par *C'est moi qui (que)* …

3. Donne ton avis sur le sport, le camping, et les cours en écrivant des phrases avec *c'est*.

On part à la plage faire de la planche à voile.

ACTIVITÉ

Poésie. Nous sommes tous des poètes, au moins de temps en temps. Ecrivez un petit poème en trois parties. Chaque partie commence par *c'est* et un adjectif (de votre choix), suivis d' *(followed by)* une liste de trois choses qui correspondent à cet adjectif. Voici des exemples.

C'est beau, la figure d'un enfant,
une famille qui s'entend bien,
un parent avec un enfant.

C'est triste, le brouillard,
un jour d'hiver,
être seul.

C'est sympa, avoir des bons amis,
un beau jour d'été,
faire un pique-nique.

Si vous voulez, vous pouvez illustrer votre poème avec des images d'un magazine, ou vous pouvez en dessiner vous-même.

APPLICATIONS

Au Camp Bontemps

Dans la colonie de vacances Camp Bontemps, on organise une journée pleine d'activités. De quelles activités est-ce que chaque moniteur se charge?

VALÉRIE   CHARLES   JANINE

Vous êtes moniteur ou monitrice. Aidez les enfants à choisir un sport pour la journée. Pourquoi est-ce que vous leur conseillez de choisir cette activité? De quoi auront-ils besoin? Quels conseils doit-on leur donner? Quel temps va-t-il faire aujourd'hui, pensez-vous?

EXPLICATIONS II

Le subjonctif: les expressions de volonté

These expressions of wishing and wanting are followed by the
subjunctive.

J'aimerais J'aime mieux Il demande Tu désires Elle préfère Je souhaite Il veut Tu veux bien Il voudrait	que nous regardions le film ensemble.

1   Use the subjunctive with these expressions when the subject of each
    clause is different. Use the infinitive when both subjects are the
    same.

J'aimerais que nous fassions
du cyclisme en montagne.

J'aimerais faire du cyclisme
en montagne.

**Elle préfère que vous
dormiez** à la belle étoile.

Elle préfère dormir à la belle
étoile.

2   Note that the verb *espérer (que)* is never followed by the subjunctive,
    even though it expresses a wish or a hope.

J'espère que tu **as** le panier.   Elle **espère qu'**il **viendra.**

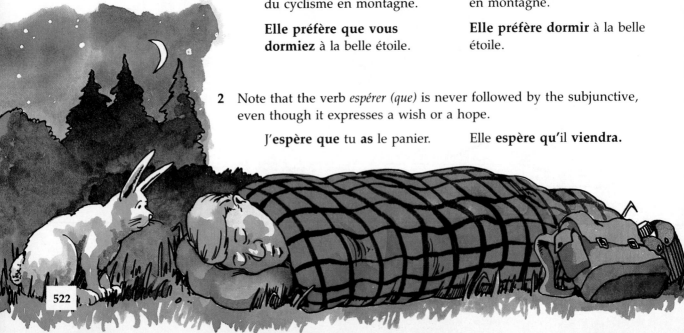

EXERCICES

A J'aimerais … Vous êtes invité(e) au mariage d'une cousine. Elle vous a beaucoup parlé de ses idées pour la réception et vous aimeriez que tout passe comme elle le veut. Suivez le modèle.

> Elle dit qu'il y aura beaucoup d'invités.
> *J'aimerais qu'il y ait beaucoup d'invités.*

1. Elle dit qu'il y aura un groupe de rock.
2. Elle dit qu'il chantera des chansons super.
3. Elle dit qu'on boira du champagne.
4. Elle dit que la fête continuera jusqu'au lendemain matin.
5. Elle dit que nous pourrons voir le lever du soleil par une grande fenêtre.
6. Elle dit que nous aurons tous des petits cadeaux.
7. Elle dit qu'ils mettront des fleurs sur toutes les tables.
8. Elle dit que les assiettes seront en or.

B Les parents. Vos parents s'inquiètent beaucoup pour vous. Il y a beaucoup de choses qu'ils ne veulent pas que vous fassiez. Conversez selon le modèle.

ÉLÈVE 1 *Tu veux faire de la plongée sous-marine avec nous?*
ÉLÈVE 2 *Non, mes parents ne veulent pas que je fasse de la plongée sous-marine.*

1.
2.
3.
4.
5.
6.
7.
8.
9.

Des Martiniquais font
de la voile.

C **Mais ...** On ne peut pas toujours faire ce qu'on veut parce que
quelqu'un d'autre veut qu'on fasse autre chose. Employez une
expression de volonté pour expliquer les cas suivants. Suivez le
modèle.

> Sara / dormir / / sa sœur / venir au cinéma
> *Sara veut dormir, mais sa sœur veut (désire, souhaite, etc.) qu'elle*
> *vienne au cinéma.*

1. Michel / lire / / ses amis / aller à la pêche
2. je / faire un pique-nique / / ma famille / étudier
3. nous / regarder la télé / / nos parents / ranger notre chambre
4. Caroline / nager / / Marguerite / faire du cyclisme
5. Loïc / dormir à la belle étoile / / Gérard / dormir sous la tente
6. Roland / écouter la musique / / son frère / jouer aux cartes
7. Dominique / écrire une lettre / / son père / faire la vaisselle
8. Noël / faire cuire le dîner maintenant / / Yolande / attendre un
   peu

D Un monde parfait.   Dans un monde parfait, qu'est-ce que vous voudriez que tous ces gens fassent? Complétez les phrases avec vos propres idées. Suivez le modèle.

> J'aimerais que mes parents …
> *J'aimerais que mes parents me disent de ne plus ranger ma chambre.*

1. J'aime mieux que mes amis …
2. Je désire que le président …
3. Je souhaite que ma sœur (mon frère) …
4. Je veux que le prof de français …
5. Je voudrais que mon chien …
6. J'aimerais que mon (ma) petit(e) ami(e) …
7. Je veux que le prof d'E.P.S. …
8. Je souhaite que mes voisins …
9. Je voudrais que mes grands-parents …

E Parlons de toi.

1. Pense à la maison de tes rêves. Est-ce que tu veux qu'elle soit très grande ou pas? Pourquoi? Tu voudrais qu'elle ait un jardin ou non? Pourquoi? Combien de pièces est-ce que tu désires qu'elle ait?
2. Qu'est-ce que tu aimerais que tes parents t'offrent comme cadeau pour ton prochain anniversaire? Et tes amis?
3. Qu'est-ce que tu souhaites changer au lycée? Est-ce que tu aimerais mieux que les cours soient plus longs ou plus courts? Est-ce que tu aimerais que tout le monde fasse plus d'art ou de musique, par exemple? Qu'est-ce que tu changerais d'autre? Pourquoi?

La pêche, c'est mon passe-temps préféré.

APPLICATIONS

RÉVISION

Formez des phrases en français d'après les modèles.

1. *Les Destain se chargent des planches à voile.*
   (We are in charge of scuba diving.)
   (You [fam.] are in charge of the campground.)

2. *Mme Valon a fait remplir tous les paniers.*
   (I had all the pots washed.)
   (The counselors had all the stoves lit.)

3. *M. Davy aimerait rester chez lui, mais Mme Davy aimerait mieux qu'il fasse des courses.*
   (I would prefer to sleep outside, but Mom would like me to sleep in the tent.)
   (Jerome wants to go hunting, but his friends want him to go skateboarding.)

4. *Elle demande que nous partions le lendemain.*
   (She wants me to put the can opener in the basket.)
   (They [m.] ask us to wait on the bank of the river.)

5. *S'il n'y a pas d'allumettes, elle ne pourra pas allumer le réchaud.*
   (If it rains cats and dogs, you [form.] won't want to be outdoors.)
   (If it is foggy, he won't see that path.)

6. *C'est beau, les couchers du soleil!*
   (Skateboards are dangerous!)
   (Picnics are fun!)

Une course cycliste

Trouvez les expressions françaises qui correspondent à l'anglais et rédigez un paragraphe.

1. Fabienne is in charge of bicycle trips.

2. She had all the bicycles repaired.

3. The other cyclists want to go very fast, but she wants them to slow down.

4. She asks that they pay attention to cars.

5. If there's a storm, they won't be able to continue.

6. Bicycle trips are great!

Maintenant, choisissez un de ces sujets.

1. Décrivez le paysage où les cyclistes se promènent. Imaginez aussi ce qui leur est arrivé pendant la randonnée.

2. Vous êtes Fabienne dans l'image 4. Ecrivez une liste de quatre ou cinq règles (rules) que les cyclistes suivront sur la route.

3. Choisissez un sport et imaginez que vous êtes en train d'expliquer à quelqu'un comment faire ce sport. Qu'est-ce que vous voulez qu'il fasse ou qu'il ne fasse pas?

4. Décrivez une randonnée dans la nature que vous avez faite récemment. Qui vous a accompagné(e)? Où êtes-vous allé(e)s? Qu'est-ce qui s'est passé? Combien de temps y avez-vous passé?

CONTRÔLE DE RÉVISION CHAPITRE 15

A **La nature.**

Votre frère passe ses vacances avec son ami Adrien. Il vous parle de lui dans sa lettre. Complétez le paragraphe.

à la belle étoile	bord
à la pêche	colline
camping	cyclisme
coucher du soleil	réchaud
en plein air	sac de couchage
poêle	vitesses
sable	sentier

Adrien adore la vie _____. Quand il fait du _____, il apporte un _____ pour dormir _____. Quand il va _____, il fait cuire les poissons dans une _____ sur le _____. Quand il va se promener il suit un petit _____ dans la forêt. Il se repose quelquefois sur le _____ au _____ d'un lac. Le soir il monte une _____ pour regarder le _____. Un jour il espère acheter une bicyclette à dix _____. Alors, il pourra faire du _____. Il adore la nature!

B **Le pique-nique.**

Alain fait tout lui-même, mais Valérie fait travailler les autres. Qu'est-ce que Valérie fait faire? Répondez selon le modèle.

Alain a acheté les provisions lui-même.
Valérie a fait acheter les provisions.

1. Alain a préparé le citron pressé lui-même.
2. Alain a mis le panier dans le coffre de la voiture.
3. Alain conduit sa voiture à la campagne.
4. Alain installe la table de pique-nique près du sentier.
5. Après le repas, Alain lavera les casseroles.
6. Avant de partir, Alain nettoiera la table.

C **Projets de vacances.**

Qu'est-ce que tout le monde va faire cet été? Répondez d'après le modèle.

Elise / voyager au sud de la France
Elise, c'est elle qui va voyager au sud de la France.

1. Edouard / lire cinq livres par semaine
2. Lucie et moi / suivre des cours à l'université
3. Alice et Anne / travailler comme monitrices
4. Les Leblanc / se détendre au bord de la mer
5. Denise et toi / faire de la planche à voile tous les jours
6. Eric et Julie / passer deux mois chez leurs grands-parents

D **Les préparatifs.**

Raymond, le moniteur, organise les jeunes gens. Qu'est-ce que tout le monde doit faire?

il / demander / nous / partir à 7h
Il demande que nous partions à 7h.

1. il / vouloir / nous / remplir le panier
2. il / aimer mieux / Pauline / sortir le réchaud
3. il / souhaiter / les tentes / être près du sentier
4. il / préférer / Vincent / ne pas aller à la chasse
5. il / ne pas vouloir / Nicole / faire de la plongée sous-marine
6. il / aimer mieux / tout le monde / se sentir bien
7. il / désirer / les garçons / suivre ses conseils
8. il / demander / André / ne pas revenir l'année prochaine

E **Les pensées de nos parents.**

Faites huit phrases qui représentent ce que vos parents pensent. Suivez les modèles.

Nos parents aimeraient que nous disions la vérité.

Nos parents...	que nous...
aimeraient	s'entendre bien avec les autres
espèrent	faire des économies
voudraient	sortir avec des amis sympa
croient	reconnaître nos responsabilités
souhaitent	réussir à nos études
pensent	dire la vérité
savent	ne jamais mentir
ont peur	

VOCABULAIRE DU CHAPITRE 15

Noms

les affaires (f.pl)
l'allumette (f.)
la bicyclette
le brouillard
le casque
la casserole
la chasse
la colline
le coucher du soleil
le cyclisme
le cycliste, la cycliste
l'éclair (m.)
le frein
l'herbe (f.)
le lendemain (de)
le lever du soleil
le moniteur, la monitrice
la nature
l'orage (m.)
l'ouvre-boîte (m.), pl. les
  ouvre-boîtes
le panier
la pêche (fishing)
le pique-nique, pl.
  les pique-niques
la planche à roulettes
la planche à voile
la plongée sous-marine
la poêle
la randonnée
le randonneur, la randonneuse
le réchaud
le sable
le sac de couchage
le sentier
la tente
le terrain de camping
le tonnerre
la vitesse

Pronom

disjunctive + -même

Adjectif

épuisé, -e

Verbes

se charger de
freiner
ralentir

Adverbe

ainsi

Préposition

au bord de

Expressions

aller à la chasse, à la pêche
avoir une faim de loup
ça m'inquiète que + subj.
dormir à la belle étoile
en plein air
faire cuire
faire du cyclisme, un
  pique-nique, de la planche
  à roulettes, de la planche à
  voile, de la plongée
  sous-marine, une
  randonnée
faire + inf.
il fait un temps humide
il y a du brouillard, des
  éclairs, un orage, du
  tonnerre
il n'y a pas de quoi
il pleut des cordes

VERBES

Regular Verbs

regarder

je regarde	nous regardons
tu regardes	vous regardez
il, elle, on regarde	ils, elles regardent

IMPÉRATIF regarde! regardons! regardez!

PASSÉ COMPOSÉ j'ai regardé

IMPARFAIT je regardais

FUTUR SIMPLE je regarderai

CONDITIONNEL je regarderais

SUBJONCTIF que je regarde

PARTICIPE PRÉSENT regardant

finir

je finis	nous finissons
tu finis	vous finissez
il, elle, on finit	ils, elles finissent

IMPÉRATIF finis! finissons! finissez!

PASSÉ COMPOSÉ j'ai fini

IMPARFAIT je finissais

FUTUR SIMPLE je finirai

CONDITIONNEL je finirais

SUBJONCTIF que je finisse

PARTICIPE PRÉSENT finissant

dormir

je dors	nous dormons
tu dors	vous dormez
il, elle, on dort	ils, elles dorment

IMPÉRATIF dors! dormons! dormez!

PASSÉ COMPOSÉ j'ai dormi

IMPARFAIT je dormais

FUTUR SIMPLE je dormirai

CONDITIONNEL je dormirais

SUBJONCTIF que je dorme

PARTICIPE PRÉSENT dormant

vendre

je	vends	nous	vendons
tu	vends	vous	vendez
il, elle, on	vend	ils, elles	vendent

IMPÉRATIF vends! vendons! vendez!

PASSÉ COMPOSÉ j'ai vendu   CONDITIONNEL je vendrais

IMPARFAIT je vendais   SUBJONCTIF que je vende

FUTUR SIMPLE je vendrai   PARTICIPE PRÉSENT vendant

Reflexive Verbs

se laver

je	me lave	nous	nous lavons
tu	te laves	vous	vous lavez
il, elle, on	se lave	ils, elles	se lavent

IMPÉRATIF lave-toi! lavons-nous! lavez-vous!

PASSÉ COMPOSÉ je me suis lavé(e)   CONDITIONNEL je me laverais

IMPARFAIT je me lavais   SUBJONCTIF que je me lave

FUTUR SIMPLE je me laverai   PARTICIPE PRÉSENT me lavant

Other Verbs

acheter

j'	achète	nous	achetons
tu	achètes	vous	achetez
il, elle, on	achète	ils, elles	achètent

IMPÉRATIF achète! achetons! achetez!

PASSÉ COMPOSÉ j'ai acheté   CONDITIONNEL j'achèterais

IMPARFAIT j'achetais   SUBJONCTIF que j'achète

FUTUR SIMPLE j'achèterai   PARTICIPE PRÉSENT achetant

Similar verbs: *emmener, geler, (se) lever, mener, peser, (se) promener*

aller

je	vais	nous	allons
tu	vas	vous	allez
il, elle, on	va	ils, elles	vont

IMPÉRATIF va! allons! allez!

PASSÉ COMPOSÉ je suis allé(e)   SUBJONCTIF   que j'aille   que nous allions

IMPARFAIT j'allais   que tu ailles   que vous alliez

FUTUR SIMPLE j'irai   qu'il aille   qu'ils aillent

CONDITIONNEL j'irais   PARTICIPE PRÉSENT allant

avoir

j'	ai	nous	avons
tu	as	vous	avez
il, elle, on	a	ils, elles	ont

IMPÉRATIF aie! ayons! ayez!

PASSÉ COMPOSÉ j'ai eu   SUBJONCTIF que j'aie   que nous ayons

IMPARFAIT j'avais   que tu aies   que vous ayez

FUTUR SIMPLE j'aurai   qu'il ait   qu'ils aient

CONDITIONNEL j'aurais   PARTICIPE PRÉSENT ayant

boire

je	bois	nous	buvons
tu	bois	vous	buvez
il, elle, on	boit	ils, elles	boivent

IMPÉRATIF bois! buvons! buvez!

PASSÉ COMPOSÉ j'ai bu   SUBJONCTIF que je boive   que nous buvions

IMPARFAIT je buvais   que tu boives   que vous buviez

FUTUR SIMPLE je boirai   qu'il boive   qu'ils boivent

CONDITIONNEL je boirais   PARTICIPE PRÉSENT buvant

commencer

je	commence	nous	commençons
tu	commences	vous	commencez
il, elle, on	commence	ils, elles	commencent

IMPÉRATIF commence! commençons! commencez!

PASSÉ COMPOSÉ j'ai commencé   CONDITIONNEL je commencerais

IMPARFAIT je commençais   SUBJONCTIF que je commence

FUTUR SIMPLE je commencerai   PARTICIPE PRÉSENT commençant

Similar verbs: *annoncer, (s')avancer*

conduire

je	conduis	nous	conduisons
tu	conduis	vous	conduisez
il, elle, on	conduit	ils, elles	conduisent

IMPÉRATIF conduis! conduisons! conduisez!

PASSÉ COMPOSÉ j'ai conduit   CONDITIONNEL je conduirais

IMPARFAIT je conduisais   SUBJONCTIF que je conduise

FUTUR SIMPLE je conduirai   PARTICIPE PRÉSENT conduisant

connaître

je	connais	nous	connaissons
tu	connais	vous	connaissez
il, elle, on	connaît	ils, elles	connaissent

IMPÉRATIF connais! connaissons! connaissez!

PASSÉ COMPOSÉ j'ai connu   CONDITIONNEL je connaîtrais

IMPARFAIT je connaissais   SUBJONCTIF que je connaisse

FUTUR SIMPLE je connaîtrai   PARTICIPE PRÉSENT connaissant

Similar verb: *reconnaître*

croire

je	crois	nous	croyons
tu	crois	vous	croyez
il, elle, on	croit	ils, elles	croient

IMPÉRATIF crois! croyons! croyez!

PASSÉ COMPOSÉ j'ai cru   SUBJONCTIF que je croie   que nous croyions

IMPARFAIT je croyais   que tu croies   que vous croyiez

FUTUR SIMPLE je croirai   qu'il croie   qu'ils croient

CONDITIONNEL je croirais   PARTICIPE PRÉSENT croyant

devoir

je	dois	nous	devons
tu	dois	vous	devez
il, elle, on	doit	ils, elles	doivent

PASSÉ COMPOSÉ j'ai dû   SUBJONCTIF que je doive   que nous devions

IMPARFAIT je devais   que tu doives   que vous deviez

FUTUR SIMPLE je devrai   qu'il doive   qu'ils doivent

CONDITIONNEL je devrais   PARTICIPE PRÉSENT devant

dire

je	dis	nous	disons
tu	dis	vous	dites
il, elle, on	dit	ils, elles	disent

IMPÉRATIF dis! disons! dites!

PASSÉ COMPOSÉ j'ai dit   CONDITIONNEL je dirais

IMPARFAIT je disais   SUBJONCTIF que je dise

FUTUR SIMPLE je dirai   PARTICIPE PRÉSENT disant

écrire

j'	écris	nous	écrivons
tu	écris	vous	écrivez
il, elle on	écrit	ils, elles	écrivent

IMPÉRATIF écris! écrivons! écrivez!

PASSÉ COMPOSÉ j'ai écrit   CONDITIONNEL j'écrirais

IMPARFAIT j'écrivais   SUBJONCTIF que j'écrive

FUTUR SIMPLE j'écrirai   PARTICIPE PRÉSENT écrivant

Similar verb: *décrire*

envoyer

j'	envoie	nous	envoyons
tu	envoies	vous	envoyez
il, elle, on	envoie	ils, elles	envoient

IMPÉRATIF envoie! envoyons! envoyez!

PASSÉ COMPOSÉ j'ai envoyé   SUBJUNCTIVE que j'envoie   que nous envoyions

IMPARFAIT j'envoyais   que tu envoies   que vous envoyiez

FUTUR SIMPLE j'enverrai   qu'il envoie   qu'ils envoient

CONDITIONNEL j'enverrais   PARTICIPE PRÉSENT envoyant

essayer

j'	essaie	nous	essayons
tu	essaies	vous	essayez
il, elle, on	essaie	ils, elles	essaient

IMPÉRATIF essaie! essayons! essayez!

PASSÉ COMPOSÉ j'ai essayé   CONDITIONNEL j'essaierais

IMPARFAIT j'essayais   SUBJONCTIF que j'essaie

FUTUR SIMPLE j'essaierai   PARTICIPE PRÉSENT essayant

Similar verbs: *appuyer, s'ennuyer, essuyer, nettoyer, payer*

être

je	suis	nous	sommes
tu	es	vous	êtes
il, elle, on	est	ils, elles	sont

IMPÉRATIF sois! soyons! soyez!

PASSÉ COMPOSÉ j'ai été   SUBJONCTIF que je sois   que nous soyons

IMPARFAIT j'étais   que tu sois   que vous soyez

FUTUR SIMPLE je serai   qu'il soit   qu'ils soient

CONDITIONNEL je serais   PARTICIPE PRÉSENT étant

faire

je	fais	nous	faisons
tu	fais	vous	faites
il, elle, on	fait	ils, elles	font

IMPÉRATIF fais! faisons! faites!
PASSÉ COMPOSÉ j'ai fait
IMPARFAIT je faisais
FUTUR SIMPLE je ferai

CONDITIONNEL je ferais
SUBJONCTIF que je fasse
PARTICIPE PRÉSENT faisant

falloir

il faut
PASSÉ COMPOSÉ il a fallu
IMPARFAIT il fallait

FUTUR SIMPLE il faudra
CONDITIONNEL il faudrait
SUBJONCTIF qu'il faille

jeter

je	jette	nous	jetons
tu	jettes	vous	jetez
il, elle, on	jette	ils, elles	jettent

IMPÉRATIF jette! jetons! jetez!
PASSÉ COMPOSÉ j'ai jeté
IMPARFAIT je jetais
FUTUR SIMPLE je jetterai

CONDITIONNEL je jetterais
SUBJONCTIF que je jette
PARTICIPE PRÉSENT jetant

Similar verbs: *appeler, (se) rappeler*

lire

je	lis	nous	lisons
tu	lis	vous	lisez
il, elle, on	lit	ils, elles	lisent

IMPÉRATIF lis! lisons! lisez!
PASSÉ COMPOSÉ j'ai lu
IMPARFAIT je lisais
FUTUR SIMPLE je lirai

CONDITIONNEL je lirais
SUBJONCTIF que je lise
PARTICIPE PRÉSENT lisant

manger

je	mange	nous	mangeons
tu	manges	vous	mangez
il, elle, on	mange	ils, elles	mangent

IMPÉRATIF mange! mangeons! mangez!
PASSÉ COMPOSÉ j'ai mangé
IMPARFAIT je mangeais
FUTUR SIMPLE je mangerai

CONDITIONNEL je mangerais
SUBJONCTIF que je mange
PARTICIPE PRÉSENT mangeant

Similar verbs: *changer, corriger, déménager, déranger, (se) diriger, nager, neiger, plonger, ranger, voyager*

mettre

je	mets		nous	mettons
tu	mets		vous	mettez
il, elle, on	met		ils, elles	mettent

IMPÉRATIF mets! mettons! mettez!

PASSÉ COMPOSÉ j'ai mis   CONDITIONNEL je mettrais

IMPARFAIT je mettais   SUBJONCTIF que je mette

FUTUR SIMPLE je mettrai   PARTICIPE PRÉSENT mettant

Similar verbs: *permettre, promettre*

mourir

je	meurs		nous	mourons
tu	meurs		vous	mourez
il, elle, on	meurt		ils, elles	meurent

PASSÉ COMPOSÉ je suis mort   SUBJONCTIF que je meure   que nous mourions

IMPARFAIT je mourais   que tu meures   que vous mouriez

FUTUR SIMPLE je mourrai   qu'il meure   qu'ils meurent

CONDITIONNEL je mourrais   PARTICIPE PRÉSENT mourant

naître

je	nais		nous	naissons
tu	nais		vous	naissez
il, elle, on	naît		ils, elles	naissent

PASSÉ COMPOSÉ je suis né

ouvrir

j'	ouvre		nous	ouvrons
tu	ouvres		vous	ouvrez
il, elle, on	ouvre		ils, elles	ouvrent

IMPÉRATIF ouvre! ouvrons! ouvrez!

PASSÉ COMPOSÉ j'ai ouvert   CONDITIONNEL j'ouvrirais

IMPARFAIT j'ouvrais   SUBJONCTIF que j'ouvre

FUTUR SIMPLE j'ouvrirai   PARTICIPE PRÉSENT ouvrant

Similar verb: *offrir*

pleuvoir il pleut

PASSÉ COMPOSÉ il a plu
IMPARFAIT il pleuvait
FUTUR SIMPLE il pleuvra

CONDITIONNEL il pleuvrait
SUBJONCTIF qu'il pleuve
PARTICIPE PRÉSENT pleuvant

pouvoir

je	peux	nous	pouvons
tu	peux	vous	pouvez
il, elle, on	peut	ils, elles	peuvent

PASSÉ COMPOSÉ j'ai pu
IMPARFAIT je pouvais
FUTUR SIMPLE je pourrai

CONDITIONNEL je pourrais
SUBJONCTIF que je puisse
PARTICIPE PRÉSENT pouvant

prendre

je	prends	nous	prenons
tu	prends	vous	prenez
il, elle, on	prend	ils, elles	prennent

IMPÉRATIF prends! prenons! prenez!
PASSÉ COMPOSÉ j'ai pris
IMPARFAIT je prenais
FUTUR SIMPLE je prendrai
CONDITIONNEL je prendrais

SUBJONCTIF que je prenne   que nous prenions
que tu prennes   que vous preniez
qu'il prenne   qu'ils prennent
PARTICIPE PRÉSENT prenant

Similar verbs: *apprendre, comprendre*

recevoir

je	reçois	nous	recevons
tu	reçois	vous	recevez
il, elle, on	reçoit	ils, elles	reçoivent

IMPÉRATIF reçois! recevons! recevez!
PASSÉ COMPOSÉ j'ai reçu
IMPARFAIT je recevais
FUTUR SIMPLE je recevrai
CONDITIONNEL je recevrais

SUBJONCTIF que je reçoive   que nous recevions
que tu reçoives   que vous receviez
qu'il reçoive   qu'ils reçoivent
PARTICIPE PRÉSENT recevant

Similar verb: *décevoir*

répéter

je	répète	nous	répétons
tu	répètes	vous	répétez
il, elle, on	répète	ils, elles	répètent

IMPÉRATIF répète! répétons! répétez!
PASSÉ COMPOSÉ j'ai répété
IMPARFAIT je répétais
FUTUR SIMPLE je répéterai

CONDITIONNEL je répéterais
SUBJONCTIF que je répète
PARTICPE PRÉSENT répétant

Similar verbs: *espérer, préférer, rouspéter, sécher*

savoir

je	sais	nous	savons
tu	sais	vous	savez
il, elle, on	sait	ils, elles	savent

IMPÉRATIF sache! sachons! sachez!

PASSÉ COMPOSÉ j'ai su

IMPARFAIT je savais

FUTUR SIMPLE je saurai

CONDITIONNEL je saurais

SUBJONCTIF que je sache

PARTICIPE PRÉSENT sachant

suivre

je	suis	nous	suivons
tu	suis	vous	suivez
il, elle, on	suit	ils, elles	suivent

IMPÉRATIF suis! suivons! suivez!

PASSÉ COMPOSÉ j'ai suivi

IMPARFAIT je suivais

FUTUR SIMPLE je suivrai

CONDITIONNEL je suivrais

SUBJONCTIF que je suive

PARTICIPE PRÉSENT suivant

venir

je	viens	nous	venons
tu	viens	vous	venez
il, elle, on	vient	ils, elles	viennent

IMPÉRATIF viens! venons! venez!

PASSÉ COMPOSÉ je suis venu(e)

IMPARFAIT je venais

FUTUR SIMPLE je viendrai

CONDITIONNEL je viendrais

SUBJONCTIF que je vienne que nous venions

que tu viennes que vous veniez

qu'il vienne qu'ils viennent

PARTICIPE PRÉSENT venant

Similar verbs: *devenir, revenir, se souvenir*

vivre

je	vis	nous	vivons
tu	vis	vous	vivez
il, elle, on	vit	ils, elles	vivent

IMPÉRATIF vis! vivons! vivez!

PASSÉ COMPOSÉ j'ai vécu   CONDITIONNEL je vivrais

IMPARFAIT je vivais   SUBJONCTIF que je vive

FUTUR SIMPLE je vivrai   PARTICIPE PRÉSENT vivant

voir

je	vois	nous	voyons
tu	vois	vous	voyez
il, elle, on	voit	ils, elles	voient

IMPÉRATIF vois! voyons! voyez!

PASSÉ COMPOSÉ j'ai vu   SUBJONCTIF que je voie   que nous voyions

IMPARFAIT je voyais   que tu voies   que vous voyiez

FUTUR SIMPLE je verrai   qu'il voie   qu'ils voient

CONDITIONNEL je verrais   PARTICIPE PRÉSENT voyant

vouloir

je	veux	nous	voulons
tu	veux	vous	voulez
il, elle, on	veut	ils, elles	veulent

PASSÉ COMPOSÉ j'ai voulu   SUBJONCTIF que je veuille   que nous voulions

IMPARFAIT je voulais   que tu veuilles   que vous vouliez

FUTUR SIMPLE je voudrai   qu'il veuille   qu'ils veuillent

CONDITIONNEL je voudrais   PARTICIPE PRÉSENT voulant

VOCABULAIRE FRANÇAIS-ANGLAIS

The *Vocabulaire français-anglais* contains all active vocabulary from *DIS-MOI!* and *VIENS VOIR!*

A dash (—) represents the main entry word. For example, **sans —** following **accent** means **sans accent.** An asterisk before a word that begins with an *h* denotes an aspirate *h.*

The number following each entry indicates the chapter or book in which the word or expression is first introduced. Two numbers indicate that it is introduced in one chapter and elaborated upon in a later chapter. Roman numeral "I" indicates that the word was presented in *DIS-MOI!*

The following abbreviations are used: *adj.* (adjective), *adv.* (adverb), *f.* (feminine), *inf.* (infinitive), *m.* (masculine), *part.* (participle), *pl.* (plural), *pres.* (present), *pron.* (pronoun), *subj.* (subjunctive).

à to; at, in (I)
Abidjan Abidjan (8)
abord: d'— first, at first (I)
absent, -e absent (I)
l'accent *m.* accent (I)
  sans — without an accent (I)
accepter to accept (1)
l'accident *m.* accident (12)
accompagner to accompany, to go with (I)
accord:
  d'— OK (I)
  être d'— to agree (11)
acheter to buy (I)
l'acteur *m.*, **l'actrice** *f.* actor, actress (I)
actif, -ive active (14)
l'activité *f.* activity (14)
actuel, -le today's; current (6)
actuellement currently (6)
l'addition *f.* check, bill (I)
adhésif: le pansement — adhesive bandage (12)
adorable delightful, adorable (I)
adorer to be crazy about (I)
l'adresse *f.* address (I)
l'aérobic *f.* aerobics (14)
  faire de l'— to do aerobics (14)
l'aérogramme *m.* aerogram (7)
l'aéroport *m.* airport (I)
l'affaire *f.*:
  la bonne — bargain (4)
  faire une bonne — to get a good deal (4)
  les —s things, belongings (15)

l'affiche *f.* poster (I)
affreux, -euse awful, terrible (9)
africain, -e African (8)
l'Afrique *f.* Africa (8)
l'âge *m.*: **tu as quel —?** how old are you? (I)
l'agence de voyages *f.* travel agency (I)
l'agenda *m.* datebook (1)
l'agent de police *m.&f.* police officer (I)
l'agneau, *pl.* **les agneaux** *m.* lamb (2)
  la côtelette d'— lamb chop (2)
agréable pleasant (I)
l'agriculteur *m.*, **l'agricultrice** *f.* farmer (I)
l'agriculture *f.* agriculture (8)
aider to help (I)
aïe! ouch! (12)
l'ail *m.* garlic (I)
d'ailleurs besides, moreover (13)
aimable nice (I)
aimer to like (I)
  — mieux to prefer, to like better (I)
ainsi in that way, thus (15)
l'air *m.* air (9)
  avoir l'— + *adj.* to look + *adj.* (11)
  en plein — outdoors (15)
  l'hôtesse de l'— *f.* flight attendant *(female)* (8)
l'aise *f.*:
  à l'— comfortable (13)
  mal à l'— uncomfortable (13)
ajouter to add (9)

l'algèbre *f.* algebra (I)
l'Allemagne *f.* Germany (I)
allemand, -e German (I)
l'allemand *m.* German *(language)* (I)
aller to go (I)
  — bien (mal, mieux) to be/feel well (ill, better) (I)
  — (bien) à to fit *(someone)*, to look (good) on *(someone)* (4)
  — chercher to go get, to pick up (3)
  — + *inf.* to be going to (do something) (I)
  allez! come on! (9)
  allez-y! go ahead! go on! (1)
  allons-y! let's go! (I)
  qu'est-ce qui ne va pas? what's wrong? (I)
  s'en — to go away, to leave (11)
l'aller *m.* one-way ticket (3)
  l'— et retour *m.* round-trip ticket (3)
allô? *(on telephone)* hello? (10)
allumer to turn on (I)
l'allumette *f.* match (15)
alors then, so (I)
  ça — what?!; oh, come on! (I)
l'alpinisme *m.* **faire de l'—** to go mountain climbing (7)
alsacien, -ne from the Alsace region, Alsatian (2)
américain, -e American (I)
  le football — football (I)
l'Amérique (du Nord) *f.* (North) America (I)

l'ami *m.,* **l'amie** *f.* friend (I)
   le petit —, la petite —e boyfriend, girlfriend (13)
   amicalement *(letters)* best wishes, yours truly (7)
l'amour *m.* love (13)
   le film d'— love story *(film)* (6)
   amusant, -e amusing, funny (I)
s'amuser to have a good time, to enjoy oneself (6)
l'an *m.* year (I)
   avoir ... —s to be ... years old (I)
   tous les —s every year (I)
l'ananas *m.* pineapple (2)
l'ancêtre *m.* ancestor (8)
   ancien, -ienne old (I); former (8)
   anglais, -e English (I)
l'anglais *m.* English *(language)* (I)
l'Angleterre *f.* England (I)
l'animal, *pl.* **les animaux** *m.* animal (I)
   animé: le dessin — movie cartoon (I)
l'année *f.* year (I)
   les —s cinquante, *etc.* the fifties, *etc.* (6)
l'anniversaire *m.* birthday (I)
   l'— de mariage wedding anniversary (13)
   bon —! happy birthday! (I)
   le gâteau d'— birthday cake (I)
l'annonce *f.:* **la petite —** classified ad (1)
   annoncer to announce (3)
l'annuaire *m.* telephone directory (10)
l'anorak *m.* ski jacket (I)
août *m.* August (I)
l'appareil (de photo) *m.* camera (I)
   qui est à l'—? who's calling? (10)
l'appartement *m.* apartment (I)
l'appel *m.:* **faire l'—** to take attendance (I)
   appeler to call (5)
   s'— to be named (I)
l'appétit *m.:* **bon —!** enjoy your meal! (I)
   applaudir to applaud (I)
   apporter to bring (I)
   apprendre (à) to learn (to) (I)
   — par cœur to memorize (I)
   appuyer sur to push *(a button)* (3)
   après after (I)
   d'— according to (I)
l'après-midi *m.* afternoon (I)
   de l'— P.M.; in the afternoon (I)
l'arbre *m.* tree (I)
l'argent *m.* money (I); silver (4)

en — *(made of)* silver (4)
l'— de poche *m.* spending money, allowance (I)
l'armoire *f.* wardrobe (10)
l'arrêt d'autobus *m.* bus stop (3)
   arrêter to stop *(someone or something)* (6); to arrest (11)
   s'— (de) to stop *(doing something)* (6)
les arrhes *f.pl.* deposit (11)
   verser des — to pay a deposit (11)
   arrière rear (9)
   en — backward (6)
l'arrivée *f.* arrival (3)
   l'heure d'— *f.* arrival time (3)
   arriver to arrive (I)
   — à + *inf.* to succeed in *(doing something)* (14)
   — à to happen *(to someone)* (12)
   j'arrive! I'll be right there! (I)
l'art *m.* art (14)
l'article *m.* article (1)
   l'— de toilette *m.* toilet article (5)
l'artiste *m.&f.* artist (14)
   artistique artistic (14)
l'ascenseur *m.* elevator (4)
l'aspirateur *m.* vacuum cleaner (10)
   passer l'— to vacuum (10)
l'aspirine *f.* aspirin (12)
   asseyez-vous sit down (13)
   assez + *adj./adv.* rather, quite, pretty (I)
   — (de) enough (I)
   assieds-toi sit down (13)
l'assiette *f.* plate (I)
   assis, -e seated (3)
   assister à to attend (I)
l'athlétisme *m.* athletics (14)
   faire de l'— to do athletics (14)
   attacher to attach, to fasten (8)
   attendre to wait, to wait for (I)
l'attente *f.:* **la salle d'—** waiting room (8)
l'attention *f.:*
   — au départ! all aboard! (3)
   faire — (à) to pay attention (to) (I)
   atterrir to land (8)
   attraper to catch (12)
   au (à + le) to the (I)
l'auberge *f.* inn (11)
   au-dessous de below, under (10)
   au-dessus de above (10)
   aujourd'hui today (I)
   c'est — today is (I)

aussi too, also (I)
   — ... que as ... as (4)
l'autobus (le bus) *m.* bus (I)
   l'arrêt d'— *m.* bus stop (3)
   automatique: le distributeur — ticket machine (3)
l'automne *m.* autumn, fall (I)
   en — in autumn, in the fall (I)
   autour de around (3)
   autre other (I)
   d'—s others; more (13)
   autrefois formerly (8)
   aux (à + les) to the (I)
   avance: en — early (3)
   avancer to bring forward (6)
   s'— to move forward (6)
   avant before (I); front (9)
   — de + *inf.* before *(doing something)* (11)
   en — forward (6)
   avare stingy (I)
   avec with (I)
l'avenir *m.* future (14)
l'aventure *f.* adventure (I)
   le roman/film d'—s adventure novel/film (1;6)
l'avenue *f.* avenue (1)
   dans l'— on the avenue (1)
l'avion *m.* airplane (I)
   par — air mail (7)
l'avis *m.* opinion (8)
   à mon (ton, *etc.***) —** in my (your, *etc.*) opinion (8)
   changer d'— to change one's mind (8)
l'avocat *m.,* **l'avocate** *f.* lawyer (11)
   avoir to have (I)
   See also individual nouns that form expressions with **avoir**
   avril *m.* April (I)

les bagages *m.pl.* baggage (3)
   faire ses — to pack (3)
la bague ring (I)
la baguette loaf of bread (I)
la baie bay (7)
la baignoire bathtub (5)
le bain bath (5)
   le maillot de — bathing suit (I)
   la salle de —s bathroom (5)
   baisers: bons — love and kisses *(letters)* (7)
le baladeur Walkman (I)
le balcon balcony (11)

la balle ball (I)

le ballon *(inflated)* ball (I)

la banane banana (2)

la bande tape (I)

    la — dessinée (la B.D., *pl.* **les B.D.)** comic strip (I)

la banlieue suburbs (3)

    en — in (to) the suburbs (3)

la banque bank (I)

le banquier, la banquière banker (11)

la barbe beard (5)

    bas *adv.* low (10)

    en — on the bottom, down below (10)

    en — de at the bottom of (10)

    plus — more softly (1)

le baseball baseball (I)

le basketball (le basket) basketball (I)

le bateau, *pl.* **les bateaux** boat (I)

    le — à voiles sailboat (I)

    faire du — to go boating (I)

    par — by sea, by boat (7)

le bâtiment building (I)

le bâton ski pole (7)

    bavard, -e talkative (10)

    bavarder to talk, to chat (10)

    beau (bel), belle; *pl.* **beaux, belles** beautiful, handsome, fine (I)

    il fait beau it's nice out, it's nice weather (I)

    beaucoup a lot, very much (I)

    — de much, many, a lot of (I)

    — de monde many people (I)

le beau-frère brother-in-law (13)

le beau-père father-in-law (13)

les beaux-parents *m.pl.* in-laws (13)

le bébé baby (5)

    bel, belle *see* **beau**

    belge Belgian (I)

la Belgique Belgium (I)

la belle-mère mother-in-law (13)

la belle-sœur sister-in-law (13)

le besoin: avoir — de to need (I)

    bête dumb, stupid (I)

la bête animal, pet (I)

le beurre butter (I)

la bibliothèque library (I)

la bicyclette bicycle (15)

    bien well; nice (I)

    aller — to be well (I)

    — sûr of course, certainly (I)

    ça va — everything's fine (I)

    bientôt soon (I)

    à — see you soon (I)

la bière beer (I)

le bifteck steak (I)

    le — haché ground beef (2)

le bijou, *pl.* **les bijoux** piece of jewelry, *pl.* jewelry (4)

la bijouterie jewelry store (11)

le billet bill *(money)*; ticket (I)

la biographie biography (1)

la biologie biology (I)

le biscuit salé cracker (2)

    blague: sans —! no kidding! (9)

    blanc, blanche white (I)

la blanquette de veau veal stew (I)

    bleu, -e blue (I)

le bleu blue cheese (2)

    blond, -e blonde (I)

le blouson jacket (I)

le bœuf bourguignon beef burgundy (I)

    bof! oh, I don't know; it's all the same to me (I)

    boire to drink (5)

    donner à — à to give something to drink to (I)

le bois wood (10)

    en — *(made of)* wood, wooden (10)

la boisson drink (I)

la boîte box (I); can (2)

    en — canned (2)

    la — aux lettres mailbox (7)

    la — postale (B.P.) post office (P.O.) box (7)

    bon, bonne good (I); right (1)

    bon! well, OK! (I)

    — anniversaire! happy birthday! (I)

    — appétit! enjoy your meal! (I)

    — courage! don't get discouraged! (1)

    — marché cheap, inexpensive (4)

    la bonne affaire bargain (4)

    faire une bonne affaire to get a good deal (4)

    bonne soirée have a nice evening (I)

    —s baisers *(letters)* love and kisses (7)

    — voyage! have a nice trip! (I)

    de bonne heure early (I)

    faites bonne route! have a good trip! (11)

les bonbons *m.pl.* candy (I)

le bonheur happiness (13)

    bonjour hello (I)

    bonsoir good evening (I)

le bord: au — de by, on the bank of, on the side of (15)

la botte boot (I)

la bouche mouth (I)

le boucher, la bouchère butcher (I)

la boucherie butcher shop (I)

les boucles d'oreilles *f.pl.* earrings (I)

la bouillabaisse bouillabaisse, fish stew (I)

le boulanger, la boulangère baker (I)

la boulangerie bakery (I)

le boulevard boulevard (1)

    sur le — on the boulevard (1)

la boum party (I)

le bouquet bouquet (12)

le bouquin *(slang)* book (1)

    bourguignon: le bœuf — beef burgundy (I)

le bout: jusqu'au — up/all the way to the end (3)

la bouteille bottle (I)

la boutique shop (I)

le bouton button (3)

le bracelet bracelet (I)

    brancher to plug in (5)

le bras arm (I)

    bravo! well done! (I)

le brie Brie (2)

    bronzé, -e tanned (12)

la brosse brush (5)

    la — à cheveux hairbrush (5)

    la — à dents toothbrush (5)

    brosser to brush (5)

    se — les cheveux/dents to brush one's hair/teeth (5)

le brouillard fog (15)

    il y a du — it's foggy (15)

le bruit noise (I)

    brûler to burn (12)

    se — to burn oneself (12)

    se — à to burn one's *(part of body)* (12)

    brun, -e brown, dark (I)

    brushing: faire un — to blow-dry (5)

    bruyant, -e noisy (I)

le buffet station restaurant, snack bar (3)

le bureau, *pl.* **les bureaux** desk; office (I)

    le — de change currency exchange (11)

    le — de tourisme tourist office (I)

le bus bus (I)

le but goal (I)

    marquer un — to score a goal (I)

ça that (I)

— **alors** what!?; oh, come on! (I)

— **y est!** that's it! (6)

comme ci, comme — so-so (I)

le cabinet office *(medical, dental)* (12)

cacher to hide (I)

le cadeau, *pl.* **les cadeaux** gift, present (I)

le café coffee; café (I)

le — **crème** coffee with cream (I)

la terrasse d'un — sidewalk café (I)

le cahier notebook (I)

la caisse checkout counter; cash register (2)

le caissier, la caissière cashier (2)

calé, -e smart (I)

le calendrier calendar (I)

calme calm (I)

camarade de classe *m.&f.* classmate (I)

le camembert Camembert (2)

la caméra movie camera (6)

le camion truck (9)

la campagne country (I)

le camping:

faire du — to camp, to go camping (I)

le terrain de — campground (15)

le camping-car, *pl.* **les camping-cars** motorhome (9)

canadien, -ienne Canadian (I)

le canapé sofa, couch (10); open sandwich, canapé (13)

le canard duck (I)

le — **à l'orange** duck with orange sauce (2)

la cantine lunchroom, cafeteria (I)

la capitale capital (8)

car for, because (13)

le car tour bus (I)

caramel: la crème — caramel custard (I)

la caravane trailer camper (9)

le carnet book of tickets (3)

la carotte carrot (I)

la carte map; playing card; menu (I)

à la — à la carte (I)

la — **d'embarquement** boarding pass (8)

la Carte Orange commuter ticket, orange card (3)

la — **routière** road map (I)

le cas: en tout — in any case (13)

le casier locker (I)

le casque helmet, crash helmet (15)

casser to break (I)

se — to break *(a bone)* (12)

la casserole pan, saucepan (15)

la cassette cassette (I)

le magnétophone à —**s** cassette player (I)

la cassette-vidéo, *pl.* **les cassettes-vidéo** videocassette (1)

ce (cet), cette this, that (I)

ce ... -ci; ce ... -là this ... (here); that ... (there) (I)

ce qui/que what (11)

ce soir tonight (I)

ce sont these are, those are, they are (I)

ceci *pron.* this (5)

la ceinture belt (I)

la — **de sécurité** seatbelt (8)

cela *pron.* that (5)

célèbre famous (I)

le céleri celery (2)

célibataire single, unmarried (13)

celui, celle; ceux, celles the one, this one, that one; these, those, the ones (10)

cent one hundred (I)

le centime centime (I)

cependant however (14)

les céréales *f.pl.* cereal (2)

la cerise cherry (2)

ces these, those (I)

c'est this is, that is, it's (I)

— **à toi de** + *inf.* it's your turn to ... (6)

— **ça** that's right (I)

qu'est-ce que —? what is it? (I)

cet, cette *see* **ce**

ceux *see* **celui**

chacun, chacune each (one) (4)

— **son tour** wait your turn, each in turn (4)

la chaîne stéréo, *pl.* **les chaînes stéréo** stereo (10)

la chaise chair (I)

la chambre room (I)

la — **à coucher** bedroom (I)

la — **à un (deux) lit(s)** single (double) room (11)

la femme de — chambermaid (11)

le champ field (I)

le champagne champagne (13)

le champignon mushroom (I)

la chance luck (I)

avoir de la — to be lucky (I)

ne pas avoir de — to be unlucky (I)

le change: le bureau de — currency exchange (11)

changer (de + *noun***)** to change (8)

— **d'avis** to change one's mind (8)

la chanson song (I)

chanter to sing (I)

le chanteur, la chanteuse singer (I)

le chapeau, *pl.* **les chapeaux** hat (I)

le chapitre chapter (I)

chaque each, every (I)

la charcuterie delicatessen; cold cuts (I)

le charcutier, la charcutière deli owner (I)

se charger de to be responsible for, to be in charge of (15)

le chariot cart (2)

charmant, -e charming (I)

la chasse hunting (15)

aller à la — to go hunting (15)

le chat cat (I)

le château, *pl.* **les châteaux** château, castle (I)

chaud, -e hot (I)

avoir — to be hot *(people)* (I)

il fait — it's hot out (I)

la chaussette sock (I)

la chaussure shoe (I)

la — **de ski,** *pl.* **les** —**s de ski** ski boot (I)

le chemin way (3)

quel est le — **pour aller ...?** how do you get to ...? which way to ...? (3)

la cheminée fireplace; chimney (10)

la chemise shirt (I)

le chemisier blouse (I)

le chèque check (11)

le — **de voyage** traveler's check (8)

toucher un — to cash a check (11)

cher, chère expensive (I); dear (7)

(ne pas) coûter — to be (in)expensive (I)

chercher to look for (I)

aller — to go get, to pick up (3)

venir — to come to get, to pick up (3)

le cheval, *pl.* **les chevaux** horse (I)

les cheveux *m.pl.* hair (I)

la brosse à — hairbrush (5)

se brosser/laver les — to brush/wash one's hair (5)

se faire couper les — to get a haircut (5)

la **cheville** ankle (14)

la **chèvre** goat (I)

chez to (at) someone's house or business (I)

chic elegant, stylish (I)

—**!** great! (I)

le **chien** dog (I)

la **chimie** chemistry (I)

les **chips** *f.pl.* chips (2)

le **chocolat** chocolate (I)

au — *(made with)* chocolate (I)

choisir to choose (I)

le **choix** choice (I)

la **chorale** glee club (14)

la **chose** thing (I)

quelque — something (I)

le **chou,** *pl.* les **choux** cabbage (2)

la **choucroute garnie** sauerkraut with meat (2)

chouette neat, terrific (I)

le **chou-fleur,** *pl.* les **choux-fleurs** cauliflower (2)

chut! hush! (I)

ci: comme —, **comme ça** so-so (I)

le **ciel** sky (I)

le **cinéma** movies; movie theater (I)

cinq five (I)

cinquante fifty (I)

cinquième fifth (I)

la **circulation** traffic (9)

circuler to drive around, to go around, to get around (9)

les **ciseaux** *m.pl.* scissors (5)

le **citron pressé** lemonade (I)

clair, -e light *(colors, skin)* (12)

la **classe** class (3)

de première (deuxième) — first-(second-)class *adj.* (3)

classique classical (I)

le **classique: le grand** — classic *(film or play)* (6)

la **clef** key (3)

fermer à — to lock (3)

le **client,** la **cliente** customer (I)

le **climat** climate (8)

climatisé, -e air-conditioned (11)

la **cloche** bell (1)

le **club** club (6)

le **cochon** pig (I)

le **code postal** zip code (7)

le **cœur** heart (12)

apprendre par — to memorize (I)

avoir mal au — to feel nauseated (12)

le **courrier du** — advice column (1)

le **coffre** trunk (9)

le **coiffeur,** la **coiffeuse** hairdresser, barber (5)

la **coiffure** hairstyle (5)

le **salon de** — beauty shop, barber shop (5)

le **coin** corner (I)

le **collant** pantyhose (4)

le **collège** middle school (I)

le **collier** necklace (I)

la **colline** hill (15)

la **colonie** colony (8)

la — **de vacances** summer camp (I)

combien (de) how much? how many? (I)

ça fait —? what does that come to? (I)

ça prend — **de temps pour …?** how much time does it take to …? (I)

ça (il) vaut —? what's it worth? (7)

depuis — **de temps?** how long? (8)

(pour) — **de temps?** (for) how long? (I)

comique: le film — comedy *(movie)* (6)

commander to order (I)

comme as a, for a; like (I)

— **…!** gosh, (he, she, etc.) is …! (5)

— **ci,** — **ça** so-so (I)

le **commencement** beginning (I)

commencer (à) to begin (to) (I)

comment how (I)

— **allez-vous?** how are you? (I)

— **est …?** what's … like? (I)

— **trouvez-vous …?** what do you think of …?; how do you like …? (2)

— **tu t'appelles?** what's your name? (I)

— **vas-tu?** how are you? (I)

je vous coupe les cheveux —? how shall I cut your hair? (5)

le **compartiment** compartment (3)

complet, -ète full (3)

la **pension** — **ète** room with 3 meals a day (11)

composer le numéro to dial (10)

composter to validate (3)

comprendre to understand (I); to include (3)

le **comprimé** pill (12)

compris: le service est — the tip is included (I)

comptable *m.&f.* accountant (11)

le **compte** account (11)

sur (le) — in an account (11)

compter to count (I)

le **comptoir** counter (2)

le **concert** concert (I)

concierge *m.&f.* caretaker, custodian (I)

la **condition** condition (9)

le **conducteur,** la **conductrice** driver (3)

conduire to drive (9)

le **permis de** — driver's license (9)

la **confiture** jam (I)

confortable comfortable (I)

peu — uncomfortable (I)

la **connaissance: faire la** — **de** to meet (11)

connaître to know, to be acquainted or familiar with (I)

se — to know each other (13)

connu, -e known, well-known (8)

le **conseil** (piece of) advice; *pl.* advice (12)

conseiller (à … de) to advise *(someone to do something)* (9)

les **conserves** *f.pl.* canned goods (2)

consommer to use, to consume (9)

contact: les lentilles de — *f.pl.* contact lenses (I)

content, -e pleased, happy (I)

le **continent** continent (8)

continuer (à) to continue (to) (I)

le **contraire: au** — on the contrary (I)

contre against (3)

le **contrôleur,** la **contrôleuse** conductor (3)

la **conversation** conversation (10)

le **copain,** la **copine** pal, friend (I)

le **coq** rooster (I)

le — **au vin** chicken cooked in wine (I)

la **corbeille** wastebasket (I)

les **cordes** *f.pl.*: **il pleut des** — it's raining cats and dogs (15)

le **corps** body (I)

correct, -e correct (I)

la **correspondance** transfer *(to another bus or subway line)* (3)

le **correspondant,** la **correspondante** pen pal (I)

correspondre to correspond (I)

corriger to correct (I)

le **costume** man's suit (4)

la **côte** coast (7)

le côté side (5)

   à — (de) beside, next to (I)

la Côte-d'Ivoire Ivory Coast (8)

la côtelette chop (2)

   la — d'agneau lamb chop (2)

le coton cotton (4)

   en — *(made of)* cotton (4)

le cou neck (12)

   couchage: le sac de — sleeping bag (15)

   coucher to put *(someone)* to bed (5)

   se — to go to bed (5)

le coucher du soleil sunset (15)

la couchette berth (3)

le coude elbow (14)

la couleur color (I)

   de quelle —? what color? (I)

le couloir hall, corridor (I)

le coup:

   le — de fil (phone) call (10)

   passer un — de fil to give someone a call (10)

   tout à — suddenly (I)

   un — de main a (helping) hand (10)

coupable guilty (11)

la coupe haircut (5)

la coupe de glace dish of ice cream (I)

   couper to cut (5)

   se — to cut oneself (12)

   se faire — les cheveux to get a haircut (5)

le couple couple (13)

la cour courtyard (I)

le courage courage (14)

   bon —! don't get discouraged! (1)

couramment fluently (1)

le courrier mail (7)

   le — du cœur advice column (1)

le cours class, course (I)

   aller en — de to go to *(subject)* class (I)

   après les — after class (I)

la course race (14)

   faire de la — to race (14)

   faire des —s to go shopping (I)

   la — à pied (foot)race (14)

court, -e short (I)

le cousin, la cousine cousin (I)

le couteau, *pl.* les couteaux knife (I)

   coûter to cost (I)

   — les yeux de la tête to cost an arm and a leg (4)

   (ne pas) — cher to be (in)expensive (I)

couvert: le ciel est — it's cloudy (I)

le couvert place setting (I)

   mettre le — to set the table (I)

la couverture blanket (11)

la craie chalk (I)

   craindre: je crains que oui (non) I'm afraid so (not) (13)

la cravate tie (I)

le crayon pencil (I)

le crédit: la carte de — credit card (11)

la crème cream (I)

   le café — coffee with cream (I)

   la — caramel caramel custard (I)

la crémerie dairy store (I)

le crémier, la crémière dairy merchant (I)

la crêpe crêpe (I)

la crevette shrimp (I)

   crier to shout (11)

   croire to believe, to think (5)

   — que oui (non) to think so (not) (5)

   je crois que si I think so, yes (5)

le croissant croissant (I)

le croque-monsieur, *pl.* les croque-monsieur grilled ham and cheese (I)

les crudités *f.pl.* raw vegetables (2)

la cuillère spoon (I)

le cuir leather (4)

   en — *(made of)* leather (4)

   cuire: faire — to cook (15)

la cuisine kitchen; cooking (I)

   faire la — to cook, to do the cooking (I)

le cuisinier, la cuisinière cook (11)

la cuisinière stove (10)

   cuit, -e: bien — well done *(meat)* (I)

le cyclisme cycling (15)

   faire du — to go cycling (15)

cycliste *m.&f.* cyclist (15)

la dame lady; *pl.* checkers (I)

   les vêtements pour — s *m.pl.* ladies' wear (4)

   dangereux, -euse dangerous (7)

   dans in, into (I)

la danse dance (14)

   danser to dance (I)

le danseur, la danseuse dancer (14)

la date date (I)

   de (d') from; any; some; of; *(possession)* 's (I)

débarrasser la table to clear the table (I)

débile stupid (6)

debout *adv.* standing (3)

débrancher to unplug (5)

le début: au — at the beginning (13)

décembre *m.* December (I)

décevoir to disappoint (7)

décider (de) to decide (to) (I)

déclarer to declare (8)

décoller to take off (8)

le décor scenery, film set (6)

le décorateur, la décoratrice set designer (6)

décrire to describe (1)

décrocher to lift the receiver; to unhook; to take down (10)

déçu, -e disappointed (7)

dedans inside, in it (10)

défendre to defend (11)

le degré: il fait (moins) ... —s it's (minus) ... degrees (I)

dehors outside, outdoors (10)

déjà already; ever (I)

déjeuner to have lunch (I)

le déjeuner lunch (I)

   le petit — breakfast (I)

délicieux, -euse delicious (I)

demain tomorrow (I)

   à — see you tomorrow (I)

demander to ask, to ask for (I)

   — à ... de to ask *(someone to do something)* (I)

déménager to move (10)

le déménageur, la déménageuse mover (10)

demi- *adj.* half (2)

   la —pension room with two meals a day (11)

demi(e): *time* + et — half past (I)

démodé, -e out of style, old-fashioned (I)

la dent tooth (I)

   la brosse à —s toothbrush (5)

   se brosser les —s to brush one's teeth (5)

le dentifrice toothpaste (5)

dentiste *m.&f.* dentist (I)

le départ departure (3)

   attention au —! all aboard! (3)

   l'heure de — *f.* departure time (3)

   le point de — point of departure (8)

se dépêcher to hurry (6)

dépenser to spend *(money)* (4)
depuis for; since (8)
   — combien de temps? how long? (8)
   — quand? since when? how long? (8)
déranger to disturb, to bother (12)
dernier, -ière last; latest (I)
derrière behind (I)
des (de + les) some; any; from; of; *(possession)* 's (I)
désagréable unpleasant (I)
descendre to come/go down (I); to take down, to bring down (3)
   — de to get off *(a bus, plane, etc.);* to get out of *(a car);* to descend from, to come from (I)
désirer: vous désirez? may I help you? (I)
désobéir à to disobey (I)
désolé, -e sorry (I)
le dessert dessert (I)
le dessin drawing (I)
   le — animé movie cartoon (I)
dessinée: la bande — (la B.D., *pl.* **les B.D.)** comic strip (I)
dessiner to draw (I)
la destination destination (8)
détacher to detach, to unfasten (8)
se détendre to relax (14)
détester to hate (I)
deux two (I)
   tous (toutes) les — both (of us, of you, of them) (7)
deuxième second (I)
devant in front of (10)
devenir to become (I)
deviner to guess (I)
devoir to have to, must; to owe (6); *(conditional)* should, ought to (12)
les devoirs *m.pl.* homework (I)
la diapositive (la diapo) slide (1)
le dictionnaire dictionary (1)
différent, -e (de) different (8)
difficile difficult, hard (I)
dimanche *m.* Sunday (I)
dîner to have dinner (I)
le dîner dinner (I)
dire (à) to say, to tell (I)
   ça ne me dit rien it doesn't grab me (14)
   ça te dirait de + *inf.* ...? would it interest you to ...? (14)
   dis donc! say! (I)

on dirait it looks like (14)
   vouloir — to mean (I)
direct, -e direct (8)
la directrice principal *(female, of a lycée)* (1)
diriger to direct, to aim (6)
   se — (vers) to head (toward) (6)
se disputer to quarrel, to argue (13)
le disque record (I)
distrait, -e distracted, absent-minded (11)
le distributeur automatique ticket machine (3)
dix ten (I)
dix-huit eighteen (I)
dix-neuf nineteen (I)
dix-sept seventeen (I)
la dizaine: une — de about ten (2)
le docteur doctor *(title, form of address)* (12)
le documentaire documentary (I)
la documentation: la salle de — school library (I)
le doigt finger (12)
   le — de pied toe (12)
le dollar dollar (11)
dommage: c'est — (que + *subj.***)** that's a shame (I); it's a shame (that) (14)
donc then, so (I)
   dis —! say! (I)
donner (à) to give (to) (I)
   — à boire à to give something to drink to (I)
   — à manger à to feed (I)
   — sur to have a view of (11)
dont of whom/which, about whom/which (10)
dormir to sleep (I)
   — à la belle étoile to sleep outdoors (15)
le dos back (I)
   le sac à — backpack (7)
la douane customs (8)
   passer la — to go through customs (8)
le douanier customs officer (8)
doublé, -e dubbed (6)
doucement quietly, gently (1)
la douche shower (5)
doué, -e gifted (14)
doux, douce mild (2; 8)
la douzaine (de) dozen (I)
douze twelve (I)
le drap sheet (11)

le drapeau, *pl.* **les drapeaux** flag (I)
droit: tout — straight ahead (I)
la droite: à — (de) on the right, to the right (of) (I)
drôle funny (I)
du (de + le) (I)
durer + *time* to last (8)

l'eau minérale *f.* mineral water (I)
l'écharpe *f.* scarf (I)
les échecs *m.pl.* chess (I)
l'éclair *m.* flash of lightning; *pl.* lightning (15)
   il y a des —s there's lightning (15)
l'école *f.* school (I)
les économies *f.pl.:* **faire des —** to save money (11)
économique economical (9)
écouter to listen (to) (I)
l'écran *m.* screen (1)
écrire to write (I)
   la machine à — typewriter (1)
écrit, -e written (1)
l'écrivain *m.* writer (6)
l'éducation physique (et sportive) (l'E.P. S.) *f.* gym (I)
effet: en — indeed; as a matter of fact (I)
l'effort *m.* effort (14)
égal: ça m'est — it's all the same to me (I)
l'église *f.* church (I)
égoïste selfish, egotistical (I)
électrique electric (5)
élégant, -e elegant (4)
l'élève *m.&f.* student (I)
elle *f.* she; it; her (I)
   —-même herself (I)
elles *f.pl.* they; them (I)
   —-mêmes themselves (15)
emballer to wrap (7)
l'embarquement *m.:*
   la carte d'— boarding pass (8)
   la porte d'— departure gate (8)
embêter to bother, to annoy (I)
embrasser to kiss, to embrace (13)
   s'— to kiss each other, to embrace (13)
l'émission *f.* radio or TV program (I)
emmener to take (4)
l'emploi du temps *m.* class schedule (I)
l'employé *m.*, **l'employée** *f.* employee (7)

emprunter (à) to borrow (from) (I)
en in; to; some; any (I)
   — + *pres. part.* while (13)
   — + *vehicle* by (I)
   — **arrière** backward (6)
   — **avant** forward (6)
   — **retard** late (I)
   — **ville** downtown, to town (I)
   être — + *clothing* to be in
      (wearing) (I)
   s' — aller to go away, to leave (11)
encore again (I); yet (3)
endormir to put to sleep (5)
   s'— to go to sleep (5)
l'endroit *m.* place, spot (I)
énergique energetic (I)
l'enfant *m.&f.* child (I)
   garder un — to babysit (I)
enfin finally (I)
s'ennuyer to be bored (6)
ennuyeux, -euse boring (I)
l'enregistrement *m.* check-in (8)
enregistrer to tape (1)
   faire — (ses bagages) to check
      (one's baggage) (8)
enseigner to teach (I)
ensemble together (I)
ensuite afterward (I)
entendre to hear (I)
   s'— bien/mal (avec) to get along
      well/badly (with) (13)
entre between, among (I)
l'entrée *f.* entrance, front door (I)
entrer (dans) to enter, to go/come
   in (I)
l'enveloppe *f.* envelope (I)
envie: avoir — de + *inf.* to feel
   like (*doing something*) (2)
envoyer to send (7)
l'épaule *f.* shoulder (12)
épicé -e spicy (I)
l'épicerie *f.* grocery store (I)
l'épicier *m.,* **l'épicière** *f.* grocer (I)
les épinards *m.pl.* spinach (I)
épuisé, -e exhausted (15)
l'équipe *f.* team (I)
l'escale *f.* stop, stopover (8)
   faire — to stop over (8)
l'escalier *m.* stairs, staircase (I)
   l'— roulant *m.* escalator (4)
l'escargot *m.* snail (I)
l'Espagne *f.* Spain (I)
espagnol, -e Spanish (I)
l'espagnol *m.* Spanish (*language*) (I)
espérer to hope (7)

l'espionnage *m.* spying (1)
   le roman/film d'— spy novel/film
      thriller (1;6)
essayer to try; to try on (4)
l'essence *f.* gasoline (9)
   tomber en panne d'— to run out
      of gas (9)
l'essuie-glace, *pl.* **les essuie-glaces**
   m. windshield wiper (9)
essuyer to wipe, to dry (10)
   s'— to dry oneself (10)
l'est *m.* east (I)
est-ce que? *signals a question* (I)
et and (I)
l'étage *m.* floor, story (*of a building*) (I)
l'étagère *f.* shelf, bookcase (10)
les Etats-Unis *m.pl.* United States (I)
l'été *m.* summer (I)
   tous les —s every summer (I)
éteindre: éteins (éteignez) …! turn
   off …! (13)
éternuer to sneeze (12)
l'étiquette *f.* price tag, label (4)
l'étoile *f.* star (I)
   dormir à la belle — to sleep
      outdoors (15)
étonné, -e astonished, amazed (14)
étranger, -ère foreign (I)
   (partir) à l'— (to go) abroad (I)
l'étranger *m.,* **l'étrangère** *f.* foreigner
   (I)
être to be (I)
   — à to belong to (I)
   — en + *clothing* to be in
      (wearing) (I)
   nous sommes lundi, *etc.* it's
      Monday, etc. (I)
étroit, -e narrow (I)
l'étude *f.* study (9)
l'étudiant *m.,* **l'étudiante** *f.* (college)
   student (9)
étudier to study (I)
euh … er …, uh … (I)
l'Europe *f.* Europe (I)
eux *m.pl.* they; them (I)
   —-mêmes themselves (15)
évidemment obviously (I)
l'évier *m.* sink (10)
éviter (de + *inf.***)** to avoid (*doing
   something*) (7)
exagérer: tu exagères! you're too
   much! you've got a lot of
   nerve! (14)
l'examen *m.* exam, test (I)
examiner to examine (12)

excellent, -e excellent (I)
s'excuser: excuse(z)-moi excuse me (3)
l'exemple *m.:* **par —** for example (I)
l'exercice *m.* exercise (I)
expliquer to explain (I)
l'exposé *m.* talk (1)
   faire un — to give a talk (1)
l'exposition *f.* exhibit, exhibition (14)
   la salle d'— showroom (9)
exquis, -e marvelous, exquisite (13)
l'extérieur *m.* exterior, outside (9)

la face: en — de opposite, across
   from (I)
se fâcher to become angry (6)
facile easy (I)
la façon: de toute — in any case,
   anyhow (9)
le facteur, la factrice letter carrier (I)
faible weak (14)
la faim:
   avoir — to be hungry (I)
   avoir une — de loup to be
      starving (15)
faire to make, to do (I)
   ça fait … (francs) that comes to
      … (francs) (I)
   ça fait combien? what does that
      come to? (I)
   ça fait + *time* + **que** + *present*
      for (13)
   ça ne fait rien it doesn't matter
      (11)
   — + *inf.* to have (*something done*)
      (15)
   — cuire to cook (15)
   — de + *school subject* to take (I)
   fais (faites) voir! let me see!,
      show me! (6)
   se — couper les cheveux to get a
      haircut (5)
   se — mal to hurt oneself (12)
   *See also individual nouns and
      adjectives that form expressions
      with* **faire**
le faire-part, *pl.* **les faire-part** announcement, invitation (13)
   fait: tout à — completely, totally (2)
falloir to be necessary (I)
   il faut + *inf.*/**que** + *subj.* you
      must, we must, etc. (I; 11)
   il me (te, *etc.***) faut** I (you, *etc.*)
      need (*something*) (11)
la famille family (I)

la **farine** flour (2)
fatigué, -e tired (I)
se **fatiguer** to get tired (14)
fauché, -e broke (out of money) (I)
faut *see* **falloir**
la **faute** mistake (I)
le **fauteuil** armchair (10)
faux, fausse wrong, false (I)
félicitations! congratulations! (I)
féliciter to congratulate (13)
la **femme** wife; woman (I)
    la **— de chambre** chambermaid (11)
la **fenêtre** window (I)
la **ferme** farm (I)
fermer to close; to turn off (I)
    — à clef to lock (3)
la **fête** celebration, party (13)
fêter to celebrate (13)
le **feu,** *pl.* les **feux** fire (7)
la **feuille** leaf (I)
    la **— de papier** piece of paper (I)
le **feuilleton** soap opera (I)
le **feutre** felt-tip pen (I)
février *m.* February (I)
fiancé, -e engaged (13)
le **fiancé,** la **fiancée** fiancé, fiancée (13)
la **fiche** form (7)
la **fièvre** fever (I)
    avoir de la — to have a fever (I)
la **figure** face (5)
    se **laver la —** to wash one's face (5)
le **fil:**
    le **coup de —** phone call (10)
    passer un coup de — to give someone a call (10)
la **fille** daughter (I)
    la **jeune —** girl (I)
le **film** film, movie (I)
    passer un — to show a film (6)
    tourner un — to make a film, to shoot a film (6)
le **fils,** *pl.* les **fils** son (I)
la **fin** end (I)
    finir to finish (I)
le **flamand** Flemish *(language)* (I)
la **fleur** flower (I)
    la **plante en —** flowering plant (12)
fleuriste *m.&f.* florist (12)
le **fleuve** river (I)
la **fois** time (I)
    une — par ... once a(n) ..., one time per ... (I)
folk(lorique) folk (14)

foncé, -e dark *(colors)* (12)
la **fontaine** fountain (I)
le **football (le foot)** soccer (I)
    le **— américain** football (I)
la **forêt** forest (7)
forme:
    en pleine — in tip-top shape (14)
    être en — to be fit, to be in shape; to be well (I)
formidable great, tremendous (I)
fort, -e strong (2;14)
    — en good in (I)
    plus — louder (1)
fou, folle crazy (9)
le **fou,** la **folle** lunatic (9)
la **foule** crowd (3)
le **four** oven (13)
    le **petit —** petit four, small cake (13)
la **fourchette** fork (I)
frais, fraîche fresh (I)
    au — in the refrigerator (2)
    il fait frais it's cool out (I)
la **fraise** strawberry (2)
le **franc** franc (I)
français, -e French (I)
    la **version — (en v.f.)** French version (dubbed) (6)
le **français** French *(language)* (I)
francophone French-speaking (8)
le **frein** brake (15)
freiner to brake (15)
le **frère** brother (I)
le **frigo** fridge (10)
frisé, -e curly (I)
les **frites** *f.pl.* French fries (I)
froid, -e cold (I)
    avoir — to be cold *(people)* (I)
    il fait — it's cold (I)
le **fromage** cheese (I)
la **frontière** border (I)
le **fruit** piece of fruit; *pl.* fruit (I)
    les **—s de mer** *m.pl.* seafood (2)
fumer to smoke (8)
fumeurs smoking section (8)
furieux, -euse furious (14)

gagner to win (I); to earn (9)
    — sa vie to earn a living (9)
le **gant** glove (I)
    le **— de toilette** wash mitt (5)
le **garage** garage (I)
le **garçon** boy; waiter (I)
garder to keep (2)

    — un enfant to babysit (I)
la **gare** railroad station (I)
garni, -e: la choucroute —e sauerkraut with meat (2)
le **gâteau,** *pl.* les **gâteaux** cake (I)
    le **— d'anniversaire** birthday cake (I)
    le **petit — sec** cookie (2)
la **gauche: à — (de)** on the left, to the left (of) (I)
geler to freeze (I)
généreux, -euse generous (I)
génial, -e; *pl.* **géniaux, -ales** neat, great (4)
le **genou,** *pl.* les **genoux** knee (14)
les **gens** *m.pl.* people (I)
gentil, -le nice, kind (I)
la **géographie** geography (I)
la **géométrie** geometry (I)
le **Ghana** Ghana (8)
le **gigot** leg of lamb (I)
la **glace** ice cream; ice (I)
le **glaçon** ice cube (13)
    glisser to glide, to slip (7)
le **golf** golf (14)
la **gomme** eraser (I)
la **gorge** throat (I)
    goûter (à) to taste (I)
le **goûter** afternoon snack (I)
le **gramme** gram (2)
    grand, -e big, large, tall (I)
        le **— classique** classic *(film or play)* (6)
        le **— magasin** department store (4)
la **grand-mère** grandmother (I)
le **grand-père** grandfather (I)
les **grands-parents** *m.pl.* grandparents (I)
    grasse: faire la — matinée to sleep late (5)
    gratuit, -e free (I)
    grave serious (12)
le **grenier** attic (10)
la **grippe** flu (12)
    gris, -e gray (I)
    gronder to scold (13)
    gros, grosse fat, large (I)
    grossir to gain weight (I)
le **groupe** group (I)
la **guerre: le film de —** war movie (6)
le **guichet** ticket window (3)
guide *m.&f.* guide (I)
le **guide** guidebook (I)
la **Guinée** Guinea (8)
la **guitare** guitar (I)
le **gymnase** gymnasium (I)

la gym(nastique) gymnastics (I)
  faire de la — to do gymnastics (I)

habiller to dress *(someone)* (5)
  s'— to get dressed (5)
l'habitant *m.* inhabitant (8)
habiter (à/dans) to live (in/at) (I)
habitude: d'— usually (I)
haché: le bifteck — ground beef,
    hamburger (2)
le*hamburger hamburger (I)
le*hamster hamster (I)
les*haricots verts *m.pl.* green beans (I)
haut *adv.* high (10)
  en — on the top, up above (10)
  en — de at the top of (10)
le*haut-parleur, *pl.* **les*haut-parleurs**
    loudspeaker (3)
hé! hey! (3)
hein? huh? eh? (4)
l'herbe *f.* grass (15)
hésiter (à + inf.) to hesitate (to) (7)
l'heure *f.* o'clock; hour; time (I)
  à l'— on time (I)
  c'est l'— de ... it's time to ... (1)
  de bonne — early (I)
  les —s de pointe rush hour (3)
  tout à l'— a while ago; in a little
    while (11)
heureusement fortunately (I)
heureux, -euse happy (I)
hier yesterday (I)
hi-fi: le rayon — electronics depart-
    ment (4)
l'histoire *f.* history; story (I)
historique historical (6)
l'hiver *m.* winter (I)
le*hockey hockey (I)
l'homme *m.* man (I)
  les vêtements pour —s *m.pl.*
    men's wear (4)
l'hôpital, *pl.* **les hôpitaux** *m.* hospital
    (I)
l'horaire *m.* schedule, timetable (3)
l'horloge *f.* clock (3)
l'horoscope *m.* horoscope (1)
l'horreur *f.*:
  le film d'— horror film (6)
  quelle —! how awful! (I)
les*hors-d'œuvre *m.pl.* hors-d'œuvres,
    appetizers (I)
le*hot-dog hot dog (I)
l'hôtel *m.* hotel (I)

l'hôtesse de l'air *f.* flight attendant
    (female) (8)
l'huile *f.* oil (I); motor oil (9)
huit eight (I)
  — jours a week (11)
une huitaine de jours a week (11)
l'huître *f.* oyster (I)
humide damp, humid (8)
  il fait un temps — it's humid (15)
hygiénique: le papier — toilet
    paper (5)
hypocrite hypocritical (I)

ici here (I); *(on phone)* this is (10)
l'idée *f.* idea (I)
l'identité: les papiers d'— *m.pl.*
    identification papers (8)
il *m.* he; it (I)
l'île *f.* island (7)
ils *m.pl.* they (I)
il y a there is, there are; *+ time*
    ago (I)
  — + time + que + present for
    (13)
  qu'est-ce qu'—? what is there?;
    what's the matter? (I)
l'image *f.* picture, image (6)
l'immeuble *m.* apartment building (I)
impatient, -e impatient (I)
l'imperméable (l'imper) *m.* raincoat (I)
important, -e important (I)
impossible impossible (I)
inconnu, -e unknown (I)
incorrect, -e incorrect, wrong (I)
indiquer to indicate (7)
individuel, -le individual (14)
l'industrie *f.* industry (8)
l'infirmerie *f.* infirmary; nurse's
    office (I)
l'infirmier *m.,* **l'infirmière** *f.* nurse (I)
les informations *f.pl.* TV news (I)
l'informatique *f.* computers (4)
innocent, -e innocent (11)
inquiet, -iète worried (I)
inquiéter: ça m'inquiète que +
    subj. it worries me that (15)
installer to install, to put in place
    (10)
  s'— to settle in (10)
l'instrument *m.* instrument (I)
intelligent, -e intelligent (I)
interdit: il est — de + inf. ... is
    prohibited; no ... -ing (8)
intéressant, -e interesting (I)

intéresser (quelqu'un à) to interest
    (someone in) (14)
  s'— à to be interested in (14)
l'intérieur *m.* interior (9)
l'interrogation (l'interro) *f.* quiz (I)
l'interview *f.* interview (1)
interviewer to interview (1)
l'invitation *f.* invitation (I)
l'invité *m.,* **l'invitée** *f.* guest (I)
inviter to invite (I)
l'Italie *f.* Italy (I)
italien, -ienne Italian (I)
l'italien *m.* Italian *(language)* (I)

jamais never (I); ever (7)
  ne ... — never (I)
la jambe leg (I)
le jambon ham (I)
janvier *m.* January (I)
japonais, -e Japanese (9)
le jardin garden (I)
le jardinage: faire du — to garden (I)
le jardinier, la jardinière gardener (11)
jaune yellow (I)
le jazz jazz (I)
je I (I)
le jean jeans (I)
la jeep jeep (9)
jeter to throw; to throw away (4)
le jeu, *pl.* **les jeux** game; game show
    (I)
jeudi *m.* Thursday (I)
jeune young (I)
  la — fille girl (I)
le jogging jogging (14)
  faire du — to jog (14)
joli, -e pretty (I)
la joue cheek (13)
jouer (à + game/sport; de + musical
    instrument) to play (I)
le jouet toy (I)
le joueur, la joueuse player (I)
le jour day (I)
  faire — to get light (I)
  huit —s a week (11)
  quel — sommes-nous? what day
    is it? (I)
  quinze —s two weeks (11)
  une huitaine (quinzaine) de —s
    a week (two weeks) (11)
le journal, *pl.* **les journaux** news-
    paper (I)
journaliste *m.&f.* journalist (11)
la journée day (I)

le judo judo (14)
    faire du — to practice judo (14)
le juge judge (11)
    juillet *m.* July (I)
    juin *m.* June (I)
la jupe skirt (I)
le jus juice (I)
    le — de (d') … … juice (I)
    jusqu'à to, up to; until (I)
    jusqu'au bout up/all the way to the end (3)
    juste only, just (3)

le kilo(gramme) kilo(gram) (I)
le kiosque magazine/newspaper stand, kiosk (1)

la (l') *f.* the; her; it; + *measure* per; a(n) (I)
là there (I)
    ce (cet), cette, ces + *noun* + **-—** that, those *(emphatic)* (I)
là-bas over there (I)
le labo(ratoire) lab(oratory) (I)
le lac lake (7)
la laine wool (4)
    en — *(made of)* wool (4)
laisser to leave (behind) (I)
le lait milk (I)
la laitue lettuce (I)
la lampe lamp (10)
la langue language (I); tongue (12)
le lapin rabbit (I)
large wide (I)
le lavabo washbasin (5)
    laver to wash *(someone or something)* (5)
    la machine à — washer (10)
    se — to wash (oneself) (5)
le lave-vaisselle, *pl.* **les lave-vaisselle** dishwasher (10)
le (l') *m.* the; him; it; + *measure* per; a(n) (I)
    — + *day* on (I)
    lèche-vitrines: faire du — to window shop (4)
la leçon lesson (I)
    léger, -ère light *(weight)* (I); *(calories)* (2)
le légume vegetable (I)
    la soupe aux —s vegetable soup (2)
le lendemain (de) the next day; the day after (15)

lent, -e slow (I)
lentement slowly (I)
les lentilles (de contact) *f.pl.* contact lenses (I)
lequel, laquelle; lesquels, lesquelles which one(s)? (10)
les *m.&f.pl.* the; them (I)
la lessive: faire la — to do the laundry (I)
la lettre letter (I)
    la boîte aux —s mailbox (7)
    le papier à —s stationery (1)
    leur to (for, from) them (I)
    leur, -s their (I)
lever to raise (5)
    se — to get up, to rise (5)
le lever du soleil sunrise (15)
la lèvre lip (12)
le Libéria Liberia (8)
la librairie bookstore (1)
libre free, not busy (I)
    le temps — spare time (14)
lieu:
    au — de instead of (13)
    avoir — to take place (9)
la ligne line (3)
    liquide: en — in cash (11)
    lire to read (I)
la liste list (2)
le lit bed (10)
    la chambre à un (deux) —(s) single (double) room (11)
le litre liter (I)
le livre book (I)
    le — de poche paperback (I)
loin de far from (I)
les loisirs *m.pl.* leisure time, leisure-time activities (14)
long, longue long (I)
longtemps (for) a long time (I)
louer to rent (7)
loup: avoir une faim de — to be starving (15)
lourd, -e heavy (I)
lui him; he; to (for, from) him/her (I)
    —-même himself (15)
la lumière light (13)
lundi *m.* Monday (I)
la lune moon (I)
les lunettes *f.pl.* glasses (I)
    les — de soleil sunglasses (I)
le Luxembourg Luxembourg (I)
    luxembourgeois, -e from Luxembourg (I)
le lycée high school (I)

le lycéen, la lycéenne high-school student (I)

ma my (I)
la machine:
    la — à écrire, *pl.* **les —s à écrire** typewriter (1)
    la — à laver, *pl.* **les —s à laver** washing machine (10)
    taper à la — to type (1)
madame (Mme) Mrs., ma'am (I)
mademoiselle (Mlle) Miss (I)
le magasin store (I)
    le grand — department store (4)
le magazine magazine (I)
le magnétophone tape recorder (I)
    le — à cassettes cassette player (I)
le magnétoscope VCR (1)
magnifique magnificent (I)
mai *m.* May (I)
maigre thin, skinny (I)
maigrir to lose weight (I)
le maillot de bain bathing suit (I)
la main hand (I)
    un coup de — a (helping) hand (10)
maintenant now (I)
mais but (I)
    — non of course not (I)
    — oui of course (I)
    — si! oh, yes! (I)
la maison house (I)
mal bad, awful; badly (I)
    aller — to be ill (I)
    avoir — à to have a sore …, to have a(n) … ache (I)
    avoir — au cœur to feel nauseated (12)
    faire — à to hurt (12)
    — à l'aise uncomfortable (13)
    se faire — to hurt oneself (12)
    se faire — à to hurt one's *(part of body)* (12)
malade sick (I)
    tomber — to get sick (12)
malheureusement unfortunately (I)
maman *f.* Mom, (I)
la Manche English Channel (I)
manger to eat (I)
    donner à — à to feed (I)
    la salle à — dining room (I)
le manteau, *pl.* **les manteaux** coat, overcoat (I)

le maquillage makeup (5)

se maquiller to put on one's makeup (5)

le marchand, la marchande merchant, shopkeeper (I)

marchander to bargain (4)

la marche: mettre en — to turn on, to start up (4)

le marché market (I)

bon (meilleur) — cheap(er) (4)

le — aux puces flea market (4)

marcher to walk (I); to run, to work (*machines, appliances*) (5)

mardi *m.* Tuesday (I)

la marguerite daisy (12)

le mari husband (I)

le mariage wedding (13)

l'anniversaire de — *m.* wedding anniversary (13)

marié, -e married (13)

le marié, la mariée groom, bride (13)

se marier (avec) to get married to, to marry (13)

la marque brand, make (4)

marquer un but to score a goal (I)

marrant, -e funny, hilarious (6)

marre: en avoir — de + *inf.* to be fed up with (12)

marron brown (I)

mars *m.* March (I)

mat, -e dark (*skin*) (12)

le match game, match (I)

le — nul tie game (I)

les mathématiques (les maths) *f.pl.* mathematics (math) (I)

la matière (*school*) subject (I)

le matin morning, in the morning (I)

du — A.M., in the morning (I)

la matinée morning (I)

faire la grasse — to sleep late (5)

mauvais, -e bad (I); wrong (1)

il fait — it's bad out (I)

me me; to (for, from) me (I)

le mécanicien, la mécanicienne mechanic (9)

méchant, -e mean, naughty (I)

le médecin doctor (I)

le médicament medicine (12)

meilleur, -e better (4)

le (la) —(e) the best (4)

— marché cheaper (4)

—s vœux best wishes (13)

même *adj.* same (I); *adv.* even (12)

en — temps (que) at the same time (as) (8)

—(s) -self (-selves) (15)

moi de — me too; likewise (13)

quand — anyway, all the same; really! (1)

le ménage:

faire le — to do the housework (I)

le rayon de — housewares department (4)

mener to lead (8)

mentir to lie (5)

le menu fixed-price meal (I)

la mer sea (I)

les fruits de — *m.pl.* seafood (2)

merci thank you (I)

mercredi *m.* Wednesday (I)

la mère mother (I)

mes *pl.* my (I)

le message message (10)

messieurs-dames ladies and gentlemen (I)

la météo weather forecast (1)

le métier job, occupation (11)

le mètre meter (3)

le métro subway, metro (3)

le metteur en scène director (*movies, theater*) (6)

mettre to put, to place, to set; to put on (*clothing*) (I)

— en marche to turn on, to start up (4)

— le couvert to set the table (I)

se — à + *inf.* to begin, to start (9)

se — en route to start off, to get going (9)

les meubles *m.pl.* furniture (10)

mexicain, -e Mexican (I)

le Mexique Mexico (I)

le micro-ondes microwave oven (13)

le micro(phone) microphone (6)

midi noon (I)

mieux *adv.* better (I)

aller — to be/feel better (I)

faire de son — to do one's best (I)

il vaut — + *inf.*/**que** + *subj.* it's better (preferable) to/that (13)

le — best (4)

tant — so much the better (5)

mignon, -ne cute (13)

mil thousand (*in dates*) (I)

le milieu: au — de in the middle of (10)

mille thousand (I)

un million million (I)

---

la mine: avoir bonne (mauvaise) — to look well (ill) (I)

minérale: l'eau — *f.* mineral water (I)

minuit midnight (I)

la minute minute (I)

le miroir mirror (10)

la mobylette (la mob) motorbike (I)

moche ugly (I)

la mode: à la — in style, stylish (I)

le modèle model (5)

moderne modern (8)

moi me (*for emphasis*); I; me (I); (*interruption*) as for me (14)

— de même me too; likewise (13)

—-même myself (15)

— non plus neither do I (I)

le moins the least (4)

au — at least (11)

de — en — (de) fewer and fewer, less and less (8)

— ... que less ... than (4)

le mois month (I)

la moitié (de) half (of) (13)

le moment:

à ce —-là at that time (9)

en ce — right now (9)

pour le — for now (13)

mon my (I)

le monde people (I)

tout le — everybody (I)

le moniteur, la monitrice camp counselor (15)

la monnaie change (I)

monsieur (M.) Mr., sir (I)

le monsieur, *pl.* **les messieurs** man, gentleman (I)

messieurs-dames ladies and gentlemen (I)

la montagne mountain (I)

monter to come/go up, to climb (I); to take up, to bring up (3)

— dans to get on (*a bus, plane, etc.*); to get in (*a car*) (I)

— une pièce to put on a play (6)

la montre watch (I)

montrer to show (I)

le monument monument (I)

la moquette wall-to-wall carpeting (10)

le morceau, *pl.* **les morceaux** bit, piece (I)

mort, -e *past part.* of **mourir** dead (I)

le mot word (I)

le petit — note, short letter (1)

le moteur motor (9)

la moto motorcycle (I)
    faire de la — to go motorcycle riding (I)
le mouchoir handkerchief (12)
    le — en papier tissue (12)
la moufle mitten (7)
mourir to die (I)
la mousse au chocolat chocolate mousse (I)
la moutarde mustard (I)
le mouton sheep (I)
mûr, -e ripe (2)
le mur wall (10)
la musculation body building (14)
    faire de la — to do body building (14)
le musée museum (I)
la musique music (I)

nager to swim (I)
naître to be born (I)
la nappe tablecloth (I)
la natation swimming (14)
    faire de la — to swim (14)
la nationalité nationality (I)
la nature nature, outdoors (15)
nautique: faire du ski — to water-ski (I)
ne *signals a negative expression* (I)
né, -e *past part. of* **naître** born (I)
nécessaire necessary (13)
la neige snow (I)
neiger to snow (I)
nerveux, -euse nervous (9)
n'est-ce pas? isn't it? aren't they? don't I? etc. (I)
nettoyer to clean (10)
neuf nine (I)
neuf, neuve brand-new (4)
    quoi de —? what's new? (1)
le neveu, *pl.* **les neveux** nephew (I)
le nez nose (I)
niçois, -e: la salade —e niçoise salad (2)
la nièce niece (I)
les noces *f.pl.:* **le voyage de —** honeymoon (13)
Noël *m.* Christmas (I)
noir, -e black (I)
le nom name (I)
non no (I)
    mais — of course not (I)
    moi — plus neither do I (I)
    —-fumeurs nonsmoking section (8)

le nord north (I)
le nord-est northeast (I)
le nord-ouest northwest (I)
nos *pl.* our (I)
la note grade (I); note (1); bill *(invoice)* (11)
notre our (I)
nous we; us; to (for, from) us (I); each other (13)
    —-mêmes ourselves (15)
nouveau (nouvel), nouvelle; *pl.* **nouveaux, nouvelles** new (I)
    de — again (14)
les nouvelles *f.pl.* news (1)
novembre *m.* November (I)
le nuage cloud (I)
la nuit night (I)
    cette — last night (11)
    faire — to get dark (I)
    nul, -le en no good in (I)
    le match — tie game (I)
le numéro number (I)
    composer le — to dial (10)

obéir à to obey (I)
l'objet *m.:* **le service des —s trouvés** lost and found (8)
occasion: d'— used, secondhand (4)
occupé, -e busy; occupied (I)
s'occuper de to take care of, to attend to (9)
l'océan *m.* ocean (I)
octobre *m.* October (I)
l'œil, *pl.* **les yeux** *m.* eye (I)
    coûter les yeux de la tête to cost an arm and a leg (4)
l'œillet *m.* carnation (12)
l'œuf *m.* egg (I)
offrir (à) to offer, to give (I)
    — à + *person* + **de** + *inf.* to offer to *(do something for someone)* (I)
oh là là! oh ...!, oh, dear! (9)
l'oignon *m.* onion (I)
    la soupe à l'— onion soup (2)
l'oiseau *m., pl.* **les oiseaux** bird (I)
l'omelette *f.* omelette (I)
on we, people, they (I)
l'oncle *m.* uncle (I)
onze eleven (I)
l'opticien *m.,* **l'opticienne** *f.* optician (I)
l'or *m.* gold (4)
    en — *(made of)* gold (4)

l'orage *m.* storm (15)
    il y a un — it's stormy (15)
oral, -e; *pl.* **oraux, -ales** oral (1)
orange orange (I)
l'orange *f.* orange (I)
    le canard à l'— duck with orange sauce (2)
    le soufflé à l'— orange soufflé (2)
l'orangeade *f.* orangeade (I)
l'orchestre *m.* orchestra (14)
l'ordinateur *m.* computer (1)
l'ordonnance *f.* prescription (12)
l'oreille *f.* ear (I)
    les boucles d'—s *f.pl.* earrings (I)
l'oreiller *m.* pillow (11)
organiser to organize (I)
l'orteil *m.* big toe (12)
ou or (I)
où where (I; 10)
    d'— from where (I)
oublier (de + *inf.***)** to forget *(to do something)* (I)
l'ouest *m.* west (I)
oui yes (I)
    mais — of course (I)
l'ouvre-boîte *m., pl.* **les ouvre-boîtes** can opener (15)
l'ouvreuse *f.* usher (6)
ouvrir to open (I)

le pain bread (I)
la paire pair (4)
le pamplemousse grapefruit (2)
le panier basket (15)
la panne:
    tomber en — to break down (9)
    tomber en — d'essence to run out of gas (9)
le pansement (adhésif) (adhesive) bandage (12)
le pantalon pants, slacks (I)
papa Dad (I)
la papeterie stationery store (1)
le papier paper (I)
le paquet package (2)
par by, by way of (I)
    — avion air mail (7)
    — exemple for example (I)
    — terre on the ground (I)
    une fois — ... once a(n) ..., one time per ... (I)
le parapluie umbrella (I)
le parc park (I)
parce que because (I)

pardon excuse me (I)
les parents *m.pl.* parents (I)
paresseux, -euse lazy (I)
parfait, -e perfect (I)
le parfum perfume (I)
parler to talk, to speak (I)
  ça parle de quoi? what's it about? (6)
parmi among (14)
la parole word (I)
la partie game (11)
  faire — de to belong to (I)
  faire une — (de) to play a game (of) (11)
partir to leave (I)
  — à l'étranger to go abroad (I)
partout everywhere (4)
pas not (I)
  ne ... — not (I)
  — du tout not at all (I)
  — terrible not so hot (6)
le passager, la passagère passenger (8)
le passeport passport (8)
passer to spend (*time*); to pass (I); to go by, to get by (3)
  je vous le (la) passe I'll put him (her) on (the phone) (10)
  — l'aspirateur to vacuum (10)
  — la douane to go through customs (8)
  — son temps à + *inf.* to spend one's time (*doing something*) (4)
  — un coup de fil to give someone a call (10)
  — un examen to take a test (I)
  — un film to show a film (6)
  se — to happen (1; 11)
passionnant, -e exciting (6)
le pâté pâté, loaf or spread of chopped meat (I)
les pâtes *f.pl.* noodles (2)
patiemment patiently (I)
la patience patience (14)
patient, -e patient (I)
le patin skate, skating (7)
  faire du — à glace/roulettes to ice/roller skate (7)
  les —s à glace/roulettes ice/roller skates (7)
patiner to skate (7)
la patinoire skating rink (7)
la pâtisserie pastry; pastry shop (I)

le pâtissier, la pâtissière pastry cook; pastry shop owner (I)
pauvre poor (I)
payer to pay (3)
le pays country (I)
le paysage landscape (7)
la peau skin (12)
la pêche peach (I); fishing (15)
  aller à la — to go fishing (15)
le peigne comb (5)
  peigner to comb (*someone's hair*) (5)
  se — to comb (one's hair) (5)
la peinture painting (14)
  faire de la — to paint (*pictures*) (14)
la pellicule film (I)
la pelouse lawn (I)
  pendant during; for (I)
  — que while (I)
la péninsule peninsula (7)
  penser to think (I)
  — à to think of/about (I)
  — de to think of, to have an opinion about (I)
  — que oui (non) to think so (not) (I)
la pension complète room with three meals a day (11)
  perdre to lose (I)
  — son temps à + *inf.* to waste one's time (*doing something*) (4)
le père father (I)
perm: être en — to be in study hall (I)
la permanence: la salle de — study hall (I)
  permettre à ... de + *inf.* to let, to allow, to permit (4)
  vous permettez? allow me; pardon me (3)
le permis de conduire driver's license (9)
la personne person (I)
  ne ... — not anyone, no one, nobody (I)
peser to weigh (7)
petit, -e small, little, short (I)
  le — ami, la —e amie boyfriend, girlfriend (I)
  le — déjeuner breakfast (I)
  la —e annonce classified ad (1)
  la —e-fille granddaughter (13)
  le —-fils grandson (13)

le — four petit four, small cake (13)
le — gâteau sec cookie (2)
le — mot note, short letter (1)
les —s-enfants *m.pl.* grandchildren (13)
les —s pois *m.pl.* peas (I)
peu:
  — confortable uncomfortable (I)
  — de few, little (I)
  — de temps a short time (1)
  un — (de) a little (of) (I)
la peur:
  avoir — (de) to be afraid (of) (I)
  faire — à to frighten, to scare (I)
peut-être maybe, perhaps (I)
la pharmacie pharmacy (12)
le pharmacien, la pharmacienne pharmacist (12)
la photo photograph (I)
  photographe *m.&f.* photographer (11)
la phrase sentence (I)
physique: l'éducation — (et sportive) (l'E.P. S.) *f.* gym (I)
la physique physics (I)
le piano piano (I)
la pièce play; coin; room (I)
  cost + **la —** apiece, for each one (2)
  monter une — to put on a play (6)
le pied foot (I)
  à — on foot (I)
  la course à — (foot) race (14)
  le doigt de — toe (12)
la pile battery (5)
le pilote pilot (8)
le pique-nique picnic (15)
  faire un — to have a picnic (15)
la piqûre shot, injection (12)
  faire une — à to give an injection (12)
pis: tant — too bad (5)
la piscine swimming pool (I)
la piste ski run, slope (7); runway (8)
la pizza pizza (I)
le placard closet (I); cupboard (2)
la place square, plaza (I); seat, room, space (3)
  à ma (ta, *etc.***) —** if you were me (if I were you, *etc.*) (12)
le plafond ceiling (10)
la plage beach (I)

plaire:
    ça me (te, *etc.***) plaît** I (you, *etc.*)
        like it (that) (4; 11)
    ils me (te) plaisent I (you) like
        them (11)
    s'il te (vous) plaît please (I)
  plaisanter to be kidding (4)
le plaisir: avec — with pleasure (3)
le plan city map (1)
la planche:
    faire de la — à roulettes (à voile)
        to go skateboarding
        (sailboarding) (15)
    la — à roulettes skateboard (15)
    la — à voile sailboard (15)
le plancher floor (10)
le plan-indicateur automatic metro
    map (3)
la plante plant (10)
    la — en fleur flowering plant (12)
le plastique plastic (10)
    en — *(made of)* plastic (2)
    plat: à — flat *(tire)* (9)
le plat dish; course (I)
    le — principal main course (I)
le plâtre cast (12)
    dans le — in a cast (12)
  plein, -e full (13)
    en — air outdoors (15)
    en —e forme in tip-top shape (14)
    faire le — to fill up *(with gas)* (9)
  pleurer to cry (13)
  pleuvoir to rain (I)
    il pleut des cordes it's raining
        cats and dogs (15)
la plongée diving (14)
    faire de la — to dive (14)
    faire de la — sous-marine to go
        scuba diving (15)
  plonger to dive (14)
la pluie rain (I)
la plupart (de) most (of), the majority
    (of) (3)
  plus more, *adj./adv.* + -er (I)
    de — en — (de) more and more
        (8)
    le/la — + *adj./adv.* the most, the
        adj./adv. + -est (4)
    moi non — neither do I (I)
    ne … — no longer, not anymore
        (I)
    ne … — de no more (of) (I)
    — … que more … than (I)
  plusieurs several (I)
  plutôt rather (10)

le pneu tire (9)
la poche:
    l'argent de — *m.* spending
        money, allowance (I)
    le livre de — paperback (I)
la poêle frying pan (15)
le poème poem (I)
le poids weight (7)
le poignet wrist (14)
le point:
    à — medium *(meat)* (I)
    le — de départ point of depar-
        ture (8)
  pointe: les heures de — *f.pl.* rush
    hour (3)
la pointure size *(shoes, gloves)* (4)
    quelle — faites-vous? what size
        do you take? (4)
la poire pear (I)
les pois: les petits — *m.pl.* peas (I)
le poisson fish (I)
la poissonnerie fish market (I)
le poissonnier, la poissonnière
    fishmonger (I)
la poitrine chest (12)
le poivre pepper (I)
le poivron green pepper (2)
  poli, -e polite (I)
  police: l'agent de — *m.&f.* police
    officer (I)
  policier, -ière *adj.* detective (I)
  poliment politely (I)
la pomme apple (I)
    la — de terre potato (I)
le pont bridge (I)
le porc: le rôti de — pork roast (I)
le port port (8)
la porte door (I)
    la — d'embarquement departure
        gate (8)
le portefeuille wallet, billfold (I)
  porter to wear; to carry (I)
  poser une question to ask a
    question (I)
  possible possible (I)
  postal, -e:
    la boîte —e (B.P.) post office
        (P.O.) box (7)
    la carte —e post card (I)
    le code — zip code (7)
la poste post office (I)
    l'employé, l'employée des —s
        postal employee (7)
la poterie pottery (14)
    faire de la — to make pottery (14)

le pouce thumb (12)
la poule hen (I)
le poulet chicken (I)
    le — provençal chicken
        provençale (I)
la poupée doll (4)
  pour for; + *inf.* in order to (I)
le pourboire tip (I)
  pourquoi (pas)? why (not)? (I)
  pourri, -e rotten (2)
  pousser to push (3)
  pouvoir to be able, can (I)
    je peux …? may I …? (I)
    pourriez-vous could you …? (I;2)
  pratique practical (9)
  préféré, -e favorite (I)
  préférer to prefer (I)
  premier, -ière first (I)
    au — étage on (to) the second
        floor (I)
    le — + *month* the first of (I)
  prendre to take; to have *(food or*
    drink) (I)
    — rendez-vous to make an
        appointment (I)
le prénom first name (11)
  préparer to prepare (I)
  près de near (I)
  présent, -e present (I)
  présenter to introduce, to present
    (6)
    se — à to go to, to present
        oneself (at) (11)
  presque almost (2)
  pressé, -e in a hurry (5)
    le citron — lemonade (I)
  prêt, -e ready (5)
  prêter (à) to lend (I)
  prier: je vous (t')en prie you're
    welcome (I)
  principal, -e; *pl.* **principaux, -ales**
    main (I)
le principal, la principale principal
    (middle school) (I)
le printemps spring (I)
    au — in the spring (I)
le prix price (2)
    faire un — à to give a deal to, to
        offer a reduced price (4)
le problème problem (I)
  prochain, -e next (I)
  prof *m.&f.* teacher (I)
le professeur teacher (I)
    la salle des —s teachers' lounge (I)
  profiter de to take advantage of (7)

le progrès: faire des — to make progress, to improve (I)

le projecteur slide (overhead) projector (1); spotlight (6)

le projet plan (I)

promenade: faire une — to take a walk (I)

promener to take for a walk (5)
   se — to take a walk (5)

promettre à ... de ... + *inf.* to promise *(someone to do something)* (I)

promis: c'est —! that's a promise! (4)

prononcer to pronounce (I)

proposer (à ... de ...) to suggest, to propose *(to someone to do something)* (I)

propre clean (I); own (9)

provençal, -e; *pl.* **provençaux, -ales** of (from) Provence (I)
   la tomate —e stuffed tomato (2)

la province province (I)

le proviseur principal *(male)* of a lycée (1)

les provisions *f.pl.* groceries (2)

la prune plum (2)

la publicité (la pub) ad, commercial (I)

les puces *f.pl.:* **le marché aux —** flea market (4)

puis then (6)

puisque since (3)

le pull sweater (I)

la purée de pommes de terre mashed potatoes (2)

le quai platform (3)

la qualité quality (4)

quand when (I)
   depuis —? since when? how long? (8)
   — même anyway, all the same; really! (1)

quarante forty (I)

le quart:
   le — d'heure quarter hour (I)
   time **+ et —** quarter past (I)
   time **+ moins le —** quarter to (I)

quatorze fourteen (I)

quatre four (I)
   —-vingt-dix ninety (I)
   —-vingts eighty (I)

quatrième fourth (I)

que that; than (I); as (4); whom (8)

ce — what (11)

ne ... — only (I)

—? what? (I)

québécois, -e Quebecois, from Quebec (I)

quel, quelle what, which (I)
   — ...! what (a) ...! (I)

quelque chose something (I)

quelquefois sometimes (I)

quelques a few, several (I)

quelqu'un someone (I)

qu'est-ce que what (I)
   — ...! isn't that ...! (6)
   —il y a? what is there?; what's the matter? (I)
   — tu as? what's the matter with you? (I)

qu'est-ce qui? what? (I)

la question question (I)
   poser une — to ask a question (I)

la queue: faire la — to stand in line (4)

qui who; whom (I); which (8)
   à — ...? whose ...? to whom ...? (I)
   ce — what (11)
   — est-ce? who's that? (I)
   — est-ce que? whom? (I)
   — est-ce qui? who? (I)

la quiche lorraine quiche lorraine (I)

une quinzaine de jours two weeks (11)

quinze fifteen (I)
   — jours two weeks (11)

quitter to leave *(a person or place)* (I)
   ne quittez pas hold the line (10)

quoi what (I)
   à — what (I)
   de — (of) what (I)
   il n'y a pas de — don't mention it (15)
   — de neuf? what's new? (1)

raccrocher to hang up (the phone) (10)

raconter to tell, to tell about (6)

la radio radio (I)

la radio-cassette boom box (I)
   raide straight (I)

le raisin grape (I)

la raison: avoir — to be right (I)
   ralentir to slow down (15)

la randonnée hike, hiking (15)
   faire une — to go hiking (15)

le randonneur, la randonneuse hiker (15)

ranger to put away; to arrange, to straighten (2)

rapide fast, quick (I)

rappeller to call back (10)

rarement rarely (1)

se raser to shave (5)

le rasoir razor (5)

rater to miss (3)
   — un examen to fail a test (I)

le rayon department *(of a store)* (4)

le réalisateur, la réalisatrice *(video, TV)* director (6)

récent, -e recent (I)

la réception reception desk (11); reception party (13)

réceptionniste *m.&f.* receptionist (11)

recevoir to receive (7)

le réchaud portable stove (15)

se réchauffer to get warmed up (7)

reconnaître to recognize (I)

la récré(ation) break, recess (I)

la rédaction composition (1)

le réfrigérateur (le frigo) refrigerator (10)

refuser (de) to refuse (to) (I)

regarder to look at, to watch (I)

le régime diet (12)

la région region (8)

regretter to be sorry (14)

régulièrement regularly (1)

remarquer to notice (4)

remercier (pour) to thank (for) (I)

remplir to fill, to fill out (7)
   — de to fill with (7)

rencontrer to meet, to run into (7)

le rendez-vous appointment (I)
   avoir — to have an appointment (I)
   prendre — to make an appointment (I)

rendre to return *(something)*, to give back (I)

les renseignements *m.pl.* information (I)

rentrer to go/come back, to return, to come/go home (I)

réparer to repair, to fix (9)

le repas meal (I)

répéter to rehearse (6)

répondre (à) to answer, to reply (to) (I)

la réponse answer (I)

se reposer to rest, to relax (7)

le représentant, la représentante salesperson (9)

réserver to reserve (11)
ressembler à to resemble, to look like (12)
  se — to resemble one another (13)
le restaurant restaurant (I)
rester to stay, to remain (I)
retard: en — late (I)
le retour: l'aller et — m. round-trip ticket (3)
retourner to go back, to return (I)
réussir (à + inf.) to succeed (in doing something) (1)
  — un examen to pass a test (I)
le rêve: faire de beaux —s to have sweet dreams (I)
le réveil alarm clock (5)
réveiller to wake someone up (5)
  se — to wake up (5)
revenir to come back, to return (I)
rêver (de) to dream (about) (12)
réviser to go over, to review (1)
revoir: au — good-bye (I)
le rez-de-chaussée ground floor, main floor (I)
le rhume cold (I)
riche rich (I)
le rideau, pl. **les rideaux** curtain, draperies (10)
rien nothing (I)
  ça ne fait — it doesn't matter (11)
  ça ne me dit — it doesn't grab me (14)
  de — don't mention it (I)
  ne ... — not anything, nothing (I)
le riz rice (I)
la robe dress (I)
le rocher boulder, rock (7)
le rock rock (music) (I)
le rôle role (I)
le roman novel (I)
le rosbif roast beef (I)
rose pink (I)
rosé: le vin — rosé wine (I)
la rose rose (12)
le rôti de porc (de veau) roast pork (veal) (I)
rouge red (I)
rougir to blush (I)
roulant: l'escalier — m. escalator (4)
rouler (en) to drive around (in), to run (vehicles) (9)
la roulette:
  faire de la planche à —s to go skateboarding (15)

faire du patin à —s to roller-skate (7)
les patins à —s m.pl. roller skates (7)
la planche à —s skateboard (15)
rouspéter to grumble, to complain (9)
la route road (I)
  faites bonne —! have a good trip! (11)
  se mettre en — to start off, to get going (9)
routier, -ière: la carte —ière road map (I)
roux, rousse redheaded (I)
la rue street (I)

sa his, her, its (I)
le sable sand (15)
le sac purse; bag, tote bag (I)
  le — à dos backpack (7)
  le — de couchage sleeping bag (15)
sage well-behaved (9)
saignant, -e rare (meat) (I)
la saison season (I)
la salade salad (I)
  la — niçoise niçoise salad (2)
sale dirty (I)
salé, -e salty (2)
  le biscuit — cracker (2)
la salle:
  la — à manger dining room (I)
  la — d'attente waiting room (8)
  la — de bains bathroom (I)
  la — de classe classroom (I)
  la — de documentation school library (I)
  la — de permanence study hall (I)
  la — des professeurs teachers' lounge (I)
  la — d'exposition showroom (9)
le salon living room (I)
  le — de coiffure beauty shop, barber shop (5)
la salopette bibbed ski pants (7)
salut hi; bye (I)
samedi m. Saturday (I)
le sandwich, pl. **les sandwichs** sandwich (I)
le sang blood (12)
sans without (I)
  — blague! no kidding! (9)
la santé health (12)

la sauce sauce (I)
le saucisson sausage (I)
sauf except (3)
sauter to jump (7)
savoir to know, to know how (I)
le savon soap (5)
la scène stage (6)
  le metteur en — (movies, theater) director (6)
la science-fiction (s.-f.) science fiction (1)
les sciences f.pl. science (I)
la sculpture sculpture (14)
  faire de la — to sculpt, to do sculpture (14)
se himself, herself, oneself (I); each other (13)
sec, sèche dry (8)
  le petit gâteau — cookie (2)
le sèche-cheveux pl. **les sèche-cheveux** hair dryer (5)
le sèche-linge, pl. **les sèche-linge** dryer (10)
sécher to dry (5)
  se — to dry oneself (5)
la sécurité: la ceinture de — seatbelt (8)
seize sixteen (I)
le séjour stay, time spent, sojourn (7)
le sel salt (I)
selon according to (7)
la semaine week (I)
sensationnel, -le terrific, sensational (7)
sensible sensitive (13)
le sentier path (15)
sentir to smell (12)
  se — to feel (12)
sept seven (I)
septembre m. September (I)
la séquence video clip (6)
sérieux, -euse serious, conscientious (I)
le serveur, la serveuse waiter, waitress (I)
le service:
  le — des objets trouvés lost and found (8)
  le — est compris tip is included (I)
la serviette napkin (I); towel (5)
servir to serve (I)
  sers-toi! servez-vous! help yourself (13)
  — à to be used for (5)
  se — de to use (5)

ses *pl.* his, her, its (I)
le set placemat (I)
seul, -e alone (I)
seulement only (I)
   si + *imperfect* how about ...? if only ...! (8)
sévère strict, stern (I)
le shampooing shampoo (5)
le short shorts (I)
si yes; if; so (I); whether (8)
   mais —! oh, yes! (I)
le siècle century (I)
le siège seat (9)
   signer to sign (11)
   sincère sincere (I)
   sinon otherwise, if not (9)
   situé, -e situated (8)
   six six (I)
le ski ski (I)
   faire du — (nautique) to (water-)ski (I)
   la station de — ski resort (7)
   skier to ski (7)
   snob snobbish (I)
la sœur sister (I)
la soif: avoir — to be thirsty (I)
   soigner to take care of (12)
   se — to take care of oneself (12)
le soir evening, in the evening (I)
   ce — tonight (I)
   du — P.M., in the evening (I)
la soirée evening (I)
   bonne — have a nice evening (I)
   sois! be + *adj.!* (I)
   soixante sixty (I)
   —-dix seventy (I)
le solde sale (4)
   en — on sale (4)
le soleil sun (I)
   il fait du — it's sunny (I)
   le coucher du — sunset (15)
   le lever du — sunrise (15)
   les lunettes de — *f.pl.* sunglasses (I)
le sommeil: avoir — to be sleepy (I)
   son his, her, its (I)
   sonner to ring, to sound (1)
   ça sonne the bell's ringing (I)
la sortie exit (I)
   sortir to go out (I); to take out (3)
la soucoupe saucer (I)
le soufflé soufflé (2)
   le — à l'orange orange soufflé (2)
   souhaiter (à ... de + *inf.)* to wish *(someone something)* (13)

la soupe soup (2)
le sourire smile (I)
   sous under (I)
sous-marine:
   faire de la plongée — to go scuba diving (15)
le sous-sol basement (4)
   sous-titré, -e with subtitles (6)
le sous-titre subtitle (6)
les sous-vêtements *m.pl.* underwear (4)
le souvenir souvenir (I)
se souvenir de to remember (6)
   souvent often (I)
la spécialité specialty (2)
le spectateur, la spectatrice spectator (I)
le sport:
   faire du — to play sports (I)
   le rayon des —s sporting goods department (4)
   la station de —s d'hiver winter sports resort (7)
   le terrain de — playing field (I)
   la voiture de — sports car (9)
   sportif, -ive athletic (I)
   l'éducation physique (et —ive) (l'E.P. S.) *f.* gym (I)
le stade stadium (I)
la station station (3); resort (7)
   stationner to park (9)
la station-service, *pl.* **les stations-service** gas station (9)
la statue statue (I)
   stéréo: la chaîne —, *pl.* **les chaînes —** stereo (10)
le steward flight attendant *(male)* (8)
le studio vidéo TV studio (6)
le stylo pen (I)
   sucré, -e sweet (2)
le sucre sugar (I)
le sud south (I)
le sud-est southeast (I)
le sud-ouest southwest (I)
   suffit: ça —! that's enough! (4)
   suisse Swiss (I)
la Suisse Switzerland (I)
   suite: tout de — right away, immediately (I)
   suivant, -e following (11)
   suivre to follow; to take *(a course)* (12)
   super great (I)
   superbe superb (2)
le supermarché supermarket (I)
le supplément: payer un — to pay extra (3)

sur on (I)
   — la photo in the photograph (I)
sûr, -e sure (I)
   bien — of course, certainly (I)
surgelé, -e frozen (2)
les surgelés *m.pl.* frozen food (2)
surpris, -e surprised (14)
   surtout especially (I)
   — pas! absolutely not! (I)
le survêtement sweatsuit (14)
   sympa(thique) nice, likable (I)

   ta your (I)
la table table (I)
le tableau, *pl.* **les tableaux** chalkboard (I); painting (10)
la taille size *(clothing)* (4)
   quelle — faites-vous? what size do you take? (4)
le tailleur woman's suit (4)
   tant (de) so many, so much (13)
   — mieux so much the better (5)
   — pis too bad (5)
la tante aunt (I)
   taper (à la machine) to type (1)
le tapis rug (10)
   tard late (5)
   plus — later (I)
la tarte pie (I)
la tartine piece of bread and butter (I)
la tasse cup (I)
le taxi taxi (I)
   te you; to (for, from) you (I)
le technicien, la technicienne technician (6)
le tee-shirt T-shirt (I)
la télé television, TV (I)
le télégramme telegram (7)
le téléphone phone (I)
   téléphoner (à) to phone (I)
le téléski ski lift (7)
   tellement so (12)
   — de so much/many (of) (12)
le témoin witness (13)
   tempéré, -e moderate, temperate (8)
le temps weather; time (I)
   ça prend combien de — pour ...? how long does it take to ...? (I)
   depuis combien de —? (for) how long? (8)
   de — en — from time to time (1)
   l'emploi du — *m.* class schedule (I)

Vocabulaire français-anglais   **557**

le temps (continued):

    en même — (que) at the same time (as) (8)

    il fait un — humide it's humid (15)

    le — libre spare time (14)

    passer/perdre son — à + *inf.* to spend/waste one's time *(doing something)* (4)

    peu de — a short time (1)

    (pour) combien de —? (for) how long? (I)

    prendre du — to take time (I)

    quel — fait-il? what's the weather like? (I)

le tennis tennis; tennis shoe (I)

la tente tent (15)

terminer to finish, to complete (14)

le terrain:

    le — de camping campground (15)

    le — de sport playing field (I)

la terrasse (d'un café) sidewalk café (I)

la terre soil, land, earth (8)

    par — on the ground (I)

    la pomme de — potato (I)

terrible great, tremendous (7)

    pas — not so hot (6)

tes *pl.* your (I)

la tête head (I)

    coûter les yeux de la — to cost an arm and a leg (4)

    faire la — to make a face; to pout (7)

le thé tea (I)

le théâtre theater (I)

le ticket ticket (3)

    tiens! say! well!; here you go!; take this! (I)

le timbre stamp (I)

timide shy (I)

le tiroir drawer (10)

le titre title (6)

    toi you (I)

    —-même yourself (15)

la toilette:

    l'article de — *m.* toilet article (5)

    faire sa — to wash up (5)

    le gant de — wash mitt (5)

    les —s restroom, toilet (I)

le toit roof (10)

la tomate tomato (I)

    la — provençale stuffed tomato (2)

    tomber to fall (I)

    — en panne to break down (9)

    — en panne d'essence to run out of gas (9)

    — malade to get sick (12)

ton your (I)

le tonnerre thunder (15)

    il y a du — it's thundering (15)

tort: avoir — to be wrong (I)

tôt early (5)

toucher to cash (11)

toujours always; still (I)

la tour tower (I)

le tour: chacun son — each in turn, wait your turn (4)

le tourisme:

    le bureau de — tourist office (I)

    faire du — to sightsee (I)

touriste *m.&f.* tourist (I)

touriste: en classe — in tourist class (8)

touristique *adj.* tourist (1)

le tourne-disque record player (I)

le tournedos *(meat)* filet (I)

tourner to turn (I)

    — un film to make/shoot a film (6)

tous, toutes *pron.* all (4)

    — les + *number* + *noun* every (7)

    — les deux both (of us, of you, of them) (7)

tousser to cough (12)

tout *adv.:*

    en — cas in any case (13)

    — à coup suddenly (I)

    — à fait completely, totally (2)

    — à l'heure a while ago; in a little while (11)

    — de suite right away, immediately (I)

    — droit straight ahead (I)

tout *pron.* all; everything (I)

    pas du — not at all (I)

tout, -e; *pl.* **tous, toutes** all, every (I)

    de —e façon in any case, anyhow (9)

    — le monde everybody (I)

le train train (I)

    être en — de + *inf.* to be in the process/middle of *(doing something)* (1)

le trajet trip, ride, distance *(of a trip)* (3)

la tranche slice (I)

le transparent overhead transparency (1)

le travail work (I)

travailler to work (I)

travailleur, -euse hardworking (1)

traverser to cross (I)

le traversin bolster (11)

treize thirteen (I)

trente thirty (I)

très very (I)

tricher (à) to cheat (at) (14)

triste sad (I)

trois three (I)

troisième third (I)

se tromper (de) to be mistaken (about) (6)

trop too (I)

    — (de) too much, too many (I)

tropical, -e; *pl.* **tropicaux, -ales** tropical (8)

le trottoir sidewalk, pavement (3)

trouver to find (I)

    comment trouvez-vous ...? what do you think of ...?, how do you like ...? (2)

    se — to be found, to be located (6)

    — + *adj.* to think something is + *adj.* (2)

tu you (I)

la tulipe tulip (12)

le type guy (9)

un, une a, an; one (I)

unique only (I)

l'université *f.* university (9)

l'usine *f.* factory (I)

utiliser to use (I)

les vacances *f.pl* vacation (I)

    en — on vacation (I)

    la colonie de — summer camp (I)

la vache cow (I)

la vaisselle: faire la — to do the dishes (I)

la valise suitcase (I)

    faire sa — to pack one's suitcase (3)

la vallée valley (7)

valoir:

    il (ça) vaut combien? what's it worth? (7)

    il vaut mieux + *inf.*/**que** + *subj.* it's better (preferable) to/that (13)

la vanille: à la — *(made with)* vanilla (I)

varié, -e varied (8)

le vase vase (14)
vaut *see* valoir
le veau:
    la blanquette de — veal stew (I)
    le rôti de — veal roast (I)
la vedette star (6)
le vélo bicycle (I)
    faire du — to go bike riding (I)
le vendeur, la vendeuse salesperson (I)
vendre to sell (I)
vendredi *m.* Friday (I)
venir to come (I)
    — chercher to come to get, to
        pick up (3)
    — de + *inf.* to have just *(done
        something)* (I)
le vent wind (I)
    il fait du — it's windy (I)
le ventre stomach (12)
vérifier to check (9)
la vérité truth (I)
le verre glass (I)
vers toward; around (I)
verser to deposit (11); to pour (13)
    — des arrhes to pay a deposit
        (11)
la version:
    la — française (en v.f.) dubbed
        into French (6)
    la — originale (en v.o.) original
        version with subtitles (6)
vert, -e green (I)
la veste jacket (4)
les vêtements *m.pl.* clothing (I)
    les — pour dames/hommes
        ladies'/men's wear (4)
veuillez please (2)
la viande meat (I)
vide empty (3)
vidéo: le studio — TV studio (6)
la vie life (8); living (9)
    gagner sa — to earn a living (9)
    que faites-vous dans la —? what
        do you do for a living? (8)
vieux (vieil), vieille; *pl.* vieux,
    vieilles old (I)
vif, vive bright *(colors)* (12)
le village village (I)

la ville city, town (I)
    en — downtown, to town (I)
le vin wine (I)
le vinaigre vinegar (I)
la vinaigrette oil and vinegar dressing
    (I)
vingt twenty (I)
violent, -e violent (6)
violet, violette purple (I)
la visite visit (I)
    faire une — (à) to visit *(someone)* (I)
visiter to visit *(a place)* (I)
vite hurry!; fast, quickly (I)
la vitesse speed (15)
la vitrine shop window (4)
    faire du lèche -—s to window
        shop (4)
vivre to live (12)
vœux:
    la carte de — greeting card (1)
    meilleurs — best wishes (13)
voici here is, here are (I)
la voie (train) track (3)
voilà there is, there are (I)
la voile:
    faire de la planche à — to go
        sailboarding (15)
    faire de la — to go sailing (I)
    le bateau à —s sailboat (I)
    la planche à — sailboard (15)
voir to see (I)
    fais (faites) — let me see, show
        me (6)
le voisin, la voisine neighbor (I)
la voiture car (I)
    en —! all aboard! (3)
    la — de sport sports car (9)
    la —-lit, *pl.* les —s-lits sleeping
        car (3)
    la —-restaurant, *pl.* les —s-
        restaurants dining car (3)
la voix voice (6)
le vol flight (8); theft, robbery (11)
le volant steering wheel (9)
    au — at the wheel (9)
voler to steal, to rob (11)
le voleur, la voleuse thief, robber (11)
    au —! stop, thief! (11)

le volleyball (le volley) volleyball (I)
volontiers gladly (1)
vos *pl.* your (I)
votre your (I)
vouloir to want (I)
    je voudrais I'd like (I)
    ne plus — de to no longer want
        something, not to want any-
        thing more to do with (10)
    nous voudrions we'd like (I)
    si tu veux if you wish (I)
    veux-tu? please (2)
    — bien to be willing (I)
    — dire to mean (I)
vous you; to (for, from) you (I);
    each other (13)
    —-même(s) yourself, yourselves
        (15)
le voyage trip (I)
    l'agence de —s *f.* travel agency (I)
    bon —! have a nice trip! (I)
    le chèque de — traveler's check
        (8)
    faire un — to take a trip (I)
    le — de noces honeymoon (13)
voyager to travel (3)
le voyageur, la voyageuse traveler (3)
vrai, -e true (I)
vraiment really, truly (I)
la vue (sur) view (of) (I)

le week-end weekend (I)
le western western *(movie)* (I)

y there; it (I)
    ça — est! that's it! (6)
    il — a there is, there are (I)
    il — a + *time* ago (I)
le yaourt yogurt (I)
les yeux *see* œil

zéro *m.* zero (I)
zut! darn!, rats! (I)

ENGLISH-FRENCH VOCABULARY

The *English-French Vocabulary* contains all active vocabulary from *DIS-MOI!* and *VIENS VOIR!*

A dash (—) represents the main entry word. For example, **up** — following **above** means **up above.** An asterisk before a word that begins with an *h* denotes an aspirate *h*.

The number following each entry indicates the chapter or book in which the word or expression is first introduced. Two numbers indicate that it is introduced in one chapter and elaborated upon in a later chapter. Roman numeral "*I*" indicates that the word was presented in *DIS-MOI!*

The following abbreviations are used: *adj.* (adjective), *adv.* (adverb), *f.* (feminine), *inf.* (infinitive), *m.* (masculine), *part.* (participle), *pl.* (plural), *pron.* (pronoun), *subj.* (subjunctive).

a, an un, une; + *measure* le, la (I)
able: to be — pouvoir (I)
aboard: all —! attention au départ
   ... en voiture (3)
about:
   — **ten** une dizaine (de) (2)
   — **which** dont (10)
   how — **...?** si seulement + *imperfect* (8)
   what's it —**?** ça parle de quoi? (6)
above au-dessus de (10)
   up — en haut (10)
abroad à l'étranger (I)
   to go — partir à l'étranger (I)
absent absent, -e (I)
absentminded distrait, -e (11)
absolutely not! surtout pas! (I)
accent l'accent *m.* (I)
   without an — sans accent (I)
to accept accepter (1)
accident l'accident *m.* (12)
to accompany accompagner (I)
according to d'après (I); selon (7)
account le compte (11)
   in an — sur (le) compte (11)
accountant le/la comptable (11)
acquainted: to be — **with** connaître (I)
across from en face de (I)
active actif, -ive (14)
activity l'activité *f.* (14)
   leisure-time activities les loisirs
     m.pl. (14)
actor l'acteur *m.* (I)

actress l'actrice *f.* (I)
ad la publicité (la pub) (I)
   classified — la petite annonce (1)
to add ajouter (9)
address l'adresse *f.* (I)
adhesive bandage le pansement adhésif (12)
adorable adorable (I)
advantage: to take — **of** profiter de (7)
adventure l'aventure *f.* (1)
   — **film** le film d'aventures (6)
   — **novel** le roman d'aventures (1)
advice les conseils *m.pl.* (12)
   — **column** le courrier du cœur (1)
   piece of — le conseil (12)
to advise *(someone to do something)* conseiller à ... de + *inf.* (9)
aerobics l'aérobic *f.* (14)
   to do — faire de l'aérobic (14)
aerogram l'aérogramme *m.* (7)
afraid:
   I'm — **so (not)** je crains que oui
     (non) (13)
   to be — **(of)** avoir peur (de) (I)
Africa l'Afrique *f.* (8)
African africain, -e (8)
after après (I)
   the day — le lendemain (de) (15)
afternoon l'après-midi *m.* (I)
   in the — (de) l'après-midi (I)
afterward ensuite (I)
again encore (I); de nouveau (14)
against contre (3)

agency l'agence *f.* (I)
ago il y a + *time* (I)
   a while — tout à l'heure (11)
to agree être d'accord (11)
agriculture l'agriculture *f.* (8)
ahead:
   go — allez-y! (1)
   straight — tout droit (I)
to aim diriger (6)
air l'air *m.* (9)
air-conditioned climatisé, -e (11)
air mail par avion (7)
airplane l'avion *m.* (I)
airport l'aéroport *m.* (I)
alarm clock le réveil (5)
algebra l'algèbre *f.* (I)
all *adj.* tout, -e, *pl.* tous, toutes;
    pron. tout (I); *pron.* tous,
    toutes (4)
   — **aboard!** en voiture! (3)
   — **the same** quand même (1)
   it's — **the same to me** ça m'est
     égal (I)
   not at — pas du tout (I)
to allow permettre à ... de + *inf.* (4)
   — **me** vous permettez? (3)
allowance l'argent de poche *m.* (I)
almost presque (2)
alone seul, -e (I)
along: to get — **well/badly (with)**
   s'entendre bien/mal (avec)
   (13)
already déjà (I)

Alsace: from the — region alsacien, -ne (2)
also aussi (I)
always toujours (I)
A.M. du matin (I)
amazed étonné, -e (14)
America l'Amérique *f.* (I)
American américain, -e (I)
among entre (I); parmi (14)
amusing amusant, -e (I)
an un, une (I)
ancestor l'ancêtre *m.* (8)
ancient ancien, -ne (I)
and et (I)
angry: to become — se fâcher (6)
animal l'animal, *pl.* les animaux *m.*; la bête (I)
ankle la cheville (14)
anniversary: wedding — l'anniversaire de mariage *m.* (13)
to announce annoncer (3)
announcement le faire-part, *pl.* les faire-part (13)
to annoy embêter (I)
another: one — se, nous, vous (13)
answer la réponse (I)
to answer répondre (à) (I)
any des; *(after negative)* de; en (I)
in — case de toute façon (9); en tout cas (13)
anybody: not — ne ... personne (I)
anyhow de toute façon (9)
anymore: not — ne ... plus (I)
anything:
not — ne ... rien (I)
not to want — more to do with ne plus vouloir de (10)
anyway quand même (1)
apartment l'appartement *m.* (I)
— building l'immeuble *m.* (I)
apiece la pièce (2)
to appear se présenter (11)
appetizers les*hors-d'œuvre *m.pl.* (I)
to applaud applaudir (I)
apple la pomme (I)
— pie la tarte aux pommes (I)
appointment le rendez-vous (I)
to have (make) an — avoir (prendre) rendez-vous (I)
April avril *m.* (I)
to argue (with) se disputer (avec) (13)
arm le bras (I)
armchair le fauteuil (10)
around vers (I); autour de (3)
to arrange organiser (I); ranger (2)

to arrest arrêter (11)
arrival l'arrivée *f.* (3)
— time l'heure d'arrivée *f.* (3)
to arrive arriver (I)
art l'art *m.* (14)
article l'article *m.* (1)
artist l'artiste *m.&f.* (14)
artistic artistique (14)
as:
— a(n) comme (I)
— ... — aussi ... que (4)
— for me moi *(interruption)* (14)
to ask (for) demander (I)
to — a question poser une question (I)
to — someone (for) demander à (I)
asleep: to fall — s'endormir (5)
aspirin l'aspirine *f.* (12)
astonished étonné, -e (14)
at à; chez (I)
— last enfin (I)
— least au moins (11)
athletic sportif, -ive (I)
athletics l'athlétisme *m.* (14)
to do — faire de l'athlétisme (14)
Atlantic Ocean l'océan Atlantique *m.* (I)
to attach attacher (8)
to attend assister à (I)
to — to s'occuper de (9)
attendance: to take — faire l'appel *m.* (I)
attention: to pay — (to) faire attention (à) (I)
attic le grenier (10)
August août *m.* (I)
aunt la tante (I)
automatic metro map le plan-indicateur (3)
autumn l'automne *m.* (I)
in — en automne (I)
available libre (I)
avenue l'avenue *f.* (1)
on the — dans l'avenue (1)
to avoid éviter (de + *inf.*) (7)
awful affreux, -euse (9)
how —! quelle horreur! (I)

baby le bébé (5)
to babysit garder (un enfant) (I)
back: to give — rendre (I)
back le dos (I)
to have a —ache avoir mal au dos (I)

backpack le sac à dos, *pl.* les sacs à dos (7)
back seat le siège arrière (9)
backward en arrière (6)
bad mauvais, -e; *adv.* mal (I)
it's — weather out il fait mauvais (I)
that's too — c'est dommage (I)
too — tant pis (5)
badly mal (I)
bag le sac (I)
to pack one's —s faire ses bagages (3)
baggage les bagages *m.pl.* (3)
baker le boulanger, la boulangère (I)
bakery la boulangerie (I)
balcony le balcon (11)
ball la balle; *(inflated)* le ballon (I)
banana la banane (2)
bandage le pansement (12)
bank la banque (I)
on the — of au bord de (15)
banker le banquier, la banquière (11)
barber le coiffeur, la coiffeuse (5)
— shop le salon de coiffure (5)
bargain la bonne affaire (4)
to bargain marchander (4)
baseball le baseball (I)
basement le sous-sol (4)
basket le panier (15)
basketball le basketball (le basket) (I)
bath le bain (5)
bathing suit le maillot de bain, *pl.* les maillots de bain (I)
bathroom la salle de bains (I)
bathtub la baignoire (5)
battery la pile (5)
bay la baie (7)
to be être; *(located)* se trouver (I; 6)
beach la plage (I)
beans: green — les*haricots verts *m.pl.* (I)
beard la barbe (5)
beautiful beau (bel), belle; *pl.* beaux, belles (I)
beauty shop le salon de coiffure (5)
because parce que (I); car (13)
to become devenir (I)
bed le lit (10)
to go to — se coucher (5)
to put to — coucher (5)
bedroom la chambre à coucher (I)
beef burgundy le bœuf bourguignon (I)
beer la bière (I)
before avant (I); avant de + *inf.* (11)

to begin (to) commencer (à + *inf.*) (I); se mettre à + *inf.* (9)

beginning le commencement (I)
   at the — au début (13)

behaved: well-— sage (9)

behind derrière (I)

Belgian belge (I)

Belgium la Belgique (I)

to believe croire (5)

bell la cloche (1)
   the — is ringing ça sonne (I)

belly le ventre (12)

belongings les affaires *f.pl.* (15)

to belong to être à; faire partie de (I)

below au-dessous de (10)
   down — en bas (10)

belt la ceinture (I)

berth la couchette (3)

beside à côté (de) (I)

besides d'ailleurs (13)

best le (la) meilleur(e) (4); *adv.* le mieux (4)
   — wishes *(letters)* amicalement (7); meilleurs vœux (13)
   to do one's — faire de son mieux (I)
   it's — to/that il vaut mieux + *inf.*/ que + *subj.* (13)

better meilleur, -e (4); *adv.* mieux (I)
   to be/feel — aller mieux (I)
   it's — to/that il vaut mieux + *inf.*/ que + *subj.* (13)
   so much the — tant mieux (5)

between entre (I)

beverage la boisson (I)

bicycle le vélo (I); la bicyclette (15)
   to go bicycling faire du vélo (I)

big grand, -e (I)
   — toe l'orteil *m.* (12)

bike *see* **bicycle**

bill *(check)* l'addition *f.*; *(money)* le billet (I); *(invoice)* la note (11)

billfold le portefeuille (I)

biography la biographie (1)

biology la biologie (I)

bird l'oiseau, *pl.* les oiseaux *m.* (I)

birthday l'anniversaire *m.* (I)
   — cake le gâteau d'anniversaire (I)
   happy —! bon anniversaire! (I)

bit le morceau, *pl.* les morceaux (I)
   a little — (of) un peu (de) (I)

black noir, -e (I)

blackboard le tableau, *pl.* les tableaux (I)

blanket la couverture (11)

blond blond, -e (I)

blood le sang (12)

blouse le chemisier (I)

to blow-dry faire un brushing (5)

blue bleu, -e (I)
   — cheese le bleu (2)

to blush rougir (I)

boarding pass la carte d'embarquement (8)

boat le bateau, *pl.* les bateaux (I)
   by — par bateau (7)
   to go —ing faire du bateau (I)

body le corps (I)
   — building la musculation (14)
   to do — building faire de la musculation (14)

bolster le traversin (11)

book le livre (I); *(slang)* le bouquin (1)
   — of tickets le carnet (3)

bookcase l'étagère *f.* (10)

bookstore la librairie (1)

boom box la radio-cassette, *pl.* les radio-cassettes (I)

boot la botte (I)

border la frontière (I)

bored: to be s'ennuyer (6)

boring ennuyeux, -euse (I)

born né, -e (I)
   to be — naître (I)

to borrow (from) emprunter (à) (I)

both tous (toutes) les deux (7)

to bother embêter (I); déranger (12)

bottle la bouteille (I)

bottom:
   at the — of en bas de (10)
   on the — en bas (10)

bouillabaisse la bouillabaisse (I)

boulder le rocher (7)

boulevard le boulevard (1)
   on the — sur le boulevard (1)

bouquet le bouquet (12)

box la boîte (I)
   post office (P.O.) — la boîte postale (B.P.) (7)

boy le garçon (I)

boyfriend le petit ami (13)

bracelet le bracelet (I)

brake le frein (15)

to brake freiner (15)

brand la marque (4)

brand-new neuf, neuve (4)

bravo! bravo! (I)

bread le pain (I)
   loaf of French — la baguette (I)
   piece of — and butter la tartine (I)

break *(rest)* la récréation (la récré) (I)

to break casser (I); se casser (12)
   to — down tomber en panne (9)

breakfast le petit déjeuner (I)

bride la mariée (13)

bridge le pont (I)

Brie le brie (2)

bright *(colors)* vif, vive (12)

to bring apporter (I)
   to — down descendre (3)
   to — forward avancer (6)
   to — up monter (3)

broke *(out of money)* fauché, -e (I)

brother le frère (I)

brother-in-law le beau-frère (13)

brown marron; brun, -e (I)

brush la brosse (5)

to brush brosser (5)
   to — one's hair/teeth se brosser les cheveux/dents (5)

buffet le buffet (3)

building le bâtiment (I)

Burkina-Faso le Burkina-Faso (8)

to burn brûler (12)
   to — + part of body se brûler à (12)
   to — oneself se brûler (12)

bus l'autobus (le bus) *pl.* les autobus *m.* (I)
   — stop l'arrêt d'autobus *m.* (3)
   — tour le car (I)

busy occupé, -e (I)
   not — libre (I)

but mais (I)

butcher le boucher, la bouchère (I)
   — shop la boucherie (I)

butter le beurre (I)

button le bouton (3)

to buy acheter (I)

by par; en + *vehicle* (I); au bord de (15)

cabbage le chou, *pl.* les choux (2)

café le café (I)
   sidewalk — la terrasse d'un café (I)

cafeteria la cantine (I)

cake le gâteau, *pl.* les gâteaux (I)
   birthday — le gâteau d'anniversaire (I)

calendar le calendrier (I)

call:
   phone — le coup de fil (10)
   to give someone a — passer un coup de fil (10)

to call *(on the phone)* téléphoner (à) (I); appeler (5)
   to — back rappeler (10)

to call (*continued*):
    who's —ing? qui est à l'appareil? (10)
calm calme (I)
Camembert le camembert (2)
camera l'appareil (de photo) *m.* (I)
    movie — la caméra (6)
camp:
    — counselor le moniteur, la monitrice (15)
    summer — la colonie de vacances (I)
to camp faire du camping (I)
camper trailer la caravane (9)
campground le terrain de camping (15)
camping: to go — faire du camping (I)
can pouvoir (I)
can la boîte (2)
    — opener l'ouvre-boîte, *pl.* les ouvre-boîtes *m.* (15)
Canada le Canada (I)
Canadian canadien, -ienne (I)
canapé le canapé (13)
candy les bonbons *m.pl.* (I)
canned en boîte (2)
    — goods les conserves *f.pl.* (2)
capital la capitale (8)
car la voiture (I)
caramel custard la crème caramel (I)
card la carte (I)
care:
    to take — of s'occuper de (9); soigner (12)
    to take — of oneself se soigner (12)
caretaker le/la concierge (I)
carnation l'œillet *m.* (12)
carpeting: wall-to-wall — la moquette (10)
carrot la carotte (I)
to carry porter (I)
cart le chariot (2)
carte: à la — à la carte (I)
cartoon *(film)* le dessin animé (I)
case: in any — de toute façon (9); en tout cas (13)
cash:
    — register la caisse (2)
    in — en liquide (11)
to cash a check toucher un chèque (11)
cashier le caissier, la caissière (2)
cassette la cassette (I)
    — player le magnétophone à cassettes (I)
cast le plâtre (12)
    in a — dans le plâtre (12)
castle le château, *pl.* les châteaux (I)
cat le chat (I)

to catch attraper (12)
cauliflower le chou-fleur, *pl.* les choux-fleurs (2)
ceiling le plafond (10)
to celebrate fêter (13)
celebration la fête (13)
celery le céleri (2)
centime le centime (I)
century le siècle (I)
cereal les céréales *f.pl.* (2)
certainly bien sûr (I)
chair la chaise (I)
chalk la craie (I)
chalkboard le tableau, *pl.* les tableaux (I)
chambermaid la femme de chambre (11)
champagne le champagne (13)
change *(money)* la monnaie (I)
to change changer (de) + *noun* (8)
    to — one's mind changer d'avis (8)
chapter le chapitre (I)
charge: to be in — of se charger de (15)
charming charmant, -e (I)
to chat bavarder (10)
château le château, *pl.* les châteaux (I)
cheap(er) bon (meilleur) marché (4)
to cheat (at) tricher (à) (14)
check *(bill)* l'addition *f.* (I); le chèque (11)
    by — par chèque (11)
    to cash a — toucher un chèque (11)
to check vérifier (9)
    to — (one's baggage) faire enregistrer (ses bagages) (8)
checkers les dames *f.pl.* (I)
check-in l'enregistrement *m.* (8)
checkout counter la caisse (2)
cheek la joue (13)
cheese le fromage (I)
chemistry la chimie (I)
cherry la cerise (2)
chess les échecs *m.pl.* (I)
chest la poitrine (12)
chicken le poulet (I)
    — cooked in wine le coq au vin (I)
    — provençale le poulet provençal (I)
child l'enfant *m.&f.* (I)
chimney la cheminée (10)
chips les chips *f.pl.* (2)
chocolate le chocolat; *(made with)* au chocolat (I)
    — mousse la mousse au chocolat (I)
choice le choix (I)
to choose choisir (I)
chop la côtelette (2)
Christmas Noël *m.* (I)

church l'église *f.* (I)
city la ville (I)
    — map le plan (1)
class le cours (I)
    after — après les cours (I)
    — schedule l'emploi du temps *m.* (I)
    first-— *adj.* de première classe (3)
    to go to *(subject)* **—** aller en cours de (I)
    in tourist — en classe touriste (8)
    second-— *adj.* de deuxième classe (3)
classic *(film or play)* le grand classique (6)
classical classique (I)
classified ad la petite annonce (1)
classmate le/la camarade de classe (I)
classroom la salle de classe, *pl.* les salles de classe (I)
clean propre (I)
to clean nettoyer (10)
to clear the table débarrasser la table (I)
climate le climat (8)
to climb monter (I)
clock l'horloge *f.* (3)
    alarm — le réveil (5)
to close fermer (I)
closet le placard (I)
clothing les vêtements *m.pl.* (I)
cloud le nuage (I)
cloudy: it's — le ciel est couvert (I)
club le club (6)
coast la côte (7)
coat le manteau, *pl.* les manteaux (I)
coffee le café (I)
    — with cream le café crème (I)
coin la pièce (I)
cold froid, -e; le rhume (I)
    — cuts la charcuterie (I)
    it's — out il fait froid (I)
    to be — *(people)* avoir froid (I)
college student l'étudiant *m.*, l'étudiante *f.* (9)
colony la colonie (8)
color la couleur (I)
    what —? de quelle couleur? (I)
comb le peigne (5)
to comb:
    to — one's hair se peigner (5)
    to — someone's hair peigner (5)
to come venir (I); se présenter (11)
    — on! ça alors! (I); allez! (9)
    that —s to how much? ça fait combien? (I)
    to — back rentrer; revenir (I)

to come *(continued):*

    to — down descendre (I)

    to — in entrer (dans) (I)

    to — to get venir chercher (3)

    to — up monter (I)

comedy *(film)* le film comique (6)

comfortable confortable (I); à l'aise (13)

comic strip la bande dessinée (la B.D., *pl.* les B.D.) (I)

commercial la publicité (la pub) (I)

commuter ticket la Carte Orange (3)

compartment le compartiment (3)

to complain rouspéter (9)

to complete terminer (14)

completely tout à fait (2)

composition la rédaction (1)

computer l'ordinateur *m.* (1)

    — department le rayon informatique (4)

    —s l'informatique *f.* (4)

concert le concert (I)

condition la condition (9)

conductor le contrôleur, la contrôleuse (3)

to congratulate féliciter (13)

congratulations! félicitations! (I)

conscientious sérieux, -euse (I)

to consume consommer (9)

contact lenses les lentilles (de contact) *f.pl.* (I)

continent le continent (8)

to continue (to) continuer (à) (I)

contrary: on the — au contraire (I)

conversation la conversation (10)

cook le cuisinier, la cuisinière (11)

to cook faire la cuisine (I); faire cuire (15)

cookie le petit gâteau sec, *pl.* les petits gâteaux secs (2)

cooking la cuisine (I)

cool: it's — out il fait frais (I)

coq au vin le coq au vin (I)

corner le coin (I)

correct correct, -e (I)

to correct corriger (I)

to correspond correspondre (I)

corridor le couloir (I)

to cost coûter (I)

    to — an arm and a leg coûter les yeux de la tête (4)

cotton le coton (4)

    (made of) **—** en coton (4)

couch le canapé (10)

to cough tousser (12)

    could you …? pourriez-vous …? (I; 2)

counselor: camp — le moniteur, la monitrice (15)

to count compter (I)

counter le comptoir (2)

    checkout — la caisse (2)

country la campagne; le pays (I)

couple le couple (13)

courage le courage (14)

course *(school)* le cours (I)

    main — le plat principal (I)

    of — mais oui; bien sûr (I)

    of — not mais non (I)

    to take a — suivre un cours (12)

courtyard la cour (I)

cousin le cousin, la cousine (I)

cow la vache (I)

cracker le biscuit salé (2)

crash helmet le casque (15)

crazy fou, folle (9)

    — person le fou, la folle (9)

    to be — about adorer (I)

cream la crème (I)

    coffee with — le café crème (I)

credit card la carte de crédit, *pl.* les cartes de crédit (11)

crêpe la crêpe (I)

crescent roll le croissant (I)

to cross traverser (I)

crowd la foule (3)

to cry pleurer (13)

cup la tasse (I)

cupboard le placard (2)

curly frisé, -e (I)

currency exchange le bureau de change (11)

current actuel, -le (6)

currently actuellement (6)

curtain le rideau, *pl.* les rideaux (10)

custodian le/la concierge (I)

customer le client, la cliente (I)

customs la douane (8)

    — officer le douanier (8)

    to go through — passer la douane (8)

to cut couper (5)

    to — + *part of body* se couper à (12)

    to — oneself se couper (12)

cute mignon, -ne (13)

cycling le cyclisme (15)

    to go — faire du cyclisme (15)

cyclist le/la cycliste (15)

Dad papa *m.* (I)

dairy:

    — merchant le crémier, la crémière (I)

    — store la crémerie (I)

daisy la marguerite (12)

damp humide (8)

dance la danse (14)

to dance danser (I)

dancer le danseur, la danseuse (14)

dancing la danse (14)

dangerous dangereux, -euse (7)

dark *(hair)* brun, -e (I); *(colors)* foncé, -e (12); *(skin)* mat, -e (12)

    to get — faire nuit (I)

darn! zut! (I)

date la date (I)

daughter la fille (I)

day le jour; la journée (I)

    the — after le lendemain (de) (15)

    it's —light il fait jour (I)

    the next — le lendemain (15)

    what — is it? quel jour sommes-nous? (I)

dead mort, -e (I)

deal:

    to get a good — faire une bonne affaire (4)

    to offer a — faire un prix à (4)

dear cher, chère (7)

    oh, —! oh là là! (9)

December décembre *m.* (I)

to decide (to) décider (de) (I)

to declare déclarer (8)

to defend défendre (11)

    degrees: it's (minus) … il fait (moins) … degrés (I)

delicatessen la charcuterie (I)

    — owner le charcutier, la charcutière (I)

delicious délicieux, -euse (I)

delightful adorable (I)

dentist le/la dentiste (I)

    —'s office le cabinet (12)

department *(of a store)* le rayon (4)

    — store le grand magasin (4)

departure le départ (3)

    — gate la porte d'embarquement (8)

    — time l'heure de départ *f.* (3)

    point of — le point de départ (8)

deposit les arrhes *f.pl.* (11)

    to pay a — verser des arrhes (11)

to deposit verser (11)

to descend from descendre de (I)

to describe décrire (1)

    designer: set — le décorateur, la décoratrice (6)

desk le bureau, *pl.* les bureaux (I)

dessert le dessert (I)

destination la destination (8)
to detach détacher (8)
detective *adj.* policier, -ière (I)
to dial composer le numéro (10)
dictionary le dictionnaire (1)
to die mourir (I)
diet le régime (12)
different différent, -e (de) (8)
difficult difficile (I)
dining car la voiture-restaurant, *pl.*
   les voitures-restaurants (3)
dining room la salle à manger (I)
dinner le dîner (I)
   to have — dîner (I)
direct direct, -e (8)
to direct diriger (6)
director *(movies, theater)* le metteur
   en scène (6); *(video, TV)* le
   réalisateur, la réalisatrice (6)
dirty sale (I)
disagreeable désagréable (I)
to disappoint décevoir (7)
disappointed déçu, -e (7)
discouraged: don't get — bon courage! (1)
dish le plat (I)
   — of ice cream la coupe de glace (I)
   to do the —es faire la vaisselle (I)
dishwasher le lave-vaisselle, *pl.* les
   lave-vaisselle (10)
to disobey désobéir (à) (I)
distance *(of a trip)* le trajet (3)
distracted distrait, -e (11)
to disturb déranger (12)
to dive plonger (14); faire de la plongée (14)
diving la plongée (14)
to do faire (I)
doctor le médecin (I); *(title, form of
   address)* le docteur (12)
   —'s office le cabinet (12)
documentary le documentaire (I)
dog le chien (I)
doll la poupée (4)
dollar le dollar (11)
door la porte (I)
double room la chambre à deux lits (11)
down below en bas (10)
downtown en ville (I)
dozen la douzaine (de) (I)
draperies le rideau, *pl.* les rideaux (10)
to draw dessiner (I)
drawer le tiroir (10)
drawing le dessin (I)
dream: to have sweet —s faire de
   beaux rêves (I)

to dream (about) rêver (de) (12)
dress la robe (I)
to dress *(someone)* habiller (5)
   dressed: to get — s'habiller (5)
   dressing: oil and vinegar — la vinai-
      grette (I)
drink la boisson (I)
to drink boire (5)
   to give something to — to donner
      à boire à (I)
   something to — quelque chose à
      boire (I)
to drive conduire (9)
   to — around (in) rouler (en) (9);
      circuler (I)
driver le conducteur, la conductrice (3)
   —'s license le permis de conduire (9)
dry sec, sèche (8)
to dry sécher (5); essuyer (10)
   to — oneself se sécher (5); s'es-
      suyer (10)
dryer le sèche-linge, *pl.* les sèche-
   linge (10)
dubbed doublé, -e (6)
duck le canard (I)
   — with orange sauce le canard à
      l'orange (2)
dumb bête (I)
during pendant (I)

each chaque (I)
   — in turn chacun(e) son tour! (4)
   — one chacun, -e (4)
   — other se, nous, vous (13)
   for — one la pièce (2)
ear l'oreille *f.* (I)
   to have an —ache avoir mal à
      l'oreille (I)
early de bonne heure (I); en avance
   (3); tôt (5)
to earn gagner (9)
   to — a living gagner sa vie (9)
earrings les boucles d'oreilles *f.pl.* (I)
earth la terre (8)
east l'est *m.* (I)
easy facile (I)
to eat manger (I)
   something to — quelque chose à
      manger (I)
economical économique (9)
effort l'effort *m.* (14)
egg l'œuf *m.* (I)
egotistical égoïste (I)
eh? hein? (4)
eight huit (I)

eighteen dix-huit (I)
eighty quatre-vingts (I)
elbow le coude (14)
electric(al) électrique (5)
electronics department le rayon hi-fi (4)
elegant chic (I); élégant, -e (4)
elevator l'ascenseur *m.* (4)
eleven onze (I)
to embrace (s')embrasser (13)
employee l'employé *m.*, l'employée
   f. (I)
empty vide (3)
end la fin (I)
   up/all the way to the — jusqu'au
      bout (3)
energetic énergique (I)
engaged fiancé, -e (13)
England l'Angleterre *f.* (I)
English anglais, -e; *(language)* l'anglais *m.* (I)
English Channel La Manche (I)
enjoy:
   to — oneself s'amuser (6)
   — your meal bon appétit (I)
   — your trip bon voyage (I)
enjoyable amusant, -e (I)
enough assez + *adj.*; assez de (I)
   that's —! ça suffit! (4)
to enter entrer (dans) (I)
entrance l'entrée *f.* (I)
envelope l'enveloppe *f.* (I)
er … euh … (I)
eraser la gomme (I)
escalator l'escalier roulant, *pl.* les
   escaliers roulants *m.* (4)
especially surtout (I)
Europe l'Europe *f.* (I)
even *adv.* même (12)
evening le soir; la soirée (I)
   good — bonsoir (I)
   have a nice — bonne soirée (I)
   in the — le soir; *time* + du soir (I)
   last — hier soir (I)
ever déjà (I); jamais (7)
every chaque; tous les, toutes les (I)
   — + *number* + *noun* tous (toutes)
      les + *number* + *noun* (7)
everybody tout le monde (I)
everything tout (I)
everywhere partout (4)
exam l'examen *m.* (I)
to examine examiner (12)
   example: for — par exemple (I)
excellent excellent, -e (I)
except sauf (3)

exciting passionnant, -e (6)
excuse me pardon (I); excuse(z)-moi (3)
exercise l'exercice m. (I)
to exercise faire de l'exercice (I)
exhausted épuisé, -e (15)
exhibit, exhibition l'exposition f. (14)
exit la sortie (I)
expensive cher, chère (I)
   to be — coûter cher (I)
   less — meilleur marché (4)
to explain expliquer (I)
exquisite exquis, -e (13)
exterior l'extérieur m. (9)
extra: to pay — payer un supplément (3)
eye l'œil, pl. les yeux m. (I)
   to have ... —s avoir les yeux ... (I)
eyeglasses les lunettes f.pl. (I)

face la figure (5)
   to make a — faire la tête (7)
fact: as a matter of — en effet (I)
factory l'usine f. (I)
to fail a test rater un examen (I)
fall l'automne m. (I)
   in the — en automne (I)
to fall tomber (I)
   to — asleep s'endormir (5)
false faux, fausse (I)
familiar: to be — with connaître (I)
family la famille (I)
famous célèbre (I)
far from loin de (I)
farm la ferme (I)
farmer l'agriculteur m., l'agricultrice
   f. (I)
fast rapide; vite (I)
to fasten attacher (8)
fat gros, grosse (I)
   to get — grossir (I)
father le père (I)
father-in-law le beau-père (13)
favorite préféré, -e (I)
February février m. (I)
fed up: to be — with en avoir marre
   de + inf. (12)
to feed donner à manger à (I)
to feel se sentir (12)
   to — like (doing something) avoir
     envie de + inf. (2)
   to — nauseated avoir mal au
     cœur (12)
   to — well (ill, better) aller bien
     (mal, mieux) (I)

felt-tip pen le feutre (I)
fever la fièvre (I)
   to have a — avoir de la fièvre (I)
few peu de (I)
   a — quelques (I)
fewer and fewer de moins en moins
   (de) (8)
fiancé(e) le (la) fiancé(e) (13)
field le champ (I)
   playing — le terrain de sport (I)
fifteen quinze (I)
   time + — ... heure(s) et quart (I)
fifth cinquième (I)
fifty (51, 52, etc.) cinquante (cinquante et un, cinquante-
   deux, etc.) (I)
filet (meat) le tournedos (I)
to fill (with) remplir de (7)
   to — out remplir (7)
   to — up (with gas) faire le plein (9)
film le film; la pellicule (I)
   — set le décor (6)
   to make a — tourner un film (6)
   to show a — passer un film (6)
finally enfin (I)
to find trouver (I)
fine beau (bel), belle; pl. beaux,
   belles (I)
   things are — ça va bien (I)
finger le doigt (12)
to finish finir (I); terminer (14)
fire le feu, pl. les feux (7)
fireplace la cheminée (10)
first premier, -ière; adv. d'abord (I)
   at — d'abord (I); au début (13)
   —-class adj. de première classe (3)
   — name le prénom (11)
   in — class en première classe (8)
   the — of le premier + month (I)
fish le poisson (I)
   — market la poissonnerie (I)
   — stew la bouillabaisse (I)
fishing la pêche (15)
   to go — aller à la pêche (15)
fishmonger le poissonnier, la poissonnière (I)
fit:
   to be — être en forme (I)
   to — (someone) aller (bien) à (4)
five cinq (I)
to fix réparer (9)
fixed-price meal le menu (I)
flag le drapeau, pl. les drapeaux (I)
flash of lightning l'éclair m. (15)
flat à plat (9)

flea market le marché aux puces (4)
Flemish (language) le flamand (I)
flight le vol (8)
   — attendant le steward, l'hôtesse
     de l'air f. (8)
floor (of a building) l'étage m. (I); le
   plancher (10)
   ground (main) — le rez-de-
     chaussée (I)
   on the second (third, etc.) — au
     premier (deuxième, etc.)
     étage (I)
florist le/la fleuriste (12)
flour la farine (2)
flower la fleur (I)
flowering plant la plante en fleur (12)
flu la grippe (12)
fluently couramment (1)
fog le brouillard (15)
foggy: it's — il y a du brouillard (15)
folk adj. folk(lorique) (14)
to follow suivre (12)
following suivant, -e (11)
fond: to be — of aimer bien (I)
foot le pied (I)
   on — à pied (I)
football le football américain (I)
footrace la course à pied (14)
   to run a — faire de la course à
     pied (14)
for pour; pendant (I); depuis (8); ça
   fait/il y a + time + que +
   present (13); car (13)
   — a(n) comme (I)
   — example par exemple (I)
forecast: weather — la météo (1)
foreign étranger, -ère (I)
foreigner l'étranger m., l'étrangère f. (I)
forest la forêt (7)
to forget (to) oublier (de) (I)
fork la fourchette (I)
form la fiche (7)
former ancien, -ne (8)
formerly autrefois (8)
fortunately heureusement (I)
forty (41, 42, etc.) quarante (quarante et un, quarante-deux,
   etc.) (I)
forward en avant (6)
   to bring — avancer (6)
   to move — s'avancer (6)
found: to be — se trouver (6)
fountain la fontaine (I)
four quatre (I)
fourteen quatorze (I)

fourth quatrième (I)
franc le franc (I)
France la France (I)
free libre; gratuit, -e (I)
   — time le temps libre (14)
to freeze geler (I)
French français, -e; *(language)* le
   français (I)
   —-speaking francophone (8)
French fries les frites *f.pl.* (I)
fresh frais, fraîche (I)
Friday vendredi *m.* (I)
fridge le frigo (10)
   in the — au frais (2)
friend l'ami *m.*, l'amie *f.*; le copain,
   la copine (I)
to frighten faire peur à (I)
from de (d') (I)
front:
   — door l'entrée *f.* (I)
   — seat le siège avant (9)
   in — of devant (I)
frozen surgelé, -e (2)
   — food les surgelés *m.pl.* (2)
fruit les fruits *m.pl.*; *(piece of)* le fruit (I)
frying pan la poêle (15)
full complet, -ète (3); plein, -e (13)
funny drôle; amusant, -e (I); marrant, -e (6)
furious furieux, -euse (14)
furniture les meubles *m.pl.* (10)
future l'avenir *m.* (14)

to gain weight grossir (I)
game le jeu, *pl.* les jeux; le match
   (I); la partie (11)
   — show le jeu, *pl.* les jeux (I)
   to play a — (of) faire une partie
    (de) (11)
garage le garage (I)
garden le jardin (I)
to garden faire du jardinage (I)
gardener le jardinier, la jardinière (11)
garlic l'ail *m.* (I)
gas, gasoline l'essence (9)
   — station la station-service, *pl.* les
    stations-service (9)
   to run out of — tomber en panne
    d'essence (9)
gate: departure — la porte d'embarquement (8)
generous généreux, -euse (I)
gentleman le monsieur, *pl.* les messieurs (I)

ladies and gentlemen messieurs-
   dames (I)
gently doucement (1)
geography la géographie (I)
geometry la géométrie (I)
German allemand, -e; *(language)* l'allemand *m.* (I)
Germany l'Allemagne *f.* (I)
to get:
   how do you — to …? quel est le
    chemin pour aller …? (3)
   let's — going! allons-y! (I)
   to come to — venir chercher (3)
   to — a haircut se faire couper les
    cheveux (5)
   to — along well/badly (with)
    s'entendre bien/mal (avec) (13)
   to — around circuler (9)
   to — by passer (3)
   to — dressed s'habiller (5)
   to — going se mettre en route (9)
   to — in *(a car)* monter dans (I)
   to — married (to) se marier (avec) (13)
   to — off (of) *(a bus, plane, etc.)*
    descendre de (I)
   to — on *(a bus, plane, etc.)* monter
    dans (I)
   to — out of *(a car)* descendre de (I)
   to — sick tomber malade (12)
   to — tired se fatiguer (14)
   to — up se lever (5)
   to — warmed up se réchauffer (7)
   to go aller chercher (3)
Ghana le Ghana (8)
gift le cadeau, *pl.* les cadeaux (I)
gifted doué, -e (14)
girl la jeune fille, *pl.* les jeunes filles (I)
girlfriend la petite amie (13)
to give (to) donner (à); offrir (à) (I)
   to — back rendre (à) (I)
   to — someone a call passer un
    coup de fil (10)
   to — something to drink (eat) to
    donner à boire (manger) à (I)
glad content, -e (I)
gladly volontiers (1)
glass le verre (I)
glasses les lunettes *f.pl.* (I)
glee club la chorale (14)
to glide glisser (7)
glove le gant (I)
to go aller (I); se présenter à (11)
   — ahead! allez-y! (1)
   — on! allez-y! (1)
   here you —! tiens! (I)

how's it —ing? ça va? (I)
let's —! allons-y! (I)
to be going to *(do something)* aller
   + *inf.* (I)
to get —ing se mettre en route (9)
to — around circuler (9)
to — away s'en aller (11)
to — back rentrer; retourner (I)
to — by passer (3)
to — down descendre (I)
to — get aller chercher (3)
to — in entrer (dans) (I)
to — out sortir (I)
to — over réviser (1)
to — to bed se coucher (5)
to — to *(subject)* **class** aller en
   cours de … (I)
to — to sleep s'endormir (5)
to — up monter (I)
to — with accompagner (I)
goal le but (I)
goat la chèvre (I)
gold l'or *m.* (4)
   (made of) **—** en or (4)
golf le golf (14)
good bon, bonne (I)
   — evening bonsoir (I)
   — in fort, -e en (I)
   — morning bonjour (I)
   to have a — time s'amuser (6)
   no — in nul, -le en (I)
good-bye au revoir; salut (I)
gosh, is (he/she) …! comme (il/elle)
   est …! (5)
got: you've — a lot of nerve! tu
   exagères! (14)
grab: it doesn't — me ça ne me dit
   rien (14)
grade la note (I)
gram le gramme (2)
grandchildren les petits-enfants
   m.pl. (13)
granddaughter la petite-fille (13)
grandfather le grand-père (I)
grandmother la grand-mère (I)
grandparents les grands-parents
   m.pl. (I)
grandson le petit-fils (13)
grape le raisin (I)
grapefruit le pamplemousse (2)
grass l'herbe *f.* (15)
gray gris, -e (I)
great super; formidable; chic!; parfait (I); génial, -e, *pl.* géniaux,
   -ales (4); terrible (7)

green vert, -e (I)
— **beans** les haricots verts *m.pl.* (I)
greeting card la carte de vœux, *pl.*
les cartes de vœux (1)
grilled ham and cheese le croque-
monsieur, *pl.* les croque-
monsieur (I)
grocer l'épicier *m.*, l'épicière *f.* (I)
groceries les provisions *f.pl.* (2)
grocery store l'épicerie *f.* (I)
groom le marié (13)
ground:
— **beef** le bifteck haché (2)
— **floor** le rez-de-chaussée (I)
on the — par terre (I)
group le groupe (I)
to **grumble** rouspéter (9)
to **guess** deviner (I)
guest l'invité *m.*, l'invitée *f.* (I)
guide le/la guide (I)
guidebook le guide (I)
guilty coupable (11)
Guinea la Guinée (8)
guitar la guitare (I)
guy le type (9)
gym l'éducation physique (et sportive) (l'E.P.S.) *f.* (I)
gym(nasium) le gymnase (I)
gymnastics la gymnastique (I)
to do — faire de la gym(nastique) (I)

hair les cheveux *m.pl.* (I)
to have ... — avoir les cheveux ... (I)
hairbrush la brosse à cheveux (5)
haircut la coupe (5)
to get a — se faire couper les
cheveux (5)
hairdresser le coiffeur, la coiffeuse (5)
hair dryer le sèche-cheveux, *pl.* les
sèche-cheveux (5)
hairstyle la coiffure (5)
half demi- (2)
—-**bottle** la demi-bouteille (2)
— **hour** la demi-heure (I)
— **(of)** la moitié (de) (13)
— **past** *time* + et demi(e) (I)
hall le couloir (I)
ham le jambon (I)
grilled — **and cheese** le croque-
monsieur, *pl.* les croque-
monsieur (I)
hamburger le*hamburger (I); le bifteck haché (2)
hamster le*hamster (I)

hand la main (I)
a (helping) — un coup de main (10)
handkerchief le mouchoir (12)
handsome beau (bel), belle; *pl.*
beaux, belles (I)
to **hang up** raccrocher (10)
to **happen** se passer (11); *(to someone)*
arriver à (12)
what's —**ing?** qu'est-ce qui se
passe? (1)
happiness le bonheur (13)
happy heureux, -euse; content, -e (I)
— **birthday!** bon anniversaire! (I)
hard difficile (I)
hardworking travailleur, -euse (1)
hat le chapeau, *pl.* les chapeaux (I)
to **hate** détester (I)
to **have** avoir (I); *(food or drink)* prendre (I)
to — **a good time** s'amuser (6)
— **a good trip!** bon voyage! (I);
faites bonne route! (11)
to — **a view of** donner sur (11)
to — **just** *(done something)* venir
de + *inf.* (I)
to — *(something done)* faire + *inf.* (15)
to — **to** il faut (I); devoir (6)
he il; lui (I)
head la tête (I)
to have a —**ache** avoir mal à la
tête (I)
to **head (toward)** se diriger (vers) (6)
health la santé (12)
to **hear** entendre (I)
heart le cœur (12)
heavy lourd, -e (I)
hello bonjour; *(in the evening)* bonsoir
(I); *(on phone)* allô? (10)
helmet le casque (15)
to **help** aider (I)
— **yourself!** sers-toi! servez-vous! (13)
may I — **you?** vous désirez? (I)
helping hand un coup de main (10)
hen la poule (I)
her son, sa, ses; elle; la (l') (I)
to (for, from) — lui (I)
here ici (I)
— **is/are** voici (I)
— **you go!** tiens! (I)
herself elle-même (15)
to **hesitate** hésiter (à + *inf.*) (7)
hey! hé! (3)
hi salut (I)
to **hide** cacher (I)
high *adv.* haut (10)
high school le lycée (I)

— **student** le lycéen, la lycéenne (I)
hike la randonnée (15)
hiker le randonneur, la randonneuse (15)
hiking la randonnée (15)
to go — faire une randonnée (15)
hilarious marrant, -e (6)
hill la colline (15)
him lui; le (l') (I)
to (for, from) — lui (I)
himself lui-même (15)
his son, sa, ses (I)
historical historique (6)
history l'histoire *f.* (I)
hockey le*hockey (I)
hold the line ne quittez pas (10)
home:
at — chez (moi, toi, etc.) (I)
to (at) someone's — chez (I)
to come/go — rentrer (I)
homework les devoirs *m.pl.* (I)
to do — faire ses devoirs (I)
honeymoon le voyage de noces (13)
to **hope** espérer (7)
horoscope l'horoscope *m.* (1)
horror film le film d'horreur (6)
hors d'œuvres les*hors-d'œuvre *m.* (I)
horse le cheval, *pl.* les chevaux (I)
hospital l'hôpital, *pl.* les hôpitaux *m.* (I)
hot chaud, -e (I)
it's — **out** il fait chaud (I)
not so — pas terrible (6)
to be — *(people)* avoir chaud (I)
hot dog le*hot-dog (I)
hotel l'hôtel *m.* (I)
hour l'heure *f.* (I)
half — la demi-heure (I)
house la maison (I)
at (to) *(someone's)* — chez (I)
housewares department le rayon de
ménage (4)
housework: to do — faire le ménage
(I)
how comment (I)
(for) — **long?** depuis combien de
temps? (8)
— **about ...?** si seulement + *imperfect* (8)
— **are things?** ça va? (I)
— **are you?** comment allez-vous?,
comment vas-tu? (I)
— **do you get to ...?** quel est le
chemin pour aller ...? (3)
— **long?** depuis quand? (8)
— **much (many)?** combien (de)? (I)

how (continued):
    — **much time does it take to ...?**
      ça prend combien de temps
      pour ...? (I)
    — **old are you?** tu as quel âge? (I)
    that comes to — much? ça fait
      combien? (I)
however cependant (14)
huh? hein? (4)
humid humide (8)
    it's — il fait un temps humide (15)
hundred cent (I)
hungry: to be — avoir faim (I)
hunting la chasse (15)
    to go — aller à la chasse (15)
hurry:
    —**!** vite! (I)
    in a — pressé, -e (5)
to hurry se dépêcher (6)
to hurt avoir mal à (I); faire mal à (12)
    to — one's + *part of body* se faire
      mal à (12)
    to — oneself se faire mal (12)
    where does it —? où est-ce que tu
      as mal? (I)
husband le mari (I)
hush! chut! (I)
hypocritical hypocrite (I)

I je (I)
ice la glace (I)
ice cream la glace (I)
    dish of — la coupe de glace (I)
ice cube le glaçon (13)
to ice skate faire du patin à glace (7)
ice skates les patins à glace *m.pl.* (7)
idea l'idée *f.* (I)
identification papers les papiers
    d'identité *m.pl.* (8)
if si (I)
    — **not** sinon (9)
    — **you were me (I were you,** *etc.***)**
      à ma (ta, *etc.*) place (12)
ill:
    to be/feel — aller mal (I)
    to become — tomber malade (12)
    to look — avoir mauvaise mine (I)
image l'image *f.* (6)
immediately tout de suite (I)
impatient impatient, -e (I)
important important, -e (I)
    it's — to/that il est important de
      + *inf.*/que + *subj.* (13)
impossible impossible (I)

to improve faire des progrès (I)
in dans; à; en (I)
    — **it** dedans (10)
    — **order to** pour + *inf.* (I)
to include comprendre (3)
included: the tip is — le service est
    compris (I)
incorrect incorrect, -e (I)
indeed en effet (I)
to indicate indiquer (7)
individual individuel, -le (14)
industry l'industrie *f.* (8)
inexpensive bon marché (4)
    to be — ne pas coûter cher (I)
infirmary l'infirmerie *f.* (I)
information les renseignements
    m.pl. (I)
inhabitant l'habitant *m.* (8)
injection la piqûre (12)
    to give an — faire une piqûre à (12)
in-laws les beaux-parents *m.pl.* (13)
inn l'auberge *f.* (11)
innocent innocent, -e (11)
inside dedans (10)
to install installer (10)
instead of au lieu de (13)
instrument l'instrument *m.* (I)
intelligent intelligent, -e (I)
to interest (*someone in*) intéresser
    (*quelqu'un à*) (14)
    would it — you to ... ? ça te di-
      rait de + *inf.* ... ? (14)
interested: to be — in s'intéresser à (14)
interesting intéressant, -e (I)
interior l'intérieur *m.* (9)
interview l'interview *f.* (1)
to interview interviewer (1)
interviewer (1)
into dans (I)
to introduce présenter (6)
invitation l'invitation *f.* (I); le faire-
    part, *pl.* les faire-part (13)
to invite inviter (I)
island l'île *f.* (7)
isn't that ... ! qu'est-ce que ... ! (6)
it elle *f.*, il *m.*; le, la, l' (I)
    that's —! ça y est! (6)
    to — y (I)
Italian italien, -ienne; (*language*)
    l'italien *m.* (I)
Italy l'Italie *f.* (I)
its son, sa, ses (I)
Ivory Coast la Côte-d'Ivoire (8)

jacket le blouson (I); la veste (4)

jam la confiture (I)
January janvier *m.* (I)
Japanese japonais, -e (9)
jazz le jazz (I)
jeans le jean (I)
jeep la jeep (9)
jewelry les bijoux *m.pl.* (4)
    — **store** la bijouterie (11)
    piece of — le bijou (4)
job le métier (11)
jogging le jogging (14)
    to go — faire du jogging (14)
journalist le/la journaliste (11)
judge le juge (11)
judo le judo (14)
    to practice — faire du judo (14)
juice le jus (I)
July juillet *m.* (I)
to jump sauter (7)
June juin *m.* (I)
just juste (3)
    to have — (*done something*) venir
      de + *inf.* (I)

to keep garder (2)
key la clef (3)
kidding:
    to be — plaisanter (4)
    no —! sans blague! (9)
kilo(gram) le kilo(gramme) (I)
kind gentil, -le (I)
kiosk le kiosque (1)
kiss: love and —es (*letters*) bons
    baisers (7)
to kiss (s')embrasser (13)
kitchen la cuisine (I)
knee le genou, *pl.* les genoux (14)
knife le couteau, *pl.* les couteaux (I)
to know connaître; savoir (I)
    to — each other se connaître (13)
    to — how savoir + *inf.* (I)
known connu, -e (8)

lab(oratory) le labo(ratoire) (I)
label l'étiquette *f.* (4)
lady la dame (I)
    ladies and gentlemen messieurs-
      dames (I)
    ladies' wear les vêtements pour
      dames *m.pl.* (4)
    young — mademoiselle (I)
lake le lac (7)
lamb l'agneau, *pl.* les agneaux *m.* (2)
    — **chop** la côtelette d'agneau (2)
    leg of — le gigot (I)

lamp la lampe (10)
land la terre (8)
to **land** atterrir (8)
   landscape le paysage (7)
   language la langue (I)
   — **lab** le labo de langues (I)
   large gros, grosse; grand, -e (I)
   last dernier, -ière (I)
   — **night** hier soir (I); cette nuit (11)
to **last** durer + *time* (8)
   late en retard (I); tard (5)
    to sleep — faire la grasse matinée (5)
   latest dernier, -ière (I)
   laundry: to do the — faire la lessive (I)
   lawn la pelouse (I)
   lawyer l'avocat *m.*, l'avocate *f.* (11)
   lazy paresseux, -euse (I)
to **lead** mener (8)
   leaf la feuille (I)
to **learn (to)** apprendre (à) (I)
   least + *adj./adv.* le/la moins (4)
   at — au moins (11)
   leather le cuir (4)
   (made of) — en cuir (4)
to **leave** partir; quitter *(a person or place)*
    (I); s'en aller (11)
   to — **(behind)** laisser (I)
   left: to the — **(of)** à gauche (de) (I)
   leg la jambe (I)
   — **of lamb** le gigot (I)
   leisure time les loisirs *m.pl.* (14)
   — **activities** les loisirs *m.pl.* (14)
   lemonade le citron pressé (I)
to **lend** prêter (à) (I)
   lenses: contact — les lentilles (de
    contact) *f.pl.* (I)
   less + *adj./adv.* moins (4)
   — **and** — de moins en moins (de) (8)
   — **expensive** meilleur marché (4)
   lesson la leçon (I)
to **let** permettre à ... de + *inf.* (4)
   letter la lettre (I)
   — **carrier** le facteur, la factrice (I)
   short — le petit mot (1)
   lettuce la laitue (I)
   Liberia le Libéria (8)
   library la bibliothèque; *(in schools)* la
    salle de documentation (I)
   license: driver's — le permis de
    conduire (9)
to **lie** mentir (5)
   life la vie (8)
to **lift the receiver** décrocher (10)
   light *(weight/calories)* léger, -ère (I; 2);
    (color/skin) clair, -e (12)

to **get** — faire jour (I)
   light la lumière (13)
   lightning les éclairs *m.pl.* (15)
   flash of — l'éclair *m.* (15)
   there's — il y a des éclairs (15)
   likable sympa(thique) (I)
   like comme (I)
   it looks — on dirait (14)
   to look — ressembler à (12)
   what's ... —? comment est ...? (I)
   what's the weather —? quel
    temps fait-il? (I)
to **like** aimer (I)
   how do you — ...? comment
    trouvez-vous ...? (2)
   I'd — je voudrais (I)
   I/you — **it** ça me/te plaît (4; 11)
   I (you, *etc.***)** — **them** ils me (te,
    etc.) plaisent (11)
   we'd — nous voudrions (I)
   likewise moi de même (13)
   line la ligne (3)
   hold the — ne quittez pas (10)
   to stand in — faire la queue (4)
   lip la lèvre (12)
   list la liste (2)
to **listen to** écouter (I)
   liter le litre (I)
   little petit, -e; *adv.* peu de (I)
   a — un peu (de) (I)
   in a — **while** tout à l'heure (11)
to **live** vivre (12)
   to — **in/at** habiter à; *(a house/apart-*
    ment) habiter dans (I)
   living la vie (9)
   to earn a — gagner sa vie (9)
   what do you do for a —? que
    faites-vous dans la vie? (8)
   living room le salon (I)
   located: to be — se trouver (6)
to **lock** fermer à clef (3)
   locker le casier (I)
   long long, longue (I)
   (for) a — **time** longtemps (I)
   (for) how — (pour) combien de
    temps (I)
   how — depuis quand (8)
   longer: no — ne ... plus (I)
to **look** + *adj.* avoir l'air + *adj.* (11)
   it —s like on dirait (14)
   to — **at** regarder (I)
   to — **for** chercher (I)
   to — **(good) on** *someone* aller
    (bien) à (4)
   to — **like** ressembler à (12)

   to — **out on** donner sur (11)
   to — **well (ill)** avoir bonne (mau-
    vaise) mine (I)
to **lose** perdre (I)
   to — **weight** maigrir (I)
   lost and found le service des objets
    trouvés (8)
   lot: a — **(of)** beaucoup (de) (I)
   loud fort, -e (1)
   louder plus fort (1)
   loudspeaker le*haut-parleur, *pl.*
    les*haut-parleurs (3)
   lounge: teachers' — la salle des pro-
    fesseurs (I)
   love l'amour *m.* (13)
   — **and kisses** *(letters)* bons baisers (7)
   — **story** *(film)* le film d'amour (6)
to **love** aimer (I)
   low *adv.* bas (10)
   luck la chance (I)
   lucky: to be — avoir de la chance (I)
   luggage les bagages *m.pl.* (3)
   lunatic le fou, la folle (9)
   lunch le déjeuner (I)
   to have — déjeuner (I)
   lunchroom la cantine (I)
   Luxembourg le Luxembourg (I)
   from — luxembourgeois, -e (I)

   ma'am madame (I)
   magazine le magazine (I)
   — **stand** le kiosque (1)
   magnificent magnifique (I)
   mail le courrier (7)
   mailbox la boîte aux lettres (7)
   mail carrier le facteur, la factrice (I)
   main principal, -e; *pl.* principaux,
    -ales (I)
   — **course** le plat principal (I)
   — **floor** le rez-de-chaussée (I)
   majority: the — **(of)** la plupart (de) (3)
   make la marque (4)
to **make** faire (I)
   makeup le maquillage (5)
   to put on one's — se maquiller (5)
   Mali le Mali (8)
   man l'homme *m.*; le monsieur, *pl.*
    les messieurs (I)
   many beaucoup de (I)
   how —? combien (de)? (I)
   so — **(of)** tellement de (12); tant
    (de) (13)
   too — trop (de) (I)
   map la carte (I)

map *(continued):*
    automatic metro — le plan-indicateur (3)
    city — le plan (1)
    road — la carte routière (I)
March mars *m.* (I)
market le marché (I)
married marié, -e (13)
    to get — to se marier avec (13)
to marry se marier avec (13)
marvelous exquis, -e (13)
mashed potatoes la purée de pommes de terre (2)
match *(game)* le match (I); l'allumette *f.* (15)
mathematics (math) les mathématiques (les maths) *f.pl.* (I)
matter:
    as a — of fact en effet (I)
    it doesn't — ça ne fait rien (11)
    what's the — (with you)? qu'est-ce que tu as?; qu'est-ce qu'il y a? (I)
may:
    — I ... ? je peux ...? (I)
    — I help you? vous désirez? (I)
May mai *m.* (I)
maybe peut-être (I)
me moi; me (I)
    — too moi aussi (I); moi de même (13)
    to (for, from) — me (I)
meal le repas (I)
    enjoy your —! bon appétit! (I)
    fixed-price — le menu (I)
    room with three —s a day la pension complète (11)
    room with two —s a day la demi-pension (11)
mean méchant, -e (I)
to mean vouloir dire (I)
meat la viande (I)
mechanic le mécanicien, la mécanicienne (9)
medical office le cabinet (12)
medicine le médicament (12)
Mediterranean Sea la mer Méditerranée (I)
medium *(meat)* à point (I)
to meet *(by accident)* rencontrer (7); faire la connaissance (11)
to memorize apprendre par cœur (I)
men's wear les vêtements pour hommes *m.pl.* (4)
mention: don't — it de rien (I); il n'y a pas de quoi (15)

menu la carte (I)
merchant le marchand, la marchande (I)
message le message (10)
meter le mètre (3)
metro le métro (3)
    automatic — map le plan-indicateur (3)
    — station la station de métro (3)
Mexican mexicain, -e (I)
Mexico le Mexique (I)
microphone le micro(phone) (6)
microwave oven le micro-ondes (13)
middle:
    to be in the — of *(doing something)* être en train de + *inf.* (1)
    in the — of au milieu de (10)
    — school le collège (I)
midnight minuit (I)
mike le micro (6)
mild doux, douce (2; 8)
milk le lait (I)
million un million (de) (I)
mind: to change one's — changer d'avis (8)
mineral water l'eau minérale *f.* (I)
minus moins (I)
minute la minute (I)
mirror le miroir (10)
Miss mademoiselle (Mlle) (I)
to miss rater (3)
mistake la faute (I)
mistaken: to be — (about) se tromper (de) (6)
mitten la moufle (7)
model le modèle (5)
moderate tempéré, -e (8)
modern moderne (8)
Mom maman *f.* (I)
Monday lundi *m.* (I)
money l'argent *m.* (I)
    to save — faire des économies (11)
    spending — l'argent de poche *m.* (I)
month le mois (I)
Montreal Montréal (8)
monument le monument (I)
moon la lune (I)
more plus (I); d'autres (13)
    — and — de plus en plus (de) (8)
    no — (of) ne ... plus (de) (I)
moreover d'ailleurs (13)
morning le matin; la matinée (I)
    good — bonjour (I)
    in the — le matin; *time* + du matin (I)

most:
    — (of) la plupart (de) (3)
    the — + *adj./adv.* le/la plus + *adj./adv.* (4)
mother la mère (I)
mother-in-law la belle-mère (13)
motor le moteur (9)
    — oil l'huile *f.* (9)
motorbike la mobylette (la mob) (I)
motorcycle la moto (I)
    to go — riding faire de la moto (I)
motorhome le camping-car, *pl.* les camping-cars (9)
mountain la montagne (I)
    to go — climbing faire de l'alpinisme *m.* (7)
mousse: chocolate — la mousse au chocolat (I)
mouth la bouche (I)
to move déménager (10)
    — forward s'avancer (6)
mover le déménageur, la déménageuse (10)
movie le film (I)
    to make a — tourner un film (6)
    — camera la caméra (6)
    —s le cinéma (I)
    — theater le cinéma (I)
Mr. monsieur (M.) (I)
Mrs. madame (Mme) (I)
much beaucoup (de) (I)
    how —? combien (de)? (I)
    so — (of) tellement de (12); tant (de) (13)
    so — the better tant mieux (5)
    too — trop (de) (I)
    very — beaucoup (I)
    you're too —! tu exagères! (14)
museum le musée (I)
mushroom le champignon (I)
music la musique (I)
must il faut + *inf.* (I); devoir (6); il faut que + *subj.* (11)
mustard la moutarde (I)
my mon, ma, mes (I)
myself moi-même (15)

name le nom (I)
    first — le prénom (11)
    what's your —? comment tu t'appelles? (I)
named: to be — s'appeler (I)
napkin la serviette (I)
narrow étroit, -e (I)

nationality la nationalité (I)

    what —? de quelle nationalité? (I)

nature la nature (15)

naughty méchant, -e (I)

nauseated: to feel — avoir mal au cœur (12)

near près de (I)

neat! chouette! (I); génial, -e; *pl.* géniaux, -ales (4)

necessary: it's — il faut + *inf.* (I); il faut que + *subj.* (11); il est nécessaire (de + *inf.*/que + *subj.*) (13)

neck le cou (12)

necklace le collier (I)

to need avoir besoin de (I); falloir à (*quelqu'un*) (11)

neighbor le voisin, la voisine (I)

neither do I moi non plus (I)

nephew le neveu, *pl.* les neveux (I)

nerve: you've got a lot of —! tu exagères! (14)

nervous nerveux, -euse (9)

never (ne …) jamais (I)

new nouveau (nouvel), nouvelle, *pl.* nouveaux, nouvelles (I); neuf, neuve (4)

    what's —? quoi de neuf? (1)

news les nouvelles *f.pl.* (1)

    TV — les informations *f.pl.* (I)

newspaper le journal, *pl.* les journaux (I)

    — stand le kiosque (1)

next prochain, -e (I)

    — to à côté de (I)

    the — day le lendemain (15)

nice aimable; sympa(thique); gentil, -le; bien (I)

    have a — evening bonne soirée (I)

    have a — trip bon voyage (I)

    it's — out il fait beau (I)

niçoise salad la salade niçoise (2)

niece la nièce (I)

night la nuit (I)

    last — hier soir (I); cette nuit (11)

nine neuf (I)

nineteen dix-neuf (I)

ninety quatre-vingt-dix (I)

no non (I)

    — …-ing il est interdit de + *inf.* (8)

    — good in nul, -le en (I)

    — longer ne … plus (I)

    — more (of) ne … plus (de) (I)

    — one ne … personne (I)

nobody personne … ne (I)

noise le bruit (I)

noisy bruyant, -e (I)

nonsmoking section non-fumeurs (8)

noodles les pâtes *f.pl.* (2)

noon midi (I)

north le nord (I)

North America l'Amérique du Nord *f.* (I)

northeast le nord-est (I)

northwest le nord-ouest (I)

nose le nez (I)

not (ne …) pas (I)

    if — sinon (9)

    I'm afraid — je crains que non (13)

    — at all pas du tout (I)

    of course — mais non (I)

note la note (1); *(short letter)* le petit mot (1)

    to take —s prendre des notes (1)

notebook le cahier (I)

nothing rien … ne (I)

to notice remarquer (4)

novel le roman (I)

November novembre *m.* (I)

now maintenant (I)

    for — pour le moment (13)

    right — actuellement (6); en ce moment (9)

number le numéro (I)

nurse l'infirmier *m.*, l'infirmière *f.* (I)

    —'s office l'infirmerie *f.* (I)

to obey obéir (à) (I)

obviously évidemment (I)

occupation le métier (11)

occupied occupé, -e (I)

ocean l'océan *m.* (I)

o'clock (il est) une heure, deux heures, etc. (I)

October octobre *m.* (I)

of de (I)

    — course mais oui; bien sûr (I)

    — course not mais non (I)

to offer offrir à (I)

office le bureau, *pl.* les bureaux (I); *(medical, dental)* le cabinet (12)

    nurses' l'infirmerie (I)

officer: police — l'agent de police *m.&f.* (I)

often souvent (I)

oh …!, oh, dear! oh là là! (9)

oil l'huile *f.* (I)

    motor — l'huile *f.* (9)

    — and vinegar dressing la vinaigrette (I)

OK d'accord; bon (I)

old vieux (vieil), vieille, *pl.* vieux, vieilles; ancien, -ienne (I)

    how — are you? tu as quel âge? (I)

    to be … years — avoir … ans (I)

old-fashioned démodé, -e (I)

omelette l'omelette *f.* (I)

on sur (I)

    — (day of week) le + *day of week* (I)

once a(n) une fois par … (I)

one un, une (I)

    for each — la pièce (2)

    — another se, nous, vous (13)

    —-way ticket l'aller *m.* (3)

    the — celui, celle (10)

    the —s ceux, celles (10)

    this/that — celui, celle (10)

    which —? lequel, laquelle (10)

    which —s? lesquels, lesquelles (10)

onion l'oignon *m.* (I)

    — soup la soupe à l'oignon (2)

only seulement; ne … que (I); juste (3)

    — child le fils (la fille) unique (I)

to open ouvrir (I)

opinion l'avis *m.* (8)

    to have an — about penser de (I)

    in my (your, etc.) — à mon (ton, etc.) avis (8)

opposite en face de (I)

optician l'opticien *m.*, l'opticienne *f.* (I)

or ou (I)

oral oral, -e; *pl.* oraux, -ales (1)

orange orange (I)

    — card la Carte Orange (3)

orange l'orange *f.* (I)

    duck with — sauce le canard à l'orange (2)

    — soufflé le soufflé à l'orange (2)

orangeade l'orangeade *f.* (I)

orchestra l'orchestre *m.* (14)

order: in — to pour + *inf.* (I)

to order commander (I)

to organize organiser (I)

other autre (I)

    each — se, nous, vous (13)

    —s d'autres (13)

otherwise sinon (9)

ouch! aïe! (12)

ought to *conditional of* devoir (12)

our notre, nos (I)

ourselves nous-mêmes (15)

outdoors dehors (10); la nature (15); en plein air (15)

    to sleep — dormir à la belle étoile (15)

out of style démodé, -e (I)
outside l'extérieur *m.* (9); dehors (10)
oven le four (13)
over there là-bas (I)
overcoat le manteau, *pl.* les manteaux (I)
overhead transparency le transparent (1)
to owe devoir (6)
own *adj.* propre (9)
oyster l'huître *f.* (I)

Pacific Ocean l'océan Pacifique *m.* (I)
to pack faire sa valise (ses bagages) (3)
package le paquet (2)
pain: to have a — in avoir mal à (I)
to paint *(pictures)* faire de la peinture (14)
painting le tableau, *pl.* les tableaux (10); la peinture (14)
pair la paire (4)
pal le copain, la copine (I)
pan la casserole (15)
frying — la poêle (15)
pants le pantalon (I)
pantyhose le collant (4)
paper le papier (I)
identification —s les papiers d'identité *m.pl.* (8)
piece of — la feuille de papier (I)
paperback le livre de poche (I)
pardon me pardon (I); vous permettez? (3)
parents les parents *m.pl.* (I)
park le parc (I)
to park stationner (9)
part *(in a play)* le rôle (I)
party la boum (I); la fête (13); la réception (13)
to pass passer (I)
to — a test réussir un examen (I)
passenger le passager, la passagère (8)
passport le passeport (8)
pastry la pâtisserie (I)
— chef le pâtissier, la pâtissière (I)
— shop la pâtisserie (I)
— shop owner le pâtissier, la pâtissière (I)
pâté le pâté (I)
path le sentier (15)
patience la patience (14)
patient patient, -e (I)
patiently patiemment (I)
pavement le trottoir (3)
to pay payer (3)

to — a deposit verser des arrhes *f.pl.* (11)
to — attention (to) faire attention (à) (I)
to — extra payer un supplément (3)
peach la pêche (I)
pear la poire (I)
peas les petits pois *m.pl.* (I)
pen le stylo (I)
felt-tip — le feutre (I)
pencil le crayon (I)
peninsula la péninsule (7)
pen pal le correspondant, la correspondante (I)
people on; les gens *m.pl.;* le monde (I)
pepper le poivre (I); *(green)* le poivron (2)
per le/la + *measure* (I)
perfect parfait, -e (I)
perfume le parfum (I)
perhaps peut-être (I)
to permit permettre à … de + *inf.* (4)
person la personne (I)
pet la bête (I)
petit four le petit four, *pl.* les petits fours (13)
pharmacist le pharmacien, la pharmacienne (12)
pharmacy la pharmacie (12)
phone le téléphone (I)
on the — au téléphone (I)
— book l'annuaire *m.* (10)
— call le coup de fil (10)
to phone téléphoner (à) (I)
photograph la photo (I)
in the — sur la photo (I)
photographer le/la photographe (11)
physical education l'éducation physique (et sportive) (l'E.P.S.) *f.* (I)
physics la physique (I)
piano le piano (I)
to pick up aller/venir chercher (3)
picnic le pique-nique, *pl.* les pique-niques (15)
to have a — faire un pique-nique (15)
picture l'image *f.* (6)
pie la tarte (I)
apple — la tarte aux pommes (I)
piece le morceau, *pl.* les morceaux (I)
— of advice le conseil (12)
— of bread and butter la tartine (I)
— of paper la feuille de papier (I)
pig le cochon (I)
pill le comprimé (12)
pillow l'oreiller *m.* (11)

pilot le pilote (8)
pineapple l'ananas *m.* (2)
pink rose (I)
pizza la pizza (I)
place l'endroit *m.* (I)
to put in — installer (10)
to take — avoir lieu (9)
to place mettre (I)
placemat le set (I)
place setting le couvert (I)
plan le projet (I)
plane l'avion *m.* (I)
plant la plante (10)
flowering — la plante en fleur (12)
plastic le plastique (10); *(made of)* en plastique (2)
plate l'assiette *f.* (I)
platform le quai (3)
play la pièce (I)
to put on a — monter une pièce (6)
to play jouer (I)
to — *(musical instrument)* jouer de (I)
to — *(sport or game)* jouer à (I)
to — a game (of) faire une partie (de) (11)
to — sports faire du sport (I)
player le joueur, la joueuse (I)
playing field le terrain de sport (I)
pleasant agréable (I)
please s'il te (vous) plaît (I); veux-tu …? (2); veuillez … (2)
pleased content, -e (I)
pleasure: with — avec plaisir (3)
to plug in brancher (5)
plum la prune (2)
P.M. de l'après-midi; du soir (I)
pocket money l'argent de poche *m.* (I)
poem le poème (I)
point of departure le point de départ (8)
police officer l'agent de police *m.&f.* (I)
polite poli, -e (I)
politely poliment (I)
pool: swimming — la piscine (I)
poor pauvre (I)
pork: roast — le rôti de porc (I)
port le port (8)
portable stove le réchaud (15)
possible possible (I)
postal employee l'employé, *m.,* l'employée *f.* des postes (7)
post card la carte postale (I)
poster l'affiche *f.* (I)
post office la poste (I)
— (P.O.) box la boîte postale (B.P.) (7)

potato la pomme de terre, *pl.* les pommes de terre (I)

mashed —s la purée de pommes de terre (2)

pottery la poterie (14)

to make — faire de la poterie (14)

to pour verser (13)

to pout faire la tête (7)

practical pratique (9)

to prefer aimer mieux; préférer (I)

preferable: it's — to/that il vaut mieux + *inf.*/que + *subj.* (13)

to prepare préparer (I)

prescription l'ordonnance *f.* (12)

present présent, -e (I)

present le cadeau, *pl.* les cadeaux (I)

to present présenter (6)

to — oneself (at) se présenter (à) (11)

to press appuyer sur (3)

pretty joli, -e; + *adj./adv.* assez (I)

price le prix (2)

— tag l'étiquette *f.* (4)

to offer a reduced — faire un prix à (4)

principal *(collège)* le principal, la principale (I); *(lycée)* le proviseur, la directrice (1)

problem le problème (I)

process: to be in the — of *(doing something)* être en train de + *inf.* (1)

program *(TV or radio)* l'émission *f.* (I)

progress: to make — faire des progrès (I)

prohibited: … is — il est interdit de + *inf.* (8)

projector le projecteur (1)

promise: that's a —! c'est promis! (4)

to promise promettre à … de + *inf.* (I)

to pronounce prononcer (I)

to propose *(to someone to do something)* proposer à … de + *inf.* (I)

Provence: of (from) — provençal, -e; *pl.* provençaux, -ales (I)

province la province (I)

provisions les provisions *f.pl.* (2)

pupil l'élève *m.&f.* (I)

purple violet, violette (I)

purse le sac (I)

to push pousser (3); *(a button)* appuyer sur (3)

to put mettre (I)

I'll — him/her on *(the phone)* je vous le/la passe (10)

to — away ranger (2)

to — in place installer (10)

to — on *(clothing)* mettre (I)

to — on a play monter une pièce (6)

to — on weight grossir (I)

to — to bed coucher (5)

to — to sleep endormir (5)

quality la qualité (4)

to quarrel (with) se disputer (avec) (13)

quarter:

— hour le quart d'heure (I)

— past *time* + et quart (I)

— to *time* + moins le quart (I)

Quebec le Québec (I)

Quebecois québécois, -e (I)

question la question (I)

to ask a — poser une question (I)

quiche lorraine la quiche lorraine (I)

quick rapide (I)

—! vite! (I)

quickly vite (I)

quietly doucement (1)

quite assez + *adj./adv.* (I)

quiz l'interro(gation) *f.* (I)

rabbit le lapin (I)

race la course (à pied) (14)

to race faire de la course (à pied) (14)

radio la radio (I)

— program l'émission *f.* (I)

railroad station la gare (I)

rain la pluie (I)

to rain pleuvoir (I)

it's —ing cats and dogs il pleut des cordes (15)

raincoat l'imperméable (l'imper) *m.* (I)

to raise lever (5)

rare *(meat)* saignant, -e (I)

rarely rarement (1)

rather assez + *adj./adv.* (I); plutôt (10)

rats! zut! (I)

raw vegetables les crudités *f.pl.* (2)

razor le rasoir (5)

to read lire (I)

ready prêt, -e (5)

really vraiment (I); quand même (1)

rear arrière (9)

to receive recevoir (7)

receiver: to lift the — décrocher (10)

recent récent, -e (I)

reception la réception (13)

— desk la réception (11)

receptionist le/la réceptionniste (11)

recess la récréation (la récré) (I)

to recognize reconnaître (I)

record le disque (I)

— player le tourne-disque (I)

recorder:

cassette — le magnétophone à cassettes (I)

tape — le magnétophone (I)

red rouge (I)

to turn — rougir (I)

redheaded roux, rousse (I)

reduced: to offer a — price faire un prix à (4)

refrigerator le réfrigérateur (le frigo) (10)

in the — au frais (2)

to refuse (to) refuser (de) (I)

region la région (8)

register: cash — la caisse (2)

to regret regretter (I)

regularly régulièrement (1)

to rehearse répéter (6)

to relax se reposer (7); se détendre (14)

to remain rester (I)

to remember se souvenir de (6)

to rent louer (7)

to repair réparer (9)

to reply (to) répondre (à) (I)

to resemble ressembler à (12)

to — one another se ressembler (13)

to reserve réserver (11)

resort la station (7)

responsible: to be — for se charger de (15)

to rest se reposer (7)

restaurant le restaurant (I)

station — le buffet (3)

restroom les toilettes *f.pl.* (I)

to return rentrer; retourner; revenir; *(something)* rendre (I)

to review réviser (1)

rice le riz (I)

rich riche (I)

ride le trajet (3)

riding: to go bike (motorcycle) — faire du vélo (de la moto) (I)

right correct, -e (I); bon, bonne (1)

I'll be — there j'arrive (I)

— away tout de suite (I)

— now actuellement (6); en ce moment (9)

that's — c'est ça (I)

to be — avoir raison (I)

to the — (of) à droite (de) (I)

ring la bague (I)

to ring sonner (1)

to ring *(continued):*
   the bell's —ing ça sonne (I)
ripe mûr, -e (2)
to rise se lever (5)
river le fleuve (I)
road la route (I)
   — map la carte routière (I)
roast le rôti (I)
   — beef le rosbif (I)
to rob voler (11)
robber le voleur, la voleuse (11)
robbery le vol (11)
rock *(music)* le rock (I); le rocher (7)
role le rôle (I)
to roller skate faire du patin à roulettes (7)
roller skates les patins à roulettes *m.pl.* (7)
roof le toit (10)
room la chambre; la pièce (I); *(space)* la place (3)
   — with three meals a day la pension complète (11)
   — with two meals a day la demi-pension (11)
rooster le coq (I)
rose la rose (12)
rosé (wine) le vin rosé (I)
rotten pourri, -e (2)
round-trip ticket l'aller et retour *m.* (3)
rug le tapis (10)
to run *(machines)* marcher (5); *(vehicles)* rouler (9); *(races)* faire de la course (à pied) (14)
   to — into rencontrer (7)
   to — out of gas tomber en panne d'essence (9)
runway la piste (8)
rush hour les heures de pointe *f.pl.* (3)

sad triste (I)
to sail faire de la voile (I)
sailboard la planche à voile (15)
   to go —ing faire de la planche à voile (15)
sailboat le bateau à voiles, *pl.* les bateaux à voiles (I)
sailing: to go — faire de la voile (I)
salad la salade (I)
   niçoise — la salade niçoise (2)
sale le solde (I)
   on — en solde (4)
salesperson le vendeur, la vendeuse

(I); le représentant, la représentante (9)
salt le sel (I)
salty salé, -e (2)
same même (I)
   all the — quand même (1)
   at the — time (as) en même temps (que) (8)
   it's all the — to me ça m'est égal; bof! (I)
sand le sable (15)
sandwich le sandwich, *pl.* les sandwichs (I); *(small, open-face)* le canapé (13)
Saturday samedi *m.* (I)
sauce la sauce (I)
saucepan la casserole (15)
saucer la soucoupe (I)
sauerkraut with meat la choucroute garnie (2)
sausage le saucisson (I)
to save money faire des économies *f.pl.* (11)
to say dire (I)
   —! dis donc!; tiens! (I)
to scare faire peur à (I)
scarf l'écharpe *f.* (I)
scenery le décor (6)
schedule *(class)* l'emploi du temps *m.* (I); l'horaire *m.* (3)
school l'école *f.* (I)
science les sciences *f.pl.* (I)
science fiction la science-fiction (1)
   — novel/film le roman/film de science-fiction (s.-f.) (1; 6)
scissors les ciseaux *m.pl.* (5)
to scold gronder (13)
to score a goal marquer un but (I)
screen l'écran *m.* (1)
scuba diving la plongée sous-marine (15)
   to go — faire de la plongée sous-marine (15)
to sculpt faire de la sculpture (14)
sculpture la sculpture (14)
   to do — faire de la sculpture (14)
sea la mer (I)
   by — par bateau (7)
seafood les fruits de mer *m.pl.* (2)
season la saison (I)
seat la place (3); le siège (9)
seatbelt la ceinture de sécurité (8)
seated assis, -e (3)
second deuxième (I)
   —-class de deuxième classe (3)

secondhand d'occasion (4)
to see voir (I)
   let me — fais (faites) voir! (6)
   — you (Monday) à (lundi) (I)
   — you soon à bientôt (I)
   — you tomorrow à demain (I)
selfish égoïste (I)
to sell vendre (I)
to send envoyer (7)
sensational sensationnel, -le (7)
sensitive sensible (13)
sentence la phrase (I)
September septembre *m.* (I)
serious sérieux, -euse (I); grave (12)
to serve servir (I)
service station la station-service, *pl.* les stations-service (9)
set:
   film — le décor (6)
   — designer le décorateur, la décoratrice (6)
to set mettre (I)
   to — the table mettre le couvert (I)
to settle in s'installer (10)
seven sept (I)
seventeen dix-sept (I)
seventy soixante-dix (I)
several quelques; plusieurs (I)
shame: it's a — that c'est dommage que + *subj.* (14)
shampoo le shampooing (5)
shape:
   to be in — être en forme (I)
   in tip-top — en pleine forme (14)
to shave se raser (5)
she elle (I)
sheep le mouton (I)
sheet le drap (11)
shelf l'étagère *f.* (10)
shirt la chemise (I)
shoe la chaussure (I)
to shoot a film tourner un film (6)
shop la boutique (I)
   — window la vitrine (4)
to shop faire des courses (I)
shopkeeper le marchand, la marchande (I)
shopping: to go — faire des courses (I)
short court, -e; petit, -e (I)
   — letter le petit mot (1)
   a — time peu de temps (1)
shorts le short (I)
shot la piqûre (12)
   to give a — faire une piqûre à (12)
should *conditional of* devoir (12)

shoulder l'épaule *f.* (12)
to shout crier (11)
to show montrer (I)
    — **me!** fais (faites) voir! (6)
    to — a film passer un film (6)
shower la douche (5)
showroom la salle d'exposition (9)
shrimp la crevette (I)
shy timide (I)
sick malade (I)
    to get — tomber malade (12)
side le côté (5)
    on the — of au bord de (15)
sidewalk le trottoir (3)
    — **café** la terrasse (d'un café) (I)
to sightsee faire du tourisme (I)
to sign signer (11)
silver l'argent *m.* (4)
    (made of) — en argent (4)
since puisque (3); depuis (8)
    — **when?** depuis quand? (8)
sincere sincère (I)
to sing chanter (I)
singer le chanteur, la chanteuse (I)
single *(unmarried)* célibataire (13)
    — **room** la chambre à un lit (11)
sink *(bathroom)* le lavabo (5);
    (kitchen) l'évier *m.* (10)
sir monsieur, *pl.* messieurs (I)
sister la sœur (I)
sister-in-law la belle-sœur (13)
sit down assieds-toi, asseyez-vous (13)
situated situé, -e (8)
six six (I)
sixteen seize (I)
sixty (61, 62, etc.) soixante (soixante
    et un, soixante-deux, etc.) (I)
size *(clothing)* la taille (4); *(shoes,*
    gloves) la pointure (4)
    what — do you take? quelle taille/
    pointure faites-vous? (4)
to skate patiner (7)
    to ice — faire du patin à glace (7)
    to roller — faire du patin à rou-
    lettes (7)
skateboard la planche à roulettes (15)
    to go —ing faire de la planche à
    roulettes (15)
skates les patins (à glace/à roulettes)
    m.pl. (7)
skating rink la patinoire (7)
ski le ski (I)
    — **boot** la chaussure de ski, *pl.*
    les chaussures de ski (I)
    — **jacket** l'anorak *m.* (I)

— **lift** le téléski (7)
— **pants** la salopette (7)
— **pole** le bâton (7)
— **resort** la station de ski (7)
— **run** la piste (7)
to ski faire du ski (I); skier (7)
skin la peau (12)
skinny maigre (I)
skirt la jupe (I)
sky le ciel (I)
slacks le pantalon (I)
to sleep dormir (I)
    to go to — s'endormir (5)
    to put to — endormir (5)
    to — late faire la grasse matinée (5)
    to — outdoors dormir à la belle
    étoile (15)
sleeping bag le sac de couchage (15)
sleeping car la voiture-lit, *pl.* les
    voitures-lits (3)
sleepy: to be — avoir sommeil (I)
slender maigre (I)
slice la tranche (I)
    — **of bread and butter** la tartine (I)
slide la diapositive (la diapo) (1)
    — **projector** le projecteur (1)
to slip glisser (7)
slow lent, -e (I)
to slow down ralentir (15)
slowly lentement (I)
small petit, -e (I)
smart calé, -e (I)
to smell sentir (12)
smile le sourire (I)
to smoke fumer (8)
smoking section fumeurs (8)
    non- — section non-fumeurs (8)
snack: afternoon — le goûter (I)
snail l'escargot *m.* (I)
to sneeze éternuer (12)
snobbish snob (I)
snow la neige (I)
to snow neiger (I)
so alors; donc; + *adj./adv.* si (I);
    tellement (12)
    I'm afraid — je crains que oui (13)
    I think — je crois que oui/si (5)
    not — hot pas terrible (6)
    — **much/many (of)** tellement de
    (12); tant de (13)
    — **much the better** tant mieux (5)
soap le savon (5)
    — **opera** le feuilleton (I)
soccer le foot(ball) (I)
    — **ball** le ballon (I)

sock la chaussette (I)
sofa le canapé (10)
softly: more — plus bas (1)
soil la terre (8)
sojourn le séjour (7)
some du, de la, de l'; des; en (I)
someone quelqu'un (I)
something quelque chose (I)
sometimes quelquefois (I)
son le fils, *pl.* les fils (I)
song la chanson (I)
soon bientôt (I)
    see you — à bientôt (I)
sore: to have a — (throat) avoir mal
    à (la gorge) (I)
sorry désolé, -e (I)
    to be — regretter (14)
so-so comme ci, comme ça (I)
soufflé le soufflé (2)
    orange — le soufflé à l'orange (2)
to sound sonner (1)
soup la soupe (2)
south le sud (I)
South America l'Amérique du Sud
    f. (I)
southeast le sud-est (I)
southwest le sud-ouest (I)
souvenir le souvenir (I)
space *(room)* la place (3)
Spain l'Espagne *f.* (I)
Spanish espagnol, -e; *(language)*
    l'espagnol *m.* (I)
spare time le temps libre (14)
to speak parler (I)
specialty la spécialité (2)
spectator le spectateur, la spectatrice (I)
speed la vitesse (15)
to spend *(time)* passer (I); *(money)* dé-
    penser (4)
    to — one's time *(doing something)*
    passer son temps à + *inf.* (4)
spending money l'argent de poche
    m. (I)
spicy épicé, -e (I)
spinach les épinards *m.pl.* (I)
spoon la cuillère (I)
sporting goods department le rayon
    des sports (4)
sports les sports *m.* (I)
    to play — faire du sport (I)
    — **car** la voiture de sport (9)
spot l'endroit *m.* (I)
spotlight le projecteur (6)
spring le printemps (I)
    in the — au printemps (I)

spy film/novel le film/le roman d'espionnage (1; 6)
spying l'espionnage *m.* (1)
square la place (I)
stadium le stade (I)
stage la scène (6)
stairs, staircase l'escalier *m.* (I)
stamp le timbre (I)
to stamp composter (3)
to stand in line faire la queue (4)
standing debout *adv.* (3)
star l'étoile *f.* (I); la vedette (6)
to start (to) commencer (à + *inf.*) (I); se mettre à + *inf.* (I)
    to — off se mettre en route (9)
    to — (*something*) up mettre en marche (4)
starving: to be — avoir une faim de loup (15)
station la station (3)
    — restaurant le buffet (3)
    train — la gare (I)
stationery le papier à lettres (1)
    — store la papeterie (1)
statue la statue (I)
stay le séjour (7)
to stay rester (I)
steak le bifteck (I)
to steal voler (11)
steering wheel le volant (9)
stereo la chaîne stéréo, *pl.* les chaînes stéréo (10)
stern sévère (I)
stew:
    fish — la bouillabaisse (I)
    veal — la blanquette de veau (I)
still toujours (I)
stingy avare (I)
stomach le ventre (12)
    to have a —ache avoir mal au ventre (12)
stop l'arrêt *m.* (3); l'escale *f.* (8)
to stop (*someone or something*) arrêter (6); (*doing something*) s'arrêter (de) (6)
    —, thief! au voleur! (11)
    to — over faire escale (8)
stopover l'escale *f.* (8)
store le magasin (I)
    department — le grand magasin (4)
storm l'orage *m.* (15)
stormy: it's — il y a un orage (15)
story l'histoire *f.*; (*of a building*) l'étage *f.* (I)
stove la cuisinière (10)

portable — le réchaud (15)
straight raide (I)
    — ahead tout droit (I)
to straighten ranger (2)
strawberry la fraise (2)
street la rue (I)
strict sévère (I)
strong fort, -e (I; 2; 14)
student l'élève *m.&f.* (I)
    college — l'étudiant *m.*, l'étudiante *f.* (9)
    high-school — le lycéen, la lycéenne (I)
studio: TV — le studio vidéo (6)
study l'étude *f.* (9)
to study étudier (I)
study hall la salle de permanence (I)
    to be in — être en perm (I)
stuffed tomato la tomate provençale (2)
stupid bête (I); débile (6)
style:
    in — à la mode (I)
    out of — démodé, -e (I)
stylish chic; à la mode (I)
subject (*school*) la matière (I)
subtitle le sous-titre (6)
    with —s sous-titré, -e (6)
suburbs la banlieue (3)
    in (to) the — en banlieue (3)
subway le métro (3)
    — station la station de métro (3)
to succeed (in) réussir à + *inf.* (1); arriver à + *inf.* (14)
suddenly tout à coup (I)
sugar le sucre (I)
to suggest proposer (à … de + *inf.*) (I)
suit (*man's*) le costume (4); (*woman's*) le tailleur (4)
suitcase la valise (I)
summer l'été *m.* (I)
    in the — en été (I)
    — camp la colonie de vacances (I)
sun le soleil (I)
Sunday dimanche *m.* (I)
sunglasses les lunettes de soleil *f.pl.* (I)
sunny: it's — il fait du soleil (I)
sunrise le lever du soleil (15)
sunset le coucher du soleil (15)
superb superbe (2)
supermarket le supermarché (I)
supposed: to be — to devoir + *inf.* (6)
sure sûr, -e (I)
surprised surpris, -e (14)
sweater le pull (I)
sweatsuit le survêtement (14)

sweet sucré, -e (2)
    to have — dreams faire de beaux rêves (I)
to swim nager (I); faire de la natation (14)
swimming la natation (14)
    — pool la piscine (I)
Swiss suisse (I)
Switzerland la Suisse (I)

table la table (I)
    to clear the — débarrasser la table (I)
    to set the — mettre le couvert (I)
tablecloth la nappe (I)
to take prendre (I); emmener (4)
    — this! tiens! (I)
    to — (*a school subject*) faire de (I)
    to — a course suivre un cours (12)
    to — advantage of profiter de (7)
    to — a test passer un examen (I)
    to — a trip faire un voyage (I)
    to — attendance faire l'appel (I)
    to — a walk faire une promenade (I); se promener (5)
    to — care of s'occuper de (9); soigner (12)
    to — care of oneself se soigner (12)
    to — down descendre (3); décrocher (10)
    to — for a walk promener (5)
    to — off (*planes*) décoller (8)
    to — out sortir (3)
    to — place avoir lieu (9)
    to — time prendre du temps (1)
    to — up monter (3)
talk l'exposé *m.* (I)
    to give a — faire un exposé (1)
to talk parler (I); bavarder (10)
talkative bavard, -e (10)
tall grand, -e (I)
tanned bronzé, -e (12)
tape la bande (I)
    — recorder le magnétophone (I)
to tape enregistrer (1)
to taste goûter à (I)
taxi le taxi (I)
tea le thé (I)
to teach enseigner (I)
teacher le professeur; le/la prof (I)
    —s' lounge la salle des professeurs (I)
team l'équipe *f.* (I)
technician le technicien, la technicienne (6)
teeth les dents *f.pl.* (I)

English-French Vocabulary   577

telegram le télégramme (7)
telephone *see* **phone**
to telephone téléphoner à (I)
television, TV la télé (I)
to tell dire (à) (I); raconter (6)
    to — about raconter (6)
temperate tempéré, -e (8)
ten dix (I)
    about — une dizaine (de) (2)
tennis le tennis (I)
    — shoe le tennis, *pl.* les tennis (I)
tent la tente (15)
terrible affreux, -euse (9)
terrific! chouette! (I); sensationnel,
    -le (7)
test l'examen *m.* (I)
than que (I; 4)
to thank (for) remercier (pour) (I)
thank you merci (I)
that ça; ce (cet), cette; *(emphatic)* ce
    (cet), cette, ces + *noun* + -là;
    que (I); *pron.* cela (ça) (5);
    que; qui (7)
    in — way ainsi (15)
    isn't — ...! qu'est-ce que ...! (6)
    — one celui, celle (10)
    —'s it! ça y est! (6)
    —'s right! c'est ça! (I)
the le, la, l'; les (I)
theater le théâtre (I)
    movie — le cinéma (I)
theft le vol (11)
their leur, leurs (I)
them eux, elles; les (I)
    to (for, from) — leur (I)
themselves eux-mêmes, elles-
    mêmes (15)
then alors; donc (I); puis (6)
there là; y (I)
    I'll be right — j'arrive (I)
    over — là-bas (I)
    — is (are) voilà; il y a (I)
these ces; *(emphatic)* ces + *noun* +
    -ci (I); *pron.* ceux, celles (10)
they elles, ils; on; eux (I)
thief le voleur, la voleuse (11)
    stop, —! au voleur! (11)
thin maigre (I)
    to get — maigrir (I)
thing la chose (I)
    how are —s? ça va? (I)
    —s les affaires *f.pl.* (15)
    —s are fine ça va bien (I)
    —s aren't so good ça ne va pas
    (ça va mal) (I)

to think penser (I); croire (5)
    to — (about) penser (à) (I)
    to — of *(opinion)* penser de (I)
    to — so (not) penser/croire que
    oui (non) (I; 5)
    to — something is + *adj.* trouver
    + *adj.* (2)
third troisième (I)
thirsty: to be — avoir soif (I)
thirteen treize (I)
thirty (31, 32, etc.) trente (trente et
    un, trente-deux, etc.) (I)
    6:30 six heures et demie (I)
this ce (cet), cette; *(emphatic)* ce
    (cet), cette + *noun* + -ci (I);
    pron. ceci (5)
    — is *(on phone)* ici (10)
    — one celui, celle (10)
those ces; *(emphatic)* ces + *noun* +
    -là (I); *pron.* ceux, celles (10)
    — are ce sont (I)
thousand mille; *(in dates)* mil (I)
three trois (I)
thriller le roman/le film d'espion-
    nage (1; 6)
throat la gorge (I)
    to have a sore — avoir mal à la
    gorge (I)
to throw (away) jeter (4)
thumb le pouce (12)
thunder le tonnere (15)
    it's —ing il y a du tonnere (15)
Thursday jeudi *m.* (I)
thus ainsi (15)
ticket le billet (I); le ticket (3)
    book of —s le carnet (3)
    commuter — la Carte Orange (3)
    one-way — l'aller *m.* (3)
    round-trip — l'aller et retour *m.* (3)
    — machine le distributeur auto-
    matique (3)
    — window le guichet (3)
tie la cravate; *(game)* le match nul (I)
time l'heure *f.*; le temps; la fois (I)
    at that — à ce moment-là (9)
    at the same — (as) en même temps
    (que) (8)
    (for) a long — longtemps (I)
    from — to — de temps en temps
    (1)
    how much — does it take to ...?
    ça prend combien de temps
    pour ...? (I)
    to have — to avoir le temps de +
    inf. (I)

    it's — to c'est l'heure de (1)
    on — à l'heure (I)
    one — per ... une fois par (I)
    a short — peu de temps (1)
    — spent le séjour (7)
    to have a good — s'amuser (6)
    to spend — *(doing something)* pas-
    ser le temps à + *inf.* (4)
    to take — prendre du temps (I)
    to waste — *(doing something)*
    perdre le temps à + *inf.* (4)
    what — is it? quelle heure est-il?;
    vous avez l'heure? (I)
timetable l'horaire *m.* (3)
tip le pourboire (I)
    the — is included le service est
    compris (I)
tip-top: in — shape en pleine forme
    (14)
tire le pneu, *pl.* les pneus (9)
to tire (out) fatiguer (14)
tired fatigué, -e (I)
    to get — se fatiguer (14)
tissue le mouchoir en papier (12)
title le titre (6)
to à; chez; jusqu'à; en (I)
    — *(someone's house or business)*
    chez (I)
today aujourd'hui (I)
    — is c'est aujourd'hui (I)
    —'s actuel, -le (6)
toe le doigt de pied (12)
    big — l'orteil *m.* (12)
together ensemble (I)
toilet les toilettes *f.pl.* (I)
    — article l'article de toilette, *pl.*
    les articles de toilette *m.* (5)
    — paper le papier hygiénique (5)
tomato la tomate (I)
    stuffed — la tomate provençale (2)
tomorrow demain (I)
    see you — à demain (I)
tongue la langue (12)
tonight ce soir (I)
too aussi; trop (I)
    me — moi aussi (I); moi de même
    (13)
    that's/it's — bad c'est dommage
    (I; 14)
    — bad tant pis (5)
    — much/many trop de (I)
    you're — much! tu exagères! (14)
tooth la dent (I)
    to have a —ache avoir mal aux
    dents (I)

toothbrush la brosse à dents (5)
toothpaste le dentifrice (5)
top:
   at the — en haut de (10)
   on the — en haut (10)
totally tout à fait (2)
tote bag le sac (I)
tour bus le car (I)
tourist le/la touriste (I); *adj.* touristique (1)
   in — class en classe touriste (8)
   — office le bureau de tourisme (I)
toward vers (I)
towel la serviette (5)
tower la tour (I)
town la ville (I)
   in (to) — en ville (I)
toy le jouet (4)
track la voie (3)
traffic la circulation (9)
trailer-camper la caravane (9)
train le train (I)
   — car la voiture (de train) (3)
   — station la gare (I)
   — track la voie (3)
transfer la correspondance (3)
transparency: overhead — le transparent (1)
to travel voyager (3)
travel agency l'agence de voyages *f.* (I)
traveler le voyageur, la voyageuse (3)
   —'s check le chèque de voyage (8)
tree l'arbre *m.* (I)
tremendous formidable (I); terrible (7)
trip le voyage (I); le trajet (3)
   have a nice —! bon voyage! (I); faites bonne route! (11)
   to take a — faire un voyage (I)
tropical tropical, -e, *pl.* tropicaux, -ales (8)
truck le camion (9)
true vrai, -e (I)
truly vraiment (I)
   yours — (*letters*) amicalement (7)
trunk (*car*) le coffre (9)
truth la vérité (I)
to try (on) essayer (4)
T-shirt le tee-shirt (I)
Tuesday mardi *m.* (I)
tulip la tulipe (12)
turn:
   each in — chacun(e) son tour! (4)
   it's (your) — to ... c'est à (toi) de + *inf.* (6)

to turn tourner (I)
   — off ... ! éteins (éteignez) ... (13)
   to — off fermer (I)
   to — on allumer (I); mettre en marche (4)
   to — red rougir (I)
TV la télé (I)
   — director le réalisateur, la réalisatrice (6)
   — news les informations *f.pl.* (I)
   — program l'émission *f.* (I)
   — studio le studio vidéo (6)
twelve douze (I)
twenty (21, 22, etc.) vingt (vingt et un, vingt-deux, etc.) (I)
two deux (I)
to type taper (à la machine) (1)
typewriter la machine à écrire (1)

ugly moche (I)
uh ... euh ... (I)
umbrella le parapluie (I)
uncle l'oncle *m.* (I)
uncomfortable peu confortable (I); mal à l'aise (13)
under sous (I); au-dessous de (10)
to understand comprendre (I)
underwear les sous-vêtements *m.pl.* (4)
to unfasten détacher (8)
unfortunately malheureusement (I)
unhappy triste (I)
to unhook décrocher (10)
United States les Etats-Unis *m.pl.* (I)
university l'université *f.* (9)
unknown inconnu, -e (I)
unlucky: to be — ne pas avoir de chance (I)
unoccupied libre (I)
unpleasant désagréable (I)
to unplug débrancher (5)
until jusqu'à (I)
up:
   — above en haut (10)
   — to jusqu'à (I)
   — to the end jusqu'au bout (3)
us nous (I)
   to (for, from) — nous (I)
to use utiliser (1); se servir de (5); (*fuel*) consommer (9)
used d'occasion (4)
   to be — for servir à (5)
usher l'ouvreuse *f.* (6)
usually d'habitude (I)

vacation les vacances *f.pl.* (I)
   Christmas — les vacances de Noël (I)
   on — en vacances (I)
   to spend a — passer des vacances (I)
   to take a — prendre des vacances (I)
to vacuum passer l'aspirateur (10)
vacuum cleaner l'aspirateur *m.* (10)
to validate composter (3)
valley la vallée (7)
vanilla (*made with*) à la vanille (I)
varied varié, -e (8)
vase le vase (14)
VCR le magnétoscope (1)
veal le veau (I)
   roast — le rôti de veau (I)
   — stew la blanquette de veau (I)
vegetable le légume (I)
   raw —s les crudités *f.pl.* (2)
   — soup la soupe aux légumes (2)
version:
   the French — la version française (en v.f.) (6)
   the original — la version originale (en v.o.) (6)
very très (I)
   — much beaucoup (I)
video:
   — clip la séquence (6)
   — director le réalisateur, la réalisatrice (6)
videocassette la cassette-vidéo, *pl.* les cassettes-vidéo (1)
videotape recorder le magnétoscope (1)
view (of) la vue (sur) (I)
   to have a — of donner sur (11)
village le village (I)
vinegar le vinaigre (I)
   oil and — dressing la vinaigrette (I)
violent violent, -e (6)
visit la visite (I)
to visit (*someone*) faire une visite à; (*a place*) visiter (I)
voice la voix (6)
volleyball le volleyball (le volley) (I)

to wait (for) attendre (I)
   — your turn chacun(e) son tour! (4)
waiter le serveur, le garçon (I)
waiting room la salle d'attente (8)
waitress la serveuse (I)
to wake (*someone*) réveiller (5)
   to — up se réveiller (5)

walk:

    to take a — faire une promenade (I); se promener (5)

    to take for a — promener (5)

to walk aller à pied; marcher (I)

Walkman le baladeur (I)

wall le mur (10)

    —-to-— carpeting la moquette (10)

wallet le portefeuille (I)

to want vouloir (I)

    not to — anything more to do with ne plus vouloir de (10)

war film le film de guerre *f.* (6)

wardrobe l'armoire *f.* (10)

warmed: to get — up se réchauffer (7)

to wash (se) laver (5)

    to — up faire sa toilette (5)

washbasin le lavabo (5)

washing machine la machine à laver, *pl.* les machines à laver (10)

wash mitt le gant de toilette (5)

wastebasket la corbeille (I)

to waste one's time *(doing something)* perdre son temps à + *inf.* (4)

watch la montre (I)

to watch regarder (I)

water: mineral — l'eau minérale *f.* (I)

to water-ski faire du ski nautique (I)

way le chemin (3)

    all the — to the end jusqu'au bout (3)

    by — of par (I)

    in that — ainsi (15)

    which — to … ? quel est le chemin pour aller …? (3)

we nous; on (I)

weak faible (14)

to wear porter (I)

    to be —ing être en + *clothing* (I)

weather le temps (I)

    it's nice — il fait beau (I)

    — forecast la météo (1)

    what's the — like? quel temps fait-il? (I)

wedding le mariage (13)

Wednesday mercredi *m.* (I)

week la semaine (I); huit jours (11); une huitaine de jours (11)

    two —s quinze jours (11); une quinzaine de jours (11)

weekend le week-end (I)

to weigh peser (7)

weight le poids (7)

    to gain — grossir (I)

    to lose — maigrir (I)

welcome: you're — je vous (t')en prie (I)

well bien; eh bien; tiens (I)

    to be/feel — aller bien (I)

    to look — avoir bonne mine (I)

    — done *(meat)* bien cuit, -e (I)

    — done! bravo! (I)

    — OK! bon! (I)

well-behaved sage (9)

well-known connu, -e (8)

west l'ouest *m.* (I)

western *(movie)* le western (I)

what ce qui, ce que, ce dont (11)

what? quel, quelle?; qu'est-ce qui?; qu'est-ce que?; à/de quoi?; quoi? (I)

    —?! ça alors! (I)

    — a(n) … ! quel(le) … ! (I)

    —'s new? quoi de neuf? (1)

when quand (I)

where où (I; 10)

    from —? d'où? (I)

whether si (8)

which quel, quelle (I); que, qui (8)

    about — dont (10)

    of — dont (10)

    — one? lequel? laquelle? (10)

    — ones? lesquels? lesquelles? (10)

while pendant que (I); en + *pres. part.* (13)

    a — ago tout à l'heure (11)

    in a little — tout à l'heure (11)

white blanc, blanche (I)

who qui?; qui est-ce qui? (I); qui (8)

whom qui; qui est-ce que? (I); que (8)

    about — dont (10)

    to —? à qui? (I)

whose? à qui? (I)

why? pourquoi? (I)

wide large (I)

wife la femme (I)

willing: to be — vouloir bien (I)

to win gagner (I)

wind le vent (I)

window la fenêtre (I)

    shop — la vitrine (4)

    ticket — le guichet (3)

    to — shop faire du lèche-vitrines (4)

windshield wiper l'essuie-glace, *pl.* les essuie-glaces *m.* (9)

windy: it's — il fait du vent (I)

wine le vin (I)

winter l'hiver *m.* (I)

    in the — en hiver (I)

— sports resort la station de sports d'hiver (7)

to wipe essuyer (10)

wish: best —es *(letters)* amicalement (7); meilleurs vœux! (13)

to wish *(someone something)* souhaiter (à … de + *inf.*) (13)

    if you — si tu veux (I)

with avec (I)

without sans (I)

witness le témoin (13)

woman la femme (I)

wood le bois; *adj.* en bois (10)

wool la laine; *adj.* en laine (4)

word le mot (I)

    —s *(to a song)* les paroles *f.pl.* (I)

work le travail (I)

to work travailler (I); *(machines)* marcher (5)

worried inquiet, -iète (I)

worries: it — me that ça m'inquiète que + *subj.* (15)

worth:

    it's — ça vaut … (7)

    what's it —? il (ça) vaut combien? (7)

to wrap emballer (7)

wrist le poignet (14)

to write écrire (I)

writer l'écrivain *m.* (6)

written écrit, -e (1)

wrong incorrect, -e; faux, fausse (I); mauvais, -e (1)

    to be — avoir tort (I)

    what's —? qu'est-ce qui ne va pas? (I)

year l'année *f.*; l'an *m.* (I)

    to be … —s old avoir … ans (I)

yellow jaune (I)

yes oui; si (I)

    oh, —! mais si (I)

yesterday hier (I)

yet encore (3)

yogurt le yaourt (I)

you toi; vous; tu (I)

    to (for) — te, vous (I)

young jeune (I)

your ton, ta, tes; votre, vos (I)

yourself toi-même, vous-même (15)

    help —! sers-toi! servez-vous! (13)

yourselves vous-mêmes (15)

yours truly *(letters)* amicalement (7)

zero zéro (I)

zip code le code postal (7)

INDEX

Most structures are presented first in conversational contexts and explained later. The numbers in bold refer to pages where structures are explained or highlighted. Other numbers refer to pages where material is initially presented or where it is elaborated upon after explanation.

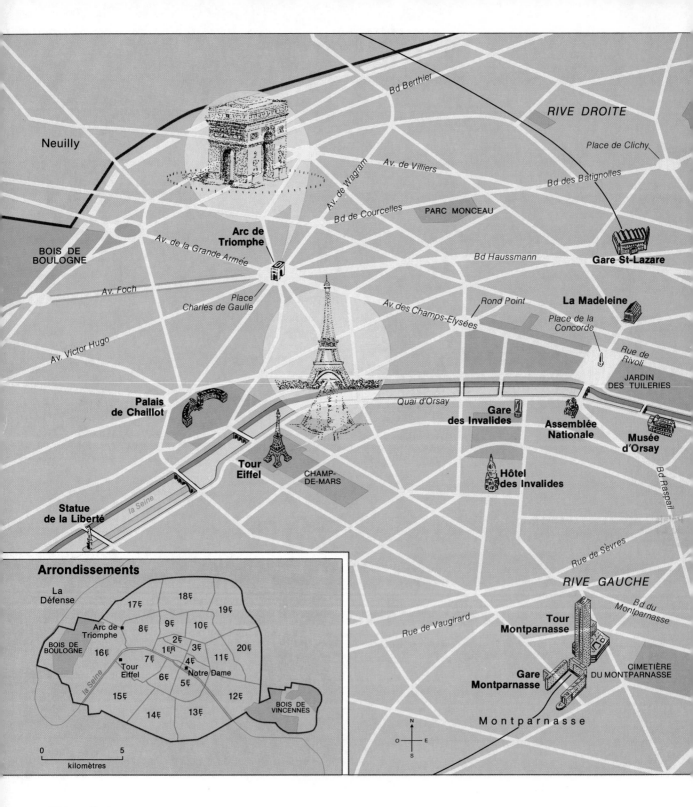

RIVE DROITE

Neuilly

Bd Berthier

Place de Clichy

Bd des Batignolles

Av. de Villiers

Av. de Wagram

Bd de Courcelles

PARC MONCEAU

Gare St-Lazare

Arc de
Triomphe

BOIS DE
BOULOGNE

Av. de la Grande Armée

Bd Haussmann

La Madeleine

Av. Foch

Place
Charles de Gaulle

Av. des Champs-Elysées

Rond Point

Place de la
Concorde

Av. Victor Hugo

Rue de
Rivoli

JARDIN
DES TUILERIES

Palais
de Chaillot

Quai d'Orsay

Gare
des Invalides

Assemblée
Nationale

Musée
d'Orsay

Tour
Eiffel

CHAMP-
DE-MARS

Hôtel
des Invalides

Bd Raspail

Statue
de la Liberté

la Seine

Rue de Sèvres

RIVE GAUCHE

Bd du
Montparnasse

Arrondissements

La
Défense

17ᴱ

18ᴱ

19ᴱ

Rue de Vaugirard

Tour
Montparnasse

Arc de
Triomphe

8ᴱ

9ᴱ

10ᴱ

BOIS DE
BOULOGNE

16ᴱ

2ᴱ

1ᴱᴿ

3ᴱ

20ᴱ

Gare
Montparnasse

CIMETIÈRE
DU MONTPARNASSE

7ᴱ

4ᴱ

11ᴱ

la Seine

Tour
Eiffel

6ᴱ

Notre Dame

5ᴱ

15ᴱ

12ᴱ

BOIS DE
VINCENNES

14ᴱ

13ᴱ

Montparnasse

N
O   E
S

0   5
kilomètres

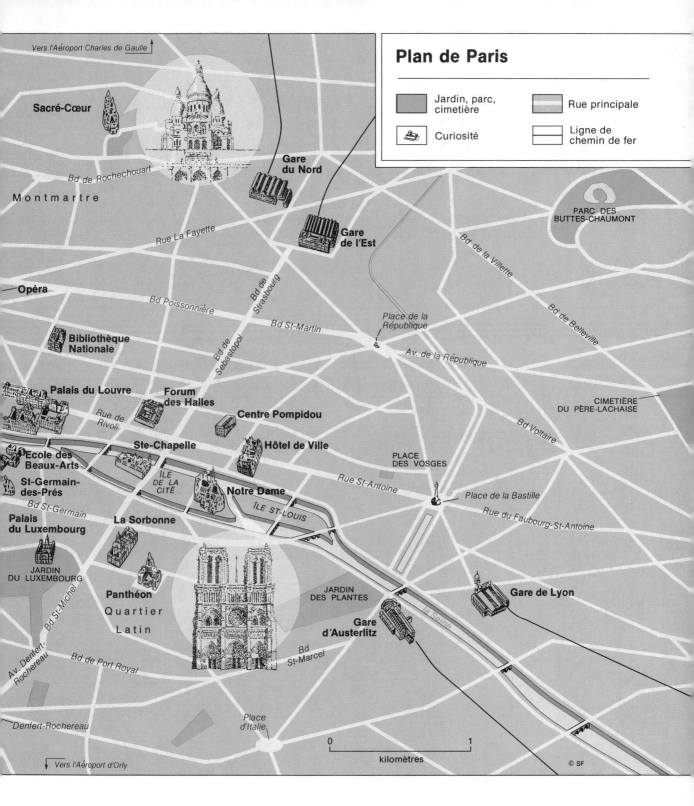

Plan de Paris

	Jardin, parc, cimetière		Rue principale
	Curiosité		Ligne de chemin de fer

Vers l'Aéroport Charles de Gaulle

Sacré-Cœur

M o n t m a r t r e

Bd de Rochechouart

Rue La Fayette

Gare du Nord

Gare de l'Est

PARC DES BUTTES-CHAUMONT

Bd de la Villette

Bd de Belleville

Opéra

Bd Poissonnière

Bd de Strasbourg

Bd St-Martin

Place de la République

Av. de la République

Bibliothèque Nationale

Bd de Sebastopol

CIMETIÈRE DU PÈRE-LACHAISE

Bd Voltaire

Palais du Louvre

Rue de Rivoli

Forum des Halles

Centre Pompidou

Ste-Chapelle

Hôtel de Ville

PLACE DES VOSGES

Rue St-Antoine

Ecole des Beaux-Arts

ÎLE DE LA CITÉ

Notre Dame

St-Germain-des-Prés

Bd St-Germain

ÎLE ST-LOUIS

Place de la Bastille

Rue du Faubourg-St-Antoine

Palais du Luxembourg

La Sorbonne

JARDIN DU LUXEMBOURG

Bd St-Michel

Panthéon

Q u a r t i e r
L a t i n

JARDIN DES PLANTES

la Seine

Gare de Lyon

Av. Denfert-Rochereau

Bd de Port Royal

Bd St-Marcel

Gare d'Austerlitz

Denfert-Rochereau

Place d'Italie

0   1
kilomètres

© SF

Vers l'Aéroport d'Orly

France

Frontières

⊛ Capitales

• Autres villes

▲ Pics

L'ANGLETERRE
LA MER DU NORD
LES PAYS-BAS
Londres
Calais
Bruxelles
Lille
LA BELGIQUE
Bonn
le Rhin
L'ALLEMAGNE
La Manche
Amiens
LE LUXEMBOURG
Luxembourg
LES ÎLES ANGLO-NORMANDES
Cherbourg
Le Havre
Rouen
Reims
Metz
Caen
Nancy
Strasbourg
Paris
la Marne
la Seine
LES VOSGES
Brest
Ballon de Guebwiller 1424 m
Rennes
Troyes
Mulhouse
Le Mans
Orléans
la Loire
Dijon
Besançon
le Rhin
Angers
Tours
la Saône
LA FRANCE
Berne
Nantes
LE JURA
LA SUISSE
L'OCÉAN ATLANTIQUE
Poitiers
Lac Léman
LES ALPES
La Rochelle
Vichy
Crêt de la Neige 1718 m
Genève
Chamonix
Limoges
Clermont-Ferrand
le Rhône
Mont Blanc 4807 m
Lyon
Puy de Sancy 1885 m
St-Étienne
le Pô
Grenoble
L'ITALIE
Bordeaux
la Dordogne
LE MASSIF CENTRAL
la Garonne
Rodez
le Rhône
Golfe de Gascogne
Nîmes
Nice
Bayonne
Montpellier
Aix
MONACO
Toulouse
Marseille
Toulon
LES PYRÉNÉES
Perpignan
Golfe du Lion
LA CORSE
Vignemale 3298 m
Ajaccio
ANDORRE
N
L'ESPAGNE
O   E
S
LA MER MÉDITERRANÉE
0   100   200
kilomètres
LA SARDAIGNE (L'ITALIE)

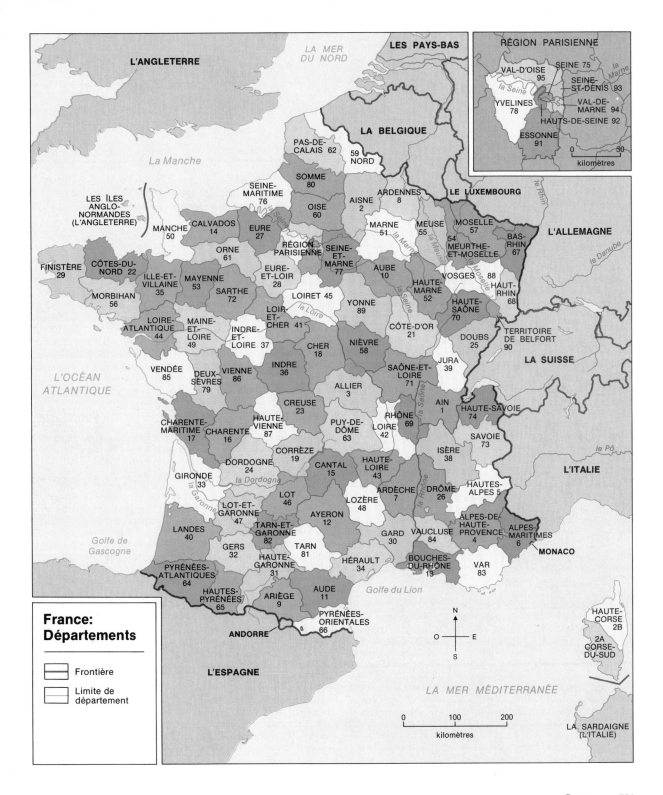

France: Départements

Frontière

Limite de département

L'ANGLETERRE

LA MER DU NORD

LES PAYS-BAS

LA BELGIQUE

LE LUXEMBOURG

L'ALLEMAGNE

LA SUISSE

L'ITALIE

L'ESPAGNE

ANDORRE

MONACO

La Manche

LES ÎLES ANGLO-NORMANDES (L'ANGLETERRE)

L'OCÉAN ATLANTIQUE

Golfe de Gascogne

LA MER MÉDITERRANÉE

Golfe du Lion

LA SARDAIGNE (L'ITALIE)

RÉGION PARISIENNE

VAL-D'OISE 95

SEINE 75

SEINE-ST-DÉNIS 93

YVELINES 78

VAL-DE-MARNE 94

HAUTS-DE-SEINE 92

ESSONNE 91

la Seine

la Marne

kilomètres

PAS-DE-CALAIS 62

59 NORD

SOMME 80

SEINE-MARITIME 76

OISE 60

ARDENNES 8

AISNE 2

MANCHE 50

CALVADOS 14

EURE 27

ORNE 61

RÉGION PARISIENNE

SEINE-ET-MARNE 77

AUBE 10

MARNE 51

MEUSE 55

MOSELLE 57

MEURTHE-ET-MOSELLE 54

BAS-RHIN 67

FINISTÈRE 29

CÔTES-DU-NORD 22

ILLE-ET-VILLAINE 35

MAYENNE 53

SARTHE 72

EURE-ET-LOIR 28

LOIRET 45

YONNE 89

HAUTE-MARNE 52

VOSGES 88

HAUT-RHIN 68

MORBIHAN 56

LOIRE-ATLANTIQUE 44

MAINE-ET-LOIRE 49

INDRE-ET-LOIRE 37

LOIR-ET-CHER 41

CHER 18

NIÈVRE 58

CÔTE-D'OR 21

HAUTE-SAÔNE 70

DOUBS 25

TERRITOIRE DE BELFORT 90

VENDÉE 85

DEUX-SÈVRES 79

VIENNE 86

INDRE 36

SAÔNE-ET-LOIRE 71

JURA 39

ALLIER 3

AIN 1

HAUTE-SAVOIE 74

CHARENTE-MARITIME 17

CHARENTE 16

HAUTE-VIENNE 87

CREUSE 23

PUY-DE-DÔME 63

RHÔNE 69

LOIRE 42

SAVOIE 73

DORDOGNE 24

CORRÈZE 19

CANTAL 15

HAUTE-LOIRE 43

ISÈRE 38

GIRONDE 33

LOT 46

ARDÈCHE 7

DRÔME 26

HAUTES-ALPES 5

LOT-ET-GARONNE 47

LOZÈRE 48

AYERON 12

ALPES-DE-HAUTE-PROVENCE 4

ALPES-MARITIMES 6

LANDES 40

TARN-ET-GARONNE 82

TARN 81

GARD 30

VAUCLUSE 84

BOUCHES-DU-RHÔNE 13

VAR 83

GERS 32

HAUTE-GARONNE 31

HÉRAULT 34

PYRÉNÉES-ATLANTIQUES 64

HAUTES-PYRÉNÉES 65

ARIÈGE 9

AUDE 11

PYRÉNÉES-ORIENTALES 66

HAUTE-CORSE 2B

2A CORSE-DU-SUD

la Seine

la Marne

la Meuse

le Rhin

le Danube

la Loire

la Saône

le Rhône

la Garonne

la Dordogne

le Pô

N O E S

0 100 200 kilomètres

Cartes 589

ACKNOWLEDGMENTS

Illustrations

Istvan Banyai, Diane Bennett, Scott Benton, Nancy Didion, Susan Dodge, Eldon Doty, Michael Eagle, Len Ebert, Russell Hassell, Linda Kellen, Guy Kingsbery, Carl Kock, Sanford Kossin, Anita Lovitt, Claude Martinot, Robin Moore, Nancy Munger, Emily McCully, Steven Schindler, Dennis Schofield, Dan Siculan, Joel Snyder, Sally Springer, Ed Taber, George Ulrich, Gary Undercuffler, Justin Wager, Lane Yerkes, John Youssi.

Photos

Positions of photographs are shown in abbreviated form as follows: top (T), bottom (B), center (C), left (L), right (R). Unless otherwise acknowledged, all photos are the property of Scott, Foresman and Company.

ii-iii, Walter S. Clark, Jr.; iv, Eduardo Aparicio; vi, Owen Franken; vii, Chip & Rosa Maria de la Cueva Peterson; viii, Christian Sarramon; xi, Owen Franken; xii-xiii, Stuart Cohen/COMSTOCK INC.; xvi-xvii, Chip & Rosa Maria de la Cueva Peterson; 1, John Henebry; 4, Owen Franken; 8L, Helena Kolda; 8R, William B. Parker; 11, Mark Antman/The Image Works; 13L, Michelangelo Durazzo/ANA/Viesti Associates; 13C, Keith Fry; 13R, Ken Ross/Viesti Associates; 19, Stuart Cohen/COMSTOCK INC.; 20, Stuart Cohen/COMSTOCK INC.; 21, Owen Franken; 23, Beryl Goldberg; 26, Owen Franken; 28, Owen Franken; 29, Eduardo Aparicio; 34, Owen Franken; 35, Owen Franken; 37, Eduardo Aparicio; 45, Owen Franken; 47, Owen Franken; 60, Mark Antman/The Image Works; 64, Peter Gonzalez; 65, Owen Franken; 69, Stuart Cohen/COMSTOCK INC.; 72, Owen Franken; 78, Owen Franken; 79, Mark Antman/The Image Works; 81, Owen Franken; 83, Owen Franken; 87, Owen Franken; 89, Peter Gonzalez; 92, Claire Parry/The Image Works; 98, Joe Viesti/Viesti Associates; 102, Henebry Photography; 106, Philippe Gontier/The Image Works; 108L, Courtesy RATP; 108R, Jacqueline Hall; 109, Beryl Goldberg; 111, Courtesy SNCF; 116, Courtesy SNCF; 118, Beryl Goldberg; 123L, Ric Ergenbright; 123CT, Walter S. Clark, Jr.; 123CB, Peter Gonzalez; 123RT, Henebry Photography; 123RC, Joe Viesti; 123RB, Steve Elmore; 125, David R. Frazier Photolibrary; 127, Henebry Photography; 130, Michelangelo Durazzo/ANA/Viesti Associates; 134, Peter Gonzalez; 135, David Schaefer; 139, Henebry Photography; 147, Henebry Photography; 149, Peter Gonzalez; 151, Suzanne J. Engelmann; 158, Renaudeau/Hoa-Qui/Viesti Associates; 162, Richard Lucas/The Image Works; 163, Ray Stott/The Image Works; 167, Henebry Photography; 168, Henebry Photography; 172, Milt & Joan Mann/Cameramann International, Ltd.; 173, Milt & Joan Mann/Cameramann International, Ltd.; 177, Peter Gonzalez; 178, Beryl Goldberg; 180, Henebry Photography; 190L, Eduardo Aparicio; 190R, Eduardo Aparicio; 193, Peter Gonzalez; 194, Eduardo Aparicio; 198L, Peter Gonzalez; 198, David R. Frazier Photolibrary; 202, Mark Antman/The Image Works; 203, Peter Gonzalez; 206, Owen Franken; 209, Moati/Gontier/The Image Works; 210, Eduardo Aparicio; 220, Chip & Rosa Maria de la Cueva Peterson; 221T, Eduardo Aparicio; 221B, Peter Gonzalez; 223, Mark Antman/The Image Works; 224, Joe Viesti; 228, Mark Antman/The Image Works; 230, Eduardo Aparicio; 234, Courtesy SIC-Pett; 235, Eduardo Aparicio; 238, Chip & Rosa Maria de la Cueva Peterson; 242, Courtesy SIC-Pett; 249, Philippe Gontier/The Image Works; 251, Walter S. Clark, Jr.; 259, Walter S. Clark, Jr.; 262, Mark Antman/The Image Works; 266, Mark Antman/The Image Works; 267, Courtesy La Maison de Marie Claire; 268, Beryl Goldberg; 271L, Beryl Goldberg; 271R, Mark Antman/The Image Works; 272, Irene Barki; 273, J. Pavlovsky/Sygma; 277, Richard Lucas/The Image Works; 279, Beryl Goldberg; 281, S. Salgado/Magnum Photos; 283, Beryl Goldberg; 286, Marc & Evelyn Bernheim/Woodfin Camp & Associates; 288L, Marc & Evelyn Bernheim/Woodfin Camp & Associates; 288R, Jean Courbariaux; 289L, Brent Jones; 289R, Beryl Goldberg; 292, Beryl Goldberg; 295, © Abbas/Magnum Photos; 296L, E. Streichan/Shostal Associates; 296R, E. Streichan/Shostal Associates; 297L, M. Renandeau/Leo de Wys; 297R, Jean Courbariaux; 303, Beryl Goldberg; 304, Lori Blueweiss; 308, Chip & Rosa Maria de la Cueva Peterson; 309, Keith Fry; 315, Joe Viesti; 317, Philippe Gontier/The Image Works; 320, Peter Gonzalez; 322, Chip & Rosa Maria de la Cueva Peterson; 327, Stuart Cohen/COMSTOCK INC.; 328, Peter Gonzalez; 333, Jacqueline Hall; 336, Owen Franken; 340, Henebry Photography; 341, Eduardo Aparicio; 344, Owen Franken; 346, Eduardo Aparicio; 347, Joe Viesti; 348, Ken Ross/Viesti Associates; 349, Henebry Photography; 353, Eduardo Aparicio; 356, David Schaefer; 358, Irene Barki; 361, Eduardo Aparicio; 364, Walter S. Clark, Jr.; 365, Robert Fried; 366, Mark Antman/The Image Works; 370, Mark Antman/The Image Works; 374, Stuart Cohen/COMSTOCK INC.; 375, Henebry Photography; 383, Peter Gonzalez; 391, Peter Gonzalez; 393, Peter Gonzalez; 395, Helena Kolda; 397, Owen Franken; 398, COMSTOCK INC.; 400, Peter Gonzalez; 404, Ken Ross/Viesti Associates; 405, Ken Ross/Viesti Associates; 408L, Eduardo Aparicio; 408R, Henebry Photography; 411, Eduardo Aparicio; 417, Henebry Photography; 419, David & Linda Phillips; 427, H. Gruyaert/Magnum Photos; 432, Henebry Photography; 436, Robert Fried; 437, Ken Ross/Viesti Associates; 442, Richard Lucas/The Image Works; 445, Henebry Photography; 448, Courtesy La Maison de Marie Claire; 450, Owen Franken; 454, Owen Franken; 460, Mark Antman/The Image Works; 464, Mark Antman/The Image Works; 465, Ken Ross/Viesti Associates; 469, Philippe Gontier/The Image Works; 470, Hubert Le Campion/ANA/Viesti Associates; 471, Joe Viesti/Viesti Associates; 474, Eduardo Aparicio; 475(L&R), Eduardo Aparicio; 478, Ken Ross/Viesti Associates; 480, Eduardo Aparicio; 481, David Schaefer; 482, Robert Fried; 487, Henebry Photography; 488, Milt & Joan Mann/Cameramann International, Ltd.; 489, Margaret Berg/Berg & Associates; 490, Milt & Joan Mann/Cameramann International, Ltd.; 493, Derek Caron/Masterfile; 494, Keith Fry; 495, Owen Franken; 496, Jean Mounicq/ANA/Viesti Associates; 500, Robert Fried; 501, Robert Fried; 506, Ray Stott/The Image Works; 509, Peter Gonzalez; 513, Henebry Photography; 515, Richard Lucas/The Image Works; 519, Robert Fried; 520, Chip & Rosa Maria de la Cueva Peterson; 524, Hoa-Qui/Viesti Associates; 525, Owen Franken/Stock Boston; 526, Peter Gonzalez.